Folz, Hans

Die Meisterlieder

Folz, Hans

Die Meisterlieder

Inktank publishing, 2018

www.inktank-publishing.com

ISBN/EAN: 9783747760406

Die Meisterlieder des Hans Folz

aus der Münchener Originalhandschrift

und

der Weimarer Handschrift Q. 566

mit Ergänzungen aus anderen Quellen

herausgegeben

von

August L. Mayer.

Mit zwei Tafeln in Lichtdruck.

BERLIN
Weidmannsche Buchhandlung
1908.

Einleitung.

Die nachfolgende Sammlung der Meisterlieder von Hans Folz hat ihren Kern in dem Abdruck der teilweise von Folz selbst geschriebenen Münchener Handschrift (Teil I), die ausschließlich Folzsche Stücke zu enthalten scheint. Bunter ist die Zusammensetzung der Weimarer Handschrift (Teil II), die in Folzens Besitz war und wohl auch großenteils ein Werk seiner Hand ist: wenngleich sie vieles bringt, was sicher nicht von Folz verfaßt ist, so ist doch für die Meisterlieder die Annahme Folzscher Herkunft durchweg plausibel.

Sehr viel unsicherer steht es mit einem großen Teil der aus der Berliner Handschrift (Teil III) aufgenommenen Stücke: wie weit sie von Folz herrühren, bedarf noch genauerer philologischer Einzeluntersuchung, die trotz äußerer Bezeugung auch die Liederdrucke des IV. Teils wird unter die Lupe nehmen müssen. Hier werden diese Lieder, wenn auch zweifelhaft, doch als Materialien willkommen sein.

Teil V endlich bringt anhangsweise Folzsche Reimpaare und allerlei Prosa, die als Quelle oder Skizze für Folzsche Dichtungen von Interesse ist.

Die Münchener Handschrift (M).

Cgm. 6353.

Die Handschrift befindet sich in der Münchener Hof- und Staatsbibliothek und trägt die Signatur cod. germ. 6353 quart. Sie wurde 1904 auf einer Versteigerung aus den Habel-Conradyschen Sammlungen in Schloß Miltenberg für 3405 Mark erworben. Erwähnt ist sie in von der Hagens Museum 1,158; dann wurde sie nach dem Bericht des damaligen Besitzers, des Archivars Habel in Schierstein, von Keller im III. Band der Fastnachtspiele S. 1269 ff — nur in großen Zügen und ungenau — beschrieben. Keller gibt u. a. an, es seien gegen 100 Meistergesänge in der Handschrift enthalten, während es in Wahrheit nur 49 sind.

Papier: gut lesbar, manche Blätter, wie 47 z. B., etwas beschnitten, von Bl. 90 an anderes Papier.

Terminus ad quem: 1496, wie aus der Bemerkung auf Blatt Z hervorgeht.

Von Folz selbst geschrieben sind nur Bl. 1—124, ferner sein Name: 143^r, 152^v, 156^r, 161^r, 162^v, 164^r, 165^r, 165^v, 166^r, 166^v, 167^r, 167^v, 168^r, 168^v. Diese Namensunterschriften sind mit grünlicher Tinte geschrieben, ebenso wie 97^v: anfang, *105^r:* anfag, *ferner die Überschriften 2 (10^r) und 3 (11^r). Mit lila Tinte sind in der Überschrift auf 14^r die Worte* Im verporgen *geschrieben; mit dunklerer Tinte von späterer Hand die Überschrift zu Nr. 38.*

Von 133—168 eine zweite Hand, offenbar die eines mehr berufsmäßigen Schreibers, wohl gut lesbar, jedoch im Abschreiben oft flüchtig; selbst ganze Verse sind ausgelassen. Ziemlich flüchtig geschrieben ist das Inhaltsverzeichnis H—N, sehr kunstmäßig Bl. F, O und Z, alles das nicht von Folz. Eine Bekräftigung, daß wir es im Hauptteil mit der eigenen Niederschrift Folzens zu tun haben, geben uns die Bemerkungen darüber auf Bl. F^v und O^v.

Die Folge der Blätter ist: A—O. 1—25. P. 26—32. Q. 33—40. R. 41—48. S. 49—56. T. 57—66. U. 67—74. V. 75—111. W. 112—124. X. 146—156. 133—144. 157—168. Y. Z. A—F. 169—176. G—J. (K, nicht bezeichnet).

77 ist bei der Numerierung vergessen (78^r also die Fortsetzung von 76^v), ebenso 144. Es fehlen Bl. 125—132.

Nicht beschrieben sind: A—E. G. 16^v. P. Q. R. S. 56^v. T. U. V. 81^r. 89^v. 100. 101. 106^v. 107. 111^v. W. 119^v. 123^v. X. 156^v. 143^v. 144. Y. Z^v. A—F. 169—176. G—J.

Lagenanfänge: A (auch das auf dem vorderen Innendeckel aufgeklebte Blatt gehört zur ersten Lage). D. H. M (vor O ein Blatt ausgeschnitten). 1. 9. 17. 25 (vor 32 ein Blatt ausgeschnitten). Q. 41. S. 57. U. 75 (vor 79 ein Blatt ausgeschnitten). 81 (von einem umgebenden Doppelblatt sind Reststreifen auf Bl. 81^r und 89^v aufgeklebt). (Bl. 89 eingeklebt.) 90. 102. 108. W (118 eingeklebt, auf 118^v der Rest eines ausgeschnittenen Blattes der vorhergehenden Lage). 119. X. 133 (davor 156 eingeklebt; auf 156^v die Reste eines ausgeschnittenen Blattes der vorhergehenden Lage). 157. Y. 169. G. Schlußblatt am hinteren Einbanddeckel festgeklebt. Bl. 81—89 bildeten ursprünglich wohl ein Bändchen für sich (81^r und 89^v als Außenseiten leer!); so ist auch das zweifache Auftreten von Nr. 5 (= Nr. 22) zu erklären.

Schmutzflecken und Bräunung der äußern Blätter deuten, wie mir Herr Dr. Ranke mitteilt, darauf hin, daß auch 1—16, 33—40, 41—48, 49—56, 56—66, 67—74, 75—80. 90—101, 102—107, 108—111, 112—124, 133—144, 146—155, 157—168 zeitweilig je für sich gelegen, als Sonderheftchen existiert haben; das Gleiche wird für 125—132 anzunehmen sein.

Über die Wasserzeichen stellt ebenfalls Herr Dr. Ranke freundlich für mich fest: 1. Tor mit zwei Zinnentürmen und Gatter; 4 cm rechts vom Tor ein F: gebraucht für die mit Buchstaben bezeichneten Blätter; 2. Ochsenkopf mit Augen, ohne Nase, mit Kreuzelstange, um die sich eine Schlange windet: 1—78; 3. Ochsenkopf ohne Augen und Nase, mit einfacher Stange: 90—101. 112—118 (dasselbe Papier wohl auch

119. 124); 4. Streitroß mit Fahne: 102—107. 120—123; 5. Doppelschlüssel: 108 bis 111. 146—156. 133—144. 157—168; 6. Krone: 169—176.

Der Einband besteht aus braunem Leder mit aufgepreßten schwarzen und goldenen Zierleisten, auf Holzdeckeln; die ursprünglich vorhandenen beiden Schließen fehlen jetzt.

Höhe des Blattes 19,5 cm, Breite 14 cm; Höhe des beschriebenen Raumes ca. 16 cm, Breite ca. 9 cm; einspaltig; 18 — 25 Zeilen; in dem von Folz selbst geschriebenen Teil sind die Verse mit geringen Ausnahmen abgesetzt, der zweite Schreiber setzt einige Lieder nur nach Stollen und Abgesang ab. Die Initialen der Verse in dem ersten Par *rot gestrichelt; auch die Randbemerkungen und Unterstreichungen im ersten* Par, *sowie die Kommata in der ersten Überschrift sind rot.*

Den Inhalt des Bandes bilden 49, bezw. 48 (da ein Lied doppelt gezählt werden mußte) Meisterlieder, ein gereimtes Tischgebet und ein poetischer Neujahrsgruß.

Die Hauptbedeutung der Handschrift beruht wohl darin, daß wir hier zum großen Teil ein Autogramm Folzens vor uns haben. Durch dieses gesicherte Autogramm ließ sich wahrscheinlich machen, daß auch in der Weimarer Handschrift Q 566 eine große Anzahl Lieder, Gedichte und sonstige Aufzeichnungen von Folzens Hand stammen. Auch wurde es durch die Münchener Sammlung möglich, mehrere Meistergesänge in der Berliner Handschrift des Hans Sachs (Ms. germ. 414. 4°) als Abschriften nach Folzischen Liedern festzustellen.

Für die Kenntnis von Folzens äußerem Lebensgang ist die Stelle 9, 27 ff wichtig. Wir sehen daraus, daß der Niederlassung des Meisters in Nürnberg ein Aufenthalt in Landshut vorangegangen ist, während dessen er sich meistersängerisch betätigte.

Die Lieder religiösen Inhalts sind weitaus in der Mehrzahl. Unter diesen wieder fällt die große Zahl der Marienlieder und der reiche scholastische Gehalt auf. Von den Liedern mehr weltlichen Inhalts dürften die zahlreichen Gesänge, die vom Meistergesange handeln, das Hauptinteresse beanspruchen.

Zu meinem Abdrucke bemerke ich folgendes: Die Strophenzahlen stehn in der Hs. nur beim ersten Liede; später habe ich sie ergänzt, was schon aus dem Kursivsatz der Zahlen hervorgeht.

Alle Abkürzungen der Hs. sind aufgelöst. Es sind nur die üblichen Zeichen für n (en) *und* r (er; d'ch = durch); *ferner* X^9^ = Christus, Jhs = Jesus, *und die gewöhnlichen Abbreviaturen und Ligaturen bei lat. Worten;* de *wird oft verschlungen;* c *und* t *ist vor* z *nicht zu scheiden; auch* a *und* o *sind sich oft allzu ähnlich.*

Abweichend von den Handschriften sind alle Versanfänge und sonst nur noch die Eigennamen mit Majuskeln geschrieben. Sperrdruck deutet auf Unterstreichung in der Hs., doch kommt solche Unterstreichung nur im ersten Liede Folzens vor; die im Register angebrachten Striche, die sicher nicht von Folz herrühren, wurden nicht berücksichtigt. Die Interpunktion der Hs. konnte nur im Register beibehalten werden; sonst kommen nur wenig Zeichen vor.

Die Varianten vermerken auch die Korrekturen der Hs., die meist so hergestellt wurden, daß ein Wort durchstrichen und das Richtige dahinter (selten darüber) geschrieben wurde.

Die Weimarer Handschrift (X).

(Q. 566.)

Die Weimarer Handschrift Q. 566 hat schon bei Keller (Fastn. III, 1443—1453) eine nähere Behandlung gefunden. Allein, so verdienstvoll auch Kellers Arbeit seiner Zeit war, so hat sich doch bei näherer Untersuchung der Hs. herausgestellt, daß er manches im einzelnen übersehen, vor allem aber die Bedeutung der Hs. als Ganzes nicht recht erkannt hat. Neuerdings ist Michels in seinen „Studien zu den ältesten deutschen Fastnachtspielen“ (Band 77 der „Quellen und Forschungen“) auf zwei Stellen vor allem näher eingegangen: auf die 'Pharetra contra judeos' (No. 100) und auf No. 103, zwei Vorstudien zum Folzschen Fastnachtspiel 'von der alten und neuen Ee', und schließlich habe ich selbst mich mit den beiden eben genannten Stellen in einem demnächst erscheinenden Aufsatz beschäftigt.

Das Hauptresultat der Untersuchungen sei gleich vorangeschickt. Die Handschrift befand sich wohl mit allen ihren Teilen in Folzschem Besitz, ja sie scheint mir zu einem beträchtlichen Teil von ihm selbst niedergeschrieben.

Bei der Schriftbeurteilung diente natürlich die Münchener eigenhändige Folzhandschrift als Ausgangspunkt. X zeigt, wenn auch flüchtiger geschrieben, doch vielfach eine so große Ähnlichkeit des schriftlichen Habitus, daß, zumal auch im Hinblick auf den Inhalt, der Gedanke an Folz nicht abzuweisen ist. Innerhalb der Partien, die für Folzens eigne Hand in Betracht kommen, lassen sich 3 Gruppen unterscheiden. Die erste Gruppe zeigt eine mehr oder minder sorgfältige Schrift, die sich von der Münchener wesentlich durch das Schluß-s unterscheidet. Während sich nämlich in M mit einer einzigen Ausnahme nur 8 als Schluß-s findet, so ist es in X in den meisten Fällen das ältere ſ. Ferner ist die Schrift in dieser Gruppe zum Unterschied von der folgenden oft winzig klein und mit bloßem Auge schwer zu lesen. Zu dieser ersten Gruppe gehören die Seiten: 1—16^{v} (vielleicht mit Ausnahme der letzten Zeile); 27^{r}—28^{v} (mit Ausnahme der letzten Strophe auf 28^{r}); 36^{r}—57^{v} (bei 57^{r} und ^{v} gehen die beiden Schluß-s nebeneinander her!); 78^{r}—84^{r}; 143^{r}—148^{v}; 154^{r}—160^{r}; 173^{r}—178^{r} (die Papierlage geht bis 186^{v}); ferner die Randbemerkungen 241^{r}—243^{r}.

Die zweite Gruppe unterscheidet sich, wie schon gesagt, nur durch die größere Schrift von der ersten. Hierher gehören: 22^{r}—26^{v}; 35^{v}; 61^{r}—68^{v}; 132^{r}; 212^{r} bis 226^{v}; 256^{v}. Ferner die Randbemerkungen 195^{v}—208^{v}.

Die dritte Gruppe zeigt eine flüchtige Schrift. Die Teile, die ihr angehören, scheinen die zuletzt aufgesetzten zu sein. Es gehören hierher 29^{r}—35^{r}; von 35^{v} die obersten 3 Zeilen; 76^{v}—77^{v}, die das 8 als alleiniges Schluß-s aufweisen; 134^{v}; 169^{v} bis 170^{r}; 186^{v}.

Dem Schreiber Folzens, d. h. dem Schreiber des letzten Teiles von M, verwandt scheint die Schrift 135^{r}—141^{v} (Schluß-s: 8).

Je eine besondere Hand zeigen weiter: 187^{r}—209^{r} (153^{r}?); 123^{r}—132^{r}; 165^{r}

bis 169^{v}; diese beiden letzten sind sehr ähnlich, sie weisen beide Schluß-s auf; 231^{r} bis 233^{v}; 234^{r}—255^{r}; 99^{r}—122^{v}; 89^{r}—97^{r}.

Aber nicht die Schrift allein legt nahe, daß wir es in X zum großen Teil mit einem Autographen Folzens zu tun haben; dies beweist auch das Skizzenhafte, Konzeptartige mancher Teile. Schon Keller schreibt: „Blatt 22 beginnt eine neue Hand. Mehrere Korrekturen im Texte dieses Stückes führen auf die Vermutung, daß wir hier (d. h. bei dem Gedicht vom Bäcker und der Edelfrau) ein unvollendetes Konzept vor uns haben. Der Ton ist der von Hans Folz. Ist dies ein Autograph von ihm?"

Zu Blatt 29ff. bemerkt er weiter: „. . . . Es ist dies offenbar ein Konzept: der Schreiber streicht viel aus und bessert, die Hand ist sehr flüchtig, voll eigentümlicher Abkürzungen und schwierig zu lesen. Am Ende verläuft es sich mehr und mehr in Gesudel und Gekritzel." Interessant ist, daß sich zu diesem letztgenannten Konzept eine Disposition auf S. 186^{v} findet und auf der letzten Seite der Hs. Reime, die in der Skizze verwertet sind.

Die ersten Gedichte sind wohl von anderen Dichtern, z. B. vom Suchenwirt, und nur abgeschrieben. Man wende nicht ein, Folz, der selbst dichtet, werde schwerlich die Gedichte anderer abgeschrieben haben. Dies läßt sich a priori nicht sagen, denn einmal sind die Gedichte nicht getreu abgeschrieben, sondern, wie schon ein flüchtiger Vergleich lehrt, zum großen Teil umgedichtet, mag auch der Kern stets das alte Gedicht bleiben. Zum andern aber hat ja bekanntlich auch Hans Sachs es nicht verschmäht, Meisterlieder andrer in Fülle für sich und andere abzuschreiben, wie gleich die Berliner Hs. beweist, von der noch die Rede sein wird.

Daß auch die sicher nicht von Folz geschriebenen Teile in seinem Besitz waren, zeigen vor allem die Randbemerkungen 231^{r}—243^{r}, 195^{v}—208^{v}; über diese letzten sowie über die Notiz Folzens am Ende der Pharetra S. 132^{r} siehe meinen erwähnten Aufsatz; vgl. ferner die Reime auf der letzten Seite der Hs., die sich auf einen nicht von Folz geschriebenen Teil der Hs., auf die Skizze 29^{r} ff. beziehen. Weiterhin hat Folz auf 169^{v} ein Gedicht direkt unter den Schluß des Dialogus (165^{r}—169^{v}) geschrieben. Schließlich spricht der Inhalt der nicht-folzischen Teile dafür, daß auch sie im Besitz des Dichters gewesen sind. Es handelt sich meist um naturwissenschaftliche, alchimistische und religiöse Dinge, die alle Folz teils aus beruflichen Gründen, teils aus Liebhaberei beschäftigt haben. Daß er die „Pharetra" und Bl. 187^{v} ff. für sein Fastnachtspiel „Die alt und neu Ee" benutzt hat, ist schon von Michels und mir selbst a. a. O. erörtert worden.

Leider war es mir bis jetzt noch nicht möglich zu untersuchen, in welchem Maß Folz den „Dyalogus diuitis et pauperis" (165^{r} ff.) für seinen „Kargenspiegel" verwendet hat.

Bemerkenswert ist, daß Bl. 36—84 als 1—49 numeriert war.

Was nun die Meisterlieder der Hs. anlangt, 24 an der Zahl, so möchte ich sie vorläufig ausnahmslos Folz als Verfasser zuweisen. 3 Lieder finden sich in X, M und N2; 1 Lied in X und M; 1 Lied in X, V und N2; 8 Lieder in X und N2; in X allein 11. Diese 11 Lieder weisen freilich mit einer Ausnahme (Nr. 50) nirgends *den Namen Folzens auf; doch scheinen mir Inhalt, Ton, Lieblingsreime und -wendungen für ihn zu sprechen. Das Fehlen des Namens ist leicht erklärlich: im Lied selbst wird er selten genannt, und für sich selbst brauchte Folz seinen Namen nicht unter die Lieder zu setzen, wo doch das Skriptum in seinem Besitze blieb.*

Entstanden ist unsere Hs. um das Jahr 1480, wie das Datum bei Nr. 61 und auch die Abfassung von No. 100 und 103 beweisen.

Papier. Schwarze Tinte, meist sehr klein geschrieben. Pappdeckeleinband. Höhe eines Blattes 21 cm, Breite 15½ cm. Lagenanfänge: 1. 11. 22. 36. 47. 61. 77. 89. 99. 111. 123. 135. 143. 153. 165. 171. 187. 199. 211. 223. 231. 249.

Ich gebe im folgenden eine Übersicht des Inhalts von X:

1. Der frawē peicht *(1ʳ), vgl. Kell. III, 1443.*
2. Der widerteil *(4ᵛ), vgl. Kell. 1444.*
3. Der liplich Travm *(9ʳ), vgl. Kell. 1444.*
4. Das guldin jar *(13ʳ), vgl. Kell. 1444.*
5. *Nr.* **98** *(14ʳ). Moderne Überschrift:* Die Wiedervergeltung. *Zur Hälfte bei Kell. III, 1444ff. abgedruckt, in der genauen Wiedergabe jedoch nicht immer treu.*
6. *Nr.* **99** *(15ʳ). Moderne Überschrift:* Der arme Bäcker und die Edelfrau. *Der Anfang bei Kell. III, 1446. Das Gedicht ist Fragment geblieben. Anscheinend wollte Folz in späterer Zeit einmal weiter daran schreiben; denn die letzte Zeile ist mit dunklerer Tinte geschrieben und zeigt das spätere Schluß-s, wie überhaupt den Charakter der späteren Schrift Folzens.*

Bl. 17ʳ—21ᵛ: leer.

7. *22ʳ—26ᵛ folgt das Fastnachtspiel St. 105. cf. Kell. II, 789ff., III, 1447; ferner Michels, Studien zu den ältesten deutschen Fastnachtspielen S. 208. Michels will das Spiel dem Rosenplütschen Kreis zuweisen. Er weist auf die beliebten Rosenplütschen Reime hin wie:* glunkern: junkern, benaschen: taschen, zilen: spilen. *Er betont jedoch ausdrücklich: „für Rosenplüt selbst spricht nichts." Nun kommt aber in Betracht, daß das Spiel von Folz selbst hier geschrieben ist; ferner findet sich II, 795 der Reim:* remen: nemen. *Das Reimwort* remen *ist aber, wie Michels selbst S. 222 bemerkt, „nach Stiefels richtiger Beobachtung ein bei Folz viel verwendetes Reimwort". Dieser Beobachtung füge ich hinzu, daß der Reim auf* zilen *nicht nur Rosenplütsche Eigentümlichkeit, sondern auch bei Folz außerordentlich beliebt ist! Den marktschreierischen Ausrufestil, der das Ganze recht lebendig macht, hat auch Folz verwandt.*
8. *Nr.* **50** *(27ʳ). Die Überschrift von moderner Hand:* Lied. / Der nächtliche Besuch oder / Der Junggesell und der Wächter. *Die 12. Strophe ist mit hellerer, grünlicher Tinte geschrieben; die 13. noch heller, sie ist weiter auseinander geschrieben und zeigt zweimal das spätere Schluß-s. Anfang:* O trauter wachter gut. *Am Schluß in der vorletzten Zeile (v. 258):* Kunt hanß folcz barwirē.
9. *Nr.* **51** *(28 B). Moderne Überschrift:* Der Lehrling. *Anfang:* Ir weisen meinster alle.
10. *Entwurf zu einem großen Gedicht 29ʳ—35ᵛ. Anfang:* Plut harm har vñ mēstruū. *Vgl. Kell. III, 1447: „Nach Blatt 28 scheinen wenigstens 2 Blätter ausge-*

fallen zu sein, denn Bl. 29 führt mit anderer Hand als 28 mitten in einem naturwissenschaftlichen Lehrgedicht fort." Das Gedicht handelt vor allem von Alchimie, von der Gewinnung des Steins der Weisen. Auf dieses Gedicht beziehen sich die Notizen 186^v und die Reime 256^v. Auf die Wiedergabe habe ich, da es auf weite Strecken kaum lesbar ist, verzichtet. — Bl. 35^v: Hinter dem Gedichtentwurf zwei Zeilen unverständlicher Kritzelei.

11. Nr. 52 *(36^r).* Im hanen krat. *Anfang:* Gotlich weißheit vñ welltliche dorheite. *In der viertletzten Zeile nennt sich der Verfasser:* Ret hanß von wurmß barwirer frü vñ spate. — *Vgl. Goedeke, Grundriß I, 330. Nach der Weimarer Hs. hat Keller das Gedicht in der Nachlese zu den Fastnachtspielen (Bibl. des Litt. Ver. Bd. XLVI) S. 310ff. abgedruckt, jedoch ohne Trennung vom Stollen und Abgesang und nicht allzu genau. 8 Strophen des Liedes hat ferner Wackernagel im II. Bande seines „Deutschen Kirchenliedes" (No. 1049) nach zwei Vorlagen veröffentlicht. Auch in N2 299^r—302^r ist es abgeschrieben und danach abgedruckt bei Wackernagel, Kirchenlied II, Nr. 1048.*

12. Nr. 36 *(40^v).* In der schranckweis. *Anfang:* Maria himel keiserin. *Hier nur 5 Strophen des Liedes, die fünfte ganz abweichend von M. Es steht wohl* AMEN *unter dem Lied, das † am Rand links am Schluß des Gedichtes scheint jedoch auf seine Unvollständigkeit hinweisen zu sollen.*

13. Nr. 34 *(41^v).* Im vnbekanten don. *Anfang:* Aue virgo et mat'. *43^r:* Das ander par. *Anfang:* Aue fons castitatis.

14. Nr. 53 *(46^v). Anfang:* Man list vom patriarchen; *auch in N2, 289^r, wo aber von den 9 Strophen des Liedes nur die 3 ersten wiedergegeben sind.*

15. Nr. 54 *(48^v). Anfang:* Gegrusset seystu dirn vñ meit; *auch in N2 (334^{rv}. 332^{rv}).*

16. Nr. 55 *(49^v). Anfang:* (M)aria hoch geplumter zwey. *Das Lied ist Fragment. Vom Abgesang der 9. Strophe fehlen noch $2^1/_2$ Zeilen.*

Bl. 51: leer.

17. Nr. 14 *(52^r). Anfang:* Aue gloriosissima; *auch in N2, 295^v.*

18. Nr. 56 *(53^r). Anfang:* Aue archa deytatis. *Von Keller übersehen. Auch in N2 (296^v) (vgl. Goedeke I, 330).*

19. Nr. 57 *(54^r). Anfang:* O muter voll genaden; *auch in N2 (290^r).*

20. Nr. 58 *(54^v, 55^r, 56^v, 57^r). Anfang:* Maria hoch begabet rein; *auch in N2 (293^v, 295^{rv}).*

21. Nr. 59 *(55^r). Anfang:* Hort wie der lib augustin'; *auch N2 (285^v).*

22. Nr. 60 *(55^v). Anfang:* Isaias in dem durch spehen. *Von Keller übersehen.*

23. Nr. 61 *(57^r). Überschrift:* 1479 ante purificacionis. In dem langen thon hans follczen barwire's von wurmß zu nurnb'g wonhafft. *Anfang:* Vnß schreibt isaias nono capitulo.

Bl. 58—60: leer.

Mit 61^r beginnt, wie die „IV" an der Spitze der Seite zeigt, der 4. Teil unserer Hs.

24. 61^r—63^v bringt ein Lehrgedicht von Hans Kugler, vgl. Kell. III, 1449, Moderne Überschrift: Der Windbeutel.

25. Ein Gedicht von Elblin von Eselsberg (64ᵛ) vgl. Kell. III, 1449. Moderne Überschrift: Die Schule der Liebe.

Blatt 69ʳ—76ʳ: leer.

26. Nr. **62** *(76ᵛ)* plinten lit jm muscat plut. *Anfang:* Ach liben lewt.

27. Nr. **63** *(78ʳ). Anfang:* (M)an list in tercio dez puchez genisi; *auch in N2 (217ʳ).*

28. Nr. **64** *(78ᵛ). Anfang:* Maria von dir beruret; *auch in N2 (182ʳ).*

29. Nr. **65** *(79ᵛ). Anfang:* (*M*)aria jūgfraw here.

30. Nr. **23** *(80ʳ). Anfang: (W)*ye vor an gut ein krefftenreich' manc. *Hier nur 5 Strophen des Liedes. Es war jedoch die Absicht des Schreibers, auch den noch fehlenden Teil zu Papier zu bringen, wie das Freilassen der zweiten Hälfte von 80ᵛ und der ersten Hälfte von 81ʳ zeigt.*

31. Nr. **66** *(81ʳ).* 1475. *Anfang:* Jung allt' greiß.

32. Nr. **67** *(81ᵛ). Anfang:* O maria wie sunderleiche. *Von Keller übersehen.*

33. Nr. **68** *(82ᵛ). Anfang:* Vor lang' frist.

34. Nr. **68** *(84ʳ). Anfang:* Jo *(?)* werstu mein. *Von Keller übersehen.*

Bl. 84ᵛ—88ᵛ: leer.

35. 89ʳ—97ʳ. Fastnachtspiel St. 39; vgl. Kell. III, 1450.

Bl. 97ᵛ—98ᵛ: leer.

36. 99ʳ—122ᵛ. Der Maide Kranz (bis V. 796). Anfang: In lob der hohsten wirdickait.

37. Nr. **100** *(123ʳ). Überschrift:* pharetra ɔtra iudeos. Der köcher wid' die iuden.; *vgl. Michels, Studien zu den ält. deutsch. Fastnachtspielen S. 233 ff.*

Bl. 132ᵛ—134ᵛ: leer.

38. Keller schreibt hier (III, 1451): „Bl. 133 ff. bis auf wenige Notizen leer“. Dies ist richtig; die Notiz auf 134ᵛ aber ist für uns von hoher Wichtigkeit. Wir lesen da:

wo'p
arczt vñ krichen
drey frag
disputaczen.

Der ganze übrige Teil der Seite ist leer. Wir haben da die Titel von 4 Folzischen Schriften vor uns; sollte es ein Verzeichnis aller seiner Gedichte geben? Über die worper *vergl. Kell. III, 1301.*) Mit* arczt vñ krichen *ist wohl das Gedicht von dem* krichischem arczat *gemeint (Kell. III, 1196 ff.). Bei den* drey frag *haben wir an Folzens* von dreyr pawrn frag *zu denken. Mit der* disputaczen *ist wohl der Münchener*

*) *Von Keller nicht beachtet ist die Abschrift der* worper *in der Handschrift W, Bl. 125—127. Überschrift:* Ain hibscher spruch von den worppern Merckt ee in Alexandria. von Hans Folcz 1514 *(Wackernagel, Bibliographie zur Geschichte des Kirchenliedes No. LXXIX.). Übrigens befindet sich von dem Bändchen aus der Bibliotheca Ebneriana, aus dem Keller geschöpft hat, eine vollständige Abschrift auf der Berliner kgl. Bibliothek ms. germ. 371 quart.*

Druck gemeint: Item ein krieg den der dichter dises spruchs gehapt etc., *auf dessen letzter Seite in großer Schrift geschrieben ist:* dysputaczen einß Juden vnd 1 Cristen; *vgl. Kell. III, 1196.*

*39. 135—141*ᵛ. *Abhandlungen über die Verfolgungen der Christen durch die Türken. Anfang:* Bey der allerbittersten peynigūg oder vervolgung.

Bl. 142: leer.

40. 143 ff. Prosaabhandlung über die Fechtkunst von Folz. Übeschr.: Merck die IX stuck mit dē Swert vnd auch mit dem Spicz swert degen vnd schilt vnd gut kemflich ringē mit dem degen. *147ᵛ folgt ein Gedicht über denselben Gegenstand. Überschrift:* Vnde vers'; *deutscher Versuch in leonin. Versen? Vgl. Kell. III, 1451. Anfang:* Ist das du linkest in dem fechten du sere hinkest.

Bl. 149—152: leer.

*41. 153*ʳ: Liber istoriall qui . . . Sat. *Bloße Überschrift.*

42. 154 ff.: Geschichte von Adam und Eva: eine ausführlichere Prosafassung des Gedichtes gleichen Inhalts, das sich in einem Druck der Münchener Hof- u. Staatsbibliothek befindet. Anfang: (*A*)lls adam vnd eua geschlagē wurden auß dem gartten.

43. Nr. 101 (*159*ʳ). *Ausführlichere Prosafassung von Nr. 5 (= 22). Diese Skizze ist wohl dem Meisterlied vorangegangen.*

Bl. 160ᵛ—164ᵛ: leer.

44. 165ʳ—169ᵛ: Dyalogus diuitis et paupis a beato Basilio editus; *vgl. Kell. III, 1451 und oben S. IX. Anfang:* Der reich spricht wolt got das jch etwen mocht erlangen.

45. Nr. 102 *(169ᵛ). Unvollendetes Gedicht Folzens. Anfang:* Jch reit nū auß spacirē.

Bl. 170ᵛ: leer.

46. 171ʳ—172ᵛ: Capitulū de putrefactione lapidū, *vgl. Kell. III, 1451.*

47. 173ʳ—174ʳ: Chemische und astronomische Notizen und Rezepte in lateinischer Sprache; vgl. Kell. III, 1451.

49. 174ʳ: Ein mehrung des gollds; *vgl. Kell. III, 1451.*

50. 174ʳ: ɔposiciō scdū heinricū mugelin ī ricmaticis v'bis teutonicis ad cesarē Karalū magnū.

Also ich silb' wandel ī gelt
mit meyn' reichū kunstē sollt
Allun ich nȳ vū miniū
mit sale armoniacū
5 Tutian vū den grū span
sal nitri m'[1]) ich da' zu han
Jch sach das ist d' wor weg
ob jr kundt dreffē meynē steg
D' esel pey dem prū erdorst
10 das e' dez sinß nit het geforscht.

[1]) = mus.

51. *174ʳ:* Jn spē[1]) solis; *vgl. Kell. III, 1452.*
52. *174ᵛ: Verzeichnis alchimistischer Bücher; vgl. Kell. III, 1452.*
53. *175ʳ—177ʳ: Zweispaltig geschriebener lateinischer Traktat; vgl. Kell. III, 1452.*
Bl. 178ᵛ—186ʳ: leer.

54. *186ᵛ:* Si tu cū rebis lunā et solem habebis
Mercuriū corp̄is et nil īvenies jn illis
Tūc tibi fortuna in arte est jnimica.

Darunter steht in kleinerer Schrift noch einmal

Mercuriū corp̄is et nihil invenies ī illis *etc.*

Oben bei ivenies *findet sich das spätere Schluß-s, während das untere* invenies *mit dem älteren geschrieben ist.*

Es folgen nun auf der linken Seite Notizen, die, wie schon bei 10. bemerkt, in dem Gedicht 29ʳ ff. Verwendung gefunden haben:

corp⁹ mulierum
primo
vns' steī
vns' ⁹[2])
vns' waz'
vns' m⁹.[3])

2.

Daz weib vñ d' mā
Daz drukñ vñ daz naß
Der kung vñ die kungin
Daz edel vñ daz snod
D' sulf' vñ m'.
etlich vñ dre⁹.[4])
Sps[5]) corp⁹ am̄[6])
Calch waz' vñ salcz
Sol luna m'c⁹
Vat' sun geist
D' man das weib vñ jr sp̄ma

De 4ᵒʳ.

Am Anfang durchstrichen: Die ness die dur die feucht die druk; *dann*
Feu' waz' luft vñ erd
heiß feucht kalt dur

---

[1]) = speciem. [2]) = er. [3]) = mercurius. [4]) = von drein? [5]) = spiritus. [6]) = anima?

daz swa'cz daz weiß daz gel vñ rot
luna sol mɔ[1]) sulf'
Irr xir exir elixi'.

Dazu vergleiche man nun das Gedicht (Sperrung von mir):

[32v] 8 Wie mäch'ley nū[2]) dingen *(?)* sey
Die composiczen geeiget pey
10 Hie loz ich ab' euch v'stō
firley[3]) jrūg vñ opinion
Eyn teil die weln daz mā v'pring
Die kunst jn ei eynigē ding
Daz heist de' erst teil uns's stei
15 Die and'n vnse' e' allein
Ein waze' heistu die drite sum
Die 4t ei Mm.
So spricht nun die and' scha'
Daz dar zu horn 2 ding fu' wa'
20 Daz heisse etlich weib vñ mā
Etlich den kong vñ kungin frā[4])
So ist ez in ein teil e'kantn⁹ (?)
Sulf' vñ auch mercuri⁹
So spr jr ein teil auffz lest[5])
25 Ez sey daz pest vñ sey dz pest

Etlich vñ zen hant geseyt
Sel korp geist jn jrm bescheit
Od' de' mā daz weib jr sam
Ein teil calch waz' vñ salcz mit nam. *usw.*

Ferner:

[33r] 4 Vn kundē jr ein teil vō firn
5 Daz aber nicht *(?)* die kunst ein . . *(?)*
In der ein teil haben e'kent
Die mischūg der vir elemēt
De' and' . . . uir' waz
Daz kallt de' hicz den drukē dz naß
10 Etlich' mischung wz alls⁹
Sol luna sulf' m⁹
Etlich der spr ez sey not
Daz swa'cz vñ weiß gel vñ daz rot.[6])

---

[1]) = mercurius. [2]) *oder* mā. [3]) man *vor* firley *durchstrichen.* [4]) *Vor Z. 20 ist gestrichen:*
Die erst heißens weib vñ mā
Die and'n kong vñ kungin frā.
[5]) *aus* leste. [6]) *das zweite* vñ *üb. d. Z.*, daß *vor* gel *gestr.*

55. Nr. 103 *(187r—209r): Disputation über die Vorzüge des Christentums vor dem Judentum; vergl. Michels, Studien zu d. ält. deutsch. Fastn.spielen S. 233 ff.*

Bl. 209v—211v: leer.

56. *212r—226v. Deutscher Traktat; vgl. Kell. III, 1452. Anf.: (W)*y wol nach der ler des naturlichen meinsters an dem dritten puch de' guten sitten.

Bl. 227 und 228r: leer.

57. *228v: 4 gereimte lat. Hexameter; vgl. Kell. III, 1452.*

Bl. 229 f.: leer.

58. *231r—246r. Alchim. latein. Traktat; vgl. Kell. III, 1452.*

B. 246v, 247, 248: leer.

59. *249r—255r. lat. Abhandlung; vgl. Kell. III, 1452. Übersehr.:* Incipit liber Noui testamēti Arnoldi de villa Noua.

Bl. 255v, 256r: leer.

60. *256v. Reime, die, wie schon S. IX erwähnt, in dem Gedicht Bl. 29r ff. Verwendung fanden, und zwar lauten die Reime:*

Calciacio
no
calcinacio solucio
sublimacio conuigtio
solucio *(durchgestrichen)*
putrefacio ɔuigcio *(durchgestr.)*
ascensio
descensio
ɔtricio
jubilacio
coagulacio (?)
ɔtricio
jnteracio
fixio
ɔnexio.

Im Gedicht heißt es [33r]:

Wie mā die nōnē mag he' no
Allz de' co'p calcrinacio
Solucio sublimacio
Ascensio vñ descēsio — Vor großer hicz defensio
ɔuicio putrefacio — Ubrig' fewcht abstratio
? iubilacio[1])
congulacio et ɔtritio
jnceratio et fixio *usw.*

Von Keller wurde das Blatt nicht berücksichtigt.

[1]) *dahinter eine Zeile gestr.*

Die Berliner Handschrift (N2).

Cod. germ. 4° 414.

In der Benennung N2 bin ich Goedeke (Grundriß 1, 308) gefolgt. Die Handschrift, zum größten Teil von Hans Sachs geschrieben, kam aus der Ebnerschen Bibliothek in den Besitz der Berliner Kgl. Bibliothek. Sie wurde am St. Margaretentag 1517 begonnen, die Abschrift der Lieder muß jedoch mindestens bis zum Jahre 1518 gedauert haben, da am Ende mehrerer Lieder gegen Schluß des Buches sich die Bemerkung: anno 1518 *findet.*

Goedeke erwähnt nur einen geringen Teil der Folzischen Lieder, die in diesem Band enthalten sind. Dies kommt vor allem daher, daß ihm die Lieder der Münchener und Weimarer Hs. unbekannt waren und diese Gesänge von Sachs nicht mit dem Zusatz: Hans Folczen gedicht *versehen sind.*

Ähnlich ist es Wackernagel gegangen, der im 2. Band seines Kirchenliedes neben Nr. 52 und 72 auch Nr. 34 abdruckte, ohne zu ahnen, daß es von Folz stammt, und der bei Nr. 37, also einem Lied, das sich in der Münchener Hs. findet, bemerkte, es sei sicherlich nicht von Folz, wohl aber aus seiner Schule!

23 Lieder in Nr. 21 sind durch M oder X als Folzisch erwiesen: 12 davon finden sich in M allein, 3 in M und X, 7 in X allein, 1 in X und in V; 8 weitere Meisterlieder in N 2 sind ausdrücklich als von Hanz Folz gedichtet bezeichnet.

Da so 31 Meisterlieder in N 2 als Folzisches Gut gesichert sind, so liegt es sehr nahe, noch weitere Folzische Lieder in diesem Corpus aufzustöbern. Daß Hans Sachs Folz nicht nennt, spricht noch nicht gegen seine Autorschaft, da die durch M und X gesicherten Stücke gleichfalls unbezeichnet sind. Wenn ich 17 weitere Lieder aufgenommen habe, so bestimmte mich ihre Stellung zwischen sicher Folzischen Liedern, die Wahl Folzischer Töne, die Verwendung von Lieblingsworten, -wendungen und -reimen,[1]) sowie inhaltliche Kriterien, die namentlich die beiden Lieder Nr. 90 und 91 mit hoher Wahrscheinlichkeit in den Zyklus der Meistergesänge 89 – 94 hereinweisen. Ich bin mir aber bewußt, daß meine Auswahl nur provisorisch ist, ja daß die Reime (z. B. in der Verwendung der neuen Diphthonge) und stilistische Kriterien z. T. zu Bedenken Anlaß geben. Eine Untersuchung der Folzschen Sprache, die sich natürlich nicht auf die Meisterlieder beschränken darf, wird da die Entscheidung geben.

Der Text der Folzischen Lieder in N 2 beruht nicht auf der Münchener und schwerlich auf der Weimarer Hs. Daß M sicher nicht vorgelegen hat, beweist Nr. 17 v. 131 f. und Nr. 30 v. 35 f., wo $1^1/_2$ Verse ausgelassen sind; denn dies deutet darauf hin, daß in der Quelle nicht jede Reimzeile eine Zeile für sich bildete, wie es in M der Fall ist, sondern daß dort die Strophen durchgeschrieben waren.

---

[1]) *Als Folzische Lieblingsreime verzeichne ich:* remen : schemen : nehmen; dewre : fewre : ungehewre; zessen : wessen; mild : pild; vil : wil : zil; willen : stillen : spillen; jüden : rüden; vernunft; zunft. *Er liebt asyndetische Synonymenhäufung.*

Geschrieben wurde die Handschrift nicht allein von Hans Sachs. Wir können noch 2 andere Hände unterscheiden. Vor allem ist von 469^{r} *bis zum Schluß ein berufsmäßiger Schreiber mit der Abschrift der Meisterlieder betraut worden.*

Papier. Einbanddeckel aus Holz mit gepreßtem Lederüberzug und Metallbeschlag. Schwarze Tinte. Höhe eines Blattes 20,6 cm, Breite 15,6 cm. Höhe des beschriebenen Teiles 16,5 cm, Breite 12 cm. Nach jedem Stollen, bezw. Abgesang abgesetzt.

1. Nr. 70 *(89*$^{r.v}$*). Überschrift:* Marners langer don hanß folczen dicht 3 lieder. *Anfang:* O Got maniger fraget ser.

2. Nr. 71 *(92*^{r}*—94*^{v}*). Überschrift:* Jns hans folczen plût weis *19* lieder. *Anfang:* Taûsent vierhunderdt fûnfzig jar.[1]) *Die letzte Strophe scheint später hinzugedichtet zu sein; der Abgesang von Str. 18 gibt schon den Abschluß.*

3. Nr. 72 *(99*^{r}*—101*^{r}*). Überschrift:* In dem langen don maister hansen volczen gedicht 7 lieder. *Anfang:* Heiliger geist stewr mich hye arme creatûr. *Abgedruckt bei Wackernagel, Kirchenlied II, 1050.*

4. Nr. 73 *(101*^{r}*—102*^{v}*). Überschrift:* Jn hanß folczen freyen don 5 lied' sein gedicht. *Anfang:* O / keisser aller keissertûm. *Goedeke, Grundriß I, 330.*

5. Nr. 74 *(102*^{v}*—103*^{v}*). Überschrift:* Jn des hans volczen vnser frawen kor weiß ein schons par 5 lied'. *Anfang:* O pia/maria. *Ganz folzisch klingen V. 54f.*

6. Nr. 35 *(128*^{r}*—130*^{r}*). Überschrift:* Jn des marners langen don ein schons par. *Anfang:* Qûicûmq' salûûs esse vûlt.

7. Nr. 75 *(130*^{r}*—136*^{r}*). Überschrift:* Jn des marners langen don drey lieder nach einander de concepcione maria hans volczen gedicht. *Anfang:* Schem dich jûd heid tûrck machmetißt. *Goedeke, I, 330.*

8. Nr. 17 *(139*^{v}*—141*^{r}*). Überschrift:* Jm frawen lobs verhollen don 7 lieder. *Anfang:* Hie speculir ich dûmer ley.

9. Nr. 15 *(141*^{v}*—142*^{r}*). Überschrift:* Jn Fridrich Zorns *(zuerst:* Fraûenlobs) verhollen don 3 lied'. *Anfang:* Keisser kûng fûrst graff herczog frey.

10. Nr. 16 *(145*^{r}*—146*^{v}*). Überschrift:* Jn dem verhollen don 5 lied'. *Anfang:* On ent wert gottes sûns gepûrt.

11. Nr. 76 *(165*^{v}*—168*^{r}*). Überschrift:* Jm verporgen don 7 lied' hans volczen gedicht. *Anfang:* O schopffer reich dein gût Jch man.

12. Nr. 29 *(168*$^{r.v}$*). Überschrift:* Jm verporgen don 3 lieder. *Anfang:* O Einlicz einfeltiges ein.

---

[1]) *Der Stoff wurde von Hans Sachs dramatisiert:* Eine klegliche Tragedy mit / zwolff personen zu spilen / die zwen Ritter von purgunt hatt / funff / actus. *Vgl. Goedeke, Grundriß II, 428, No. 196; geschrieben 16. Jan 1552 (Abschrift Berlin. Ms. germ. 4°. 576; No. 24, Bl. 100 f.); ferner von Sachs als Historie behandelt:* Historia. Die zwen ritter aus Burgund. 11. Mai 1557; *vergl. Goedeke, Grundriß II, 431, No. 307. Sachs hat das Meisterlied sicher nicht verfaßt, er fügt bei Eignem in der Überschrift regelmäßig die Bemerkung hinzu:* Hans Sachsen gedicht.

13. *Nr.* 2 *(171ʳ—172ʳ).* *Überschrift:* Im verporgen don 3 lied'. *Anfang:* Manch grob vnd einfeltig persan.

14. *Nr.* 64 *(182ʳ—183ʳ).* *Überschrift:* Jn der zügbeis 3 lieder. *Anfang:* O / maria von dir berüret.

15. *Nr.* 30 *(184ʳ—185ʳ).* *Überschrift:* Jn der zügweis 3 lieder. *Anfang:* A / ve virgo voller genaden.

16. *Nr.* 33 *(205ʳ—207ᵛ).* *Überschrift:* Jn der zügweis 7 lieder. *Anfang:* In / dem anfang so was das worte.

17. *Nr.* 13 *(210ʳ—212ᵛ).* *Überschrift:* In der zügbeis 7 lieder. *Anfang:* O / qũicũm qũe volt salũũs esse.

18. *Nr.* 5 = 22 *(212ᵛ—214ᵛ).* *Überschrift:* Jn der zügweis 7 lieder. *Anfang:* Die / lecz zw künft cristi wirt werdö.

19. *Nr.* 63 *(217ʳ—218ʳ).* *Überschrift:* Jn hans volczen langen don 3 lieder. *Anfang:* Man list in tercio des püches genesy.

20. *Nr.* 77 *(218ʳ—219ᵛ).* *Überschrift:* Meister hans volczen passional 7 lieder. *Anfang:* Maria jünckfraw clar.

21. *Nr.* 34 *(277ᵛ—279ʳ).* *Überschrift:* Jm vnbekänten don 7 lieder das erst par H F. *Anfang:* Aũe virgo et mater.

22. *Nr.* 59 *(285ᵛ—286ʳ).* *Überschrift:* Jn meister hans volczen hohen don 3 lieder vnd sein gedicht. *Anfang:* Hort wie den lib aügüstin⁹.

23. *Nr.* 78 *(286ʳ—287ʳ).* *Überschrift:* Jnn meister hans volczen hohen don 5 lieder. *Anfang:* O all andechtig herczen rein. *Das Lied ist eine Gabe zum neuen Jahr, wie die beiden letzten Verse es nachweisen.*

24. *Nr.* 79 *(287ʳ—288ʳ).* *Überschrift:* Meister hans volczen hohen don 5 lieder. *Anfang:* Frolockt vnd jübillyret all.

25. *Nr.* 80 *(288ʳ—289ʳ).* *Überschrift:* In meister hans volczen hohen don 7 lieder. *Anfang:* Er ist erstanden von dem tot.

26. *Nr.* 53 *(289ʳ·ᵛ).* *Überschrift:* In der stroffweis hans volczen 3 lieder. *Anfang:* Mon list von patrijarchen.

27. *Nr.* 81 *(289ᵛ—290ʳ).* *Überschrift:* In meister hans volczen straffweis 3 lied'. *Anfang:* Daß heütig fest zw ziren.

28. *Nr.* 57 *(290ʳ·ᵛ).* *Überschrift:* Jn der straff weis hans volczen 5 lieder. *Anfang:* O müter vol genaden.

29. *Nr.* 82 *(291ʳ·ᵛ).* *Überschrift:* In meister hans volczen passional 7 lied'. *Anfang:* O plüm ob allen ern.

30. *Nr.* 37 *(292ʳ·ᵛ).* *Überschrift:* Jn meister hans volczen Passional 7 lieder. *Anfang:* O cristen mensch betracht.

31. *Nr.* 83 *(292ᵛ. 294ʳ).* *Überschrift:* Jn meister hans volczen schränck weis 3 lied'. *Anfang:* Wer meisterschafft hie wol began.

32. Nr. 84 *(293ʳ· ᵛ). Überschrift:* In hans volczen schranck weis 5 lieder. *Anfang:* Maria früchten reiche aw.

33. Nr. 58 *(293ᵛ. 295ʳ· ᵛ). Überschrift:* Jn maister hans volczen schranck weiſ 5 lieder. *Anfang:* Maria hochgelobte rein.

34. Nr. 85 *(294ʳ· ᵛ). Überschrift:* Jn meister hans volczen schranck weis 3 lied'. *Anfang:* Zw nennen hy das nüczest loch. *Das Lied ist die Antwort auf Nr. 83, an das es anschließt, und enthält das Lob des Schmiedehandwerks.*

35. Nr. 14 *(295ᵛ—296ᵛ). Überschrift:* Jn meister hans volczen schranck weis 5 lieder. *Anfang:* Aue gloriosissima.

36. Nr. 56 *(296ᵛ—297ᵛ). Überschrift:* Jn der schranck weis meister hans volczen 5 lieder. *Anfang:* Aüe archa deÿtatis.

37. Nr. 36 *(297ᵛ—298ʳ). Überschrift:* In meister hans volczen schranck weis 5 lied'. *Anfang:* Maria himel keisserin.

38. Nr. 86 *(298ʳ—299ʳ). Überschrift:* Jn dem hannē krat meister hansen 5 lieder. *Anfang:* Got liebt den menschen der lebt hie aūf erden.

39. Nr. 52 *(299ʳ—302ʳ). Überschrift:* Jn dem hannen krat meister hans volczen 25 lieder.

40. Nr. 87 *(332ᵛ—333ʳ). Überschrift:* Jn des münichs langer don 3 lieder. *Anfang:* Aüe schrein sach sal vnd kemnat. *Die Stollenabschlüsse (7. 14. 32. 40. 59. 66) gemahnen an die Stollenanfänge in Nr. 34.*

41. Nr. 54 *(334ʳ· ᵛ. 332ʳ· ᵛ). Überschrift:* Jn münich vō salczpürg korweis 5 lieder. *Anfang:* Gegrüßet seistū dirn vnd meit.

42. Nr. 31 *(368ʳ—369ᵛ). Überschrift:* 16 R. Im . . . . hanns folczen. *Anfang:* Mich wündert nūn vnd ÿmer.

43. Nr. 88 *(452ᵛ—453ʳ). Überschrift:* Jn des volczen ror weis 3 lieder. *Anfang:* Weib aller zücht.

44. Nr. 89 *(469ʳ—470ʳ). Überschrift:* Jm vnbekannten don Hans volczen gedicht 5 lieder. *Anfang:* (J)nn zeiten meines leben. *Vgl. Goedeke I, 330. Dieses und die folgenden Lieder gehören zusammen. Alle handeln über den Meistergesang, über dessen Schäden und Erstarrung sich Folz beklagt. Schon Goedeke I, 330 hat sie stillschweigend für Folz in Anspruch genommen und mag damit Recht haben, wenn auch die Reimtechnik einige Besonderheiten zeigt und der Ton von Nestler stammt, in N2 also mit Unrecht Folz zugewiesen scheint.*

45. Nr. 90 *(470ʳ—471ᵛ). Überschrift:* Im vnbekanten don Hans volczen 5 lieder. *Anfang:* Ir meister nemen ware. *Vgl. Goedeke I, 330.*

46. Nr. 91 *(471ᵛ—473ʳ). Überschrift:* Im vnbekonten don Hans volczen 5 lieder. *Anfang:* MEin hertz das mag nit schweigen. *Vgl. Goedeke I, 330.*

47. Nr. 92 *(473ʳ—474ʳ). Überschrift:* Im vnbekanten don Hanns volczen gedicht 3 lieder. *Anfang:* (E)ins mals ich einen fraget. *Vgl. Goedeke I, 330.*

48. Nr. 93 *(474r—475v). Überschrift:* Im vnbekanten donn Hans volczen gedicht 5 lieder. *Anfang: (Z)*u loben stat mein mute. *Vgl. Goedeke I, 330.*

49. Nr. 94 *(475v—477r). Überschrift:* Im vnbekanten don Hans voltzen gedicht 5 lieder. *Anfang: (M)*Ein sin wil ich bewegen. *Am Schluß Namensnennung:* Spricht Hanns volcz barbirere.

Die Lesarten, die ich zu Nr. 52 *aus* **V**, *Valentin Holls Handschrift in Nürnberg (1525 Bl. 120), und zu Nr.* 34 *aus* **W**, *Lamprecht Krolls Handschrift in Heidelberg Nr. 109 (Augsb. 1576) mitteile, beruhen nur auf den Angaben Wackernagel, Deutsches Kirchenlied II, Nr. 1049, 1443.*

Dagegen sind die wichtigen Varianten zu Nr. **94**, *die* **E**, *die Handschrift der Nürnberger Stadtbibliothek Will. III, 782 (126v—128r) bietet, geschöpft aus einer diplomatisch getreuen Abschrift, die Herr Archivar Dr. Mummenhoff selbst für mich zu kollationieren die Güte hatte.*

Von **Drucken** *wurden benutzt:*

a *der Kleinoktavband der Hamburger Stadtbibliothek Nr. 229a in scrinio, beschrieben von Lappenberg, Jahrbücher der Literatur Bd. 42 (Wien 1828), Anzeigeblatt S. 20—22. Entnommen wurde ihm Nr.* **95**, *die wegen Nr.* **96** *auch als Folzisch gilt; vgl. Keller III, 1278 ff. 1464. Das Lied, ein Einzeldruck von 4 Blättern, nimmt in dem Sammelbande die 2. Stelle ein; der Schriftspiegel ist 10,2 cm hoch, 6,9 cm breit. Herr Bibliothekar Dr. Burg in Hamburg hat die Korrektur nach dem Drucke gelesen.*

C *der Wolfenbüttler Mischband 117,7 Eth., in dem Nr.* **96** *an 25., Nr.* **97** *an 23. Stelle eingebunden ist; beide Einzeldrucke umfassen je 4 Blätter, deren Schriftspiegel 11 cm hoch, 6 cm breit ist. Vgl. Kell. III, 1467; Goedeke, Deutsche Dichtung im Mittelalter 959 ff. Eine genaue Kollation verdanke ich Herrn Prof. Emil Henrici.*

Die Drucke **S** *(Straßburg, Mathis Hupfuff 1513) bei Nr.* **11** *und* **U** *(Erlanger Universitätsbibliothek) bei Nr.* **34** *sind nur nach den Angaben Wackernagels, Deutsches Kirchenlied II, Nr. 1049. 433; Bibliogr. z. Gesch. d. Kirchenliedes 10 Nr. 26, benutzt worden.*

Der Druck dieses Bandes hat sich lange hingezogen; wissenschaftliche Reisen, die mich Monate lang im Ausland festhielten, haben mich gehindert, Redaktion und Korrektur so einheitlich durchzuführen, wie ich gewünscht hätte. Trotzdem glaube ich für die Zuverlässigkeit des Textes einstehen zu können, dank der Hilfe, die mir zuteil geworden ist. Da die kostbare Münchner Handschrift nicht versendet werden konnte, sind die Korrekturen teils nach Prismenphotographien in Berlin gelesen worden, teils haben die Herren Bibliothekar Dr. Glauning und Dr. Friedr. Ranke in München die Fahnenabzüge meines Textes nach der Handschrift kontroliert; auch Herrn Bibliothekar Dr. Petzet in München schulde ich mehrfach Dank für unermüdliche Auskunftsbereitschaft. Von der Verwaltung der Weimarer Bibliothek, deren Geduld ich besonders stark in Anspruch nehmen mußte, wurde der Kodex X wiederholt auf lange Zeit nach Berlin gegeben. Während eines spanischen Aufenthalts, der meine Mitwirkung bei der Korrektur der letzten Bogen sehr einschränkte, hat Herr cand. phil. Ludwig Pfannmüller die Weimarer und die Berliner Handschrift für mich zu Rate gezogen; von ihm stammt in allem wesentlichen das Wörterverzeichnis her, er hat mich auch bei Namen- und Tonregister ergänzend unterstützt und im einzelnen manche fördernde Vorschläge beigesteuert, wie denn auch die Schlußberichtigungen von ihm herrühren. Vor allem jedoch sage ich Herrn Prof. Dr. G. Roethe meinen herzlichsten Dank für seine unermüdliche Hilfsbereitschaft und tatkräftige Unterstützung, ohne die es mir nicht möglich gewesen wäre, die vorliegende Publikation in dieser Weise der Öffentlichkeit zu übergeben.

Darmstadt, im Oktober 1908.

August L. Mayer.

I.

Die Münchener Handschrift

Cgm. 6353.

[Fr] Zu wissen das inn disem buchlein vil schönner guter maisterlicher gedichtpar sind. Zum thail zu singen, zu lesen unnd zu peten, dem mennschenn vast nuczlich unnd tröstlich. Dar innen Jacob Bernnhaubt Schwenntter, benanntt der elltter, vor vil jarenn sein ubrige zeitt inn solchem buchle mit singen unnd lesen (wann er offtermals zu suchen wurde er allein inn disem buchlein singend unnd lesenndt erfundenn) vertriben. Dann es vonn Hannsenn Folczenn vonn Wormbs, barbirer zu Nurmberg, einem uberkunstlichenn maistersinger, wie soliches sein aigne gedicht hintter ime verlassenn gnugsam ausweisenn, gedichtet wordenn. Er hat auch dise gedichte lieder nit allain erdichtett, sonnder mit aignenn seinenn henndenn beschriben unnd selbs corrigirt, wie es dann noch vor augenn steett. Nun sind aber gleichwol ettliche vil gedichte lieder inn disem buchlin eingeschribenn, welche der wharenn christlichenn schrifft unnd heiligenn evangelio mussen weichenn, dann meer der creatur darinnenn wirdt zugelegt dann sie ver- [Fv] mag. Darumb unnser glaub, hoffnung und liebe allein auff den ainichenn Christum unnsernn herrnn alls gnugthuern fur der ganczenn welltt sunde gepawenn soll werdenn. Wiewoll die allttenn den heiligenn unnd sonnderlich Marie gottliche fürpitthe gröslich habenn zugewenndet, das doch alles falsch on ein grundt nit besteen mag,

So hat er aber vonn der heiligen drifalttigkeitt, vonn
gottlicher natur, wie die Gotthait sich mit
mennschlicher verainigt, unnd vom hei-
ligenn gaist so subtil unnd vil dings
herfur pracht; ob schonn etwa ett-
lichs verhafft bleibt, soll doch das
guet nit mit dem pösenn ver-
tilget, sonnder der kern aus
der nusschaln genummen
unnd die schaln hin-
gethan werdenn.
Demnach ist
noch vil guets zu halltten, das annder farn lassen.
Amen.

8. maistersiuger.

[H r]

Register des Buchs.

---

6. *am Rand von anderer Hand* Nego *mit roter Tinte geschrieben. Vor Zeile* 6. 7. 10. 11. 16. 27 *ein rotes* ¶.

E.

[K r]

F.

G.

H. 25

J.

Vor 3. 7. 8. 11. 26. 28. 29. 31. 33. 34. 36. 37 *ein rotes* ¶. 31. *oder* krefftleicherer?

Vor 1. 2. 3. 5. 13. 14. 18. 19. 20. 24. 26. 27. 29—31. 33. 34. 36 *ein rotes* ¶. 7. testament. 35. *Vor* 53 *ist* 3 *gestr.*

Finis.

Vor 3—10, 16 *rotes* ¶. 20. mennschler. 22. des *rot aus* der. 31. *l.* Vermant ?

[0r] Ein maisterlichs singbuchlein mit vill schonen maisterliedern maisterlich zu singenn angezaigt, welcher vor vil jarn von dem hochberumten maister singer Hannsen Foltzen von Wormbs barbirer zu Nurmberg gedichtet, geschriben und [0v] hinter ime verlassenn, kurtzweilig zu lesen, dem verstendigen aber lieplich zu singen.

[1.]

[1r] Einen fast andechtigen passian duglich zu lesen und zu singen in des munchs langen thon und in drey teil geteillt.

1.

Jhesus am abentessen rein
Die füß sein jungern wusch allein,
Weyhet in pischofflichem schein
Sie dar nach prister all gemein,
erwandellt vor yn prot und wein,
Sprach: 'das tut in gedechtnus mein.'
Gab ins zu tranck und speise.

Judas der nam unwirdig das,
Dar um der teufel yn besas.
10 Jhesus mant eylen yn sein stras
Zu thün des er geschafftig was.
Er saumpt sich nit und upt sein has
Die halbe nacht und het kein mas
Der teufelischen weyse,

15 Wie er sich eines sins gedecht
Und schir die juden dar an precht
Das im Jhesus auch würd gerecht,
[1v] Der doch allß gut ym tete.
Mit grosser eyl er do hin necht
20 Do er das falsch judisch geschlecht
Gesamelt west, das yn durch echt;
Mit den het er sein rete.
O Judas, ungetrewer knecht,
Wie frefflich hastu dich verjecht,
25 Den trewen meyster dein gesmecht,
Des du dich flissest stete!

[1.] *Das Gesperrte ist in der Hs. rot unterstrichen. Überschrift:* lange. 1. sein *vor* rein *durchstrichen.* 15. er *über* ge-.

2.

O cristen mensch, bedenck das leyt
Und die groß herczlich traurikeyt,
Do der her **Cristus** sich bereyt
30 Mit sein drey jungern und nit peyt
Am **olperg** zu peten und seyt
Zu seim vater mit dem bescheyt:
'Sein es dein will' er sprache,
'So nym des leides kelch von mir,
35 Doch stet mein will, **vater**, zu dir.'
Allso er andechticlich schrir
Trew mol in hicziger begir,
In dem plutiger sweiß vil schir
Von ym pis in das ertrich rir
[2v] Und all sein leib durch prache,

41 Pis **Got vater** ein engel sant,
Starck, mutig zu sein yn ermant.
Zu dreyen malln er sich auch want
Zu **sein jungern**, nempt ware,
45 Die er swermutig schlaffen fant.
Wachrig zu sein er yn vor nant
Und det sein seuffzen yn bekant,
Auch wie der geist so gare
Fleissig wer, das fleisch on bestant
50 Und wie **Judas** fast zuher rant
Des menschen sun geben in schant,
Sprach doch 'schlofft und rut dare.'

3.

Judas vor tag sich fru auff macht
Zu furen die grausam scharwacht,
55 Latern, schaub, fackeln warn besacht,
Den sturm furt er mit grossem pracht
Mit manchem waffen ungeschlacht;
Sprach zu den juden: 'tenckt und tracht
Wem ich den kuß wird geben,
[2v] Den greiffet an und halt yn fest,
61 Furt yn sicher, ich rat das pest.'
Judas gab end in kurczer rest.
Manch wepner ob **Jhesum** erglest,
Filn an yn mit mancher unkest,
65 Ein yder wolt nit sein der lest
Zu stellen nach seim leben.

Petrus weret sich in der n[illegible]
Schlug **Malchum** ab ein [illegible] il
t[illegible],
Darnach gefürtt man **Jhesum** hot
70 In Annas haus, do ere
Verlogen wart mit falscher fot,
Doch er yn freuntlich antwurt pot.
Ein grossen packen schlak lit Got
Dar um grausam und swere.
75 Erst man yn zoch hin durch das kot
In **Kaifas** haws mit unrot,
Do er mit speicheln und unflot
Verspottet wart vil sere.

---

29. her *am Rande.* 32. vnterscheit *vor* dem bescheyt *durchstrichen.* 51. sun *über der Zeile.* 69. gefürtt *aus* füret.

4.

Von Kaifa zu Pilato
80 Wart Jhesus erst geschickt mit schmo,
[3r] Der yn Herode sant dar nho,
Er het sein lang begeret ho.
Was er yn fragt, er swig also.
Ein weis spotcleit in zornes glo
85 Er ym zu schand an leyte.

Mit ym man zu Pilato jacht,
Wart von den juden ser verclacht,
Mit falscher zewgnus überlacht,
Er het des keysers müncz geswacht,
90 Ir neid und haß yn so an facht
Das Pilatus weyter gedacht,
Hiß geben ym bescheyte,

Seit das er nun ein konig wer,
Wie er der diner dan enper
95 Und wo auch plib sein kunglich er,
Sollt er ym thun zu wissen,
Wan an ym stünt all sein gefer,
Er mocht ym thun des dodes ser
Oder yn lassen auß gen ler,
100 Hofft er des zu genyssen.
[3v] Fragt yn auch von der worheyt her
Und nam in dem von ym ab ker
Der juden halb, kunt yn die mer
Ob sie yn leben lissen.

5.

105 O Jhesus, erst warstu entplost,
Puteln und schergen zu genost,
Alß ob du werst der aller post,
Von yn gegeiselt auff das host
Überpiter an alle tröst,
110 Und was nymant der dich erlost
Von den lötern unreyne.

Nicht anders sich dein schancz do gluckt,
Ein dürnen kran dein haupt erst schmuckt,
Die in dein hirnschal wart getruckt,
115 Spötlich wart sich vor dir gepuckt,
Warst dar nach frefflich auff geruckt,

Furs follck gefurt, das sich erst fluckt
Sulch smach zu achten kleine.

Dar um sie schreyes nit verdroß:
120 'Kreuczig, krewczig yn und nit loß,
Uber unß ge seins plutes floß
[4r] Und uber unser kinde!'
Pilatus urteil det den stoß,
Er wusch die hend, acht sein nit groß.
125 Ein kreucz leyt ungehewr on moß
Auff yn die judscheyt plinde;
Zwen schecher warn sein mitgenoß,
Ab wart gezogen all sein hoß,
Die annaglung gab lauten doß,
130 Man reckt yn auff geswinde.

---

106. 107. *vertauscht, durch* a, b *aber zurecht gewiesen.* 125. vñ groß *vor* on moß *gestr.* 126. yn die in die.

6.

Hye sich, mensch, wie der schöpfer dein
Hangt an dem krewcz in großer pein,
An eynem ort der junger sein,
Am andern sein zart muter rein,
135 Der keusch jungfrewlich sarch und schrein,
Do ym der heiliggeist het eyn
Gepflanczt sein menschlich pillde.

O mensch, bedenck das piter leyt,
Do muter und den sun sie peyt
140 Der dot so jemerlichen scheyt.
Ym wart von galln ein tranck bereyt,
Gelöset wart auff seinem cleit,
[4v] Ein sper die seyten sein verschneit,
Dar auß floß alle milde.

145 Sein sterben das was um die nan.
Das plut das von dem sper ab ran,
Wart Longinus erleuchtet van,
Das er Gots sun yn nante.
Den schein verloren sun und man,
150 Vil greber wurden auff getan
Und etlich toten drauß erstan,
Die manchem warn bekante.
Die felß zu rissen sich, secht an,
Der umhang riß im tempel fran.
155 O cristen mensch, wellest nit lan,
Schaw yn am creucz gespante!

7.

O kreucz Cristi, lebender stam,
Dar an der ewig tot end nam,
Der unß erstlich von Adam kam,
160 An dir starb das getultig lam,
Das all der wellt sund auff sich nam
Und mit gedullt dar uber clam,
Das sunst nymant was geben.

[5r] O creucz, du plügrunendes reis,
165 Du sellabendes paradeis,
Dar auß unß prost die lebend speis,
Der sel narung zu gleicher weis,
Alls der pellican millt und leis
Sein jung erkuckt von dodes eys,
170 Im plut yn gipt das leben.

Secht wie der edel fenix rot
Sich selb gab in die flam und glot,
Das er von new geper die sat
Die unß lebendig machte.
175 Der strauß am schein der sun nit lat,
Sein prut er fru anplikt pis spat,
Do von yn leblich crafft zu stat,
Die sunst weren verachte:
Allso der lew von Judæ hat
180 Sein welff erkuckt von aller not
Am creucz durch seynen pitern dot:
O mensch, das stet betrachte!

AMEN

Hanß Follcz.

142. seinē. 147. *am Rande* quod deus est. 152. manchē. 176. er fru *am Rande; hinter* pru *ein Zeichen, das aber auch ein* t (*also* prut) *meinen könnte.* 178. v'achte *zweimal, das erste Mal gestrichen.* 180. kerkuckt.

[5v]

Das ander par.

1.

O mensch, bedenck die suben wort,
Die Jhesus am creücz offenbort,
185 Das erst das man yn reden hort,
Do man so jemerlich sein fort:
'Vater, wellst yn vergeben dort!
Sie sint des wissens unglort
Was sie an mir beginnen.'

190 Zum andern denck, o schöpfer mein,
Wie ein suß liplich wort und fein
Du sagst zu der gerechten dein
Dem schacher: 'hewt wirst pey mir sein.'
O Jhesus, aller tugent schrein,
195 Hillff das der trost unß auch erschein,
So wir mussen von hinnen.

Sachst zum dritten dein muter stan,
Wie sie in leid und jamer pran,
Plickest dar nach den junger an,
200 Sprachst: 'weib, nym war dein sune!',
Hiß yn dich fur sein muter han,
Auß seiner hut dich nit verlan,
[6r] Des wir auch, kewsche jungfraw fran,
Dich muter nennen nune.
205 Las unß dein güt nit irren dran,
Sunder zu muter dich unß gan,
Auff das wir unter deinem fan
Ymer lassen und thune.

2.

'Mich turst' das firdi wort er maß,
210 Nach unserm heil und trost was das,
Dar in du, her, nie wardest laß.
Redest das funffti wort furbas,
Do der groß judisch neit und haß
Dich zu smehen keyner vergaß,
215 Sprachest in grossen smerczen:

'Mein Got, mein Got, wy hastu mich
Verlassen so gar elentlich!'
O mensch, das nit anders an sich,
Dan nach der menscheit es auß sprich.
220 Das sechsti wort merck inetlich,
Las es zu rew ermanen dich
Mit einem danckpern herczen.

'Es ist alles verpracht' er sprach,
[6v] Verstet unser selikeyt nach:
225 'Pis in den dot betrupt und swach
Pin ich' sprach er elende.
Dar nach das subend wort auß prach,
E das er leidt des dodes krach.
In amacht er ubersich sach,
230 Sprach: 'vater, in dein hende
Enpfil ich meinen geist' er jach;
Erst wart geendet alle smach
Seint halben durch die jüdisch rach.
O her, dein gnad unß sende!

---

188. *l.* ungelort. 220. *oder* ineclich? 221. zu *aus* mit.

3.

235 Wer wollt nit fleissig sehen an,
Wer kunt und mocht ymer gelan
Nicht ein starck hoffnung zu han,
So er den hochsten konig fran,
Wor Got in menschlicher persan,
240 So pruderlich am kreucz sech stan
Fur unß in dodes falle:

Sein haupt gancz nach dem kuß gesenckt,
Sein offne seyt, dar auß er schenckt
Das du mit gnaden wurst getrenckt,
245 Sein arm gestreckt, das er sich lenckt
[7r] Dich zu umfohen pald um schrenckt,
Essich und mirr wurden gemenckt,
Vermischet mit der galle,
Do von die lecz er fur dich tranck,
250 Do er hafft an des kreuczes schranck,
Pey dir zu wan an abewanck
Pis zu deins lebes lecze;
Sein ruck gepogen, mud und kranck,
Fur dich zu zaln werck, wort, gedank,
255 Sein ganczer leib in amacht ranck,
Daß er in schirm dich secze;
Unter eym krancz er fur dich sanck,
Die suben gsecz dar zu yn zwanck:
O her, im himlischen einganck
260 Uns dort ewig ergecze!

4.

O hochster kung in seraphein,
Allso hingstu am kreucz allein
In dem willen Got vaters dein
Und genczlicher gehorsam sein
265 Im umring deiner feind gemein;
Der freund pey wonung die was clein,
Petrupt was dein geperde,
[7v] Nach der menscheyt gancz trauriclich;
Von dorn dein haupt lit manchen stich,
270 Die farb deins angesichts verplich,
Mit offnem mund senckestu dich,
Dein stim die lawt gancz heiserlich,
Dotlich gestallt erzeiget sich
Gancz pükend gen der erde.

275 An dreyen enden an gespant
Recht allß ein seyt dein leichnam dant,
Kein stat dein haubet nindert fant
Ruhalben hin zu neigen.
Dein augen treherten peidsant,
280 Manch swerer seuffcz dein hercz ermant,
Gedult wart groß an dir erkant
In allen deym erzeigen.
Um unß, her, litestu die schant,
Gabest dich fur unß all zu pfant
285 In dot des kreücz, das du die pant
Der hell zuprechst dem feygen

---

237. *l.* hoffenung? 242 dė. *l.* fuß? 251. wan = wonen. 259. O *aus* Du. 284. dich *am Rande nachgetragen.*

5.

Mit knackenden gelidern swach,
Mit offner seyten, do der pach,
[8r] Der suben sacrament ursach,
290 So folliclichen fürher prach,
Do von dem dot sterben geschach
Den unß der argen schlangen rach
Pracht in dis jamertale.

O her, gip meynen augen trer,
295 Ob ich durch dich kein plut verrer,
So laß kreücz, nagel, kran und sper
Mich so petrachten und dein ser
Das all mein sinlikeyt dein ger
Und in kein noten von dir ker,
300 Flö mich vor sunden fale!

Hefft mich mit deinen nageln an,
Dein sper las, her, mein sel durch gan,
Das die fluß deiner wunten fran
Mich sunder sichen lamen
305 Heiln, allß der furst wart Naaman
Durch Heliseum im Jordan.
Her, thu am end unß pey gestan
Durch deinen heilgen namen,
Und alle cristliche persan
310 Welstu, her, numer mer verlan
[8v] Und unter deinem sturem fan
Unß beschirmen all samen.

6.

Jhesus wart ab genomen spat
Vom kreucz nach Nicodemus rot;
315 Pilatus wundert ab seim dot,
Der yn betaucht verpracht so trot;
Maria stunt in grosser not,
Mit fleiß sie sein begeret hot
Mit armen zu umfohen.

320 Muterlich trew nit lassen künt
Zu kussen sein verplichen münt,
Simeons swert ir sel verwünt,
In leyt durchflamet und enzünt
Was sie in ires herczen grünt,
325 Josep und Nicodemus günt
Mit ym zum grabe johen.

Magdalen und Johannes peidt
Hetten mit ir sunderlich leidt,
Spürten ir herczlich traurikeyt
330 Und inerliches clagen.
Von yn wart sie zu hauß beleyt,
[9r] Doch hilt sie jugfrewlichen pscheit,
Ir fester glaub und sicherheit
Liß sie doch nit verzagen:
335 Do von ir Jhesus het geseyt:
'Am dritten tag wirstu erfreyt',
Allso der urstend sie erpeyt,
Det ir allß leyt verjagen.

---

292. argen *aus* arger? 307. Her *aus* Vn̄. 309. cristliche *aus* cristluche. 312. all *hinter* Vnß *gestr.* 329. ir *aus* die.

7.

Der her zum grab bestet wart
340 Mit mirr und alloe die fart,
Wunden yn in ein leinwot zart,
Leyten yn in eins felses schart
Gancz new und mit ein stein verspart,
Verpetschafft und versigellt hart.
345 Fru zu dem grab sie jachten.

Die drey Marien fru vor tag
Suchten den herren do er lag,
Mit jamer und pitterer clag
Zu salben nach yrem behag:
350 'Wer welczt den stein ab?' was ir frag.
Ein engel det zu yn die sag,
Allß sie dem grabe nachten:

[9v] 'Ir sucht Jhesum von Nazaret?
Hin ist er, wie er mit ewch ret,
355 Gen Gallele er euch vor get.
Sagt auch Petro dar vane!'
Maria Magdalena het
Hoffnung, der her sich zu ir det,
In dem in gertners weis er stet.
360 Sprach: 'fraw, rur mich nit ane!'
Pald sie den herren kennen det:
Dis, mensch, petracht allß fru und spet,
Sein gnad dich numer mer verlet,
Des unß Got allen gane!

AMEN

Hanß Folcz.

Das drit par.

1.

365 Cristus an eynem sabat spat
Erstunt, allß man figürlich hat;
Ezechihel sach schnell und trat
Ein groß schar folks ersten von tat.
Samson der Philisteiner fot
370 Entging und dar zu allem rat,
Der von Gazam pey nachte

[10r] Die thor der stat er peid mit nam:
Jonas am dritten tage kam
Auß des grossen walfisches wam:
375 Allso Jhesus, das tultig lam,
In demut den dot uberclam
Den er litt an des kreuczes stam,
Stund auff in eygner machte.
Von der urstend, ich reden mag,
380 Wart der sabat verkert, ich sag,
Nun ewiclich in den suntag
Um dreyer ursach willen.
Wie groß an der enpfengnus lag
Und sein gepurt nucz auff ir trag,
385 Des gleich sein dot noch darff nit frag,
Allen zweifel zu stillen
Und zu enden Adames plag,
Dar in die menscheyt gancz was zag,
Must sein urstend enden all clag
390 Und unß zu freyden zillen.

339. *l.* bestetet. 340. *bei* mir *von späterer (?) Hand mit schwärzlich-grüner Tinte noch ein* r *herübergesetzt. Nach* 347 *ist durchstrichen:* Zu salben yn mit piter clar. 350. frag *aus* sag. 365. sabat *aus* abent.

2.

Um funfferley der schopfer rein
Vom dot ersten must, ist nit nein:
Von erst das die groß demut sein
[10v] Erhoet wurd in sulchem schein
395 Der clorheyt, do kein mensch vor ein
Kam, dan dem hern Jhesu allein
Solt das von erst begegen;

Zum andern das er offenbort
Bestetung seyner eygen wort,
400 Allß man von ym muntlichen hort:
'Diser tempel der wirt zustort
Und new wider erscheynen vort
Am dritten tag', das im verkort
Der juden fallsch außlegen;

405 Zum dritten um die hoffnung groß,
Die wir auch haben suln on moß,
Zu werden dort sein mitgenoß
In des fleisches urstende;
Nach der lesten fier hörner doß
410 In lautung stet auff alles oß;
Wer dan abschid von sunden ploß,
Wirt meyden dort elende,
Sunder Got fellt auff yn das loß
Das er in aller zir die stroß
415 Wirt pawen in die ewig schoß,
[11r] Do alle clag hat ende.

3.

Zum firden allß Crist selber sich
Vom dot erkucket schnellichlich,
Allso, du cristenmensch, rot ich,
420 Vom dot der sund erste geistlich,
Dar in götlicher hillff zu sprich,
Willtu ewig versehen dich
Seiner urstend genissen;

Zum funfften eyn yder an she,
425 Wo nit des fleischs urstend gesche,
Wer glewplich das dort nymer me
Der sel, leibes beger ab ste?
Wie wol do ewig ist kein we,
Noch gert sie des leibes der e
430 Sie zeitlich det umschlissen:

Dar um, o crist, gleubig persan,
Wie kanst und magst ymer gelan
Nit ein starken glauben zu han
In sein urstend mit namen,
[11v] Seyt an die selb auff erd kein man
436 Numer het mugen auff erstan,
Het er unß nit gepent die pan!
Des sull wir allesamen
Ym danckes numer abegan,
440 Auff das wir dort mit ym im tran
Besiczen die ewige kran
Ymer an ende, amen.

Hanß Folcz barwirer.

---

391. funfferley *aus* sechserley. *Die zweite Fassung ist mit blasserer Tinte geschrieben.* 426. dort *aus* dor. 427. sel *am Rande nachgetragen.* *Nach 432 durchstr.:* Nit ein starck hoffenūg zu han.

[2.]

Zu wissen das dises nach folgend gedreyt lid gemacht ist auff einen der mich teglich mit dichten besten wollt um was ich vermocht. Dar um ich ym das lid mit den vil reymen fur hallt, und welcher des gleichen mit so vil reymen auff geistlich, weltlich oder sittlichen mit mir dran wil, der sol bestanden sein, und wellen gleich mit ein ander an heben, und welcher seinß e mach, auch die materig do von man ticht, kurczer begreiff, die reymen ungezwungner und pesser mach, der zich hin.

Frisch auff mir und dir.

Hanß Follcz von Wurmß barwirer zu Nürnberg.

[12r] In dem verporgen thon.

1.

Manch grob und einfeltig per san,
Was der fur fast in seinem wan,
Tuncket das pest yn sein ge tan,
Schaczt doch man ym der ern nit gan,
5 Wan wie er seczet seynen schran,
Will er nit eben stan.

Und wie man seyner einfallt schan,
Will er doch ye in hauffen schlan,
Hewt um sich mit dem eber zan,
10 Wie er des grundes nie en pfan,
Noch nympt er trewer ler nit an,
Auch er das end nie psan;

Schlarfft ymer auff der rawen pan,
Hewt forn her mit dem sturm fan
15 Und meyt den fechtperlichen plan,
Do er möcht finden seinen man,
Der mit ym kurcz sinnes hyb dran,
Ob er dan nit wil nan
Und doch nit lan
20 Ym um ein gran,
[12v] Sein wider span
Zu zemen han;
Grant wie ein allter gnan.

[2.] 4. er *N2.* 9. vm sich *aus* forn her *M.* 11. trewer] never *N2.* 12. Vnd auch er das ny *N2.* 13. Sschlarfft *M.* rauchem *N2.* 14. stürem *N2.* 15. Meidt doch den streitparlich plan *N2.* 16. man man *M.* 20. In *N2.*

Dannoch, o werder schöpfer fran,
25 Wie fast er in dem haßß ye pran,
Was ym ye kunst zu floß und ran,
Dewcht er sich weisser dan ein swan,
Er dannoch nit erlangen kan
Zu tragen meysters kran.

2.

30 Solt aber eynem nit thun ant
Das mancher wirt so gar ge plant
Und in ym selber murt und grant
Um kunst, die er ny halb er kant,
Und wil mit leschen seynen prant
35 Und zewcht her für sein schant,

Sam seyn geschrey sey strick und pant,
All ander kunst pey im ein tant?
Ob er dan lang drum greint und flant,
Wirt ander art nit mit zu trant,
40 Weill er nit cleynet, gellt und pfant
[13r] Auff seczt und ist er mant

Dar um zu kisen unß peid sant,
Sol von mir werden dar ge spant
Gen ydem der mich ye an zant,
45 Seyt sie doch kunst im sack gnug hant,
Wie ich ein schlechter mini strant
Von yn wird an ge rant.
Wirt nit ver klant,
Ver quint, ver quant
50 Von yn mein stant,
Dar auff um gant
Die lang haben ver swant
Ir hirn in kunsten clar und glant:
Noch dan wie hoch sie sint ge nant,
55 Mein dicht vor yn keins me zu schrant.

---

26. Was *aus* Wie *M*. 27. Dünckt *N 2*. 31. so gar] also *N 2*. 32. mart *N 2*. 33. nit halber kant *N 2*. 34. nit *N 2*. 36. strik sey *N 2*. pant *ausgelassen* *N 2*. 38. Wen er lang darumb *N 2*. 39. art mitt im zu *N 2*. 42. vns besant *N 2*. 43. dar werden *N 2*. 44. hie *für* ye *N 2*. 45. Vnd der k. gn. im s. doch hant *N 2*. 46. schlichter *N 2*. 50. Vnd in meim stant *N 2*. 51. Dar vmb aüf gant *N 2*. 55. Mein künst v. i. noch nit zw schr. *N 2*. me *oder* nie *M*.

	Kum eyner von schlauraffen	lant,
	Wie vil er pern ye über	want,
	Sein kempfer er hie	fant.

3.

	Dan ob er sich lang mit mir	zacz,
60	Pleipt es doch pey dem allten	tacz,
[13v]	Pis einr dem andern wescht sein	glacz
	Nach tichtes art, was man sunst	stacz,
	Ob einß kunst sey ein großer	pacz,
	Allß er leicht selber	schacz.
65	So er dan lang mit treipt sein	tracz
	Und stet mit worten pricz und	pracz,
	Man nen yn Fricz, Francz oder	fracz,
	Der sich und ander lewt mit	facz,
	Ob er dan lang so gnir und	gnacz,
70	Will doch der allte	hacz
	Nit sein getempft in sulchem	acz,
	Ob man sich nit richt auff den	placz,
	Do der gern zewet die streb	kacz.
	Was man sunst hin und wider	swacz,
75	Pleipt doch sein waffen stumpf am	wacz.
	Deß schlaff er newr und	nacz,
	E er ym	gsacz
	Sunst wider	stracz,
	In worten	stacz,
80	Kirr wie ein	spacz,
	Mags sein ich schach und	matcz.
[14r]	Truckt mich dan eyner das ich	quacz
	Und ich yn wider um er	gracz,
	Ich wirff yn nider in den	flacz,

---

56. Kem einer her aůs moren lant *N2*. 57. er singer über w. *N2*. 59. Dan ob ich mich lang mit im z. *N2*. 60. So bleibt es pey *N2*. 61. sein] den *N2*. 62. was] wie *N2*. gacz *N2*. 63. eines künst ein *N2*. 64. Ist als er selber sch. *N2*. 65. Ob e. d. l. treibt mit *N2*. 69. er lang also gnicz *N2*. 70. Pleibt doch im alten h. *N2*. 71. Nůn lob ich nit ein solchen acz *N2*. 72. Ich lob wů mon reit aůf *N2*. 73. Vnd mit künsten zicht die *N2*. 75. Pl. d. die künst gancz stümpf am bacz *N2*. 76. Vnd stet recht als mon schlaff vnd nacz *N2*. 77. Merck in dem g. *N2*. 78. Das mon nit str. *N2*. 81. Dan wirt er faůl vnd macz *N2*. 82. Ob einer drückt mich das *N2*. 84. Würff ich *N2*. die pflacz *N2*.

85 Ob nit die feucht von ym auff spracz,
Gib ich ym mit ein meister sacz,
Das er mir pleipt ym lacz.

Et sic est finis.

Hanß Folcz barwirer.

[3.]

Im verporgen thon

1.

Maria keusch im hochsten grat
Und ob allem geschopf be gnat,
Hast hie nach Gabrihelis rat
Dem sun des vaters geben stat
5 Und yn gezirt in menschlich wat,
Do dich der geist um schat.

Do von du aller gnad wurt satt,
Und was die aller erst wol tat,
Dar durch des posen geistes fat
10 Yn ym geschacht wart und ge mat.
So pald hie gepaliret glat
Wart deyner zungen plat

[14a] Und in demut verkundet hat
Zu sein schrein, sarch, sal und kem nat,
15 So pald du sprecht 'michi fi at',
Schneller dan in eim hannen krat
Schlich zu dyr ein der hocht pre lat
Wol durch die pforten spat
Ezechi hels,
20 Ich mein den fels
Emanu els:
Höers ge schels
Wirt nicht dan es er zells
Die keuschsch yungfraw, in der do knat
25 Got geist das himel prot so drat,
Dar durch geöffnet wart das pfat
Der gnaden, do der sel un flat
Unß schelet von den sunden frat.
Dein güt unß das er pat,

85. Das die süten von *N2*. 86. Gib im da mit *N2*.

2.

30 Do got ynprünstig zu dir gacht,
Ein end hie geben wollt der nacht,
Durch dich ein mensch werden ge macht.
[15r] Wo wart ye hocher nucz be tracht
Dan do Got mensch von dir sich flacht
35 Deins magtums unge swacht?

Der feint nie serer wart ge smacht,
Kein forcht yn swerlicher er schracht
Allz do durch dich zu heil wart pracht
Des du hie müterlichen pflacht,
40 Dur den dar nider wart ge lacht
Sein freis und gar ver acht:

Wan der durch die profetisch wacht
Verkündet wart und lang ge clacht
Von den allt fetern die an facht
45 So lang gematt sein und ge schacht
Des lichts halben und doch be racht.
Die zeit schir sein er stracht
Dar in der stark,
Der lang was karck,
50 Verdrib das arck,
Plut, fleisch, pein, mark
Hie nam, doch es ver park
Der hellschen samnung unge schlacht.
[15v] Wie die ir concienez be spracht,
55 Götlicher heimlikeyt nach stacht,
So pleib doch von yn unbe dacht
Wie unß das heil wart zu ge sacht;
Des ir gemüt er kracht

3.

In alltem neit, der nie stund an,
60 Seyt er von hymel nam die pan.
Wie ser er in dem hasse pran
Den menschen stet zu irren dran
Der gutheit halb die unß Got gan
Und willig hat ge tan,

65 Do er unß an des kreuczes schran
Erloset durch sein sterben fran!

Do der verflucht deil meint zu han
An der sel Cristi in seim wan,
O sußer her Jheeus, wer kan
70 Auff erd dan wider stan?

Do hastu unß gesaget van
Durch susse ler, die von dir ran,
Wer auß unß het den minsten gran
[16r] Wores cristlichen glaubes glan,
75 Dem unglauben wer wider span,
Den wolstu her nit lan.
O keusches ercz,
Marien hercz,
Bedenck den smercz,
80 Den um die tercz
Der dritte stich des swercz
Dein sel durch ging (ich sweig der nan,
Do sich menschlich nit mer ver san
Dein sun, und do des plutes stran
85 Durch Longinum den ritters man
Hie trang pis auff der erden plan),
Zill unß zu deiner kran!

AMEN

Hanß Folcz Barwirer.

[4.]

I.

[17r] O Maria, wie taugen
Vor den götlichen augen
On wissent dein
Host ewig glorieret
5 Mit uber groster zirhet
In sulchem scheyn
Und durchleuchtiger wunnen
Das Got vater, sun und der geyst
Dich yn geeyget haben.
10 E du weslicher arte
Dir selb wert gegenwarte,
Drügtu die kran,
Das zepter und fürspange,
E stim noch hall erclange,
15 Und zu vor an
Hot in der lib geprunnen
Zu dir Got vater, der dich heyst
Sein werdi tochter frane;

[3.] 78. h *vor* hercz *durchstr.*
[4.] 1. *Die* O-*Initiale flüchtig als Gesicht skizzirt.* 3. *am Rande.* 4. *l.* Hostu?

Der heilig geist furware
20 Des gleich vor ye werender acht
Dich mit dem mehel ring und hefftlin eret;
Der sun aber zu ame
Dich sunderlich an name,
Reicht dir das zwey
[17v] Der reynen jungfrau schaffte.
25 Allso eyniger craffte
Die persan drey
Dochter des vaters clare,
Gespons des geistes hant gemacht
30 Muter dem sun geheret.

2.

O mensch, hie prüff die wirde
Und mit was hoer zirde
Dis weibes pil*d*
Vor aller ewikeyte
35 In gotlicher treyheyte
Got durch sein mild
Hat wellen im bereyten
Zu eynem schacz besunderlich,
Die er so zeit fursehen
40 Hat mit den höchsten gaben
Und so reilich erhaben;
E das ir sel,
Leib, hercz, gemüt, fleisch, peine
Und schöpfung groß und cleine
45 Hetten ir wel
[18r] Wesen noch ir auß preyten,
Hat dise jungfraw sunderlich
Mit wunderlichem prehen
Geschynnen und geleuchtet
50 Im herczen der ganczen drifallt
Ein clerstes spigel glas yren ein schawen,
Dar in geconterfetet,
Entworffen und plumetet
Die gotheit gancz,
55 — — — — — — — — — — — —
E hicz, kellt, dürr noch feuchte,
Hymel und erd het auffenthalt,
— — — — — — — — — — — —
— — — — — — — — — — — —
60 Sprecht lob der rein jungfrawen.

3.

E aber diser spigel
Wart ein got formigs sigel
Kunclicher milld,
Des pild dar ein sich prechet,
65 Wart frist noch zeyt gerechet.
O wie gar willd,
Ferr und weit sweiffig iste
Menschlichem sin verporgen das
[18v] Und so unbegreifflichen,
70 Wan in der lant merunge
Was ein sülch ordenunge:
Got vaters macht,
In lib des geystes gute,
Ewiger weisheyt flute
75 Im sun besacht
Zu werden zeyt und friste,
Dar zu ein himlischer pallas
Im wort Gots creffticlichen.

---

19. *hinter* geist *ein Punkt.* 33. pilde. 38. einē. 53. *oder* plinnetet? *Hinter* 54 *auf Rasur in besonderer Zeile* Die gotheyt *durchstrichen; ebenso auf Rasur* V. 56. 57. *V.* 55—60 *waren überklebt; v.* 58, 59 *sind dadurch unleserlich geworden; das* 55—60 *erhalten Gebliebene entspricht metrisch den letzten drei Zeilen der Strophe.* 62. got formig^e^s.

Wie es was an gesehen
80 Im koniglichen rot ewig,
Wart alles durch das wort 'fiat' beschlossen.

Ein keyserlicher trane
Gepawen wart so schane
Voll aller wun
85 Und uber claren lichte,
Dar in vergessen nichte;
Stern, man und sun
Gunden zu samen prehen,
Und unzall jumgling, der geschig
90 Was frey und unverdrossen.

4.

[19r] Auß den der aller clerste,
Über die andern herste
Ver meynet ye
Des rattes han ein wissen
95 Der dreyer ym beschlissen,
Und was doch nye
Dar zu worden bestimet;
Hing an sich ein geselschafft groß
Der ding innen zu werden

100 Beschlossen ym vor rate,
Dar zu sein nit was note.
Dar um must auff,
Was mit der herschafft ware;
Verwurffen die all gare
105 In dem auff lauff.
Der küng sam starck ergrimet,
Sie in ein kercker hart verschloß
Diff ym herczen der erden;

Beschuff ym andre kinde,
110 Die er nit allso hoch an saczt,
Auch nit so vil sunder ein par alleine.

Aber der ungeschlachte,
Der dort das ungluk machte,
[19v] Fing auch hie an:
115 Macht sich die zwey verschulden,
Pracht sie auch zu unhulden.
Was wart getan?
Sie musten auß geswinde
Raumen die stat, welch yn geschaczt
120 Was von dem konig reyne,

5.

Auch des palasts sich massen,
Dar auß der erst verstossen
Was um sein schant.
Ein new gesprech an finge,
125 Wie man sech in die dinge.
Do wart ermant
Ein schar, genant profeten,
Sollten sich fleissig in der sach
Üben und emsiclichen.
130 Die schriben an ein ander,
Concordirten allsander
Gancz uber ein,
Wie der verstossen hallte
Hie drib zu vil gewallte,
[20r] Wo nit gemein
135 Die drey persan eins deten,
Auß yn ein senten der die rach
Hie dempfen det ernstlichen.

---

101. nota. 110. saczt *vor* an *durchstr.*

Des sich der sun an name.
140 Eynen poten santen die drey
Zu irer ye erwellten keyserine.
Der vater mechticlichen
Die sendung det ernstlichen,
Der heylig geyst
145 Die herberg zu bereytet
Dem sun, der nit lang peytet,
Er kam gereist:
Fruchtig wart Davits same,
In keuscher schoß plüet sein zwey
150 Gepflanzct vor an beginne.

6.

O mensch, hie pruff was millde
Dis jungfrewliche pilde!
Durch die gepurt
Des starcken kempfers mechtig
155 Von allem folck ein trechtig
[20v] Lob wirt berurt.
Von erst sie worden iste
Ein wore muter Got des hern
Und er eins menschen sune.

160 Ir plod menschlich nature
Wart hoer gotheyt pure
Ein obedach,
Ein sal und ein schlaffkamer,
Der hell ein starcker hamer
165 Dar mit er prach
Das teufflisch yn geniste,
Ein trost profetischer begern,
Der lassen und auch thune

Waß nicht dan grosses schreyen:
170 'O her, zu reiß die himel dein
Und schick unß den der noch ist
her zu senden!';
Ist auch wurden ein sturme
Des verfluchten hell wurme,
Hat all sein macht
175 Unter ir füß gepettet,
[21r] Zer mischt und gancz zutrettet
Und hat unß pracht
Fur das vermaledeyen
Gottes den woren segen seyn
180 Mit gnad an allen enden.

7.

Wer sach fruchperer pfiancze
Dan die leiplich substancze
Irs sunes wart
Vereinet der gotheyte?
185 Dar um von ewikeyte
Die rein und zart
Über all englisch wunne
Erhaben ist nach der drifallt:
Wo mocht ye höers werden?
190 Des du nun pist, jungfrawe,
Gancz himelischer awe
Ein keyserin,
In welcher angesichte
Noch Got das clerest lichte
195 Ye hat geschin,
Dar ein die gotlich sunne
[21v] Erglest mit oberstem gewallt
In himel und auff erden.

---

157. das *vor und* ist *nach* sie *durchstr.* 171. den *aus* der. 178. d *in* vermaledeyen *aus* y. 184. *aus:* Vereint ist der gotheyte.

O crist gleubig persane,
200 Er hewt die schonst ob aller schon
Und reichest der himlischen guter gare!
Sie hat freyheyt zu geben
Das unersterblich leben,
Seyt ir sun Crist
205 Ir ewig nit versaget,
All gnad unß von ir taget.
Jugfraw, gib frist
Zu erwerben den lane
Und besiczung der himel trön
210 Mit aller heilgen schare!

Hanß Folcz

[5.]

[22r] In der zug weis.

1.

Die lest zu kunfft Cristi wirt werden
Am ent der wellt, nemlich zu dem jungsten gericht,
In offener gerechtikeyt
Und in verporgener erparemunge,
5 Wie sein ersti zu kunfft auff erden
Zu offenbarer parmherczikeyt was verpflicht
Und in ganczer verporgenheyt
Seiner gerechtikeyt auß ordenunge.

Allso das in erster zu kunfft
10 Yn wenig fur wor Got und mensch erkenten,
Wirt von ydes menschen vernunfft
Dort am gericht der recht richter genente.
Do van der profet clerlich spricht:
'All menschen seheen clar
15 Was der sun Gotz geret hat offenbar'.
Wan allz er erstlich kam allein
Und von der meng des folkes ungeprufft,
Erkent yn dort die gancz gemein,
So er das streng gerecht urteil auß rüfft.
20 Und wie er zu der ersten pflicht
Von vil des folkes wart verspotet gar,
[22v] Wirt er an dem jungsten gericht
Von yn beweint mit manchem heißen zar.

---

199. *Punkt nach* crist.

[5.] *Das Gedicht kehrt unter Nr. 22 noch einmal mit geringen Varianten wieder: an dieser zweiten Stelle sollen die Lesarten von N 2 mitgeteilt werden, das etwas näher zu Nr. 22 stimmt.* 1. 5. 24. 28. 47. 51. 70. 74. 93. 97. 116. 120. 139. 143 *in der Hs. ohne Sperrung.* 2. nēlich zu dē jungstē. 13. *oder* von? *öfter zweifelhaft.* 17. meg.

2.

S i c h , hat nit Cristus ym abscheiden
25 Unß geben zu der lecz die siben sacrament?
Allso er in der wider ker
Wirt subnerley grausamer ding verpringen,

I c h mein so juden, cristen, heiden,
Fisch, vogel, thir, würm und die gancz welt wirt verprent:
30 Do hab wir auß der schriffte ler,
Wie sich das feür übet in suben dingen.

Von erst die guten es purgirt,
Das sie gancz rein fur das gerichte kumen.
Zum ander mol es peingen wirt
35 Die posen an all iren nucz und frumen.
Zum driten es die lufft auß rewt,
Die dan die pösen geyst
Und der wellt sund vergifft hant allermeyst,
Wan allß das wasser der sintflus
40 Sich uber alle perge hoch auß preyt,
Allso das feur die zeyt thun muß,
Do von Johanes clerlich hat geseyt:
[23r] 'Ich sach himel und erd vernewt',
Stet in Appocalipsi, wer es weist.
45 Zum firden mal wirt do betewt
Das aller grausamst das ye wart erfreyst.

3.

E r kam erstlich auff erd alleine
An groß herschafft der seynen und mit cleynem pracht;
So wirt er dort in lauter stim
50 Der fier posaumen fur gerichti komen.

M e r hat er die sunder gemeyne
Alhie zu ym geruffen und gehapt in acht;
Dort weist er sie grauslich von ym,
Das sie zu gnad nymer werden genomen.

55 Am ersten kam er in demut,
Zum lesten mit all himlischen here
In grosser majestat und hut,

29. w't. 48. cleynē. 56. himlischē; l. himelischen?

Der huter er selb sein wirt ymer mere.
Hie sweig er in groster gedult
60 Alls ein gedultigs lam;
Dort schreyt er: 'get in die ewigen flam,
Ir, die nit die parmherczickeyt
[23v] Den minsten auß den mein bewisen hapt,
Wan mir hapt ir die selb verseyt:
65 Des wert ir hie von mir auch nit begapt!'
Her kam er, das er leyden wollt;
Dort erfrewt er die merterer allsant.
Hie leid er gancz an alle schuld;
Dort hant sein schuldiger die hochsten schant.

4.

70 S o alle dunder schleg und pliczen,
Was ir ye wart und werden pis der welt zu end,
Wart nie erschröcklichers gehort
Allß so die stim der fier horn werden sumen.

O ir toten, Got wil besiczen
75 Sein lest gericht: secht daz ir euch alle dar went!
Do ist kein wider steung fort,
All menschen korper mussen dar zu kumen.

Zum funfften wirt die stime gemein,
Das sie die toten greber all auff trenet,
80 Dar zu die fels und herten stein,
Auch yde sel iren korper erkennet.
Und dar um zu dem sechsten sie
[24r] Ye dem wider zu neygt
Dem sie erstlich von Got e was geeygt.
85 Zum sübenden sie sunder fügt
Jud, cristen, heyden, ydes an ein schar,
Sie zu der lesten ladung rügt.
Do hillfft kein appelaczen her noch dar.
Forcht und schreck wart der gleichen ny
90 Von allen scharen was sich do erzeigt,
All pos und gut werden dan hy
In yn selber mit grossem ernst gesweigt.

---

65. begapt *aus* gewert. 78. sein *vor* gemein *gestr.* 83. Dye.

5.

D o werden auch in lufft erscheinen
Alle zeichen des pitern leydes unsers hern,
95 Das kreucz scheint clerer dan die sun,
Do spürt yder Cristum sein richter seyne.

S o man auch clar an ym wirt spehen
Die narben seiner wunten, unß do zu erclern
Wie von der seyten sein der prun
100 Der syben sacrament auß floß gemeine.

Do von her Zacharias spricht:
'Dan seheen sie when sie haben durch stochen'.
Secht, hie kumpt Jhesus zu gericht,
Das er an all sein feinden werd gerochen,
105 Und kumpt in der grosten gewallt
Kunglicher majestat
Nemlichen ob dem tal zu Josaphat
Mit aller himelischen macht
Der heilgen und der grossen engel schar.
110 O alle cristen, icz betracht
Wie erschröcklich vor ym sten werden gar
Der sunder sum on auß gezallt!
Und was den sun Gotz ye gelestert hat,
Die werden grausamlich gestallt,
115 Die guten scheynen an all ubel tat.

6.

D o werden alle augen sehen
Die guten Jhesum in seiner claren gotheyt,
Die posen yn erkennen ploß
Nach der menscheyt mit grauslichem gsichte.

120 O secht, die guten wirt man spehen
Im lufft erschein mit aller zir und herlikeyt,
Do wirt der schnöden purd so groß
Das sie sten auff der erd sam angepichte.

[25r] Und Cristus wirt selb dhun die clag,
125 Auch die verhorung und das urteil vellen,
Die pey siczer werden, ich sag,

---

111. vör. 119. grauslichē. 124. selb *aus* selbi.

All heillgen, und was Cristus wirt erzellen,
Werden all engel zcewgen sein
Und die gancz heilig schrifft
130 Und der menschen gewissen, welch fur trifft.
Erstlich legt er den posen tar
Wie yn gehungert und getürstet het,
Gefangen, elend, nacket war,
Gestorben und im nymant hantreich det,
135 Und spricht: 'was ir den minsten mein
Nicht detet nach dem aller cleinsten wifft,
Yst mir auch nit getan allein:
Dar um get hin, enpfacht die ewig gifft!"

7.

Do werden all hellische geiste
140 Mit den verfluchten menschen in abgrunt der hell
Geworffen mit eim dunder schlag
Einß wortes auß des strengen richters munde.

/25ᵃ/ So die von dannen sint gereyste,
Werden forchtsam die guten von dem ungefel;
145 Den Got allß pald auch legt an dag
Die VI parmherczikeyt und dut yn kunde,

Die seynen minsten han getan,
Dar um sey ym sulch gutheyt selb gescheen;
Dan sicht er sie gancz freuntlich an
150 Und wirt mit den liplichsten worten iheen:
'Kumpt, ir gebenedeyten mein,
In meynes vater reich,
Das von anfang der wellt pis ewicleich
Ewch ist zu großer freid bereyt;
155 Kumpt und besiczt den wolust aller zir!
Hie ist ewig frid und geleyt'.
Erst yn erkuckt hercz, sel, mut und begir,
So sie geyst, vater und den sun,
Den spigel der drifallt, an schawen gleich.
160 Mensch, des wellest petrachtung thun,
Willtu enflihen dort der helle teich.

Hanß Folcz barwirer.

---

136. dē. cleinstē.

[26r]

[6.]

1.

Eins tages facht mich an
Wie ich sollt auß spaciren gan
Auff eynen anger lobesan,
Dar auff von plumen manch gespreng

5 Pla, gel, rot, praun und weiß
In ein ander vergat mit fleyß,
Sam ein lust grunendz paradeyß
Plut es alls durch ein ander reyn.

Ein enges pfat ich durch die aw hin lencket
10 Mit pluenden dornen zu rings um verschrencket
Und vil rosen behencket,
Ir richen das was manigfallt.

2.

Des angers an eim ort
Ich auß eim herten felsen dort
15 Ein lust prunen lawt rauschen hort,
Zu dem mit sunderlichem lust

Ich eylen det zu hant:
Mir wart kaum grosser er bekant.
Er klang auß eyner steynen want,
[26v] Von not ich sein versuchen must.

21 Sein fal was in ein weyten mermelsteine,
Dar in die fisch um schussen groß und cleine;
Ob yn ein grosßer reyne,
Dar an ein wuneclicher wallt,

3.

25 In dem manch fogel gufft,
Das es erclang pis in die lufft,
Einer über den andern rufft,
Welches mein hercz so hoch erfrewt

Das ich mich in das graß
30 Strecken began und uber maß

[6.] 14. hort *vor* dort *gestr.*

In mir selber verwaczelt waß
Und an den sinnen halp zustrewt.

In des die ru und auch des prunnen clingen
Mich zu eym sussen schlaff begunden zwingen
35 Mit sampt der fogel singen,
Dar von mein sach sich anders stallt:

4.

Wan ich zu schlaffen pflag,
[27r] Pis das die nacht vertreib den tag,
Der man sein licht gab durch den hag,
40 Gestirnet was der himel gar;

Der ich keins wissend was,
Pis das her rauschet durch das graß
Ein starcker wint fast kallt und naß.
Schnell wuscht ich auff zu nemen war

45 Was mich so urplupflingen het erweket
Und mich so gechling auß meim schlaf erschr*ecket.*
Ich sach genczlich bedecket
Den himel mit sternen zu stunt

5.

Und vor mir ein figur
50 Do von erschrack mein gancz natur,
Der sweiß an all meim leib auß fur,
Gen perg gingen die hare mein.

Es het eins menschen art
On cleid, on har und auch an part,
55 Die hawt dem pein an lag so hart,
Mich engstet ser der grausam schein.

[27v] All mein gederm im korper sich um korten,
Ich seget mich mit kreuczen und mit worten
Und plickt zu allen orten,
Von stat ich mich nit wegen kund.

---

32. streyt *vor* strewt *gestr.* 46. *Das letzte Wort ist unvollständig, da an dieser Stelle das Papier beschnitten ist.*

6.

Erst mir all krafft enging,
Es zu besweren ich an fing;
Wie es mich nit an kam gering,
Ye doch ich wagen es began:

65 Gepot ym pey der macht
Ganczer drifallt das es mir sacht
Worum es von mir wurd gefracht.
Es antwurt mir: 'so heb pald an.'

Ich sprach: 'sag mir von ersten wer du seyste,
70 Zum andern worum du dich mir beweiste,
Zu lest mich nit verzeyste
Mir keinen schaden gerst zu thund.'

7.

Behend sprach es zu mir:
'Ich pin kein mensch, sel, geist noch thir,
75 Hab weder leib, leben noch zihir,
[28r] Pin nit geschaffen noch gemacht.'

Der red wundert mich groß:
Ich sprach: 'wer ist dan dem genoß,
Das du so kal, nacket und ploß
80 Ein piltnus von mir wirst geacht?'

Er sprach: 'ich pin ein plosliche figure
An mir selb nicht, sunder durch gotlich kure
In deinen augen pure
Ein plick betrubend deinen syn.

8.

85 Durch was ursach dan ich
Yczund alhie bekümer dich?
So merck, du hast gar inneclich
Got petten all die tage dein

Das dir vor deinem ent
90 Drey tag dein sterben werd erkent;
Des halben ich dir pin gesent
Dir sulches clar zu pillden ein.

---

73. es *aus* er. 90. tag *aus* tage.

Dar um schick dich, wan ich pin selbs der tote,
[28v] Zu dir geschickt ein worhafftiger pate.
95 Bereit dein hercz zu Gote!
Nit pessers ich dir kundend pin.'

9.

Do mir sulchs wart bekant,
Einr amacht ich an mir enpfant,
Wan so schnelliclich an gerant
100 Fachten fir mercklich sach mich an:

Von erst erschroklikeyt
Das mir so kurcz was ab geseyt;
Zum andern das so unbereyt
Ich so gar eylends solt dar van;

105 Zum dritten groß totsund, die mich beswerten,
Mir hercz, gemut, sel und vernufft versterten,
Das drit mit. was geferten;
Das fird das ich nit west wo hin.

10.

Dan das ich feyert nicht,
110 Schnell fyl ich auff mein angesicht.
Die muter Gotz ich mich verpflicht
Mit grossem ernst ze ruffen an,

[29r] Das sie durch die groß not
Irs suns und durch sein plut so rot
115 Und seinen herben pitern tot
Mich wolt III jar noch leben lan,

Mich yn ein heilgen orden zu begeben
Und nach aller strengheyt dar in zu leben,
All sund zu pussen eben.
120 Das pild mir antwurten begund:

11.

'Ste auff und kum dem nach!'.
Kein froer mensch ich nie gesach,
Got ich lobes und ern verjach.
In dem verswant dise figur.

---

104. van *aus* von. 106. v'st'tē *aus* besw'ten. 123. *das* o *in* lobes *undeutlich*.

125 Pey dem peispil verstet,
Welch mensch Got stet an hangen det,
Das yn Got entlich nit verlet,
Mant yn durch manch selczame kur.

Dar um pey disem anger voller plumen
130 So wirt des menschen juget fur genomen
In aller freid volkomen;
[29v] Yn rot jar, menet, tag noch stund.

12.

Die dorn hecken, an den
Vill weiß und roter rosen sten
135 Und zu rings um den anger gen,
Bedewt, wie groß die freide sey

Und all gluckselikeyt
Die des menschen gemut erfreyt,
Laufft mit bekumernus und leyt,
140 Dar durch der men*sch* nit ist gancz frey:

Wan allß die ros in dornen sich enthellte,
Allso jugent mit sorg in freyden ellte;
Nymant ist auß gezelte
Der ye gewissen tempfen kund.

13.

145 Der prun bedewt die zeyt
Die stet hin rint in wider streyt;
Was man singt, saget oder schreyt,
Streycht sie doch ymer fur und fur.

[30r] Die fisch, die hin und her
150 Schissen nach leng, preit und der zwe*r*,
Wie mancherley geschlechte der
Do selbst man pey ein ander spur,

So wirt ir keins geschant nit umme ein hare:
Allso der dot die wellt hin raubet gare,
155 Hat an nymant kein spare,
Furst, grof, paur, purger, wer er sey.

---

132. rot = rawet, riut *'schmerzt'?* 140. mē. 150. zwe. 153. vm̄. 154. *in* gare *ist das* re *sehr zweifelhaft.*

14.

Nun pey des waldes tran,
Dar auff die fogel singen schan
Mit manchem lautreysigem than,
160 Sol wir nit anders mercken hie

Dan der predger geschrey,
Gewissen und der tot die zwey
Und das insprechen mancherley,
Welch funff in unß feyerten ny,

165 Sunder ermanen unß teglichen tewre
An die unentlich himlisch freid gehewre,
Aug an das ewig feure,
Dar vor unß Got ewig mach frey.

15.

[30v] Nun lat unß ruffen an
170 Maria, die zart jungfraw fran,
Das sie die drey gotlich persan
Mit inerlicher pit und fle

Erman an unserm ent,
Das wir die heilgen sacrament
175 Enpfahen auß des pristers hent,
So wir auß disem jamersee

Ab scheyden allso das wir onentleiche,
Dort komen in das frane himelreiche.
Sprecht 'amen' all geleiche,
180 Das unß das allen sant gedey.

AMEN

Hanß Folcz barwirer.

[7.]

1.

O arms elend in diser zeyt,
O dume welt, sich war an leyt
Dein rumen und dein schallen?

[31r] Ein ider sech sich um und auff:
5 Die wellt ist allß ein amashauff
Und gleich eynem werffpallen,

Dar zu einer reysenden ur
Und eynem hauß das prinet.
Nun möcht ir dencken was figur
10 Hie dis mein red besinnet
Allz durch die e gemellten ding.
Es heist ein cluge abentewr,
Wo ich es zu verstentnus pring.

---

159. reysigẽ. 178. himelreich.

2.

Im amaßhauffen ist kein ru,
15 Zabeln und krabeln ymer zu
Allz ir natur das gibet,
Pflegen mancherley kauffmanschafft,
Suchen ir narung wunderhafft,
Kein mussikeyt yn libet;

20 Sie eyern, hecken, prutten auß. —
/31ᵛ/ Nun höret van dem pallen,
Und ob der schon ein clein zeyt lauß,
Muß er es wol bezallen.
So zwen, drey, fir yn werffen um,
25 Fint er doch ru an keyner stat,
Pis auß ym hangt vil manig drum. —

3.

Ein reysend ur von glas muß sein,
Dar in manig santkornelein,
Die mit der stund hin reysen.
30 So man das unter keret auff,
Meret am poden sich der hauff,
Pis sie ir zeyt beweysen.

Allso rast, zeyt und weil hin weicht,
Dag, woch, menet und jare,
35 Allter und swech her wider streicht,
Zu lest der dot, nempt ware.
Nun so dem orglas wirt ein stoß,
So ist dem schimpf der podem auß
In eynem augenplicke ploß. —

4.

/32ʳ/ Was furter nun mein red besint?
41 So eym ein hauß unwissent print
Und er des wirt geware,
Sturm lewten, plasen, groß geschrey,
Auff und ab lauffens mancherley
45 Mit dinsen her und dare,

Die selbig mü den merernteil
Geschicht gancz unbesunnen,
Und e ein cleyne zeit hin eyl,
So ist das haws verprunen,
50 Und kumpt der haußher in armut. —
Die fier ding ich dem menschen gleich,
Wo yn nit frist die gotlich hut.

[7.] 39. eynē.

5.

Dar um, du cristen mensch, lob Got
Um die gutheyt so er dir hot
55 Bewisen all dein tage!

Undanckperkeyt den Lucifer
Warff in das wutend hellisch mer
[32v] Do er nit pussen mage;

Des gleichen sie Adam vergifft,
60 Do yn der fras verfuret:
When noch das selbig laster drifft,
Die stroff yn auch berüret.
O mensch, danck Got der gutheyt dein
Und secz im all dein sach hin heim,
65 Willtu hie und dort selig sein.

AMEN

Hanß Folcz barwirer.

Nun werden folgen die newn gesmeck in der e.

[8.]

Im verporgen thon.

1.

[33r] Eins ich gepeten warte
Das ich eym offenbarte,
Seyt das fegfeur
So herb und pitter were,
5 Den selen dort so swere
Und ungeheur
Und ir so schnell vergessen
Von freund und kinden zu vor auß,
Die ir erbteil besiczen,

10 Wie er doch mocht auff erden
Sulchen sweren geferden
Krefftig vor sten,
Sollt ich durch Got yn leren,
Ob er sein sel möcht neren
15 Vor sulcher pen,
Die dort so swer gemessen
Den selen wirt, ob er dem grauß
Hie möcht entgen mit wiczen.

---

56. *l.* Undanckperkeit *Roethe*, Vnd danckperkeyt *M.*
[8.] *Überschrift: hier liegt offenbar ein Schreibfehler vor: das Lied ist nicht im „Verborgenen Ton" sondern im „Unbekannten Ton" gedichtet. Die* er- *und* n-*Zeichen in* vᵉporge *sind weggeschnitten.*

Des ich ym antwurt gabe:
20 Ein nücze frag hastu getan,
Der ich gancz willig dich will
Wan in der weld gunst nymer unter richten,
[33v] In dem irdischen zimer
Menschlich geschlecht
25 Nicht höcher kunst begreiffet.
Wem hie wor pus entschleiffet,
Der muß zu recht
Im fegfeur legen abe,
Pis folleclich wirt noch getan
30 Was ym Got zu tut pflichten.

2.

Hor was die schrifft dir sage:
O mensch, all dein leptage
Nicht anders thu
Dan sicher lernen sterben;
35 Thu nach sechs dingen werben
Der du dar zu
Mit nicht wol kanst enperen:
Das erst das du dich zihest ab
Von alln zeitlichen dingen
40 Und mit all dein begeren
Dich inerlich tust keren
Zum vaterland;
Allz himlisch yn gesinde
[34r] Zu flehen nit erwinde
45 Dir thun pey stant,
Wor inekeyt zu meren,
In worer fruchperlicher lob
Alles das zu verpringen;

Der welt sterbest in Gotte,
50 Dar mit allß yngesinde dort
Sich freyen dein nach tot dich zu beleyten
In die ewige wune,
Do der clar lauter prune
Der gotheyt reych
55 Ymer on end dich trencke,
Sich in dein sel gancz sencke
Mit freid, der gleich
Or, aug noch hercz nie hote
Begriffen noch begreiffet vort,
60 Noch mag kein danck auß reyten.

---

29. *aus:* Pis folleclichen wirt getan. 49. allso ab *hinter* welt *durchstrichen.*

3.

Zum andern merck gar eben
Das du pey deinem leben
Um all gutheyt
So du ye hie verprachtest,
[34v] Dir keinen lon zu achtest
66 In ewikeyt,
Das die geistlich hofarte
Dir nit dein gutheit gar vernicht,
Dar vor mit fleiß dich hüte!

70 Sunder in wor demute
In das vergossen plute
Gottes Jhesu
Und in sein pitters leiden
Soltu dein hoffnung reiden
75 Starck ymer zu,
Wan dar in ligt versparte
Unser genczliche zuversicht.
Dar ein secz dein gemüte

Und schacz deinthalb untüchtig
80 Alle gutheit durch dich verpracht,
Doch nit allso das du in zweifel fallest,
Sunder in deiner achte
Magdalenam betrachte
Und wie Petrus
85 In hoffnung gnad erwarbe,
Der schacher frolich starbe
Mit ringer puß,
[35r] Paulus leben wart früchtig:
Sich, mensch, der fierer gnad betracht,
90 Yn Got du ewig schallest!

4.

Zum dritten, weil du swachest,
Dich in dir selber machest
Mit ganczem fleiß
Ein lebends opfer freye
95 Dem sun der magt Mareye,
E dodes eys
Dein sel vom korper kere:
Wan Jhesus lebendig und tot
Fur dich ein opfer warte.

100 Denck, e du nach deim willen
Tausent jaren mochst zillen
Zu leben hie,
Wolstu in eim momente
E kysen hie dein ente,
105 Wo durch und wie
Es Got zu lob und ere
Von dir gefil, allso dich Got
Ergib auff dein hinfarte!

Hie die lerrer vermeynen,
110 Het ein mensch aller wellt poßheyt
[35v] Begangen, doch wan er sich so ergibet
Got auß wor lib und gunste,
Das des fegfeures prunste
Noch eynig we

115 Sein sel numer versuche.
O mensch, hie des geruche!
Schrey, pit und fle
Das du mit Got vereynen
Dich mügest hie in inekeyt,
120 Die dir dort ewig libet!

5.

Zum firden merck dar peye
Das nicht dein rew hie seye
Um pein der hell
Noch um das fegfeur wisse,
125 Sunder in dir beschlisse
Alls ungefell,
Noch tot kein forcht dir gebe,
Sunder die lauter lib zu Got
Geb dir ein wor getrawen!

130 Und sey dein rew alleine
Um all dein sund gemeyne,
Dar um das sie
Allein Got wider woren!
Sulcher rew soltu foren,
135 Ob du willt hy
[36r] Rechtfertig sein im leben
Und dort vermeiden ewig not,
Sunder gen himel pawen.

O Got, wie small und cleine
140 Ist yczund der sterbenden zal
Die sich allso allein in Got verpflichten,
Wo nit in jungen jaren
Der mensch der ding dut foren!
Ye doch du Got
145 Hast auch wol manchen groben
Im allter dich thu loben
Und vor seym tot
Gemacht von sunden reyne,
Dar durch all pein ym dort wart smal,
150 Wart sich gen himel richten.

6.

Zum funfften soltu ziren,
Dein gescheft ordiniren
Genczlich yn Got;
Ob dir vor grawen schewcze,
155 So fleuch unter das kreucze,
Sich an den tot
Den Cristus fur dich leyte:
O wol ein sichre stat und frey
Du dar pey magst gehaben.

[36v] Um fach des creuczes stame:
161 Dar pey finstu die amme
Gotes Jhesu
Und den ewangelisten.
Wie kanstu dich pas fristen
165 Vor der unru?
Wan die furpiter peyde
Sint deiner selen hochst erczney
In nöten dich zu laben.

Flö in die offen seyten
170 Ihesu Cristi die sele dein
Fur alle anfechtung der feind gemeyne!
Fursecz dir willeclichen
Zu sterben gancz frolichen:
So wirt dein smercz
175 Geleichtert durch den willen.
Loß dich auch nit befillen,
Gib dar dein hercz
Willig an wider streyten!
Auff erd mag dir nit nuczers sein,
180 So weicht ab der unreyne.

7.

Zum sechsten las nicht rauben
[37r] Dich von dem cristenglauben:
Wan in der not
Des lesten krachs und smercze,
185 So prechen sol dein hercze
Und nun der dot
All dein gelid gefangen,
Ersterbet und gerecket hot
Pis zu der sel abscheiden,

190 So lest der feint mit nichte,
Dein sel er starck an fichte
Mit ungetult
In des glaubes artickeln
Mit zweifel dich verwickeln.
195 Wer do verschult
Nit festiclich tut hangen
Dem cristen glauben an, wie trot
Der mensch dar in wirt swachen!

Dan weicht all götlich gnade
200 Und groß verdin Cristi des hern
Und nympt furgang des feindes list und machte.
O tiff und grundloß gute,
Ihesu Criste, behute
[37v] Unß selber du
205 In dem lesten abschite,
Las aller heilgen pitte
Unß schaffen ru,
Geuß über unß das pade
Deins kospern tewren plutverrern,
210 So pleib wir ungesmachte!

Hanß Folcz.

[9.]

Das a. b. c. im verporgen thon

1.

Ich hab gehöret offt und vil
Von meystergsang wunder und not,
Das man es lopt fur alle spil
So man pey dem gemein folk hat.
5 Und zwar es mag etwas dran sein
Wo durch workunstiger
Solich gesang wirt componirt
Durch schon geplumpt lipliche wort
Und von eim meyster der die zirt,
10 Auß worer schrifft vor nem den hort,
Auch vil sunst het gehort dar pey,
Dar durch offenbar wer
Sein kunst und durch lang zeyt bewert,
[38r] Allß Mugelein und Frawenlob,
15 Munch von Salczpurg und etlich mer,
Doch wenig die sülch wore gob
Pey unß geübet hon pis her,
Dan eyner der vermert
Gewesen ist
20 Pey meiner frist,
Kuncz Zorn genant,
Der noch bekant
Pey den von Nürnperg ist,
Und Kuncz Schneider, die tichter peid,
25 Über gemein leyische art,
Doch mit manchem gezwungen sin;
Ob yn ein pader pas gelart
Zu Lanßhut, ich berichtet pin,
Der auch der schrifft nit spart.

2.

30 Hie pey, du hoch climender, merck,
Bewar dich vor dem swindel wol,
Dein hirn mit guten würczen sterck,
Auff das dein haupt nit kumers thol,
Dir durch den fall gesige an
35 Und werdest zu gespöt.
[38v] Wan faren in ein enges hol
Etlicher clafftern tiff und weit,
Inwendig irrer locher vol,
Do licht sich nymer in begeit,
40 Er muß sein ein geherczig man,
Das yn die forcht nit nöt,

Oder an eynem felsen, strauch,
Ob er nit an gehencket ist
Und auff eim sichern knobel sicz.
45 Wer auff eim glatten eyse, wist,
An scharff fus eysen lauff, der wicz
Er sich gar wol geprauch.
Hie pey merk, ley,
Der das gespey
50 Der libkosung
Und spotters zung
Ym so lest pringen pey
Das er um gellt oder um lob
Sich so erschöpfft in der gotheyt
55 Und sich worlich betuncken let
Kein hö würd me so auß gepreyt
Noch tiff allz er die hab bestet,
O ley, pis nit so grob!

3.

[39r] Gedenck das aller lerer munt
60 Zu vor auß in der heilgen schrifft
Sagen ir sel mer machen wunt
Dan mit eym argen tod vergifft,
So sie an facht sulch romerey
Got zu ergrunden weln;

65 Das deinthalben doch wer das minst,
Sünckestu eynig in die tiff.
Merk, zuhörer, was du beginst,
Wo nymant auß der sorg dir riff,
Seitu mit hochster fantasey
70 Das *minst* nit künst erzeln;

Dan was dein torechts geuden tut
In dingen der du gar nit weist,
Und gener schrifft nie überlas
Den dein berumung dar zu reist.
75 Mich teücht es zum euch allen pas
Der ding wurd gar gerut.
Dar um so such
Das leyysch puch,
Dicht schlechti ding
80 Leicht und gering;
Nicht allz die farb im tuch
Ein plinter schacz, sunder sich an

[9.] 51. vnd *vor* spotters *durchstr.* 56. me *oder* nie. 70. nimst.

[39v] Das sulch furwicz vermessenheyt
An den zu horern gar nicht pawt,
85 Wie vil man yn dar von vor seyt:
Dan so es ye verworner lawt,
Ye minder sies verstan.

4.

Dar um, du tichter, wer du seyst,
Zu vor auß kein latein verstest,
90 Ye mer auff hoer steyg du leist,
So fester du dich duncken lest
Es sey ein gab vom heiling geist,
So es on zweifel ist

Ein gancz gespenstisch anfechtung,
95 Dar mit der geist der hoffart plagt;
Dar um, du seyst allt oder jung,
Rüff an die keusch demutig magt
Mariam, die du hillfflich weist,
Der güt auch nit geprist.

100 Des nie gnugsam gedichtet wart
Und numer ewiclichen wirt
Von ir und irem sun Jhesu,
Wie die sich haben um gedirt
[40r] Auff erd mit so grozer unru
105 Und unß erarnt so hart.
Sich, mensch, hie dicht
Und feier nicht,
Meid all ho fünd
Und tiff ab gründ,
110 Hör was sant Paulus spricht:
'Hetestu ein englische zung
Zu reden, tichten und erzeln
All himelische heimlikeyt,
Die kunst würden dir alle feln
115 Wo nicht dein hercz wor liebe dreyt
On hochfertig meinung.'

5.

An dis gedicht pringt worlich mich
Ein tumer mit eim parat haw,
Der über ser hochferticlich
120 Appocalipsim so genaw
Durch gründen meint uber die moß
Mer dan Johanes sach.

Des halb gepeut er im ein zeyt
Nach zu lossen, er gründ zu tiff,
125 Ein weil er ym vil mer zu geit
Dan ye Johannes geist durch liff.
[40v] O herre Got, was narret groß,
Herczliches leits und ach,

98. Mariā.

Du tumer tichter, dir zeuchst zu!
130 Lernstu das a b c vor pas,
Tichtest ein tanczlidlein dar fur,
Das denoch do in dir kaum was,
Do du furnamst die hoen kür,
Hestu gehapt dein ru.
135 Sag: spurstu nicht
Was clerlich spricht
Der adelar
Do selbst fur war
Do er lauter vergicht:
140 'Wer hie von meynen worten dut
Oder zu gipt, der ist verdampt.'
Hie all schrifft weis und hoch gelert
Über erschröcklich allesampt
Forchten das do icht werd verkert.
145 Dar um, ley, pis behut!

Hanß Folcz.

[10.]

[41r] Die güldin gloß im unbekanten thon.

Das erst par.

1.

Ich grober schlechter thore
Wart eins gefrogt hie vore
Von eynem man
Der sich taucht hoch geerte
5 Und sprach: 'manch tiff gelerte
Gipt zu verstan,
When Got verdampt wil haben,
Das müg gancz untersten nymant,
Noch auch die selb persane
10 Die sulches an thu treffen.
Ob sie unß dar mit effen
Oder ob es
Worlichen also seye,
Want meyner wicz nit peye,
15 Das ich auß meß
Mich in ichten zu laben;
Weiß nimant der mir thu peystant
Und mich leyt auff ein pane

Dar in ich werd getroste
20 Vor zweifel, das ich nit sey der
[41v] Den Got allso ewiclich wel verdamen;

[10.] 1. *Die* I-*Initiale als speiende Fratze ausgeführt.*

Wan ich sorg der verloren
Auch einer sein erkoren,
Wie wol ich when
25 Von Got haben mein willen
Himlischer freid zu zillen
Oder der pen,
Dar in man ewig röste.
O guter freund, nun gip mir ler
30 Wes rotes ich sol ramen!

2.

Seyt all theologisten
Her in so kaum sich fristen,
Wie der sentencz
Gancz clar sey zu entscheiden,
35 O wo wird ich dan weiden
Mein concienez
Auff erden trost zu finden
Eyner so sweren question,
Die all vernufft ab treybet.'

40 Ich sprach: 'ein guter troste
Wart dir hie zu genoste.
Erstlich verste:
[42r] Seit Jhesus sprach, der gute,
When hie des tauffes flute
45 Dut waschen e,
Wirt dar noch nit erwinden,
Die werck mit sampt dem glauben han,
Die man der gloß zu schreibet.

Das der selb selig werde,
50 Seyt wir han ware zeugnis des,
Wes halb bekumerstu dich dan so harte?
Pruffst dich doch erst begossen
Und mit der tauff beflossen
In der genad
55 Gottes für die erbsünde.
Furbas du weyter gründe
Nach dem selpad:
Ob du habest beswerde
Im glauben pald, so pesser es,
60 Das zweyfel werd gesparte.

---

60. *aus:* E zweifel jn dir pleibet. *Die 2. Fassung ist mit dunklerer Tinte hinzugesetzt.*

3.

Im andern teil du schire
In dir selb arguwire
Und denck ym no:
[42v] E ein zeitlich pawmane
65 Ein werck hie hebet ane
(Ich secz allso:
Von mancherley gesteine
Ist sein meinung ein tempel reich
Zu pawen dem nicht gleichet),
70 Icz ist ym gegenwarte
Des ganczen tempels arte
Und hat in ym
Schickung des pawes gare
Mit sampt dem grund, nim ware.
75 Noch mer vernym:
Nicht ist so groß noch cleine,
In ym hat er es fölecleich
Gancz nach der maß geeichet;

Er weiß auch außpüntlichen
80 Wo yder stein hin wirt vergat,
Urteilt yn dar nach seinem wolgefallen;
Allso hot er versehen
All ding e sie gescheen,
Mit der merckung,
85 Etlich zu ungesichte,
Ein teil gancz an das lichte
[43r] In die zirung
Seczt er fürsichticlichen,
Des er allß ein vorwissen hot.
90 Und auß den dyngen allen

4.

Du inerlich an schawe
Den ubergrossen pawe
Hymels und erd,
Wie Got ein yden steine,
95 Ich mein all sel gemeine,
Urteilt noch werd
Gen himel oder helle,
Wan er den paw genczlich und gar
Vor ewig in ym hatte;
100 War yder stein gepüret,
Ist ym nit ein gefüret
Zufelliclich,
Neur mit ewigem wissen.
Hie mit thu ich beschlissen
105 Offenberlich,
Ob man icht pillich zelle
Ym yde sel besunderpar
Mit urteil hab bestate

---

72. 73. *in einer Zeile.* 74. nim *aus* nēpt. 77. fölecleich *aus* fölechich. 81. seinē.

[43v] Zu der ewigen peine
110 Oder zu der ewigen freid,
Seyt er all ding allß einen cleynen palle
Beschleust in seiner hende,
Sicht anfang, mit und ende
Gancz gegenwart
115 Allß von ewig versehen,
Sam iczunt schon gescheen;
Hie prüf die art
Der vorwissenheyt seine,
Wie doch die freid oder das leyt
120 Stet in des menschen wale.'

5.

Diser gut erber mane
Facht mich erst fester ane,
Saget: 'von not
Spür ich erst offenbare
125 Auß deiner red fur ware
Das mich icz Got
Gereid verdamet hate
Oder behallten, wie ym ist,
Der keins ist zu für komen.

[44r] Weiß er mich nun verdamet,
131 So dan die welt allsamet
Plut weint für mich,
Was möcht mich armen wellffen
Das alles sant gehellffen?
135 Jo ewiclich
Precht mir das mer zu gute,
Das mir plick zeit noch jares frist,
Leyb noch sel het gezumen.

Dar um ich auß vernunffte
140 Got schuldig spür an allen seln,
So ymer ewiclich verdamet seyne,
Ich werd dan der geschichte
Noch anders unterrichte,
Dar um ich ger
145 Zu unter wisen werden
Mit innigen begerden
Und ymer mer
In meins lebes zukunffte
Mir es zu grossen freyden zeln,
150 Ob ich enging der peyne.'

---

143. Nach?

6.

[44v] Ich sprach: 'so hör noch mere:
Du pist doch selber dere
Durch den dich Got
Ycz selig hat gemachte
155 Oder zu pein geachte,
Seyt das er hot
Dir freyen willen geben
Zu neigen deen wo du wilt hin:
Zu keim du zwungen piste.

160 Seytu nun machst erkisen
Sein gnad oder verlisen,
Wie tarst dan du
Den schöpfer dein beschulden,
Ob du komest zu hulden
165 Oder unrü?
Dan wie du richst dein leben
Zu dem verlust oder gewin,
Allso hat ers geweste.

Im get dran zu noch abe,
170 Des gleichen dir, dar von so hor
Ein peispel noch, dar mit so wil ich enden:
Eynn sun ein kauffman hette,
[45r] Auß senden er yn tete
In fremde lant;
175 Zeigt im der strassen dreye:
Die erst gancz sicher freye,
Do ym bekant
Würden die grösten gabe,
Die er auch numer mer verlür
180 Ewig auß seinen henden;

7.

Aber die ander pane,
Ob er die selb ging ane
Und nit ab lent,
Wurd er worlich gefangen
185 Und in vil jaren langen
Kaum ab gewent
Durch groß pit, fle und trauren,
Schenck, gab und miet der freunde sein,
E das er kem zu hulden;

190 Ob er die drit pan drete,
Leyb, gut und was er hette,
Verloren wer,
Kem numer mer zu lichte,
[45v] Dar für enhülff gancz nichte.
195 Pey diser ler
Det er sich nit beschawren
Und dret den weg zu aller pein.
When wolstu drin beschulden?'

---

151. so] se? 195. Verloren wer *vor* Pey *durchstrichen.*

Der gut man sprach: 'wor lichen,
200 Schuldig weer an ym selb der sun,
Wie wol der vatter end und anfag weste.
Nun stet mein hercz zu friden:
Wan erst pin ich beschiden
Und pruff von not
205 War auff ich pin geflissen;
Sollt Got das end nit wissen,
Weer er nit Got.
Lob sey dir ewiclichen
Der unterweisung dein, wan nun
210 Secz ich mein hercz zu reste.'

Hanß Folcz barwirer.

[11.]

Unser frawen himelfart

im unbekanten thon.

1.

O frewt ewch, alle tröne,
Wan die durchlewchtig schöne
Ob aller wun
Hymlischer art und zirde
5 Hot hewt in hochster wirde
Weit für die sun,
Den man und alle sterne
Geleuchtet und geschinen clar,
Das von ewigen zeyten
10 Kein lawter creature
In schrifft, natur, figure
Von ewikeyt
Im gotlichen fursehen
Und ye werendem prehen
15 Nie angeleyt
Wart, durch das ymer werne
Sulch freyheyt allß besunderbar
Die schön, welch ye an neyten

Alle verstossen fursten,
20 Ich mein do das keusch meytlich pild
Hat alle macht pis in die tiff getrettet
[46r] Der hellischen ynwaner;
Ir junckfreiliches paner,
Zepter und kran
25 Hant hewt all kör durch reyste
In wundrung aller geyste,

[11.] 23. junckfreiliches *mit blasser Tinte am Rande statt des durchstrichenen* streytperliches.

Ich mein die frau
Nach der so lang det tursten
Die himlisch samnung durch ir milld,
30 Welch sie in freiden settet.

2.

Die ist hewt auff genomen
Und ir engegen komen
Die mercklich schar
Der kör und jerarcheye,
35 Vatter, sun, geist, die dreye
Ein weslich gar,
Und alls himlische here
Hot gefrolokt und jubilirt
In ir kungin zu kunffte,
40 Welch so gar in flamirte
Und in ir schön verwirte
Woren so gancz
Mit großlichem verwundern,
Öber, mittel und undern,
45 Vor sulchem glancz,
Allz Maria ir kere
Auff nam so durch clarifficirt
Gen der himlischen zunffte.

[47r] Hie hant die kor gesprochen
50 Der ersten jerarchey gemein:
'Wer ist doch die welch allso frü auff steyget
Her aus der wustenunge
Mit solcher frolockunge
Um geben hie
55 Und oberster presente?'
Hie gibet zu verstente
Got vater wie
Sie sey die unzuprochen
Und keusch irem liphaber rein
60 Sich ewig hat gezweiget.

3.

Die ander jerarcheye
Der mitteln köre freye,
Do die kungin
Den zu begunde nehen,
65 Hant die groß schon gesehen,
Namen zu sin
Das wundersam groß schallen
Und mangfeltigen sußen than
In ir freyen auffarte
70 Und fragten all gemeyne:
'Ey wer ist doch die reine
Welch allso fru
Sich durch die kore swinget,
Zu gleicher weis auff tringet
75 In worer glu
Der morgen röt ob allen
Gezirden die ye hercz besan
Noch kunst nie offenbar*te*

---

30. dort ewig settet *gestr. vor* in fr. 40. gar *aus* gancz. 56. Hie *aus* Die. 60. *oder* hab? 64. begunde *aus* begunden. 65. scho *vor* groß *durchstr.* 66. Irer b *vor* Namen *durchstr.* 75. glu *am Rande.* 75 *u.* 76, 77 *u.* 78 *je in einer Zeile.* 78. *Vom letzten Wort ist nur noch* offenbar *zu lesen, da das übrige abgeschnitten ist.*

[47v] So recht schon allß der mone,
80 Gancz außerwellt allz die clar sun,
Erschroklich allß ein wol gezirt herspicze?'
Den hat in der gotheyte
Der sun geben bescheyte:
'Sie ist eynig
85 Der wol verschlossen garte
Und auch verpetschafft harte,
Klar prun ewig
Und die eng pfort: do vone
Sagt wer nach unß die höchste wun
90 Icht pillicher pesicze!'

4.

Nun hort andechticlichen
Wie gar besunderlichen
Die keyserin,
Kungin, furstin und frawe
95 In höchster himelawe
Clar hat durchschin
Die oberst jerarcheye,
Welch der selben gancz englisch zunfft
Auch hant gefraget clare:

100 'Wer ist die fru auff steyget
Recht allß ein gert gezweiget
In vollem ruch
Mirr und weiraches drehen?'
Zu den wirt liplich jheen
105 Clar disen spruch
Der heilig geist: 'die freye
Hab ich gesucht und ir zu kunfft
Mir außerwelet gare

[48r] Zu eyner liphabrine,
110 Gespons, praut und gemael mir.'
Secht, allso ist die kunegin der eren
Über all kor erhaben
Und mit den hochsten gaben
On ent gefreyt
115 Mit ewigem gewallde,
Nechst gotlicher drifallde
Gepenedeyt
Vor ewigem beginne
Gotlicher fürsehung, welch zir
120 Sich ewiclich dort meren.

104 *f. in einer Zeile.*

5.

O keyserin der tröne,
Küngin ob aller schone,
Furstin der reich
Aller ober und undern,
125 Vor dir dut Got nicht sundern;
Gewallticleich
Herschestu was do iste
Im himel, erd und in der hell
Mit verguntem gewalde
130 Nach Got gancz zu regiren.
Dir thunt sich presentiren
All englisch geist
Mit ewigem vordinste,
Wan du all gnad yn zinste;
135 Nicht wirt erfreyst,
/48v/ Was hie auff erden riste
Und dir claget sein ungefell,
Du hillffest schnell und palde.

O muter Gots, jungfrawe,
140 Gip trost, hilff, steur, pit und auch fle
Den sune dein auff erd unß zu begnaden
Mit der woren unschulde,
Auff das wir, fraw, dein hulde
Ewiclich dort
145 Haben mit allen heilgen,
Und wo wir unß vermeilgen,
Welstu sein fort
Die unß lost von der trawe,
Auff das wir dem ewigen we
150 Entgen und allem schaden.

AMEN

Hanß Folcz.

[12.]

/49r/ Im unbekanten thon.

1.

O Maria, fursehen
Im ewigen erprehen
Uber zirlich,
Erleucht und clar geprunnen
5 Vor gestirn, man und sunen
Fur trechticlich,
Ein keuscher tabernackel,
E himel, engel, mensch und sel,
Fewr, waßer, lufft und wage
10 Von Got wurden gesachet
Noch icht sichtig gemachet
Leyplicher ding,
Auch e icht wart begriffen
Von hö, preyt, leng noch tiffen
15 Keins ye an fing,
Pranstu lucern und fackel
Klar vor dem kung Emanuel,
E ye scheyn nacht noch tage,

Vor allem anbeginne
20 Ein außerwelte am so zart,
Got vatters wort von ye und ye verpflichte,
Die auch der heilig geyste
Ein keusch, war muter heyste
Mittler persan,
25 Gots sunß, welch die drifalde
Yn einliczem gewalde
Von ye sach an
Ein ẏor geperrerinne
Zu sein Gottes in menschen art,
30 Der allen krigk hie schlichte.

2.

[49a] O wie gar tiff geeychte
Und nit zu schaczen leichte
Ist der beschit,
Worum Got vater millde
35 Von ir menschliches pilde
Wollt nemen nit.
Hor, mensch, ob dus nit weyste:
Solt Got vater sun worden sein,
So wer in der drifallde
40 Vater und sun der eyne
Und doch zwen sun gemeyne
Und het man nicht
Leichtlich kunnen verstane
Unterschit der persane;
45 In sulcher pflicht
Wer es auch, ob dem geyste
Die menscheyt wer gepflanczet eyn.
Des der gotlich gewalde

Dis zu sachet Gots sune,
50 Den der vater ewig gepirt,
Des menschen sun auch hie im zeyt sollt werden.
Und das hat auch clerlichen
Lucifer sichticlichen
Auß eygenschafft
55 Erkent sam in figure,
Wie zwu ungleich nature
Durch gotlich krafft
Wurden vereynet nune,
Welches in im yn so verirt
60 Und gab sich zu geferden;

[12.] 46. d^c geyste *vor dem gestrichen.*

3.

[50r] Meint frefflich nemen ane
Gleich Got gotlich persane
Und wart allso
Petrogen durch hoffarte.
65 We der leydigen orte,
Des er her nho
Sich an dem Adam rache,
Forcht zu besiczen yn sein stat,
So er verloren hette;

70 Besorget wie er were
Dem zu würd sten sulch ere
Das von seym sam
Ein creatur gancz millde
Geeynt gotlichem pillde
75 Hie würd, und nam
Im dar auß ein ursache
Das er yn an gefeindet hat
Dur͛ch sein verfluchte rete.

Die versunüng an stunde
80 Funfftausent jar, e mensch und Got
Allso in ein persan wurden vereynet.
Nun ist aber ein frage
Worum Got Adams plage
Ab legen det
85 Und nit Lucifers fale.
Dis unterschidlich wale
Alhie verstet:
Lucifer was icz kunde
All freid und auff das hochst begnat,
90 Dar um, so er vermeynet

4.

[50v] Dem hochsten gleich zu komen,
Hot ym fur war gezomen
Die niderst stat
In dem abgrunt der hellen,
95 Auch all sein mitgesellen.
Zum andern hat
Got eins mols die geist alle
Geschaffen lauter engel clar
On merung noch gepurte

100 Und hatten freyen willen
Von stunden an zu zillen
Auff oder ab
Zu poß oder zu gute.
Des halb sein ubermute
105 Das urteyl gab
Zu nemen schnell den fale
Mit all seyner vergunten schar,
W[illegible] ist berurte.

---

65. arte? 98. geschffen *aus* gescaffen.

Aber Adam alleine
110 Und Eva prachen das gepot
Und nicht ir sam, dar zu der schlangen schmeichen
Sie listiclich betroge
Und neydisch yn vor loge,
Und hatten dan
115 Dort noch kein freid besessen,
Wie wol des obses essen
Pracht in den pann
Gancz alles folck gemeine.
Des halb ein mensch ist worden Got
120 Den feint zu uber reichen.

5.

[51r] Allß nun von ye versehen
Die zeyt her zu gund nehen
Das Got das pilld
Vor ewigem an schawen,
125 Ich mein der rein jungfrawen,
In dis gefilld
Unß schickt, das new groß wunder,
Durch die das heil nehen began,
In irrer muter leibe
130 Anna, die ir wart swanger,
In der plüet der anger
Voll aller selld
Und wart von ir geporen
Die zu muter er koren
135 Was von der weld
Hie in eins plickes zunder
Dem konig aller kunig fran,
Do von die gluckes scheibe

Nehet sellczamer arte:
140 Wan der do alle ding beschuff,
Wollt zeytlich hie von new geschopfet werden,
Und der all ding auß nichte
Formirt, wollt selb auß ichte
Werden etwas
145 Das er ny was gewesen,
Hat ym dar zu erlesen
Ein irdisch faß,
Der doch nie greifflich warte
Von [illegible] elementischen ruff.
150 Wer [illegible] ers auff erden

---

111. *mit* der *beginnt neue Zeile.* *vor* 120 *in besonderer Zeile durchstr.* Den f. wid[illegible] zu leichen. 124. ewigē.

6.

[51v] Dan der so mechtig grosse
In einer engen schosse
Durch sein demut
Hie so genidert iste,
155 Ein muter im erkiste,
Der fleisch und plut
Yn zeytlich sollt umkleyden,
Vor dem doch ye erscheinen ploß
Was die himel umschlewsset:

160 Ich mein den konig weyse,
Der millticlich mit speyse
All ding versicht,
Wollt hie auff diser erden
Hungrig und turstig werden,
165 Und was er spricht,
Muß jud, crist und der heyden
Im punckt on alle zal und maß
Verpringen ungeewsßet:

Hat sich doch selb im zeyte
170 Hie geben in die groß gefer,
Eim weibes pild wellen gehorsam seyne,
Der sun er leyplich warte,
Sye vor sein tochter zarte
Und meystert den
175 Mit jungfrewlichen henden
Der sich an keynen enden
Gipt zu versten,
Wan sein macht reicht so weyte
Das er aug, munt, hercz numer mer
180 Prüfft nach dem minsten scheyne.

7.

[52r] Wie aber nun die maget,
Von der all gnad unß daget,
In der cristnacht
Den konig aller eren
185 Keuschlichen det geperen,
Mensch, hie betracht,
Allß sie recht sam entnucket
In tyffester ymaginancz
Beschawlichen im geiste,

190 Von herczen jubiliret,
In ir selb contempliret
Auff ir gepern,
Mit welcher freid und wune
Sie die wor ewig sunne
195 Wart kniend ern,
In dem sie unverrucket
Got, mensch, geist, sel, ein kindlin glancz
Weynend vor ir erfreiste.

179. munt *aus* hant.

O mit was wun und freyde
200 Das keusch rein jungfreyliche hercz
Durchgrundet was in prunst flamender hicze
Inerster lib und luste
Schmuckend zu irer pruste
Das kindlin klein,
205 Uber die moß frewntlichen
Und so gar hercziclichen.
O mensch, bewein
Die kellt und das swach kleyde,
Die zartheyt und kintlichen smercz
210 Des schopfers, hastu wicze!

Hanß Folcz barbirer.

[13.]

[52ᵛ] **Zügweis.**

1.

O quicumque vult sallvus esse,
Ante omnia opus est ut teneat
Veram catholicam fidem,
On welchen ye nymant mag selig werden.

5 Do von du gruntlichen auß presse
Das du keinerley irrung hie nit gebest stat,
Sunder seist unvermeiligt rein
On zweifel, sunst gipstu dich zu geferden.

Catholica autem fides
10 Est ut unum deum in trinitate
Wir glauben suln on widerses
Und drifeltig eyn nach cristlichem rate.
Den selben sullen eren wir,

[13.] *Die Anfangsworte der Stollen sind in den Hss. nicht gesperrt.* 1. volt *N 2.* 2. omni *M*, omnia *N 2.* 5. dw mensch grüntlich *N 2.* 6. hie nit *fehlt N 2.* 7. S. vnvermeiligt sein rein *N 2.* 9. Der glaüb ist aber anderst nit *N 2.* 10. Dan einen got gelaüb in der trivalte *N 2.* 11. In dreyer person vnterschit *N 2.* 12. christliche *M.* Ein craft güt macht weisheit lib vnd gewalte *N 2.* 13. Den sollen genczlich glaüben wir *N 2.*

Nicht forschen in persan
15 Noch scheiden das wesen der gotheyt fran.
Eyn die persan des vaters ist,
Ein ander so ist die persan des suns
Und ein andre des geystes, wist,
Vater, sun, geist ein Got, der glaub sey unß,
20 Ein gotheyt, ein gleich wird und zir
Und ein ewige herschafft zu vor an,
Wan alls den vater, so auch ir
[53r] Den sun, des gleich den geist wellet verstan.

2.

U n beschaffen der vater iste,
25 Unbeschaffen der sun, unbeschaffen der geist;
All drey sie auch ummeßlich sint,
Auch sint ewig Got vater, sun, die dreye.

N u n drey unbeschaffen nit, wiste,
Drey unmeßlich noch drey ewig werden erfreist,
30 Sunder all drey persan ich fint
Beschaffenheyt und messlichkeyt sein freye.

Auch nit drey ewig, sunder ein,
Und wie wol das der vater ist allmechtig,
Der sun ye allmechtig erschein,
35 Allmacht des geistes gancz mit yn eintrechtig,
Wurden doch drey almechtig ny,
Nur ein allmechtiger.
Des gleich der vater Got ist und ein her,
Ein Got, ein her ist auch der sun,
40 Ein her, ein Got der heilig geist in gleich:
Ye doch zimpt numer mer zu thun
Drey got zu sprechen numer ewicleich,

15. der dreyer fron *N 2.* 17. Ein andere person ist ye des süns *N 2.* 18. Ein andere *N 2.* 22. der v. *N 2.* wir *N 2.* 23. den geist desgleich sollent *N 2.* 24. Wü]peschaffen *N 2.* 26. vnmenschlich *N 2.* 27. got v. sun] vatter sün geist *N 2.* 28. vngeschaffen *N 2.* 30. all drey] nur ein? *(vgl. Z. 37).* 31. vnmesligkeit *N 2.* 35. gancz] ist *N 2.* 42. ymer *N 2.*

Wan allz die cristlich ler pewt hie
[53v] Yde persan zu nennen ymer mer
45 Got und herren, verpewt auch die
Drey got und herren sprechen mit gefer.

3.

G o t vater ist von nymant gare
Weder gemacht, geporen noch beschaffen nicht;
Der sun geschaffen noch gemacht,
50 Sunder von Got vater geporen ymer;

N o t halb vom geist sey offenbare,
Geporen noch geschaffen auch nit ist von icht,
Machung wirt ym nit zu gesacht,
Sunder sein außgeistung endet sich nymer

55 Ewig vom vater und vom sun:
Des halb ein vater, ein sun und ein geiste,
Nicht drey veter sün geist zimpt nun
Zu sprechen noch wirt nymer mer erfreiste.
Und in diser drifaltikeyt
60 Vorders noch hinters ist,
Auch minders oder merers nit, das wist,
Sunder die drey benent persan
In yn selber ewig und eben gleich,
So das in allem thun und lan
[54r] Drey einikeyt ein dreiheit sint worlich,
66 Die wir eren on unterscheit
Fur einen Got sullen on endes frist.
Wer im nun selikeyt zu reit,
Such in dem glauben kein außweg noch list.

4.

70 M e r ist not zu ewigem leben
Das die enpfengnus Gotes suns Jhesu Cristi
Trewlich gelaupt werd und genczlich,
Welcher ist das wir lauterlich verjehen

---

43. die] vns *N2*. 44. nemen *N2*. 46. h. zw spr. m. gfer *N2*. 48. Weder *fehlt N2*. noch] oder aůch *N2*. 52. peschaffen *N2*. ist] sein *N2*. 56. vater vnd ein sün ein geiste *N2*. 57. zimpt] sint *N2*. 58. ymer *N2*. erfreist *M*. 63. In selbert sint *N2*. y *vor* ewig *gestr.* *M*. 69. weg] zůg *N2*. 71. Das wir die enpfencknüs got süns *N2*. 72. gelauben vnd *N2*.

D e r wore sun Gottes sey geben
75 Durch die einfleischung in den leib Marien hye,
Wor Got und mensch volkomecleich,
Dar zu die jungfraw ewig was fursehen;

Got auß veterlicher substancz
Und vor der wellt ewig auß im geporen,
80 Ein mensch in worer keuscheit gancz
Auß Mariam in dise wellt erkoren,
Volkomner mensch, volkomner Got,
Von vernüfftiger sel
Und eins menschlichen leichnams her, in wel
85 Ym das zu sein das er do ist,
Gleich dem vater nach der gotlichen zyr,
[54•] Minder nach seiner menscheyt, wist;
Und wie er Got und mensch sey, ist doch ir
Nit zwen, sunder ein Crist von not.
90 Dar um kein wandelung im nit zu zel
Auß der gotheit in menschlich wot,
Das dein hofnung im glauben nit sey fel.

5.

D a r um glaub lauterlich und pure
Sein menscheit an genomen in die clar gotheit
95 On all endrung yder substancz
In ein worhafftig eynige persane.

W a r nym dir hie pey der figure,
Allz die vernunftig sel und fleisch hant unterscheit,
Sachen doch eynen menschen gancz,
100 Allso Got mensch ein worer Cristus frane,

74. gottes sün *N2.* 75. dem l. maria *N2.* 76. volkümen rich *N2.* 78. Gocz sün aüs des vatters s. *N2.* 79. Vor aller welt e. von im *N2.* 80. War got vnd mensch in keüscheit gancz *N2.* 81. Marien? *M.* Aüs maria zw geperen erkoren *N2.* 84. Der rex regüm genent emanüel *N2.* 88. Wie nün er *N2.* ist] wist *N2.* 89. Nit züm sünde' *N2.* 90. kein crist im wandelüng zw zel *N2.* 91. wot *aus* art *M.* 92. dir nit fel *N2.* 93. laüter *N2.* 94. clar] war *N2.* 97. dw hie *N2.* 98. fleisch und sel *M*, sel das fleisch *N2.* hat *N2.* 99. Sich on doch *N2.*

Der hie um die seligmachung
Der menschen ist gemartert und gestorben,
Steig zu der hell um erlosung
Der den er mit seim dot hat heil erworben,
105 Und von den doten auff erstunt
Nemlich am driten tag,
Steig zu den himeln nach der schriffte sag,
[55r] Do er zu der gerechten dort
Got seines vaters siczt ymer ewig,
110 Von dan er kunfftig sein wirt vort
Lebend und toten zu richten einig:
Zu welches zukunfft werden kunt
All menschen und ersten, bedarff nit frag:
All irer werck sie rechnung tunt,
115 Do von gancz nymant appeliren mag.

6.

Die dan hie gutheyt hant verprachte,
Gent in das ewig himlisch reich und vaterlant;
Des gleich all würker der posheit
In die rachsal ewiger hellen peine.

120 Hie hor, o mensch, nym eben achte,
Dis ist der wor cristenlich glaub, dar in verstant:
Es sey dan das on triglikeyt
Du dich worhafft her in ubest gemeyne

Und yn auch halltest festiclich,
125 Sunst magstu nymer ewig selig werden.
O mensch, her in bekumer dich,
Neig dich von allen suntlichen beswerden,
Merck hie die wor und cristlich ler
[55v] Von Athanasio,
130 Die er so clor unß hie verkunt allso.

---

101. selbig m. *N2*. 108. der] den *N2*. 113. vns *N2*. 114. ire *N2*. 116. hie] ye *N2*. volprachte *N2*. 117. Gen im *N2*. 119. rechnüng *N2*. 120. hor m. vnd nym *N2*. 121. dar] der *N2*. 126. Sünder her *N2*. 127. geperden *N2*. 128. hie] wie *N2*. schriftlich *N2*. 129. alsanasio *N2*.

Lat unß dar in stet speculirn
Und mit höchster vernunfft unß zihen ab
Dar wider nit zu disputirn
Mit kein geferden pis in unser grab,
135 Well wir dort wonen ymer mer
In den ewig werenden freiden ho
Mit allem himelischen her,
Do man gesichert ist vor aller tro.

7.

Das well unß gnediclich erwerben
140 Die rein, keusch, gelopt kungin Maria zart,
Auff das wir in der lesten not
Den anfechter der wellt stark uber winden.

Laß unß, jungfraw, dan nit verderben
Noch fallen in die hende unser wider part,
145 Durch den herben und pitern dot
Deines kindes laß unß genad dort finden!

O jungfraw, preyt den mantel dein
Über unß sunder, so wir hie ab keren!
Dein mild müterlich prüst so rein,
[56r] Dar mit du hie dein kint zeitlich dest neren,
151 Zeig ym, ob er genediclich
Sich wollt erweichen lan
Und Got vater zeigen sein wunten fran,
Dar auß so uber flussig er
155 Ym auff opfert sein schaczper tewres plut,
Do an dem creucz kron, nagel, sper
Ym so frefflich durch sein gelidmas wut,
Do von all sein menscheit verplich.
O muter Gotz, des yn trewlich erman,
160 Wan er des nit verzeihet dich:
So fecht wir frolich unter deinem fan!

AMEN

Hanß Folcz barwirer.

---

131. D *vor* Lat *gestr. M.* dar innen spec. *N 2.* 132. hoher *N 2.* 133. confesirn *N 2.* 134. keim geferde *N 2.* 135 *und* 136 *sind umgestellt N 2.* 136. ebigen freüden ymer do *N 2.* 138. von *N 2.* 140. k. hoch gelobte küniginen zart *N 2.* 142. stark] hy *N 2.* 143. dan] des *N 2.* 146. so las *N 2.* dort *fehlt N 2.* 147. O *fehlt N 2.* 148. leren *N 2.* 150. hie *fehlt N 2.* 154. flüssig *aus* flusseclich *M.* 157. So frefelich in al sein glidmas *N 2.* 161. deinē *M.* dem stürm fon *N 2.*

[14.]

[57r] In der schranck weis.

1.

Ave gloriosissima
Virgo, que meruisti
Esse mater et filia
Des herren Jhesu Cristi,
5 Der in gotlicher ewikeyt
Von dir zu nemen sein menscheyt
Dein wird sach an
Und gap dir reich presente.

Wan in deiner persane stat
10 Proverbiorum clare:
'Der her mich ym erwelet hat
Vor den geschopffen gare
Und hat fur aller menschen leyt
Geschaffen höch, weyt, leng, tiff, preyt,
15 Das yderman
Sein hoe macht erkente.'

Nun west er sie sunden leichtlich;
Doch das sie lepten ewiclich,
Er keust und, reyne jungfraw, dich
20 Dar zu er koß,
Das er die schloß
Des anfechters mecht sigeloß.
Dar um er durch dein demut groß
[57v] In dir mensch ward unß gleich genoß.
25 Nun gib mir, jungfraw, steur und rat,
Das ich dir, tu virgo digna,
Deins lobes fan
Fur frey und unzutrente!

2.

Ave datrix nove legis,
30 Gip das ich durch nature
Dein keusch gepurt hie mach gewis,
Du jugfraw lauter pure!
Secht wie der lew mit lautem gelff
Vom dot erquicket seyne wellff;
35 Der pellican
Im plut sein jung erwecket;

Der fenix nach funffhundert jorn
Sich durch das feür vernewet;
Zu einer meyt das einehorn
40 Sich in den dot vertrewet;
Der strauß sicht mit der sun behellff
Die jungn auß seiner eyer schellff;
Ysidus schan
Im dot new federn hecket;

[14.] 9. Dar von in d. (deinr *X*) person st. *N2X*. 14. hoch tiff (weit *X*) leng vnd preit *N2X*. 17. sie] vns *N2*. senden *X*. 18. was wir lebten *N2*. 19. Dar vmb er reine jünckfraw dich *N2X*. 21. er] dw *N2X*. 22. machst *N2X*. 23. demut] keuscheit *N2X*. 24. Mensch werden wolt *N2X*. 26. dw *N2*. 31. Den *N2*. 39. ein gehorn *N2*. 41. sich *N2*. 42. Sein jünge aüs der e. s. *N2*.

45 Im feur so lebet der carist
Und salamander, alls man list;
Von caladrius plick genist
[58r] Der sich zu pett;
Der stein magnett
50 In crafft das eysen zu im lett;
Eytstein den hallm zeucht, alz man ret.
Welches alß die natur bestet:
Wes solt ym Got nit han erkorn
Besunders, allß sein macht yn hiß,
55 Do er nam an
Sein menscheit unbeflecket?

3.

Ave gubernatrix celi,
Quem deus preelegit,
Hillff durch figur zu kunden hy
60 Wie der qui cuncta regit,
Figurlich *dich* unß hot gezeigt:
Her ynnen dir wirt zu geeygt
Ein pusch der pran
An schaden aller flamen;

65 Naßß wart das fell dem Gedeon;
Eysen hat ob geswumen;
Dar zu die türr rut Aaron
Pracht peide frucht und plumen;
Zwellff stund die sun stund ungesteigt
70 Noch auch zu tale sich nit neigt,
Und der Jordan
Floß hinter sich mit namen;

[58v] Der Moyses mit eyner gert
Schlug wasser auß dem felsen hert,
75 Das die von Israhel ernert
Auß durstes not
Und vor dem tot;
Seyner gerten er auch gepot
Ein schlangen zu werden vil drot;
80 Firczig tagweid Abacuc hot
Sein speise pracht gen Babilan
Eins tages Daniel: hort wie
Figuren ban
Natur hie det beschamen!

Hanß Folcz.

47. colodriūs *N2.* 51. Agstein *N2.* 52. Dis alles *N2X.* 53. Vnd solt *N2.* 58. eleigit *M.* 59. wie *vor* hy *gestr. M.* 61. dich *fehlt M.* 62. Hir *N2.* geigt *N2.* 64. aller] seiner *N2.* 65. dem] vor *N2.* 68. dure rūt aran *N2.* 71. 72 *in einer Zeile M.* 73. Vnd der moisses *N2.* 74. aūß eim *N2X.* 76. Von *N2X.* 77. vor] von *N2.* 78. Der gerten er auch offt gepot *X,* Der g. sein er a. g. *N2.* 79. Einr *N2.* 80. tagreis *N2.* 81. Ein *N2.* 82. Eins dags dem Daniel *N2.* 83. Nat *vor* Figuren *gestr. M.* *Mit 84 schließt M. Das Folgende ist nach X gedruckt.*

4.

85 [Ave que cum Jhesu eras
Nobis promissa vere,
Des zeugnus gipt Jeremias
In schrifft: 'Got spricht, der here:
Vom samen Davit erkuck ich
90 Euch den gerechten sicherlich.'
Hie pey verstet
Muter und sün benente.
Des kindz nam Isaias mellt:
'Wunderlichen ratgeben
95 Und ein vater kunfftiger welt,
Ein fridfursten, hort eben,
Got, starker, dez reich meret sich
On end imer und ewiclich,'
Und der profet
100 Ageus dut bekente:

'Ich wird in cleiner zeit, nempt war,
Himel und erd bewegen gar
Und alle folker offenbar;
Er wirt begert
105 Dem folk auff erdt,
Der allez heil in dut beschert,
Dez haus glori und er sich mert.'
Nun hort waz Jacob euch erclert,
Daz von Juda zu nemen fellt
110 Daz zepter pis do komet daz
Die zeit her neht
Daz unß kumpt der gesente.

5.

Ave virgo virga Jesse,
Der schrifft paz nach zu komen,
115 Gip steur, tu mater glorie!
Daniel tut besumen
72ig wochen clar,
Der ye ein woch macht 7 jar,
Dan wirt geent
120 Übertretung auff erde,
Und werden erfult all gesicht
Do die geschrifft von seite,
Und hin gelekt all ungeschicht
Und volgt gerechtikeite
125 Und wirt gesalbet, nement war,
Der heilig aller heilgen gar.
Furbaz benent
Unß Daniel der werde

Wie ab geschniten sey ein stein
130 Vom perg an alle hend gemein.
Der perg pistu, keusch jungfraw rein,
Der stein Jhesus,
Den an kantnus

85—140 *nur in X N2.* 89 *f. Jer. 23,5.* 94—98. *Jes. 9,6.* 101—107. *Agg. 2,7 ff.* 108. vns *N2.* 108—112. *Gen. 49,10:* Non auferetur sceptrum de Juda . . ., donec veniat *usw.* 112. vmb *N2.* 115. dw *N2.* 116. *Dan. 9,24.* besunen *N2.* 126. aller heilgen] der heilling *N2.* 129. *Dan. 9,24.* 133. Der *N2.*

Der man dein keuscher leib um schluß
135 Und keusch gepert dein sun Cristus.
Durch daz, jungfraw, den millten flus
Der parmung dein wend von unß nicht,
Sunder loß unß außß jamers we
Von dem elend
140 Nach unser sel begerden.

Finis.]

[15.]

1.

[59r] Keyser, kung, furst, graff, herczog frey,
Gepiter des weiten umcreiß,
Der eussern spera und dar pey
Was dein tiff gruntloß art do weiß,
5 Engel, sun, mon, gestirn, die kör,

Feur, lufft, erd und des meres wag
Und was dar zwischen sich auß preit,
Swimpt, swept, creucht, slingt, ging oder flog,
Im fegfeur hofft, zu hell ye leit:
10 Do pist, haupt, fogt und her, ich hör,

Du Got ir schöpfer, und wirt nicht / gedicht
In aller ir behausung weit
Do man dein minste macht ercler,
Und weis auch all ir zal und schar
15 Mit ganczer zal, nit on gefer.
Und allß unmüglich ist, nempt war,
Das ein creatur in der zeyt
Die all erken, so müglich ist
Das Got das aller minste wifft
20 Erken mit aller licz, das wist.
O mensch, darum du nit vergifft
[59v] Dein sel, vor Got ist nicht gefreyt.

---

136. dein *(?)* *N2.* 138. lös *N2.* 140. *l.* begerde.

[15.] 7. dar] do *N2.* 8. get *N2.* 9. In *N2.* 10. So ist h. f. der her ye h. *N2.* 11. Der oberst schopffer ich pericht/verslicht *N2.* 12. Hat irer haüsvng kür *N2.* 13. Vnd ist der aller hochste her *N2.* 14 *fehlt M.* 15. Gancz eigentlich nit vngefer *N2.* 16. Als vnmüglich ist nemet war *N2.* 17. Das in der zeit ein creatür *N2.* 18. so] als *N2.* 19. Wye (*aus* Wan?) *N2.* 20. Erkent vnd als sein licz d. w. *N2.*

2.

Er ist im tron die seliung
Aller, ein schawer seiner schar,
25 Die nümer leffcz, munt, gum noch zung
Auß spricht noch mag besinnen clar,
Dar von ich menschlich hie erzel.

Wan alle instrument gemein,
Orgel, laut, pfeiff, wie man die nent,
30 Mit irn stimen erclungen rein
Und all fogel die worn und sent,
Allß noch pester mensur und wel,

Und wert dar zu vil tausent jar, / furwar,
Wer es zu schaczen nicht ein wick
35 Gen eins eynigen engels stim.
Dor um, o mensch, auff erd dich fleiß,
Veracht allz das gen Got nit zim,
Sich das gewissen dich nit peiß,
Betracht das heil der selen dick,
40 Verspürcz allß was vor ist bestimpt
Zwischen dem himel und der hel,
[60r] Allein den dot der allen zimpt,
Auch nach dem fegfeur du nit stell,
Sunder zum hochsten gut dich went!

3.

45 Der hell soltu nit schlagen auß,
Merck, mit steter betrachtung dein,
Auff das *dir* fort an hang der graus
Zu flihen sülch groß mörtlich pein:
Do flam, rauch, tunst, graw und gestank,

23. die] der *N2.* 26. Auch *M.* Aüs sprichet noch besinet clar *N2.* 27. menschlichen erzel *N2.* 28. Merck aller *N2.* 30. Mit al st. erclingen *N2.* 32. Allß *fehlt N2.* erschell *N2.* 33. wer *N2.* 34. So wer es nit ein wick *N2.* 37. alles das got *N2.* 39. deiner sel heile *N2.* 40. was *über der Zeile M.* Veracht was ich bestimet hab *N2.* 42. Allein der tot ir aller gab *N2.* 43. fegfeure *(das Schluß-e nachgetr.)* nit *N2.* 47. dir *fehlt M.* fort] stet *N2.* der] ir *N2.* 48. Z. fl. ir gr. mercklich p. *N2.*

50 Pein, rach, angst, leyt, trupsal und not,
Smercz, elend, kumer, traurn an ent
Und ewig sterben on den tot
Dort nümer werden ab gewent,
Sunder nit stetem anefanck.

55 Wan so all pein der ganczen wellt / gemellt
Wurden, das muglich wer,
Noch so precht ein eyniger plick
Eins teufels oder sein gesicht
Der selen tausent mol mer schrick:
60 Ich sweig, so gris, gras, laub, man spricht,
Ids tausent jar weren und mer,
[60a] Weren noch kaum gefangen an
Sulch pein, so sie on ent doch ist.
O mensch, her innen wellest han
65 Dein speculaczen alle frist,
Denck wo dein sel entlich hin lent!

Finis.

Hanß Folcz.

[16.]

1.

On end wert Got des sunß gepurt,
Wie ye und ye vom vater sein
Anfang wart nie dar in berurt,
Mittel noch end mischt sich nit ein
5 In disem ewigen gepern.

Got vatter on allß anbegin
Personlich vater wirt genant,
Auß welches art ye hat geschin
Das wort und ist Gotz sun erkant.
10 In den dut sich der geist erclern

Nach personlicher unterscheyt. / dich leyt
Natur in ein gleichnus,
Merck: weil die flam der kerczen wert,
Gepirt sie unß ein offes licht;

---

53. wirdet *N2.* 54. neüem *N2.* 57. so *fehlt N2.* aynig aügenplick *N2.* 58. Eines teüelles angesicht *N2.* 59. sel *N2.* 61. hundert *vor* tausent *gestr. M.* vñ *vor* we'en *gestr. M.* Ich hündert taüsent gar und mer *N2.* *Nach* 61 *stand zuerst:* Amen hanß Folcz, *ist jedoch wegradiert M.* 62. noch] erst *N2.* 63. Solcher pein die *N2.* doch] dort *N2.* 66. D. ww die *N2.* bendt *N2.*

[16.] 1. gottes s. *N2.* 4. müst sich nye *N2.* 9. wirt *N2.* bekant *N2.* 10. den] im *N2.* 13. der] einr *(?)* *N2.* offen *N2.*

[61r] Wem nit sein augen sein beswert,
16 Von disem schein er wol gesicht.
Im flam und schein nym den beschluß,
Pruff die hicz in ir peyder art!
Hie pey man drey persan erkent,
20 Nie keins dem andern schidlich wart:
Ob die flam ewig wert on ent,
Schein und die hicz plib unzutrant.

2.

Allso verste, mensch, die trifallt
Pey diser natürlichen sach.
25 Wie wol ny gleichnus wart gezalt,
Ye doch in dem ebenpild wach;
Vermeid die weiter leyten ab.
Fur wor Got in seiner dreiheit
Ist einliczlich ein worer Got
30 Persan halben mit unterscheid,
Seit drey sanctus ein sabaoth
Johanni zu erkennen gab

Die worheit Gottes im gesicht. / vernicht
Nit, mensch, disen beschit!
[61v] Wie Got vater, Got sun, Got geist,
36 Ydlich persan Got werd genant
Und doch drey göt nit sint erfreist,
Ein gleichnus werd unß hie bekant:
Hot nit ein finger drew gelit,
40 Der keines nie das ander wart?
Welchem ein zir man leget an,
Die red von nymant wirt gespart,
Dem finger die eer sey getan.
Her innen euch genugen lat.

3.

45 Wie id persan Got werd erkant,
Ist doch ein einiger gewallt,
Ein art, macht, wesen, ein bestant;
Keym wirt minder noch mer gezallt
In worer macht, weisheit und güt.
50 Wie wol ein sunder eygenschafft
Yder persan bestimet wirt,
Ist keyne minder in der crafft
Noch mer, seyt ein gotheyt regirt,
In der unser selikeyt plüt.

17. In *N2*. 19. verstett *N2*. 20. schedlich *N2*. 21. ewig weren thet *N2*. 22. vnde h. bleibt *N2*. 25. wart *fehlt N2*. 32. Johannes *N2*. 34. beschit *aus* bescheit *M*. 36. wirt got *N2*. 37. nit drey got sind *N2*. 43. Dem das gar sey gethan *N2*. 44. benüngen *N2*. 45. got *fehlt N2*. 47. macht] ein *N2*. 48. Keinem wirt mynder nit gezallt *N2*. 49. Ein ware *N2*. 50. ein sunder] besunder *N2*. 53. Seit ein ewig gotheyt *N2*.

[62r] Merck, wie vil man in eynem rat / man hat,
56 Was man ydem zu eyg
Seiner persan noch fur ein macht
In sunderheit etwas zu thun,
Wirt doch ein einig art betracht,
60 Wie es hallt yder messe nun
Und wie ir iter sich erzeig,
Sint sie doch ein einiger rot,
Der alle ding wigt, acht und mist.
Wie die gleichnus weit sey von Got,
65 Doch lernt das ir dest minder nist
In zweiflung, die manchen verirt.

4.

Wie furter nun wart mensch der sun
Und doch der geist und vater nicht,
Was doch ein werck der dreyer thun,
70 Allz ir wert clerlich unterricht
Auch durch ein gleichnus, horet wie:
Zwen legen eynem an ein cleyt,
Er selber im des gleichen mit,
Und allso wirt es an geleyt
75 Dem eynen und den zweien nit.
[62v] Des gleich verstet die meynung hie:

Die veterlich persane hot / unß Got
Den sun gesendet her,
Der wart enpfangen hie vom geist
80 Im keuschen jungfrewlichen schrein
Irs leibes, dar in nie erfreist
Dotlich noch teglich sunde sein.
So was der sun Gottes ye der
Dem das rein jungfrewliche fleisch
85 Wart eygentlichen an getan.
Merck ob gleichformig sich erheisch
Die ein würkung dreyer persan!
Die allß ein woren Got an pit!

---

59. Doch wirt ein *N2.* 60. in der masse nün *N2.* 61. *oder* ider? *M*, yeder *N2.* 64. ist weit *N2.* 65. O al cristen das selber wist *N2.* 66. Das zweifflüng m. v. *N2.* 67. Hie *N2.* 68. und] noch *N2.* 72. legten *N2.* einē *M.* 73. Der *N2.* tut *vor* mit *gestr. M.* 74. Also wirt es doch *N2.* 75. Ir *N2.* 76. Verstet also die *N2.* 77. person die hot *N2.* 78. Sein *N2.* 83. ye] in *N2.* 86. gleichformigs sich er heist *N2.* 87. dreyr *M.*

5.

Wie nun der sun Gottes mensch sey,
90 Der groß pein, marter und den dot /63r/
Hie lit, noch was er leides frey,
Trupsalls, smerczes und aller not,
Recht allß der vater und der geist:
In gotlicher natur verstet,
95 Dar in sie ungeteillet sein,
Der ab noch zu numer nicht get;
Allein der menschlich teil leyt pein.
Hie aber ein gleichnus ich leist:

Ob ein mensch wirt in dot verwunt, / so tunt
100 Sie doch der sele nicht,
Die disen korper han geleczt;
Keinerley schleg die sel berurn,
Noch wirt nit von dem plut geneczt.
Diß lat euch in erkantnus furn
105 Minder gewerrn gotlicher pflicht
Dan seiner selen schad geschach,
Wie die sel Cristi waß betrupt
Am ölperg, allß er selber sprach,
Doch kein woffen nie in sie üpt.
110 Der glaub behellt die sele dein.
Finis.
Hanß Folcz.

[17.]

1.

Hie speculir ich thumer ley
Nit gar auß einfeltigem wan,
Sunder Got mich vor falscheyt frey,
Die mich mocht leyten auß der pan,
5 Mir schad und auch nit loblich dir.
/63v/ Sterck, hillff, gib zu, erman unnd trost
Mein leib, sel, hercz, sin und gemut!
Dich der du pist der aller höst,
Gancz zu erflamen mein geplüt
10 Erlüst, vernufft, wiln und begir,

---

91. leid n. war er leidens *N2*. 92. Trübsal vnd schmerzens v. a. n. *N2*. 102. Spis schwert noch stang die selber irt *N2*. 103. wircz *N2*. 104. Das mon dich in erkantnüs vürt *N2*. 105. Noch minder der gotlichen pfl. *N2*. 107. crist *M*. wart *N2*. 108. jach *N2*. 109. in sie nitt *N2*.

[17.] 2. einfeltigē *M*. 3. falsch mach frey *N2*. 4. Der nach *N2*. 8. der] do *N2*.

Etwas geringes zu erzeln! / nit weln
Loß mich außherhallp dein
Icht, her, dan was dein lob vernew
Und dir nit schimpflichs eige zu.
15 Wo es geschech, her, so gip rew,
Die sunst nymant vermag dan du.
O aller höchster schopfer mein,
Gib auch das die zuhorer dis
Allso begreiffen das nymant
20 Her in sich erger, sunder pis
Yn gnad ein leyten allen sant,
Die dort ir leib und sel behut!

2.

Mein her, mein schöpfer und mein Got,
Gib dich nach menschlichem verstan
25 Unß armen, durch den pitern dot
Deinß sunß zu glauben nicht noch wan
/64r/ Von der woren drifalltikeyt,
Wie in ganczer gotlicher art
Die veterlich persane hoch
30 Vater sey, der nie vatter wart
Und seinen sun geperet doch
In recht veterlicher worheit,

Wie auch der sun sein *sun* wart nie, / auch sie
Wurden des nie geeint,
35 Wie Got der heilig geist ir gut
In lib von in peiden auß fluß:
Dar um, du crist, neig dein gemüt
Pald zu vernemen die auffschluß,
Wan hie wirt clerlich unß bescheint
40 Das auch in Got nie wart kein rot
Um Eva und Adames fal,
Noch ob der sun solt leiden not,
Oder auff welch persan die wal
Zu leiden fil die sweren smoch.

11. geringers *N2.* mit *N2.* 12. L. m. *steht hinter* a. d., *ist aber durch Buchstaben zurecht gewiesen M.* 13. Ich her alzeit dein *N2.* 15. es] des *N2.* her gib mir *N2.* 18. dem dy zw horen *N2.* 20. Hor in geergert *N2.* 21. in leisten *N2.* 25. dein *N2.* 33. sun *fehlt M, aus N2 ergänzt.* 34. vereint *N2.* 38. die] den *N2.* 39. wart *N2.* 41. adams *N2.* 42. Vnd ob gocz sün *N2.* 44. schmercz *N2.*

3.

45 Merck, mensch, hie dise loica
In ir selber wor und gerecht,
/64r/ Wie man ferlikeyt schaczet da,
Wirt es doch zu bescheiden schlecht,
Seyt Got ist aller zufell an;
50 Wan alles das er ist, wart nie,
Was in im selbs man kennen mag,
Allz macht, gewallt, herschafft, wie die
Menschlich vernunfft pringet an tag.
Ob ymant sich wolt tunken lan
55 Got von etwar haben ursprung, / so jung
Wart Got nie noch so allt
Das er ymant vor im erkunt,
Wan so wer er der schopfer nicht.
Dar um, mensch, secz nit deinen munt
60 Zu han sulch weit unücz gedicht,
Und pruff was dir hie werd erzallt:
Seyt ye von not eyner muß sein
Von dem allß ander ursprung hot,
Ey so gip dem die ere dein
65 Den alle schrifft an zeigt fur Got.
Verwir dich nit mit differ frag!

4.

/65r/ Merck auch: seyt allß das ewig ist
Das Gottes hö und tiff an trifft,
So ist ye das aller gewist,
70 Wo unß berurt die meng der schrifft
Von seiner woren eigenschafft.
Das drifft allß an sein ewig macht
Und unaußgruntlich ho weisheit,
Dar um hot er nie nicht betracht
75 Noch rot gehapt, alß mancher seyt,
Um Adams fal wie er den strafft
Oder wie er in widerprecht, / gedecht;
Sülche zufellikeyt
In Got nit sein noch wurden nie.
80 Nun möcht man aber fragen bas
Von Got dem sun zu sagen wie
Man on zweiflich müg merken das

---

46. In irer glos *N 2.* 47. geferlikeit *N 2.* 48. Ist *N 2.* 51. Wie mon das ymer nennen mag *N 2.* Wy in *vor* Was *gestr. M.* 52. herschvng *N 2.* 54. O ym. *M,* Ob einer *N 2.* 55. etwas *N 2.* 57. vor im ymant *N 2.* 59. grünt *N 2.* 62. einer von not *N 2.* 66. fremder *N 2.* 68. hoch weit an trift *N 2.* 69. des *N 2.* 70. s *hinter* Wo *radiert M.* die] der *N 2.* 71. *auf Rasur; darunter zu erkennen* Dar vmb *am Versanfang,* sein *am Ende M.* 74. nichcz *N 2.* 77. in] den *N 2.* 79. nit] zw *N 2.* 82. Müg an zweifflich man *N 2.*

Mit eyner cloren unterscheit
Vater und sun gleich ewig sein,
85 So doch der sun hot sein gepurt
Eygentlich von dem vater rein,
Wie das auß puntlich werd berurt.
Dis zu versten wer ich bereyt.

5.

/65r/ Mensch, hie leg allen irsal ab,
90 Nim einer ringen gleichnus war,
Pey eim zeitlichen vater hab
Dir dis bezeichent offenbar
In noch volgenden worten hie:
Nymant heist vater on ein sun,
95 Sun nymant on ein vater heist,
Und in dem augenplik, merkt nun,
Allz der vater ein sun erfreist,
Heist er ein vater und vor nie.
Allso der vater und sun gleich / *warleich*
100 Nie keyner vor dem andern wart.
Seit das hie in zeitlicher frist
Her innen ist kein unterscheyt,
Das in Got minder vil geprist,
Wan do ist allweg ewikeyt,
105 Vorders und nochs hot do kein art,
Do ist kein anfag, mit noch end,
Erstlichs ode noch gendes mit
Ist do ewig nit zu verstend.
Sich, mensch, do ist ein sulch verpflicht
110 Die noch Got kein schop/ung nit weist.

6.

/66r/ Dar um die lib in dem gepern
Von Got dem vater zu dem sun
Und die der sun yn tut gewern,
Den heiling geist wir nennen thun.
115 Her in wirt zeitlichs nit gedacht,
Erforscht, besunnen noch gedicht,
Wie dise lib in der gepurt
Sich ewiclich auch ende nicht,
Noch wirt von nymant auß gefurt:
120 Dan wo volpringung würd geacht,

89. alle *N 2.* 92. bezeichent] bebervng *N 2.* 93. In gütten worten volget hie *N 2.* 95. Vnd sün nit on *N 2.* 96. merck *N 2.* 99. *Schlagreim fehlt M, aus N 2 ergänzt.* 100. Nie *fehlt N 2.* vor dem] vom *N 2.* 101. in] zw *N 2.* 103. In got es nymer nichcz enprist *N 2.* 104. In got ist *N 2.* 105. kein] kō *M.* Foders noch hinders hat k. a. *N 2.* 106. Das *N 2.* 107. *oder* oder? *M.* mit] nitt? *als Reim zu 109 erwartet man* icht *oder* nicht. E. noch nach volgend des nicht *N 2.* 108. Got geit es nimant *N 2.* 110. schopung *M.* geschopff süst weist *N 2.* 113. im thet *N 2.* 114. heilig̃ *M.* wirt *N 2.* 115. im *N 2.* 118. auch] on *N 2.*

So wurd ein zil oder ein ent / erkent:
In Got das mag nit sein.
Dar um ersewffcz, mensch, und erstum
Dem noch zu grübeln nümer me,
125 Seyt nie lerrer in keyner sum
Sulches beschreib, dar um sprich e:
Ich glaub, o höchster schöpfer mein,
Allß das die cristlich kirch verkünt
Von dir dinent zu *m*einem trost.
130 Verleich das ich mic*h* nit versünt,
Sunder im glauben werd erlost,
Wie dar von nüczlich ist berurt.

7.

[66r] Nun allz ich vor gemeldet han
Kein schopfung Gots begreifflich sein,
135 Hie möcht man inn gefer verstan;
Dar um so für ich dar mit eyn
Zwo creatur begreifflich des:
Das ist die wor persan Cristi,
Dye Got und mensch vereint ist gleich,
140 Der ward gancz nicht verporgen hie
Der puren gotheyt föllecleich,
Wan die persan ist das gefes
Dar inn all Gottes heymlikeyt, / man seyt,
Sein lauter clar erkant
145 Durch die vereyniung, nempt war,
In der sint zwey geschöpff gancz rein:
Die sel Cristi, sein leichnam clar,
Welch sel augenplicklich gemein
All gotlich heimlikeyt enpfant,
150 Sein leib am höchsten alle freid,
Zir, wun, allß Got sich selber geyt.
Sich, mensch, allso hastu bescheid
Der ding do aller trost an leyt,
Durch die unß Got hellff in sein reych.

AMEN

Hanß Folcz.

---

122. In got *fehlt M, aus N2 ergänzt.* 124. nach zw gin wol nymer me *N2.* 129. dinet *N2.* deinem *M,* vnsrem *N2.* 130. mit *M.* 131 *fehlt N2.* 132. Wie dar von *fehlt N2.* 136. hie herein *N2.* 137. begreifflich] enpfencklich *N2.* 138. Zw vor d. ganz p. cr. *N2.* 140. Dem *N2.* nichcz *N2.* 143. heillikeit *N2.* 144. Fein *N2.* 148. aügenplickling *N2.* 151. Zw nün *N2.* geyt] gert *N2.* 154. halff *N2.*

[18.]

[67r] Das lit ist ym unbekanten thon und hort weyter zu bewern das Got alle ding vermug, wo man an dem ersten kein genüg wollt haben.

1.

Nun hort, ob ymant were,
Den der glaub noch tewcht swere
Das Got der her
Alle ding soll vermügen
5 Und zu melden nit tugen,
Der nem hie ler
Wie vil sint sach gescheen,
Do von in allter e die schrifft
Verkunden tut clerlichen.
10 Ich sweig himels und erde,
Die Got der schopfer werde
Mit eynem wort
Beschuffe gancz auß nichten:
Sollt er dan nit auß ichten
15 Lan werden fort
Was in Gotes fursehen
Sein warhafft ewig macht an trifft,
Allß hie vernüffticlichen
Vor her erzelet iste?
[67v] Was aber fur amechtikeyt
21 Gemeldet wart, well wir Gott nit zu messen.
Dar um het nit durch reyste
Hie vor der heillig geiste
Die herrczen all
25 Der profetischen schare,
Durch die verkunt ist clare
Wie durch den fall
Adams Got in der friste
Hie sollt an nemen die menscheyt
30 Fur das verpoten essen,

2.

Welchs zu glauben dut leyden
Juden, turken und heyden,
Ist swerer yn
Und unmüglicher vile
35 Wan alls bemelt on zile;
Dar um tut hin
Nicht unmüglich zu achten
Die gotlich crafft, macht und gewallt
Sulches auff ir zu tragen.
40 Wer het gelaubet ymer
[68r] Das jungfrewlichs ynzimer
Enphoen sollt
Menliches sames ane
Ein wor menschlich persane,
45 Wers nicht erfolt
An dem so gar geschlachten
Rein weibes pild, allß manigfallt
Hellt der profeten sagen.

[18.] 8. *aus:* Do von die schrifft der allten E; *die spätere Fassung ist mit viel blasserer Tinte geschrieben.* 26. sie ve *vor* die *gestr*

Ja wer es nit verkundet,
50 Auch nit verpracht, welcher gedecht
Das es Got müglich were zu gescheen,
So sie ringers nit wellen
Gotes allmacht zu zellen
Dan dises zwor
55 (Ich sweig das yn gepere
Ein die noch maget were
Nach allß auch vor)?
Verflucht sey der so grundet,
Dar mit er die macht Gotes smecht
60 Unmechtig zu verjehen!

3.

Ja het Crist nit gelitten,
/68ᵛ/ All wellt het drum gestritten
Nit müglich sein
Das Got ym selb sulch note
65 Lis thun, dar zu den dote
Und manche pein,
Auch das er das sollt leyden
Von seynen grösten feinden hie,
Den er allß gut doch dete.

70 Wan nach rechter vernunffte
Ist die gancz menschlich zunffte
Mit wicz zu clein
Das die einlicz persane
Vom dod sollt auff erstane
75 Durch sich allein,
Und wer allen gescheyden
Zu glauben swer war von und wie
Er die müglikeyt hete,

Wer es gescheen nichte,
80 Auch nit gegrünt in aller schrifft,
Welchs allen cristen gancz offenbar iste.
Dar um all vormelldunge
/69ʳ/ Und was durch menschlich zunge
Man mag erzeln,
85 Das allmechtikeyt kundet,
Ist in Got unaußgrundet
Nicht auß zu scheln.
Des halb ist gar entwichte
Eyn thor der sich mit frag vertifft
90 Und Got onmacht zu miste,

4.

Um das er nit kan ligen
Oder ymants betrigen,
Des gleichen auch
Mer werden mag noch minder.
95 O großer narr, du plinder,
Esel und gauch,
Sag, pistu nit so weise,
Möcht sich Got höchern, so wer er
Yn ym selb nit vollkomen.

100 Mocht er dan minder werden,
Sich geben zu beschwerden,
So weistu ye
Das er wer wandelbere
/69r/ Ym gnugsam numermere.
105 Do pey merck hye
Wie gar gering und leyse
Und seicht gelert manch prediger
Die sulches ye fur nomen

Nicht muglich sein dem heren,
110 Das doch kein macht auff ym dregt nicht,
Sunder unmacht, dar mit sein macht man smehet,
Und ist ein groß dotsünde.
Was aber man verkünde
Warlich für macht,
115 Wie man das mag auß sprechen,
Allz die gancz wellt zu prechen,
Den tag in nacht
Und nacht in tag verkeren,
New wellt, new finster, newes licht,
120 Was ir sulches verjehet,

5.

Yst ym muglich zu vore.
Deß scham dich, tumer tore,
Der nit nymst acht
/70r/ Das die gancz menschlich zunffte
125 Mit all irer vernunffte
Auß sint noch tracht,
Mag auch numer begreiffen
Wie der gancz leib Cristi des hern
Auff erd ein speis hie warte,

130 Und wie der schopfer pure
Wirt auß der creature
Wein und dem prot,
Die sich wandeln in yne.
Sag welches menschen syne
135 Sulch wicze hot!
All kunst muß es lan schleiffen.
Wer kan es auß vernunfft bewern
Wie Jhesus der vil zarte,

Der fleisch und plut, marck, peyne,
140 All lidmas wie ein ander man
Hie von der reynen maget an sich name,

---

114. Worlich? *hinter* 114 *auf besonderer Zeile:* wie man das nich *(?)*. 139. Des.

Sollt unzuprochen gancze
In peider hant substancze
Gots und menscheyt
145 Ein speis sein unß zu heyle,
[70v] Das in dem minsten teile,
Wie man das reyt,
Wie groß oder wie cleine,
Wirt der gancz Cristus. hie sich an
150 Ob ich dich nit beschame!

6.

Noch ob dem allen iste
Noch eins, das du es wiste:
So Got Jhesus
An anzal end und steten
155 Hie auff erden tut setten,
Macht hungers pus,
Die sel der er sich gibet,
Wor Got und mensch sein gancz persan,
Und wirt doch numer mere
160 Von seim himlischen vater,
Dem allmechtigen pater,
Gewencket ab,
Und ist gleich hie allß dorte,
Ye doch an wie vil orte
165 Er komet rab
Und es dem prister libet,
Yst sein der himlisch hoff nit an
[71r] Noch nympt von yn ab kere.

Seytu nun pist so weise,
170 Weist pey eym har was Got vermag,
Und welchs dein grober sin nit leicht bescheide,
Sol Got vermügen nichte,
Sam seistu gancz berichte
Aller weisheit,
175 Der die gotheit einfeltig
Dreyer persan geweltig
Von ewikeyt
Herschet, sey still und leise
Dir gancz geleget an den tag,
180 Swurstu pey deinem eyde,

149. d[c] *über der Zeile.* 152. wist. 163. doch *vor* gleich *gestr.* 180. deine.

7.

O torechter fantaste,
Ob dein vernunfft dan raste
Auff sulcher glos,
Was wider all vernunffte
185 Und der naturen zunffte
Erscheine ploß,
Sol Got nit muglich seyne,
Der doch hie vor in allter e
Gescheen sint so vile:

/71v/ Allß eynen pusch vol fewre,
191 Dem prinnen doch was tewre,
Und eynen man
Gen durch beschlossen ture,
Do schloß und rigel füre
195 Noch pliben stan,
Auff werts geperg so reine
Der Jordan floß, — die schrifft sagt me
Dan ich nun melden wile.

Geschach nun pey den allten
200 Dis allß wider naturen lauff,
Solt Got nit muglich ycz sein zu geschen?
Wie glaubstu dan, mir sage,
Das an dem jungsten tage
All korper gar
205 Ersten werden on mosse,
Was ir die erd beschlosse?
Hie pey nym war:
Laß sulch torheit hin schallten
Und sich gar weislich um und auff,
210 Do Got allso nit smehen.

Hanß Folcz barwirer.

[19.]

/72r/ Im unbekanten thon.

1.

Ich wart einß mals gefraget
Von eim, das ich ym saget
Wie das zu ging
Das man des menschen geiste
5 Zu misset aller meyste
Gotliche ding
Und was an trifft vernunffte,
Auch der gewissen zimen tut,
Man allß der sel zu eyget

10 Allß reyczung zu dem guten;
Wo der körper thu můten
Dem fleische nach,
Von stund gewissen nage
Den menschen nacht und tage,
15 'Fürcht Gotes rach
Und der verdampten zunffte,
Betracht das tewr vergossen plut
Cristi, dem sie sich neiget

210. *schwerlich* Dv.
[19.] 10. dē. 18. eyget *vor* neiget *gestr.*

Sulch ubel zu vermeiden
20 Um seines pitern leides wiln.
Wie doch manch mol der korper zewet hine
Und sulch unart verpringet,
Frag ich: worum misslinget
Der sel dan dort
25 Vor etlich hundert jare,
[72v] In dem fegfeur furware
Muß leiden mort
Oder zu helle leiden,
So hie der korper leit in stilln?
30 Ein thor der sach ich pine.'

2.

Ich antwurt: tumer mane,
Das welstu hie verstane,
Weistu nit, so
Die frucht in muter leibe
35 Etliche zeit becleibe
Und sich her nho
Alle glid moß erfinden
Geschikt, bereyt sint und ver-
pracht,
War zu solten sie frumen,
40 Ob sie ymer zu nemen,
Rechter größ wurden zemen,
So nit die sel
Das hercz lebendig mechte,
Dar von auß gend zu rechte
45 Krefft ane zel
Und nemlich das enpfinden
Ydem gel*i*d nach seiner acht,
Die von der sel krefft komen;

Do von die frucht zu stunden
50 In muter leib beweglich wirt
Und sůcht die narung zu seinn auffenthallten
In weslikeyt zu pleiben;
Wem wolstu das zu schreiben
[73r] Wo nit die krefft
55 Der sel all lidmas regten,
All ewßer sin bewegten
Durch eygen schefft
Die sunst in nicht wirt funden?
Seyt nun die sel all ding regirt,
60 Des leibes gancz tut wallten,

---

21. man[ch]. 24. sel dan dan dort. 41. wurden *aus* würden. 43. mechte *aus* machte.
47. gelid *Roethe*, geld *M*. nach dc *hinter* geld *durchstr*.

6*

3.

Ich sweig so in zu kunffte
Gedechtnus, will, vernunffte,
Die hauptkrefft drey
Der sell, mit foller machte
65 Aller lidmas hant achte,
Sie leiten frey
Zu pöß oder zu gute,
Wan auß der sel ymaginancz
Hant sie ir anbeginnen.

70 Allso vernunfft und willen
Mit der gedechtnus zillen
All ding zu thun;
Nun wirt kein glid beweget
Dan wie die sel die reget.
75 Hie merket nun:
So sie alle ding tute
Und gepraucht sich des leibes ganez
Mit all sein ewßern sinnen,

So dan der tot nit iste
80 Dan ein ab schit der sel vom leib,
On sie der leib pleipt unbeweget ymer,
Hat fur sich selb kein craffte,
Und der sel eygenschaffte
Pleipt unzustort,
/73ᵛ/ Der leib on sie ist nichte,
85 Pillich wirt sie gerichte
Ym dode fort
Zu ewiger geniste
Oder wo sie furter beleib.
90 Dar um so frag des nymer

4.

Und pruff dar pey das gute.
So die sel leyten dute
Alle glidmaß
Des menschen und verzinste
95 Die zu dem gotes dinste
On unterlaß,
Wie dan der leib verdirbet
In wazer, fewr, wie ym gesche,
Wirt doch die sel begnadet

100 Auch etlich jar dar vore
Nach dot, pis ir fur wore
Am jungsten tag
Der leib wirt zu geeiget.
Dar um so pis gesweiget!
105 Hor was ich sag:
Ob durch sich selber stirbet
Ein kint, ein thor durch eigne fhe.
Leib noch der sel es schadet.

Hie pey du pruff und spure
110 Das thoren noch die kinde nicht
Leib noch sel dort leichtlich verliren mugen.

---

66. Sie *aus* Zu. 111. kumen *hinter* leichtlich *durchstr.*

[74r] So aber in zukunffte
Der sel krefft und vernunffte
Sie leiten wirt,
115 Dem sin ein gipt und nymet,
Hie pey merck ob ir zimet
Werden gezirt
Nach dod in ewig küre
Der freid oder in hellisch pflicht,
120 War sie Got hin tut fugen.

5.

Doch wie dem allen seye,
O crist, so merck dar peye
Das du dich icht
In deinem tumen wane
125 Dar auff wellest verlane,
Versuch Got nicht,
Sunder regir die peide
Leib und dein sel, die du pillich
Got pflichtig pist zu geben.

130 Richt dich mit leib und sele
Dort noch der hochsten wele,
Do numer me
Leyb noch der sel geprichte,
Sunder das ewig lichte
135 Irschein und prhe
Mit sulcher unterscheide
[74v] Das dein leiplichen augen sich
In Cristo so erheben

Sein clar menscheit zu nissen
140 Und dein sel ewig loriyr
In dem spigel der gotlichen drifalde.
Des hellff unß Got der vater
Und Jhesus unser frater,
Dar zu Got geist.
145 Unß allen gnad verleye,
Die persanen all dreye,
Welchs aller meist
Unß erwerb an verdrissen
Gottes muter, das sie von ir
150 Unß ewiclich nit schallde.

AMEN

Hanß Follcz barwirer.

126. nit *vor* got *gestr.* 128. die *aus* allß. 140. loriyr *aus* lorier. ewig loriyr = ewig gloriyr.

[20.]

[75r] In der flamweyß.

1.

Ein elich folck ich eins erkant,
Kein größer trew ich nie befant
Dan von den zweien lewten.
Der sach sie über ein gancz worn,
5 Allß ich in allen meinen jarn
Von zweien mocht betewten.

Es wer zu tisch oder zu pet
Oder wes sie sunst pflagen,
Ir keins dem andern wider ret,
10 Do was kein weiter fragen.
Des gleich mit schlaffen, trincken oder essen
So kunt ir keins vergessen
Des andern spat noch fru.
Eins mals kam es dar zu:

2.

15 Der man in einer kranckheit starb;
Das nit die fraw vor leid verdarb,
Das was ein grosses wunder.
Sie wand ir hend und raufft ir har
Und trang sich stetigs um die bar,
20 Zureiß all iren plunder.

[75r] Nun hatten sie ein firteil meil
Zu irer rechten pfarre.
Das folck bestellet sie mit eyl
Zu haben cleine harre,
25 Die leich behend hin zu dem grab beleiten;
Es wer kein lenger peyten,
Man trug die par hin dan,
Vill folks dar mit wart gan.

3.

Sie kamen zu eim paum vil noch,
30 Pey ym was yn zu rûen goch.
Das weib vil lawt wart schreien:
'Ach liben lewt, nun get furbas;
Wan allß mein erster man tot was,
Die trager do her peyen

[20.] *Ms. XX. veröffentlicht von Habel in den „Quartalblättern des Vereins für Litteratur und Kunst. Mainz." 1831. Heft 3. S. 55. Überschrift von der kunstvollen späteren Hand.*

35 Auch kamen unter disen paum,
Saczten die par hie nider,
Erwacht er sam auß einem traum
Und kam zum leben wider.
Dar um so wellt pey leib hie rüen nichte!
40 Ich hat heint ein gesichte
Wyo er zu himel wer:
Beraupt yn nit der eer!

4.

/76r/ Villeicht er wider lebend wurd;
Wer weiß wie ym die dodes pürd
45 Zum andern mol gerite?
Losset sein sel do ir ist wol,
Ob ich auff erd pleib kumers vol
Und mich noch lenger nyte.

Trupsal und smercz wil ich allein
50 On yn liber gedullden;
Ich schick ewch einen eymer wein,
Wellet mein worten hulden
Und yn an rû pis auff den kirchoff tragen'.
Sie wurden eyln und jagen
55 Pis man yn pracht zum grab;
Den wein sie gerne gab.

5.

Und e sie wider heim kam gar,
Schlug sie es schnell eim andern dar,
Het hochzeit in acht tagen
60 Auff das sie ires leids vergeß,
Das sie um yn so tiff beses
Und müst noch lenger clagen.

Das peispel merckt, ir jungen gseln,
/76v/ Hie von der weiber liste,
65 Sie wein und lachen wan sie weln,
Des yn nümer gepriste,
Wan sie hant kurczen mut und lange cleider.
Das clagt vil mancher leider.
Es sint nit newe mer,
70 Spricht Hanß Folcz barwirer.

---

37. einē.

[21.]

Im unbekanten thon.

1.

O Maria kunginne,
Welche vor anbeginne
Und vor der wellt
Warest do du icz piste,
5 E ye wart zeyt noch friste
Und e gemellt
Das wort 'fiat' ye warte,
Für wor nechst gotlicher trifallt,
Got vater, sun und geiste
10 Engegen clar on tawgen
In den gotlichen awgen
Und auß erkorn
Dochter vor ewikeyte
In gotlicher dreyheyte
15 Got vaters worn,
[78r] Muter des sunes zarte,
Gespons des geistes auß gewalt,
Der in dich kam gereyste,

Welch herberg war beschlagen
20 Dem sun durch des vaters wor gunst
Vor aller zeyt und e du würd geporen!
O was hoer presente,
Do anfang, mitt und ente,
Doch on anfang,
25 Frey mit des mittels willen
Dem ende solte zillen
On abegang
Und vor ewigen tagen!
E art, natur, wog, moß noch kunst
30 Wurden, solst heyles foren

2.

Und dem geben sein pilde
Der dich on pild enthilde
On wissent dein
In ewiger vorhute;
35 E dein sam, fleisch noch plute,
Weis, form noch schein,
Sel, geist noch menschlich pflancze
Noch zeytlich weisheit dich besan,
Zu muter warst versehen.
[78v] Vor Adams erschaffunge
41 Und yə profeten zunge
Weissaget dich
Oder kein patriarche,
Do wertu, keuscher sarche,
45 Yczunt clerlich
Der menschlichen substancze
Gots suns und seiner gotheyt fran
Zu müter vor verjheen.

[21.] 10. Gngegen? 20. dr[e]ch *aus* des? 47. clar *vor* fran *gestr.*

O welch vernunfft kan künden
50 Wie der vor aller zeyt geporn
Von ungepornen geporen solt werden
Und solt von dir enphoen
Das dir von ym det nohen
Und du on yn
55 Numer hest mügen haben!
O sulche hoe gaben
Vernufft noch sin
Keins engels mocht ergrunden,
Nicht schaczen, spuren oder forn,
60 Wie hie auff diser erden

3.

Sich der neigen und pigen
[79r] Und her in dich sollt smigen,
Nemen von dir
Des er noch manglen dete,
65 Doch dir vor geben hete.
O was begir
Got zu dem woren heyle
Dem armen sunder hie auff erd
Erst, meyt, durch dich wollt üben!

70 Nempt gleichnus: ein pawmane
Ein zweig ym pflanczen kane,
Von welches sam
Er nympt nach seynem willen
Sein lang begir zu stillen:
75 Des gleichen kam
Got unß zu machen geile
Nach langer clag, der schopfer werd,
Unß wider zu geluben

Frid, gnad, gunst, trost und freyde
80 Durch dich, du keusch jungfrewlichs zwey,
Von welcher sam er nam sein menschlich pflancze.
Allso der ewig wachet,
All sach ursechlich sachet,
Wollt hie ym zeyt
85 Von dir, rein zartes pilde
Kewsch jungfreylicher millde,
Hie nemen seyt
Ein zeitlich leyplichs kleide,
Die er ym sunderpar gancz frey
90 Vor dar zu ordent gancze.

---

51. vngepornē. 59. oder *über gestr.* mocht noch. 73. seynē.

4.

/79r/ Also du, jungfraw here,
Das frey wor mittel were
Gotliches rots,
Auch stet dar mit und peye,
95 Do die persanen dreye
Ewiges dots
Im rot woren eintrechtig,
Wie der haß wurde hin geleyt
Den Adam het verschuldet,
100 Und wie Eva das worte
In ave wurd verkorte.
Sich, icz wertü
Engegen irem willen
Allsach auff dich zu spillen;
105 Hie spuret wû
Wart hoer ding gedechtig
Do selbst dan dein, du reine meyt,
Das man dir pillich huldet.

O cristenmensch, sich ane,
110 Wo ward ye hoer creatur
In allen jerarcheyen der 9 kore?
Dar um, o all vernunffte
Der engelischen zunffte
Und allß das ye
/80r/ Auf erden wart geporen,
116 Dut ewigs lobes foren
Und eret sie
On alles abelanē,
Welch durch all schrifft, natur, figur
120 Zu loben hat kein hore.

5.

O jüd, heid, Machmetisten,
Krich, Tartar, Türken, cristen,
All keyser reych,
Kung, furst, all herczogthume,
125 Secht an den hoen rume
Den ewicleich
All engel in dem trane
Der hochwirdigen muter Gots
Mit sundrem lob beweisen,
130 Und wie die gancz drifalde
Noch yn ob alm gewalde
Himlisches hers
Sie stet gebenedeyen
Und keiner pit verzeyen.
135 Nicht ist so swers,
Ob sie der sunder mane,
Lest sie yn des ewigen dods
Nicht auß ir gnad entreisen.

109—111 *hießen zuerst (später durchstrichen):*
1. O cristen mensch sich ane
3. In allen koren dreier (*aus* der 9) jeracheye
2. Wo ward ye hoer creatur

112. vernuffte. 127. *davor durchstr.* Die engel aller trane. 131. ym *vor* yn *durchstr.*

Sie ist von der stet ymer
[80v] Die cristlich kirch singt und auch list,
141 Bebst, cardinel, pischof und all gelerte,
Mit stetem lobgesange.
O mensch, spar dich nit lange,
Schrey, pit und fle
145 Sie alzeit nacht und tage,
Sie ist die helfen mage,
Und numer me
Lest sie kein menschen nymer.
O rufft sie *an* in lester not,
150 Ir wert entlich gewerte.

Hanß Folcz.

[22.]

1.

[81r] D y e lest zukunfft Cristi wirt werden
Am ent der wellt, nemlich zu dem jungsten gericht,
In offenbar gerechtikeyt
Und in verporgener erparemunge,

5 W i e sein ersti zukunfft auff erden
Zu offenbarer parmherczikeit was verpflicht
Und mit ganczer verporgenheyt
Seiner gerechtikeyt auß ordenunge.

Allso das in erster zukunfft
10 Yn wenig für wor Got und mensch erkannte,
Wirt er von yds menschen vernunfft
Dort am gericht der recht richter genannte.
Do von der proffet clerlich spricht:
'Allß fleisch wirt sehen clar
15 Was der munt Gotz geret hat offenbar'.
Und alls er erstlich kam allein
Und von der meng des folkes ungeprüfft,
Erkent yn dort die gancz gemein,
So er das streng gerecht urteil auß rüfft.

141. prelaten *vor* gelerte *durchstr.* 143. mē spar *vor* mēsch spar *durchstr* 149. le *vor* rufft *gestr.* an *fehlt.*

[22] *vgl. zu* [5]. *Die Anfangsworte der Stollen sind in der Handschrift gar nicht oder nur durch ein ihnen folgendes / gekennzeichnet.* 1. lest *aus* erst. 4. Vnd aūch in v. paremūnge *N2.* 10. 12. erkante : genante. 18. erkant *N2.*

20 Und wie er zu der ersten pflicht
Von vill des folkes wart verspotet gar,
[82r] Werden sie am jungsten gericht
Ir schand beweyn mit manchem heissen zar.

2.

Sich, es hat Cristus im abscheiden
25 Unß geben zu der lecz die suben sacrament,
Allso er an der widerker
Wirt subnerley grausamer ding verpringen,

Ich mein, so juden, cristen, heyden,
Fisch, fogel, thir, wurm und die gancz welt wert verprent:
30 Do hab wir auß der schriffte ler
Wie sich das feur ubet in suben dingen.

Von erst die guten es purgirt,
Das sie gancz rein für das gerichte komen.
Zum andern es peynigen wirt
35 Die posen an all iren nucz und frumen.
Zum dritten es die lufft auß rewt,
Die dan die posen geist
Und der wellt sund vergifft haut allermeist,
Wan allß das waßer der sintflus
40 Sich über alle hoe perg auß preyt,
Allso das feür die zeyt thun muß,
Do von Johannes clerlich hat geseyt:
'Ich sach hymel und erd vernewt',
[82v] Stet in Apocalipsi, wer es weist.
45 Zum firden mol wirt do betewt
Das aller grausamst das ye wart erfreyst.

3.

Er kam erstlich auff erd alleine
An groß herschafft der seynen und mit cleinen pracht;
So wirt er dort mit lauter stim
50 Der fier posaumen zu gerichte komen.

20. gschicht *N2.* 22. Wirt er vor dem j. g. *N2.* 23. Von in beweint m. m, zehren zwar *N2.* *Die 2. und 3. Strophe sind in N2 umgestellt.* 24. es *fehlt N2.* im] in seim *N2.* 25. zw der lecz geben *N2.* 26. Dort wirt er in *N2.* 27. Äuch sibnerley d. dy er wil volpr. *N2.* 29. wrt *M.* 30. So *N2.* 32. ersten *N2.* 34. a. mal es pringen *N2.* 39. sintflüt *N2.* 40. perge hoch aüf *(?)* *N2.* 41. feüer d. z. tut *N2.* 44. Das püch apockalipsy vns beweist *N2.* 47. von erst *N2.* 48. hersacht *N2.* cleinē *M*, grossem *N2.*

Mer hat er die sunder gemeyne
Alhie zu im geruffen und gehapt in acht;
Dort weist er sie grauslich von ym,
Das sie zu keyner gnod werden genomen.

55 Am ersten kam er in demut,
Zum lesten mit allem himlischen here
In großer majestat und hut,
Der hüter er selb sein wirt ymer mere.
Hie sweig er in großer gedult
60 Allß ein senfft mutigs lam;
Dort schreit er: 'get in die hellischen flam,
Ir, die nit die parmherczikeit
Den minsten auß den mein bewisen hapt,
[83r] Wan mir hapt ir die selb verseyt,
65 Des wert ir nun von mir auch nit begapt!'
Her kam er das er leyden wollt;
Dort erfreyt er die merterer allsant.
Hie leid er gancz on alle schuld;
Dort hant sein schuldiger die hochsten schant.

4.

70 So alle tunderschleg und pliczen,
Was ir ye was und wirt pis zu der welde ent,
Wart nie erschröcklichers gehort
Allß so die stim der fier horn werden sumen.

O ir toten, Got wil besiczen
75 Sein jungst gericht: wol auff das ir euch all dar went!
Do ist kein widersteung fort,
All menschlich körper mussen dar zu komen.

Zum funfften wirt die stime sein
Das sie die totengreber all auff trennet,
80 Dar zu die fells und herten stein,
Auch yde sel iren korper erkennet.
Und dar um zu dem sechsten sie

---

53. grewlich *N2*. 54. sie in kein gnad mer w. g. *N2*. 56. allem himlischē *M*, al himelischem *N2*. 58. Er selbs sein wirt ewigklich ymer m. *N2*. 59. sweig er] schweigen *N2*. 63. gewissen *N2*. 65. nun] hie *N2*. 66. Er kam her *N2*. 69 *fehlt* *N2*. 70. don vnd düner pliczen *N2*. 71. zu] an *N2*. 73. horen wirt *N2*. 75. all] schnel *N2*. 76. widerstant nit f. *N2*. 77. *oder* kamen? *M*. 79. Das sich *N2*. trennen *N2*. 81. erkennen *N2*. 82. dar nach *N2*. leczten *N2*.

Sich dem wider zu eigt
Dem sie erstlich von Got was zu geneigt.
/83ᵛ/ Zum subenden sie sunder fugt
86 Juden, cristen, heiden in sunder schar,
Sie zu der lesten ladung rugt:
Do hillfft kein apelaczen her noch dar.
Schreck und forcht wart der gleichen ny
90 Von allen scharen so sich do erzeigt,
All pos und gut werden dan ye
In yn selber mit großer forcht gesweigt.

5.

Do werden auch im lufft erscheynen
Alle zeichen des pitern leydes unsers hern,
95 Das kreucz Cristi leucht allß die sun,
Do spürt yder Cristum sein richter seine.

So man auch clar an im wirt spehen
Die narben seyner wunten, unß do zu erclern
Wie von der seyten sein der prun
100 Der suben sacrament auß floß gemeine.

Do von her Zacharias spricht:
'Dan sehen sie den sie haben durchstochen.'
Secht, hie kompt Jhesus zu gericht,
Das er an all sein feinden werd gerochen,
105 Und kumpt in der grosten gewallt
Konglicher majestat,
Nemlichen ob dem tall zu Josaphat
/84ʳ/ Mit aller himelischen macht
Der heillgen und der grossen engel schar.
110 O all ir cristen, hie betracht
Wie erschröcklich vor ym sten werden gar

---

83. Iren leib w. eygt *N2.* 84. von erst *N2.* wart *N2.* 85. werden berüft *N2.* 86. Jüd heiden cristen icz an sein schar *N2.* 87. Sie *fehlt N2.* rugt] so prüft *N2.* 88. apaliren nymer zwar *N2.* 89. F. u. schr. *N2.* 90. so] die *N2.* 91. hie *N2.* 92. Mit y. s. in gr. *N2.* 93. So *N2.* erscheynen] gesehen *N2.* 95. D. creucz wirt clarer dan d. s. *N2.* 96. cristen den *N2.* 97. Do *N2.* sehen *N2.* 98. w. vnd dar z. *N2.* 104. wirt *N2.* 105. dem *N2.* 107. ob] in *N2.* 109. heilligen der *N2.* 110. alle cr. icz b. *N2.*

Der sunder sum on außgezallt!
Und wer den sun Gotz ye gelestert hat,
Sie werden grausamlich gestallt;
115 Die guten scheinen an all übeltat.

6.

D o werden alle augen sehen
Die guten Jhesum in seiner cloren gotheit,
Die posen yn erkennen ploß
Noch der menscheyt in graußlichem gesichte.

120 O secht, die guten wirt man spehen
Im lufft er schein in aller zir und herlickeyt,
Do wird der schnoden pürd so groß
Das sie sten auff der erd sam angepichte.

Und Cristus wirt selbs thun die clag,
125 Auch die verhorung und das urteil fellen,
Die peysiczer werden, ich sag,
All heillgen, und was Jhesus wirt erzellen,
Werden all heilgen zewgen sein
Und die gancz heilig schrifft
130 Und yds menschen gewissen, welchs furdrifft.
[84ᵃ] Erstlich legt er den posen dar
Wie yn gehungert und getörstet het,
Gefangen, elend, nacket war,
Gestorben und ym nymant hantreich det,
135 Und spricht: 'was ir den minsten mein
Nicht tetet nach dem aller cleinsten wifft,
Ist mir auch nit getan allein,
Dar um get hin, enpfacht die ewig gifft!'

7.

D o werden all hellische geiste
140 Mit den verfluchten menschen in abgrunt der hell
Geworffen mit eim donderschlag
Eins wortes auß des strengen richters munde.

---

113. was *N2.* 114. Die *N2.* 119. graußlichē *M*, grausamlich *N2.* 124. selbs wirt *N2.* 125 *fehlt N2.* 126. Vnd die *N2.* 127. heilligen ynd cristūs *N2.* 128. engel *N2.* 131. Von erst *N2.* er *fehlt N2.* 133. zwar *N2.* 134. het reich *N2.* 135. sprach das ir dem *N2.* 136. Nit tetten den a. cleinisten w. *N2.*

S o sie von dannen sint gereiste,
Werden forchtsam die guten von dem ungefel,
145 Den Got allß pald legt an den tag
Die sechs parmherczikeit und tut yn kunde:

Die seinen minsten han getan,
Dar um sey im sulch gutheit selbs geschehen;
Dan sicht er sie gancz freuntlich an
150 Und wirt mit den liplichsten worten jheen:
'Kumpt, ir gepenedeyten mein,
In meynes vater reych,
Das von anfang der wellt pis ewicleich
Euch ist zu großer freid bereyt;
/85r/ Kumpt und pesiczt in wolust alle zir,
156 Hie ist ewig frid und geleyt!'
Erst yn erkuckt hercz, sel, mut und begir,
So sie geist, vater und den sun,
Den spigel der drifallt, an schawen gleich.
160 Mensch, des wellest petrachtung thun,
Willtu enpflihen dort der helle teich!

Hanß Folcz.

[23.]

1.

Hie vor ‹.n gut ein krefftenreicher mane
Seins todes not besane
Und tacht deglich dar ane
Wie er groß gut sein kunden lis.

5 Er het drey sun beweipt nach all seim willen,
Den det er heymlich zillen,
Fragt sie in eyner stillen
Was yeder ym zu thun gehiß

Nach seinem tod in sulcher massen,
10 Ob yn Got friste,
So wollt er yn sein gut allß lassen,
Ob sie on liste

145. aüch legt an t. *N2.* 147. So sie sein minsten haben tan *N2.* 148. in *N*
150. w. zw in dan gar lieplichen j. *N2.* 151. mein] nün *N2.* 155. den palast aber z. *N*
156. Do *N2.* 157. m t sel *N2.* 158. Do (?) *N2.* 161. das soltw betrachen *N2.*
[23.] 7. Befragt sie in ein *X.* 8. verhiß *X.* 9. sein‹ *M.* 10. Daz in *X.* 11. allß] selbz

Im sulch geheiß treulich wolten verpringen.
Sprach: 'sagt ewer gedingen,
15 Ob mir dort möcht gelingen
Und wes ich von euch sey gewiß!'

2.

Der erst sun sprach: 'all woch im ersten jare
Gib ich ein spend fur ware
Deiner selen zu nare,
20 Dar nach jerlich ich das bestet.'

Der ander sprach: 'ein selpad alle wochen
Sey dir ein jar versprochen
Deinr sel fur ewigs sochen,
Dar nach all jar ich dirs geret.'

25 Sulches dem vater wol behaget
Und lopt es sere.
Der jungst wart auch von ym gefraget.
Er sprach: 'der mere
Will ich mich, liber vater, pas pesinnen
30 Und vor erfarn dar innen,
Du scheitst noch nit von hinen.'
Eyns tags er für sein vater get

3.

Und sprach: 'o vatter, pis noch heint mein gaste,
Die nacht pey mir auch raste,
[86r] Do müg wir aller paste
36 Unserm furnemen komen nach.'

Der vater sagt ym zu allso zu komen,
Vom sun wart für genomen
Dem vater sein zu frumen
40 Ein lotterfalln zu seim gemach,

13. Daz selb gelub drewlich *X.* 14. Vn̄ sprach s. ewr *X.* 16. Daz ich meinr trew [i]n euch geniß *X.* 19. Deinr sel ewig zu n. *X.* 20. Daz ich hinfur jerlich bestet *X.* 24. n. [ewig]lich sey d. *X.* 25. Die ding dem vater wol behagten *X.* 27. gefragten *X.* 28. Der *X.* [3]1. E. dagz der jūg sich zu jm net *X.* Eȳs *aus* Es *M.* nōt *vor* get *gestr. M.* 33. sprach [va]ter nun pis *X.* 34. auch pey mir *X.* 35. So *X.* 36. nach *u̇ls* noch *M.* 40. *oder* [f]n? *M*, full *oder* fall *X.*

Dar ynnen er des nach*ts* sollt schlaffen ligen.
Hort was geschoe:
Sie lepten wol an alles krigen
Und woren froe
45 Den abent gar mit trincken und mit essen,
Irs u*nm*muts was vergessen.
Do sie lang warn gesessen,
Dem vater wart zu pette jach.

4.

Drey schone licht liß ym der sun bereyten
50 Zum pet yn zu beleiten,
Die man ym gar von weyten
Nach trug. der vatter der ging vor

Und sach vor ym nit ein eynigen tritte.
Der sun sprach: 'fürcht dir nytte
[86ᵃ] Und ge mit vollem schritte!'
56 Mit dem do kam er auff das spor

Das er vol auf die lotterfalle,
Fiel in ein kuffen
Gar tiff vor ym hin ab zu talle.
60 Laut gund er ruffen:
'Awe, wer hot mir disen mort gerichte,
Das ich es mercket nichte,
Pey dem das mir die lichte
Nach gingen, das betreucht mich zwor.'

5.

65 Der sun sprach: 'vater meyn, du retst gar eben:
Das peyspil sey dir geben
Das du pey deinem leben
Das licht dir selber fure tragst

---

41. des nach *am Rande nachgetragen;* ts *abgeschnitten M.* Dar in er sollt dez nachtez ligen *X.* 45. Peide in redñ drinken vñ auch essen *X.* 46. umuts *M X.* wart *X.* 48. wz *X.* 49. der sun liß zu bereiten *X.* 50. beleten *M.* 53. Daß er vor jm nit sach e. eingẽ drite *X.* 57 *in M auf Rasur; l.* val? er drat auff ein loter *X.* 59. Vol wazers fer hin ab gen talle *X.* 61. We mir wer *X.* erdichte *X.* 63. Mut *(?)* daß mir die licht *X.* 64. *l.* betrauch? zwor *aus* zwar *M.* 65. mein hie merk *X.*

Und gebst von deynem gut, weil es dein seye
70 Und dir das licht wan peye,
So gestu sicher freye,
Die finster du vor dir verjagst.

Was hullff dich, werstu icz verdamet,
Das wir dein kinder
75 Fur dich geben das gut allß samet?
[87r] Nicht dester minder
Werstu dort zu ewiger pein verpflichte.
Dar um merck dis geschichte:
Dein sün sint die drey lichte
80 Durch die du in der kuffen lagst.'

6.

Hie pey so merck ein yder frumer cristen,
Hot er ein folle kisten
Und will sein sele fristen
Dort vor ewigem ungemach,

85 So geb um Got den armen, wo er kane,
Sech zeitlich er nit ane,
Wel er vor Got bestane,
Nicht vor der wellt, allß Jhesus sprach:

'Es sol dein lincke hant nit wissen
90 War in die rechte
Um Got zu geben sey geflissen'.
Hie Got verschmechte
Alle die arm und turfftig sunst versmehen,
Sie werden dan gesehen,
95 Und nach dem rume spehen,
Dar zu yn gar vil mer ist gach.

7.

[87v] Wan so sie meßgewant, gleser und pilde,
Dar zu woppen und schilde
Malen, dar pey ir millde
100 Geachtet werd und ir andacht,

69. deynē *M.* 70. want *X.* 73. icz] vor *X.* 75. Durch geben *X.* 76. Nichtz *X.* 77. Werstu verlorn hestu dar nach gesplich *X.* 78. Hie pey *X.* die 3 lichte *X.* 79. Dort hint[s] dort hint[s] deim gesichte *X.* 80. Do durch du in der kuffen *X.* *Mit V.* 80 *schließt X.*

Was narres wer der die hoffart nit spürte?
Der lan der drum gepürte,
Hot Cristus gnug berürte
Do er den gleichsenern vor sacht:

105 'Ich sag euch, sie haben genomen
Hie yren lane
Und mag yn dort zu hillff nit komen.'
Crist, hie schaw ane
Ob nicht in stilln dir heimlich ongefere
110 Ein haller pesser were
Geben um Gottes ere
Dan sulch hoffart die Got versmacht.

8.

Doch haben sie dar pey ein sulch getrawen,
Welcher etwas thu pawen,
115 Sein hellm und schillt las schawen,
Auch sein piltnus selb dar pey sey,

Werd fort allß sein geschlecht dar auff geflissen,
Wo etwas würd zurissen,
Das sie das machen lissen;
/88r/ Den antwurt ich allso dar pey:

121 So dan ein sulch geschlecht abstirbet,
Alls offt geschichte,
Oder durch unglucks fall verdirbet
Und in der pflichte
125 Ir hab und gut alles an galgen ginge,
Ein ander gar geringe
Sulches von new an finge,
So hept sich do groß krigerey:

9.

Wan die sülch eer yn nit enzihen lassen,
130 Die es vor allß auff frassen,
Weil sie in eren sassen,
Treyben ferlich die andern ab

---

118. würd *aus* ward *oder* werd *M.* 129. er *vor* eer *durchstr. M.*

Und haben es doch selber nit zu machen.
Sollt nit der teufel lachen
135 Sulcher verworner sachen,
Welcher den rat yn selber gab?

Wan wer kein schillt do nie gespüret,
Von andern vile
Wer es kostlicher auff gefüret.
140 Sülch affen spile
Drey merklich freid dem teufel worlich pringet:
Von erst er gern ab dringet
[88r] Sein lon, das ym mißlinget;
Kert gen der hellen ym die nab;

10.

145 Rums halben seynes wopes helm und schilde,
Dar pey gemallt sein pilde,
Wo das peim schopff nit hilde
Sein zwelffpot, der die feint ab dreipt,

Sorgt ich, der teufel riß yn von der wende
150 Und all die vor ym stende,
Weib, kint, jung, allt behende,
Welcher sunst an der went do pleipt.

Geret ym sulch hofart zu gute
Und sein nachkomen,
155 So er allein in seynem mute
Hot fur genomen
Das er der welt reilich geachtet werde,
Pis yn verschlint die erde,
So nem auch hie den werde,
160 Wo hallt die sel noch dod becleipt.

11.

Pawt nit kong Salamon ein tempel reiche
Mit großer zir lobleiche?
Noch was sein lon nit gleiche
Gar einer schlechten frawen arm,

---

138 *steht auf Rasur; vorher stand da:* Sulch affen spile *M*. 152. W e l c h e r *M*. 155. seynē *M*. 155 in seynem — 157 werde *ist überklebt über den ältern Text:* h t furgenomē jn seinem mute *M*.

165 Die eynen cleynen scherff gab an den pawe.
[89r] Hie pey ein yder schawe,
Wer Got allein getrawe,
Der neust den rechten honig swarm.

Dar um, o mensch, fleuch hie die ere,
170 Such dort den nucze,
Do du finst hundert feltig mere!
Laß deinen trucze!
Was hillfft dich ob du großen reichtum sehest,
Weltlichen rum hie mehest,
175 Dort ewig eer versmehest?
O Got, dich selbs unser erparm!

Hanß Follcz.

[24.]

1.

[90r] Hor, mensch, etlich selczame frag:
Die ein, ob die gotlich natur
Menschlich natur an neme, sag!
Hie ist zu mercken lauter pur,
5 Weren natur geeint allein,
Wo plib dan die persan
Welch Got und mensch geheissen ist?
Hie merck: Gots sun in der gotheit
Nam die menschlich natur an, wist,
10 Mit einer sulchen unterscheyt
Das durch sein kewsch gepurt so rein
Wurd ein volkomner man. —

Ein ander frag sich zimet hie:
Ob die gotlich persan des sunß
15 Menschlich persan an nemen det,
In welcher er erloset unß.
Hie musten zwu persan, verstet,
In Got benent sein ye,
Welchs gar nit zem. —
20 Ein frag pey dem,
Ob gotheit fran,
Die menscheyt an
Um unser heil hy nem.

[24.] 8. mēscheyt *vor* gotheit *durchstr.* 19. 20, 21. 22, 48. 49, 50. 51, 77. 78, 79. 80, 106. 107, 108. 109, 135. 136, 137. 138 *in je einer Zeile geschrieben, doch durch / getrennt.*

Hie merck, mensch, das die drey person
25 Ein eynige war gotheyt sein,
Die menscheit allß menschlich geschlecht;
Den wer allen gepflanczet ein
Gotheit nach deinem wan zu recht,
Das doch nit mag bestan

2.

[90r] Sunder Gots sun: die selb persan
31 Hie den menschlichen leib an nam
Den selben nümer zu verlan:
Auff erd unß pessers ny gezam.
Wer möcht hoer vereyniung
35 Erdacht han ymer mer?
Do wart das wort plut, fleisch und pein
Hie in der jungfrewlichen schoß
Vom heiling geist enpfangen rein,
Do Got mit voller gnad ein goß
40 Der aller cleinisten schopfung
Die sel gancz wunderper.

Allso Got, sel, geist, mensch, fleisch, plut
Ein eynig persan sint benant,
Wan in dem allß die menscheyt pur
45 In die gotheit sich eint zu hant,
Wart gotlich und menschlich natur
Der eynig Cristus gut.
Hie irr nymants:
Menschlich substancz
50 Doch nit die fart
Die götlich wart,
Noch die art gotlichs glancz
Wart auch die menschlich nit, hapt acht!
Hie wer gemindert die gotlich
55 Und die menschlich gegleichet Got,
Welcheß zu glauben wider sprich.
Yde substancz ir pleybung hot
In ganczer foller macht.

3.

[91r] Wie nun auß den dreien persan
60 Allein der sun an nem menscheyt,
Hie gipt man gleichnus zu verstan
Und nemlich einß pey einem cleid
Daß zwen dem dritten legen an,
Auch er im selb deß gleich:
65 Wie do der ein gecleydet wirt
Und diser zweyer keiner myt,

26. menscheit *aus* menschen. 28. dich hie anfecht *vor* nach deinē — recht *durchstr.* 40. cleinsten sch. rein. 48. 50. 52 *auf Rasur.* 60. nē.

Allso in die menscheit gezirt
Der sun sey, geist und vater nit.
Der syn leyt unß weit auß der
pan
70 Deß cleides halb worleych.

Ein cleit daß zewcht man an
und ab,
Die menscheit Gotz unschidlich ist
Von Got dem sun ewig on ent.
Allso die unterscheyt hie wist.
75 Noch sint die sich tunken behent,
Sprechen die gotheit hab

Der menscheyt sich
So unentlich
Vermischet ein
80 Das do mug sein
Kein schidung ewiclich.

Nun zweyer ding recht ver-
mischung
Werden vermischet numer mer
Piß ides selb zermischet wirt,
85 Allso in Got zustorung wer;
Dar um welcher daß hellt, der irt,
Smecht cristlich ordenung.

4.

/91ᵃ/ Doch wart in den zweien ver-
pracht
Ein eyniung die sich schid ny,
90 Wan Got vater, sun, geist, nempt
acht,
Die einfleischung all wurkten hie,
Do dreyerley in schidlich wart,
Ydoch allein zeitlich.

Merck, weiser, hie wy wol das
ist
95 Daß Got vom leib, der leib von
Got
Furwar sich nye geschiden, wist,
Noch von der selen auch ny hat,
Noch die sel von gotlicher art;
Ydoch so ab schid sich

100 Die sel, und pleib im grab die leich,
Auch schid der leblich geist furbas
Auß seines herczen creffte gar,
Und waß von plut auch, merket daß,
In all seynem geeder war,
105 Die trew sich schiden gleich. —

Ein frag zem noch
Wy manch mol doch
Cristus der her
Mensch worden wer,
110 Dem auch zu sinnen noch.

So ist die erst menglich erkant,
Do von nit sunder meldung zimpt;
Die ander, e der her erstunt,
Sein sel er, allß die schrifft bestimpt,
115 Von new zu im nemen begunt,
Wart wider mensch benant. —

67. Der *vor* Allso *durchstr., ebenso* gut *vor* menscheit. 83. Wer den.

5.

[92r] Noch ist ein frag hie ob Cristus
In dem heiligen sacrament
Den menschen zu ir behaltnus
120 Enpfangen auß des pristers hent
In aller moß enpfenglich sey
Allß yn die magt gepar
Oder am krewcz lebendig hing,
Allß mang einfeltig crist gelaupt
125 On erforschung der woren ding.
Doch das hie nymant wert betaupt,
Zimpt eß zu kunden lawter frey:
Er wart ein speiß, nempt war,

Nicht in seiner totlichen art,
130 Allß er hie auff dem ertrich rist,
Allso den werden schopfer fran
Auff erden nie enpfing kein crist,
Sunder in verclerter persan,
Die hie nie greifflich wart,
135 In welcher er
Die groß und swer
Dek von seym grab
Nie leget ab,
Sunder an all verser
140 Der sigel und der wachter hut
Auß ging und durch beschlosne thur,
Dem gleich im sacrament er hie
Sich gipt allso im glauben, spur,
Deß Got gewaren well all die
145 Die eß versten in gut. —

6.

[92v] Hie mocht mancher fragen furbas:
Wy mag dan das ymer zu gan,
Do Crist sein abentessen aß,
Daß er sein heilgen leichnam fran
150 Seinen heiligen jungern gab,
Weil er noch dotlich war?
Hor, cristenmensch: do praucht er sich
Seiner hoen gotlichen macht,
Die im allein ist mugelich,
155 Welch kein menschlich vernunfft auß tracht,
Daß man dar pey wol nymet ab,
So er doch gancz und gar

142. sacramet. 144. auf *vor* all *gestr.* 152. ersich.

Nicht dester minder pey in saß
In dem dotlichen leichnam hie,
160 Yn sein verclerten leib gab ein.
Hie grubel nit wo, wen und wy,
Sunder in gleichnuß merk den schein,
Der dir erclert den sin.
Mocht Crist dar vor
165 Am perg Thabor
Erschein verclert
Den jungern wert,
Nicht minder um ein har
Praucht er sich do der crefft on wanck,
170 Und gleich allß er auch nach seim dot
Sein untotlichen leichnam clar
Sant Thoman greifflichen dar pot,
Dar mit sein wunten auch, nemt war,
Deß gleichen aßß und trank.

7.

[93r] Hor, mugen unzal augen hie
176 Das weit und hoch corpus der sun
In sich begreiffen, das doch ye
Eim iden leichtlich ist zu thun,
Und mag ein laüt gesproches wort
180 In tausent menschen orn
Begriffen werden, worum solt
Der her Cristus wor mensch und Got
In unzal selen, so er wollt,
Nicht geistlich sein? wer ye ein spot
185 Got mensch, der selen hochster hort,
Der ym das hat erkorn?

Merck, mensch, mag ein englischer pot
Einß augenplikes hie und dort
Zu himel und auff erden sein,
190 Doch nit einß molß an idem ort,
Welchs im der schopfer mein und dein
Allein behallten hot,
Allso das er
Allein ist der

161. nit *vor* grubel *gestr.* vn.

195 So hie und do,
Hoch, ferr und nho
On wegung hin und her
  Ye waß, ist, wirt sein, und ny wart, —
Deß sagt im preiß, danck, er und lob
200 Seinß leydes und grossen parmung,
Der millten gnoden reichen gob,
Die unß zu ewiger labung
Nach dod nit werd gespart.

e n d.

Hanß Folcz.

[25.]

[93v] a n f a n g.

1.

Ein frag ist ob der her Cristus
Im grab ein mensch wer oder nit:
Weil von dem gutigen Jhesus
Die gotheyt doch ny ab geschit,
5 Hie wer er nit worlichen dot;
Seyt sel dem leichnam pey
Ein woren menschen sachen thun,
Dar um allß weng alß die gotheyt,
Auch pey der sel kein mensch ist nun:
10 Allso nemt hie die unterscheit. —
Nun ist ein ander frag ob Got
Und mensch geschiden sey.

Hie wellen etlich sprechen 'ja',
Haben ein sulche gloß in dem,
15 So er im grab kein mensch nit wer,
Eß gar pillich zu reden zem
Daß doch gesein mag numer mer;
Die frag lawt nit dar nho.
  Hie müst on fel
20 Sein leib und sel
Die gotheyt fran
Haben verlan,
Welchs im nimant zu zel,

---

199. lob / er / vnd *gestr. vor* danck / er vnd. 203. Nach *aus* Nad.
[25.] *Über* 19. 20, 21. 22 *usw. vgl. zu 24, 19.* 7. *oder* serchen? 9. nit war *vor* ist *durchstr.*

Daß gotheit sich von sel noch leib
25 Ye schid noch ymer schidlich wirt.
Dar um von dem glauben du ker,
Wan wer das hellt, swerlich er irt.
Pleib pey der cristenlichen ler,
Von der dich nymant treib!

2.

[94r] Wan solten Got und mensch schidung
31 Von ein ander haben getan,
So het nach ir vereyniung
Die sel den leichnam nye verlan,
Sunder wer mensch pliben im grab.
35 Und were die gotheyt
Von leib und sel geschiden, wiß,
So das allso gescheen wer,
Hie Got und mensch geschiden hiß,
Das doch ist wider alle ler.
40 Dar um stet sulchem grubeln ab,
Der auff sulch pan dich leyt. —

Ein frag, ob Adam das gepot
Noch Eva heten prochen ny,
Ob denoch der wor Gotes sun
45 Ein mensch auff erd wer worden hie,
Het sulch leiden ym an lan thun;
Welches die antwurt hot:
Auff das unß dort
Im hochsten hort
50 Und Gotes reich
Auch ewicleich
Das gotlich ewig wort
In der menschlichen art erschin
Unß gleich im pild, form und gestallt,
55 Dar von getausentfalltigt wirt
Ein yde freid on auß gezallt,
Het er dar von nit abstinirt
Unß zu hoerm gewin. —

24. leib noch sel *durch Ziffern umgeordnet.* 36. ab *vor* wiß *gestr.* 50. *oder* gutes?

3.

[94r] Mancher ein sulche frag went an:
60 'Seyt das Cristus mit seinem dot
Die gancz welt sol erloset han
Und den teufel gepunten hot
In den abgrunt der hell mit macht,
Waß ist dan not der pus?'
65 Die antwurt ist: merck auff, du thor:
Ob einer fur dich zalt ein schuld
Die gar lang zeyt an stunde vor,
Pringt dich gern wider in sein huld,
Und du hast vort auff yn kein acht
70 Dan waß not halb sein muß,

Wo plib dan do all dankperkeyt,
Die du gern wider schuldig werst,
So erger ding auf erd ny wart.
Wo du den dar noch mer beswerst,
75 All gutheyt er vort an dir spart.
Merck weyter den bescheit:
Wie Got fur dich
Gancz willeclich
Den dot hie lit,
80 Wolstu doch nit
Her wider fleyssen dich
Im deß allzeit danckper zu sein,
Wie dut ein vater seinem sun,
Den er um ungehorsam hy
85 Enterbt, so er kein gut wil thun
Nach seim gepot? hie hostu wy
Got strafft in gleichem schein. —

4.

[95r] Aber ein frag: worum doch Got
Erlöset das menschlich geschlecht,
90 Die tewfel nicht erloset hot,
Sunder sie ewiclich durchecht,
Und ist yn gancz kein hofnung nicht
Ymer und ewiclich.
Die antwurt ist: der Lucifer
95 Het allß pald alle selikeyt,
Dar zu die aller hochsti eer
Und nach Got die oberst clarheyt
Ob allen engeln ym verpflicht
Und prach noch hoer sich

60. 73. 100. seinē. 62. hot *aus* hat. 73. ding *hinter* ding *durchstr.* 82. s *vor* zu *gestr.* 83. kind *vor* sun *gestr.*

100 Gleich zu werden Got seinem hern,
Welch hoffart und undancksagung
Yn aller gnad unwirdig macht,
Und so sein freid or, hercz noch zung
Gehort, geret wart noch betracht,
105 Det yn Got pillich kern
Vom hochsten funt
In den abgrunt,
Von aller freyd
In alles leid,
110 Der gleich nymant wirt kunt.
Wer wollt hie anders urteil feln,
Seyt er die hochst zirheit versmâcht,
Die er von ym selber nit het,
Sunder von eim der sein het macht,
115 Wollt von dem allen ungeset
Dem selben gleich sich steln. —

5.

[95r] Ein frag worum durch Adamß fal
Alle menschen wurden verdampt
Und durch den Lucifer ein zal,
120 Und worum auch nit allesampt.
Hie merck: Got schuff englisch vernunfft
Auff ein mol alle gar,
Deß ein yder fur sich selb waß
Und het sein wiln zu thun und lan;
125 Dar um welcher in im auß maß
Lucifern für ein got zu han,
Zam wol mit im in seiner zunfft.
Von unß menschen, nym war,

Der ursprung ist von einer wurcz,
130 Allß stam, proß, laub, plü und die frucht,
Deß zweigung pis an jungsten tag
Sich mert in güt oder unzucht,
Allso Adames ersti plag
Unß pracht den unter sturcz,
135 Waß von seim sam
Seyt her ye kam —
On die zwey pild,
Maria milld
Und Jhesus, welcher nam

103. or *über* mūt. 120. worū. 128. nȳ.

140 Gebenedeyt sey imer mer:
Sie haben unß gepent den weg
Wider in unser vater lant;
Mensch, piß in irem dinst nit treg,
Sie hant erlost dein hochstes pfant,
145 Sprich yn deß lob und er!

End.

Hanß Folcz.

[26.]

[96r] anfang.

1.

Genesis primo stet wy Got
Alle ding hab gancz gut gemacht,
On yn ist nicht gemacht von not.
Sint dan all ding durch yn verpracht,
5 Wy man die nent, groß oder clein,
Und daß so er beschuff,
Allsamet gancz und gar gut ist,
Wo kumpt dan schand und laster her,
Dotsund und was hie in der frist
10 Von ubeln dingen get en zwer,
Daß in der wellt sint gancz gemein,
Von wan kump diser ruff?

Hor, mensch: weil nicht verpoten wirt
Eingerley ding an keinem ort,
15 Wirt eß nit sund noch schand geacht.
Merck: do Adam deß apfels fort,
Veracht das im waß auff gesagt,
Von stunden an er irt,
Waß icz verdampt
20 Und wir allsampt
Mit ym deß gleich,
Piß Got der reich
Auß dem verfluchten ampt
Unß wider hallff durch sein menscheit.
25 Secht, allso kam die sund an tag,
Doch erstlich durch die hofart dort,
Im Adam hie durch den behag
Deß apfels der unß pracht daß mort
Und das betrupt herczleyt. —

[26.] 11. Daß *auf Rasur, undeutlich.* 14. keinē. 17. gesaczt.

2.

/96v/ Ein frag: seyt Got der her vor west
31 Den Adam unbestendig gar
Und fallen so in kurczer rest,
Weß het er nit an im die spar
Seinß eigen willes halb? ich man
35 Mir sulches zu erclern.

Hor: Got schuff Adam und sein weib
Sunde thun mugen und auch nit;
Und welches an ir peider leib
Einß nit het kün verpringen mit,
40 Dan welches eß müst han getan,
Wer mit grossem beswern

Und ein bezwungner dinst, den Got
Gancz mit nichten hat haben weln,
Sunder ein lawtern freyen dinst.
45 Ein gleichnus dar von zu erzeln:
Wir sein im alle sant verzinst
Zu widergellt von not,
Unter sein joch
Unzwungen doch;
50 Dar um wer frey
Im wone pey
Zu dinst nider und hoch,
Nicht um zeitlich er oder gut,
Hell oder himel drin an sicht,
55 Dausentfeltig seinß lans mer ist
Dan den sorg oder forcht dran richt
Und dem der lib zu Got geprist
Oder unwillig dut. —

3.

/97r/ Aber ein frag: hie so dan Got
60 West das der Adam sunden wurd,
Got selber das pussen von not
(Wan ein sulch groß und swere purd
Mensch, sel, geist, englisch creatur
Und waß vernufft auß san,

65 Mocht keins uber wegen die gifft,
Von der nicht auß geschlossen waß
In allen welch erbsund an trifft),
So Got das vor alleß auß maß,
Auch selb den dot dar um unß swur,
70 Wolt unß doch nit verlan,

---

39. Einß nit *aus* Ir einß. 63. englisch *aus* englich. 67. Von *vor* In *gestr.*

Sunder wil unßer pruder sein,
Pewt auch das wir yn vater nen,
Gap sich selb willig in das mort,
Sein gruntloß lib unß zu erken,
75 Wil dort sein unser hochster hort,
Do ny wart angst noch pein, —
Weß hengt Got doch
Adam daß noch,
So Got selb pusset daß?
80 Der pusset das,
Trug daß ungamper ploch,
Ich mein das krewcz swer, groß und lank,
Daß er auff sein selb achsel nam,
Trug eß piß zu Calvarie,
85 Do man yn nagelt an den tram,
Und freyt unß vor ewigem dot.
Sagt ym deß lob und danck!

end.

Hanß Folcz.

[27.]

[97a] anfang.

1.

Hor, mensch: Magnus Albertus spricht
Wy dem menschen nit nuczers sey,
Was man von Got sing, sag und dicht
Und was man zu ym ruff und schrey,
5 Dan zu erman der grossen angst
Und pitern marter seyn
Und auch der ynprunstigen lib
Die yn dar zu gereiczet hot,
Welch schir V tausent jar yn trib,
10 Er solt die mercklich angst und not
Enden die Adam so vor langst
Unß het gewurczelt eyn.

Hor, alles das die muglikeyt
Und die recht wor nuczung an trifft,
15 Was kumers dem menschen zu ste,
Mit was sunden er ist vergifft

---

86. ewigē.
[27.] 19. 20, 21. 22, 48. 49, 50. 51, 77. 78, 79. 80, 106. 107, 108. 109, 135. 136, 137. 138 *in je einer Zeile, durch / getrennt.*

Und was er ymer pit und fle,
Wie eß sorg auff ym treyt,
Mensch, so ruff an
20 Sein marter fran
In sulcher pflicht,
Hernach bericht:
Er will dich nit verlan
In keiner sorg noch forcht,
25 Im feld, holcz, waßer, lufft noch fewr,
Kein end auff erd so grausam wart,
So wutend noch so ungeheur,
Wie swer eß dir lig und wie hart,
Und was du hast verworcht.

2.

[98r] So nim hie ursach worum er
31 Um mein und auch um deinet wiln
Vam hochsten tran sich neiget her
Zu gnaden unß wider zu ziln,
Sach unßer groß betrupnus an,
35 Durch welche er hie leyt
Uberswengliche marter groß,
Erstlich in der beschneidung sein,
Die ander am olperg on moß
In der begreiffung aller pein,
40 Die piß in dot ym wurd zu stan.
Durch welch sein gancz menscheyt
Mit plutverbigem sweiß durch prach,
Und do der rachgrimig Judas
Yn der judischen schar veryt,
45 Und in der furung zu Anas:
Deß fursten knecht sich saumet nit,
Gab ym ein packenschlach
So starck und grim
Daß pillich ym
50 Der augen glast
Dar von geprast,
Doch er mit senffter stim
Sich entschuldiget gar gutlich.
Man furt yn ein zu Kayfas,
55 Do dan ein yder nach seim neyt
Sich rach nach aller grostem haß.
Gehont, gelestert und verspeyt
Wart er unpermiclich.

---

30. worū. 47. schlagk *vor* schlach *durchstr.* 58. vnpermiclich *aus* vn erpermlich.

3.

/98r/ Halßschleg und packenschlege
groß
60 Mit plentung seiner augen clar
Deß wart mit ym gespilt on moß,
Getunsen pey seim part und har,
Lawt wart im in sein orn
geschrirn,
Vil lasters an getan.
65 Man furt yn zu Pilatus hauß,
Der yn Herode pald heim sant,
Kein zeichen kunt er pringen
rauß,
Deß halb er yn zu grosser
schant
In eyn weisses spotcleyt liß zirn,
70 Schickt yn wider die pan

Zu Pilato, der yn entplöst,
Liß an ein sawl yn pinden hert,
Do von ruten und geyseln gar
Sein leib zuflampt wart und zuzert.
75 O wy mang tausent plutes zar
Wart auff die erd geflost,
On waß von dorn
Hinten und vorn
Sein haupt verwunt!
80 Dar noch zu stunt
Yn deten offenbarn
Den juden, die erst fast und ser
Schrien: 'er hat den dot verschult,
Frey unß dar für den Barrabam!'
85 Pilatus forcht judisch unhuld,
Verurteilt daß unschuldig lam.
Ein krewcz grausam und swer

4.

/99r/ Man auff sein selb achsel im pot,
Trugs an die stat Calvarie,
90 Mit new rerendem plut so rot
Wart er enplöst in grossem we,
Saß auff den stam des krewcz
willig,
Lengt sich an die fier end.
Grausam er an genagelt wart
95 Dem kreucz on all erparmug ploß
Und auff erhaben. o wye hart
Daß krewcz ab in den felsen
schoß,
Do von daß plut manigfeltig
Von newem sich auß spent.

---

63. wurt? 81. *l.* dete? *(R.)*. 95. groß *vor* ploß *gestr.*

100 Do hing der her dreyer stund lang
Gespant in dreien negeln fest
In grosser müdikeyt und smercz
Odern und glidhalb on all rest.
Sein leib, sel, geyst, gemut und hercz
105 Nach der erlosung rang.
O mensch, sag danck
Dem sussen gsang
Der siben gsecz,
Die er zu lecz
110 Unß an deß krewczes schranck
In versuchung der pitern gall
Gedont hat so parmherczicilich!
Sprecht lob, preyß, rum und ewig er
Dem schopfer, so er selber sich
115 In dot gipt fur sein turfftigs her,
Seyt ym deß dankper all!

5.

[99v] O mensch, bedenck dar pey das leid,
Mitleidung marter und der pein
Marie, Johansen der peid,
120 Wie die gequelet worden sein
Mit unausprechenlichem smercz,
Erpermeclicher clag,
Nemlichen pey dem crewcze fran,
Do yn Got hiß Marien sun,
125 Und er sie fur sein muter han
Vort in irem lossen und thun.
Der wechsel ging yn an ir hercz
Mit jamer ir lebtag.

O cristenmensch, dar um nit loß,
130 Ruff on die groß marter deß hern
Und seinen herben pitern tot,
Den er so willeclich und gern
Geliten hat fur unser not,
Und das mitleiden groß
135 Marie zart,
Daß sie kein fart
Unß nit ab ste,
Stet pit und fleh
Unß werden ir genoß

---

117. leid *verbessert aus* lad? 123. de cr. fr. *aus* des crewczes stan. 126. lassen?

140 Dort im ewigen vaterland!
Deß ir stet furpit unß gewer,
Auff das wir ewiclich on end
Pey in unß frewen imer mer,
So unß der dot von hinnen lend.
Sprecht amen allesand!

End.

Hanß Folcz.

[28.]

1.

[102r] Mancher sich ser verwundert hy
Wy ein Got sint persanen drey
Und drey persan ein Got, und wy
Newr ein persan mensch worden sey
5 Und doch all drey sint ein gotheyt
In art, macht, wesen und substancz,
Der ewig was, fort wirt und ist
In eim eynigen willen gancz
Gleicher regirung alle frist
10 On anfang pis zu ewikeyt.

So nün yde persan von not / ist Got,
So prüff hie den beschit,
Weil ye der hoch gotlich gewallt
Ein eynigs götlichs wesen sacht,
15 Nam menscheyt an die gancz trifallt,
Und wart doch persanlich verpracht
Unterschidlichen anders nit
Dan an dem sun Got vatters wort,
Der sollt auch sein der jungfraw sun
20 Und in all dreyer macht das mort
Durch die Eva verschullt ab thun.
Lob sey dir schöpfer, Jhesu Crist!

2.

Wie aber mer dan ein persan
In der gotheyt werden erkant,
25 Heiden noch juden das verstan,
[102v] Dut yn von unß zu sprechen ant,
Das mer dan ein persane sey,
Und zelen unß cristen dar um
Die grösten thoren in der wellt,
30 Un wissend, plint, taub und gancz stum;
Das doch die schrifft ursprunglich mellt
Wie in der wellt beschaffung frey

[28.] 9. alle *aus* ewig. 12. claren *vor* beschit *gestr.* 32. *zuerst:* Wie vor aller beschaffüg frey, *der jetzige Text ist darüber geklebt.*

Der geist Gotes swebende ye, / hor hie,
Ob wassers wage tet.
35 Merck, mensch, wy do der herre wirt
Und auch der geist benennet clar,
Darin der jüd so frefflich irt.
In seyner eygen schrifft, nym war,
Dem gleich her nach geschriben stet
40 Das die schlang zu der Even sprach:
'So pald ir esset von dem reis,
Kumpt erst zu gut ewch alle sach,
Wan ir wert allß die göter weis,
Allß ob er sprech das ewch sunst felt.'

3.

45 Hie spurt man in erster geschrifft
Ye mer dan ein persan bestimpt,
Doch wie vil persan eß an trifft,
Man dar auß nit so clerlich nympt
Allß her nach in der newen e,
50 Die Got erlewchtet hat vil pas
/103r/ Und dar in clar geoffenbort
Von drey persanen: die erst waß
Der vater in der stim gehort
Auß eim lichten wolken, verste;

55 So wart ye clar der heilig geist, / erfreist,
In der tauben gestallt
Und in der fewrin zungen schein;
Zum dritten wiß wir das Got sun
Kunt wart im wort des vaters sein,
60 Do Got der vater redet vun:
'Dis ist mein sun', sein red behallt,
Des wor menscheyt wir glauben gancz.
Wie möcht dan zweifel unß verfurn?
Dan drey persan einer substancz
65 Ein Got zu glauben unß gepurn.
Her, frey unß ewiclichen dort!

Hanß Folcz barwirer.

---

34. 35. Der geist des woren gottes ye / hor hie Auff wassers wage sweben tet *ist durchstrichen; dafür am Rande, beim Einbinden beschnitten:*

. . . . eist gotes swebende ye
. . . . e / ob wassers wage.

Nach dieser Korrektur ist der oben aufgenommene Text hergestellt. 37. zeytlich *vor* frefflich *gestr.* 39. Wie *vor* Dem *gestr.* 55. *aus:* Auß einem wolken clar verste. 56. *Vor* In *ist* Scheinbar *durchstrichen.*

[29.]

1.

O einlicz einfeltiges ein
Und ungeeint einfeltikeyt,
Eynigend alle ding gemeyn,
Dinent zu unser sicherheyt.
5 O du einweslich ewigs gut,
Das du, her, einig pist,
Doch in der einiung gedreyt
[103r] In unterschidlicher dreyung,
Dar in du genczlich pist gefreyt
10 Vor drifeltiger wandelung,
In welcher, her, dein eynig hut
Regirt ewige frist

Einfeltig in dreyen persan,
Die nie geeynet wurden des,
15 Wie Got der vater, geist und sun
Keyner mer noch minder beses,
Sunder ein will, ein macht, ein thun,
End, mit und anfang an:
Merck, mensch, hie pey
20 Wie wol das drey
Persan in Got
Sint und *ist* not,
Solten sie dreyerley
Willes, weses, art und substancz
25 Nach den persanen sein geteillt,
So wer do ewig widerpart:
Eine mecht wunt, die ander heillt,
Yde persan nach irer art
Sunder geneygt wer gancz.

2.

30 Wer ein persan dan sunder Got,
Musten die ander zwu persan
Ir unterworffen sein von not
Und weren peid der gotheit an.
[104r] Wurden sie aber alle drey
35 Yde fur Got erkant,
So weren uberig die zwen,
Seyt ye ein Got sein muß un*d* sol.
Dar um der irung zu entgen
Ist cristen glaub *b*estetet wol
40 Und aller zweyfelung gancz frey,
Die manchen keczer plant.

[29.] *Überschrift;* Im verporgen don 3 lieder *N2*. 5. ein messlich *N2*. 6. einig] ewig *N2*. 7. ewigvng *N2*. 9. genczlich] einclich *N2*. 10. Von drifaltig wandlüng *N2*. 11. ebig *N2*. 15. Wie got vatter sün noch geist nün *N2*. 22. ist *fehlt M*. 24. willens wesens *N2*. 26. Sie *N2*. do] die *N2*. 29. S. g. wercz gar *N2*. *vor* 34 wurden *gestr. M*. 37. vn *M*. 39. destetet M.

Wie aber dreyheit werd erkent
In Got, hie pey dem gleichnus acht!
Wor an der her ye schopfung leyt,
45 Allß in getreyter art betracht:
Eintbeder pey dieck, leng *und preyt*,
Pey anfang, mit und ent,
  Pey kunfftig ye
Oder icz hie
50 Pey gegenwart
Oder sein art
Vergangen, der keins nie
  In Got zufellig wart noch ist,
Wan sein dreyheit drey persan sint,
55 Ein Got ir dreyer eyniung.
Allso im glauben, crist, enpfind
An all furnemische endrung,
Ob du cristgleubig pist.

3.

Wie dan geperung sey in Got,
60 Nach dem die heilig schrifft unß seyt,
In Got vaters persan, des hot
[104v] Davit unß gnug geben bescheit,
Do er dan spricht: 'mein sun pistu,
Hewt hab ich dich geporn.'
65 So ret der weise Salamon
In Got vaters persane clar:
'E das kein tiff ye finge an,
Was mein gepurt.' hie nemet war:
All schrifft zu durch schawen mit ruo,
70 Ist er nit new erkorn

Ein sun Got vaters sunder por:
E der lichttrager Lucifer
Und all schopfung dag unde nacht
Ye geschopfet worden, was er,
75 Weder geschaffen noch gemacht,
Sunder geporen vor,
  Des vaters hort,
Das ewig wort,

---

42. dreyvng *N2.* erkant *vor* erkent *gestr. M.* 43. hie] mensch *N2.* merk *vor* acht *gestr. M.* 46. Von erst pey dick leng vnd aüch preit *N2.* *Fehlt im Text und steht neben 48 am Rande, beim Binden am Schluss verstümmelt M.* 47. *Über* vñ ent *steht* oder bey *gestr. und radiert; ebenso am Rande neben* 47: erst bei Dieck leng vñ preit oder pei *M.* 48. Der *N2.* 53. zw fel ye ward *N2.* 55. Ein gotheit in dreyen ainūg *N2.* 58. dw vernūnftig *N2.* 59. dan] nūn *N2.* 62. Daūid gnūg sam geben *N2.* 66. vaters] sunes *N2.* 67. E in *vor* E *gestr. M.* 69. Alle schr. schaven *N2.* 72. trager] dag *N2.* 73. das vnde acht *N2.* 74. Noch ye war dem geschopfft was er *N2.*

Von dem er spricht:
80 'Sollt ich dan nicht
Berhafft sein, so doch vort
Durch mich perhafft sint all geschlecht?'
Hie des sunes gepurt besint
Vom vater ewiclich on end!
85 Die lib so von yn peiden rint,
Die schrifft den heiling geyst benent.
Her, mach unß all gerecht!

Hanß Folcz.

[30.]

[105r] anfag.

1.

A ve virgo voller genaden,
Ein diren der heilgen hoen drifaltikeyt,
Ein tochter Gotes vater zart,
Muter des suns, gespons des heiling geystes,
5 L a unß nit ligen in dem schaden
Gotlicher stroff durch unser schuld unß zu geseyt,
So lang pis Got erlewcht dein art
Und unß sichert des ewigen dag leystes

Und auß dir ran der selden flus
10 Parmherczicllich vam geist in dir ent sprungen,
Nemlich nach Gabrihelis gruß,
Da von der cristenheyt wol ist gelungen.
Dein kewscheyt alle engel gar
In reynikeit fur trifft.
15 Durch dich wich ab der tewfel natergifft,
Versprochne der profeten rein
Und aller patriarchen kunegin,
Du ler der zwelffpoten gemein
Und der ewangelisten meysterin,
20 Aller merterer sterke zwar,
Der peychtiger ein susses honigwifft,
Du zir aller jungfrawen schar,
Du hoffnung, dar durch man gein himel schifft!

---

81. Aüch perhafft sein so fort *N2.* 86. heilīg M.
[30.] *Überschrift im M. mit grünlicher Tinte;* In der zügweis 3 lieder *N2. Die ersten Worte der Stollen sind in den Hss. nicht ausgezeichnet.* 3. got des vatters *N2.* 4. heilig *M.* 7. pis] vns *N2.* 8. Und *fehlt N2.* 9. Aüs dir ran vns der *N2.* 12. ist wol *N2.* 15. wich] was *N2.* 16. Dw kungin *N2.* 23. stifft *N2.*

2.

D o du gancz ploß begreiffest ynne
25 Die heiligen gotheyt ymer und auch ewig,
Du scheinder glast gotliches lichts
[105a] Und heilmacherin lebender und toten,

O ursprung auß der gotheyt rinne,
Dar in all selig geyst sich tunt erlusten dick,
30 Du widerschein gotlichs gesichts,
Außsenderin der himelischen poten,

Du lob alles himlischen hers,
Ein erschrekung aller hellischen geiste,
Du steren dises jamer mers,
35 Dar in ny menschlich zunfft dein hö erfreiste,
Du furstin der newn kunigreich
Und dreier jerarchey,
Du wurcz, stam, ast, proß und das pluend zwey
Aller menschlichen selikeyt,
40 Du gruntfest aller guten handelung,
Die hoch deins lobes und diepreyt
Volfuret hie noch dort keins menschen zung
Dan newr dein sun dort dir geleich
Noch der menscheyt dem du stet wonest pey.
45 Lob hab, Maria, ewicleych,
Der deinen hillff unß nümermer verzey!

3.

A c h , du wor trosterin der sunder
Und wider pringerine der zweifeler schar,
[106r] Die petlich deiner hillff begern,
50 Und aller irrenden wegweiserinne,

M a c h unß deins lobes nücz verkunder,
Du aug der armen, krancken, plinten sunder schar
Und aller trone clar lucern,
Do all irdische augen plinczeln inne,

---

25. Die heilligen hochen gotheit jmmer ewik *N 2.* 26. scheinender glast gotlichs *N 2.* 32. *oder* leb *M.* 35. 36. dein hö — newn *fehlt N 2.* *Vor* 36 Du furstin der newn *durchstr. M.* 38. D. w. dw stam dw ast dw pros dw zwey *N 2.* 41. lobes *fehlt N 2.* 42. kein menschlich *N 2.* 43. sün der dir ist gleich *N 2.* 44. m. vnd dem dw w. *N 2.* 48. widerpringerin aller zweifelter gar *N 2.* 50. weg steg vnd forte *N 2.* 54. D. a. irdisch a. in plinczeln dorte *N 2.*

55 Der hungerigen settiung,
Nothelfferin in allen pein und engsten,
Der turstigen ware labung,
Welch wirde du alleyn hast am furgengsten,
Du der gefangen drosterin
60 Dort in fegfewres qweln,
Du ringerung der pein verdampter seln,
Du schacz ob allen scheczen gancz
Nach der gotheyt in aller himel zunfft
Und in der menschlichen substancz
65 Eins mit dem sun, das die leiplich vernunfft
Begreiffet nit durch ewser sin,
Hillff, jungfraw rein, das wir hie dar noch steln
Dich dort zu loben in der zin
Der himel purg, dar ein thu unß erweln!

Hanß Folcz.

[108r] [31.]

1.

Mich wundert nun und ymer
Der fremden disputacion,
Die manch steiger und climer,
Zu vor auß die in den hoen pareten,
5 All hie in diser kure
Sich so gar groblich mercken lan
In der erforschung pure,
Wie man worhafft und grüntlich müg besteten

Das an alle erbsunde
10 Die muter Jhesu, unsers hern,
Enpfangen sey, welch punde
Sie swer dunckt zu bewern.
Ein teil naturlich ruchen
Ye zu beweren das,
15 Etlich figurlich suchen,
Die dritten mein es zu beweisen bas

57. dürstigen ein war *N2.* 58. Dy wirdikeit hastu zwar am *N2.* 63. ganzer h. *N2.* 64. der fleischlichen *N2.* 67. das der mensch dar nach stel *N2.* 68. Zu loben dich dort *N2.* 69. ein] zu *N2.*

[31.] *Überschrift* 16 R. Im . . . . Hanns Folczen *N2.* 2. freüden *N2.* 4. pireten *N2.* 12. zu *fehlt* *N2.* 14. Clerlich y zw *N2.*

2.

[108v] Den merteil durch exempel,
Die firden durch wor pillikeit,
Das der jungfrewlich tempel
20 Von Got vor erbsund pillich plib gefreyet.

Die sint dennoch zu preisen
Weder die an all unterscheyt
Mit nicht sich dran lan weisen
Das sie von Got sey so gebenedeiet,

25 Ich mein, den das behallten
Der her hot durch hoffart,
So sie her in verschallten
Wor ordenung und art,
Die so gancz ligt am tage
30 Das es wol prufen mocht ein kint,
Von den selben ich sage
Das sie in worer cristenler sint plint.

3.

[109r] Worer zeugnus zu glauben
Bestim ich nemlich funff persan,
35 Die gancz nimant mag dauben
Und kein geschrifft nit wider sprechen mage:

Die erst Got vatter iste,
Do er zu senden unß began
Sein sun in zeitlich friste,
40 Allso der persan zwo ligen am dage;

Die drit der heilig geiste,
Der die herberg beschlug;
Die fird Gabrihel heyste,
Der dise botschafft drug;
45 Die funfft Mari, die keusche,
Die selb der gegenwurff do was.
Wie möcht ich an geteusche
Mit persanen die ding bezeugen baß?

4.

[109v] Vort ich in dreien pausen
50 Des gruß auß Gabrihelis munt
Mit sunderlichen clausen
Der wort worer gezeugnus das auch melde:

Von erst do er sprach: 'a ve',
Der zweier silb deutnus dut kunt:
55 'Gegrusset seystu an we!';
Sagt, wanen kumpt doch alles we der welde

---

26. herre h. durch ir hoffart *N 2*. 30. *aus* Das es prufet e. k. *M*. 46. selb *und* do *über der Zeile M*. 55. Gegrusset *aus* Jungfrau *M*.

Dan ploß von der erbsunde,
Der er sie ledig sprach.
Die ander paus ich künde,
60 Dar in er ir verjach
In worten clar bestimet
Zü ire: 'gracia plena';
Her auß man clerlich nymet
Das er sie volle genad an sagt da.

5.

[110r] Die drit paus diser sage
66 Lauten entlich: 'der her mit dir!';
Wer hort doch ye sein tage
Den herren pey eim menschen won in sunden?
Des must die jungfraw zwore,
70 E sie Jhesum enpfing in ir
Erbsundhalb sein ganez clore,
Wan nach dem und dem engel sie wart kunden:

'Nim war ein dirn des herren,
Mir geschech nach deim wort'
75 Erst von dem tron so ferren
Got geist in ir den hort
Ihesum enpfing liplichen.
Het sie vor sunde gehat,
Gar lugenhaffticlichen
80 Het Gabrihel sein worten geben stat.

6.

[110v] Allso ist diß bezeuget
Mit funff zewgen worhat so fran,
Der numer keyner lewget,
Weill alle Gotes wirckung sten in wesen;
85 Des gleichen in der rede
Des engels vor gen ir getan:
Wer die wollt stroffen pede,
Der het den text der schrifft felschlich gelesen.

Wer aber ye wel grubeln,
90 Suchen verworne ding
Und wore art verubeln,
Der sech wie im geling,

---

57. Das *N2*. 62. Zü Ire (?) *aus* in qua *M*. Aygentlich gracia plena *N2*. 64. volle *aus* voller *M*. genad *aus* gnad *M*. an] ein *N2*. sagt *aus* saget *M*. 69. vore *vor* zwore *gestr. M*. 78. sunde *aus* sund *M*. erbsund ye *N2*. *l.* sie ye vor? 82. worhat *über der Zeile M*. worhafften zeügen fran *N2*. 86. gen ir *über der Zeile M*. 89. wolt *N2*.

Ich sprich, die durch figure
Mein suchen wore pillekeyt
95 In gleichnus und nature,
Das doch die schrifft ym text clar gnung bescheit.

7.

[111r] Ye doch sey wie im seye,
So yst ye alles rumes wert
Die himelkungin freye.
100 Wol im dem sie genad selber ein geusset!
Im ticht von irem lobe
Er peleibet wol unbeswert,
Wan irer millten gabe
Sel, herez, gemüt so hochgülltig geneusset!

105 Nun sprechet eer und preyse,
Wird, lob, rum, zir und seld
Dem stam, ast, zweig und reyse,
Die unß der ganczen weld
Laub, proß, plü, frucht gepare
110 In ganczer keusch, der wellt heilant,
Hillff unß mit freyden dare,
Do wir dir und deim sun werden bekant!

AMEN.

Hanuß Ffollcz.

[32.]

1.

[112r] Vyl dick auß poser gewonheit entspringet,
Die man so offt verpringet,
Das eim zu lest misslinget,
So man eins dings dreibet zu vil,

5 Alls dis gedicht am end tut offenbare.
Es begab sich hie vore,
Ein newer kauffman zwore
Im furnam eynest auff ein zil

Das lant durch kauffmanschafft zu pawen
10 Um sunder gluke,
Saczt dar ein allen sein getrawen,
Dan das die tücke

---

94. wore *über der Zeile M.* 96. clar] gar *N2.* gnüg *M.* 100. genad *aus* gena *M.* 101. ir ein *N2.* 102. peleibet *aus* pleibt *M.*

Die rauber sulches an im wenten schire.
Er reit ein fremd rifire
15 Abweges in begire
Zu ent weichen eim sulchen spil.

2.

Allß er des andern morges fru sollt reyten,
Der wirt warnt yn pey zeyten.
Hiß yn des tags erpeyten,
20 Verkunt im auch der veind gefer,

[112v] Sagt im wie so unfridlich wer die farte.
Der kauffman forcht sich harte.
Die reis er lossen warte.
Leyt an den wirt ein sulch beger,

25 Pat yn engegen seiner meide
Im zu bewaren
Sechs hundert guldin im bescheide.
Er meint zu faren
Mit pilgeramen gancz ein andre gegen,
30 Eyn walfart ab zu legen,
Seit nymant sich geregen
Kauf/manschafft halber durfft hin unde her.

3.

Nun was der wirt weis, frum und reich geachte.
Des halb der kauffman dachte
35 Mit ym wol sein besachte,
Verpracht sein walfart Got zu lob

Und unser liben frawen auch zu eren.
E er wider wart keren,
Der wirt der wart begeren
40 Gen sein hausmeyt ein sach vil grob:

[113r] Ob diser kauffman wider keme,
Seins geldes mute,
Und ob es sie auch teucht gezeme
Zu sein behute,

[32.] 13. *l.* Der? 32. Kaufftmanschaft. vñ. 40. Ein?

45 Mit ym zu laugen starck, und wolde jehen
Auff yn haben kein spehen;
Wo sie das liß gescheen,
Sollt das gellt halber sein ir gob.

4.

Die meit wollt sich fast hin und her bedencken,
50 Doch liß sie sich gelencken.
Er sprach: 'so wellst nit wencken
Und nym das gellt icz gar zu dir.

Verpirg es haimlich war du wellest hine,
Wan dar in ist mein sine,
55 Ob ich ym laugend pine,
So mag ich im des sweren schir

Das ich des geldes gar nit wisse
In meim gewalde.
Dar um mein wiln in dir beschlisse!
60 Ob er alls palde
An dich auch seczte es gehoret haben,
[113c] So sprich; "ich thu stet draben
Auß und eyn, auff und aben."
Dar um bezeugstu nicht mit mir.

5.

65 Sag dich auff nimant merckung han noch achte;
Wirt er dan ungeschlachte,
So hant mein wort doch machte,
Das man vor im mir glaubet ye.'

Dis wart allso in yn beyden bestete.
70 Der kauffman zuher nhete,
Der wirt nit anders tete
Dan ob er yn gesehe nye.

Dar um er yn gleich fremden gesten
Schlechtlich enpfinge.
75 Der kauffman gund die nacht do resten.
Morges er ginge

---

53 haimlich *aus* heimlich? 56. im *über der Zeile.*

In die kirchmeß zu hören in dem willen
Der meid dar nach zu zillen
Und heymlich in einr stillen
80 Deß geldes zu erindern die.

6.

Die meit ym die beschiden antwurt gabe.
[114r] Palld liß er von ir abe
Und docht: 'we meiner habe!'
Zum wirt er schnel eilende wart

85 Und sprach: 'mein her, ich danck euch ewer güte,
Das ir euch hapt gemüte
Und mir mein gellt behute.
Nun pin ich auff der hinefart,

Pit ewch mir das wider zu reychen,
90 Mich saümen nichte.'
Der wirt beschid yn auch des gleichen
Wie vor verpflichte,
Begund den kauffman schnel dar um fur fassen,
Vorm rechten hoch zu passen,
95 Mit nicht yn hin weln lassen,
Schuff yn dar um an zihen hart

7.

In eynem thurn mit mancher marter swere
So streng und über sere,
Pis er dem wirt sein ere
100 Wider geb und in machet frey.

Dar um der wirt yn allß ein dib an sprache,
[114v] Und wie er henckes smache
Pillich lit um die sache,
Seyt er im sulchs wollt pringen pey.

---

84. er schn. ei. *auf Rasur, an deren Anfang* eyl, *an deren Ende* fart *zu erkennen ist.*
89. reychen *aus* reichen.

105 Nun wart ym der recht tag bestimet
Auff ein freytage,
Allso der wirt auff yn ergrimet. —
Hie pey ich sage:
Der kauffman sein getrawen in der note
110 Doch stetigs saczt zu Gote
In hoffnung sulchen dote
In keinen weg im nit gedey. —

8.

Nun an der pfincztagnacht vor dem freytage
Eins an der thür do pflage
115 Ein ruff thun mit eym schlage
Am thurn vil laut zu dem kauffman

Und sprach zu im: 'merk auff und hor mich eben!
Willtu mir folgung geben,
Ich rett dir leib und leben
120 Vor dem gericht, mutstu mich an

Dir do selbest dein wort zu sprechen.
[115r] Fro ich dich mache.
Dar zu dich an dem wirt wil rechen
Auch in der sache
125 Dein gellt dir wider in dein hant verpflichten.
Vollg mir in den geschichten.
Dustu des nyt, mit nichten
Magstu dem gallgen morn engan!'

9.

Der kauffman sprach: 'wollstu mich nit betrigen
130 Oder her in nit ligen,
So törfft ich selbz nit krigen.'
Der an der thür sprach: 'glaub du mir!

Ich swer dir pey dem lebendigen Gotte,
Ich dreib her in kein spote,
135 Gedenck, dir wirt mein note!
Nun pin ich gern behollffen dir.'

111. sulcher? sulcheyn?, *undeutlich.* 127. nyt *aus* mit.

Der kauffman sprach: 'ich laß mich drane
Und pit besunder,
Ob ich getrewlich dich des mane,
140 So üb die wunder!'
Der vor der thur sprach: 'merck noch eins dar neben.
Man wirt ein wal dir geben,
[115v] Wer dir dar zu sey eben
Dich zu versprechen, so merck schir:

10.

145 Wo du um dich sichst eyn eim furman gleiche,
Den pit gar inecleiche
Das er von dir nit weiche
Und dein getrewer fursprech sey.

Sich, der pin ich und wil dirs thun zu gute,
150 Dar um pis wol gemute,
Vor schand wirstu behute,
Und mach dich aller scheden frey.'

Am freitag wart er fur gestellet
Und new beclaget,
155 Dar mit der allt handel erzellet,
Im wart gesaget,
E das man mit dem rechten weiter keme,
Im ein fursprechen neme,
Ob es yn deucht gezeme
160 Sein unschuld mit zu pringen pey.

11.

Der kauffman sach sich verr um in die weyten.
Do hatt sich gar pey zeyten
[116r] Der furman an sein seyten
Gestellt und sach yn fleissig an.

165 Den pat der kauffman ineclich und sere
Das er um Gotes ere
Und Marien so here,
Den er die wallfart het getan,

Im hillflich wer und peystant dete,
170 Doch anders nitte
Dan wie es sich verloffen hette,
Das er dar mitte
Die worheit offenperlich precht anß lichte
Und wolt yn unterrichte
175 Haben aller geschichte.
Der furman sprach: 'ich weiß und kan'

12.

Und schrey mit lauter stim: 'der arm und frume
Wirt hie getriben ume
Von disem reichen tume
180 Unrechticlich und wider Got!

Dar um lat zwen mit mir gen in sein hause,
Der meid petstro man zause,
/116a/ Secht ob man do erknause
Waß sie da hin verporgen hot.'

185 Man schicket zwen mit im behende,
Noten die meyte
Sie schnell zu furen an das ende
Und geb bescheyte
Des geldes das sie dar verporgen hete,
190 Welchs sie auß schreken dete.
Do wart unter dem pete
Von ir der pewtel funden drot,

13.

Den sie allß pald trugen fur das gerichte,
Ye dach gezeiget nichte:
195 Der kauffman wart verpflichte
All wortzeichen zu sagen her

---

176. *Das (richtige)* furman *ist mit tiefschwarzer Tinte über durchstr.* kauffman *geschr.*
193. pald *aus* palde.

Mit verknupfung des pewtels und gestallte.
Er sagt es manig fallte.
Erst wart das gellt gezallte,
200 Des was weder minder noch mer

Dan die sechs hundert guldin pare.
Den wirt man fraget
[117r] Wie es in das petstro kem dare
Der seinen maget.
205 Nun det der wirt all weg von art sulch swure,
Der teufel yn hin fure
Dar um in diser kure,
Det hie des selben gleichen er.

14.

Praucht sich des swurs noch dem gemeynen sine:
210 'Ob ich des wissend pine,
So fur der teufel hine
Mein leib und sel in hellen grunt!'

Von stunt der furman, der der fursprech ware,
Fast yn vor aller schare
215 Am rechten offenbare,
Trug yn hoch durch die lufft zustunt.

Do er laut ruffet ym zu hellfen,
Es was um sunste.
Im frumpt weder hewlen noch gelffen.
220 Hellischer prunste
Wart er, des zu besorgen ist, gegeben.
Diß zu beschlissen eben,
So laut noch einß dar neben:
[117v] Der richter det offenlich kunt,

15.

225 Sprach: 'seyt der wirt sein rach enpfangen hote
Um sulch sein ubel tote,
Gepurt sich nun von note
Rechtlich um sulche diberey

---

210. ich ich. 217—219 *auf Rasur; ursprünglich standen die 4 Verse 217—220 ohne Abgesangsspatium um je eine Zeile höher.* *vor* 225 *ist* Spr *ausradiert.*

Die sechs hundert guldin mir heim gefallen,
230 Do hillfft kein widerkallen,
Bezewg ich mit yn allen.
Frag, man, wer hie des rechten sey!'

Der kauffman sprach: 'ich las gescheen,
Kan ichs nit prechen,
235 Doch wil ich vor fleissig um sehen
Nach meim fursprechen.'
Der richter sprach: 'so nym das gellt die weile,
E er unß hie ereyle,
Er liß kein an der zeyle,
240 Ich sag dich ledig, loß und frey.'

16.

Merckt: allz das gellt in dem petstro sich fande,
Die meyt zu samen pande
Heimlich allß ir gewande,
[118r] Hub sich in fremdem schein dar van.

245 Pey dem kauffman, peym wirt und pey der meide
Ich dreierley bescheide,
Der man in lib und leide
Zu aller zeit achtung mag han.

Von erst auff des kauffmans getrawen
250 Zu Got dem herren:
Allz der nit kauffmanschafft kunt pawen,
Er in die ferren
Sich macht in pilgrams weis sein sund zu clagen,
Ob er pey seinen tagen
255 Ungleichs ye het vertragen,
Das im Got sulch schuld nach wolt lan.

17.

Peym wirt merckt all die um irn eigen nucze
Wagen alln widertrucze,
Verachten den schirm, schucze
260 Gottes und seiner heilgen all,

---

233. *oder* los? 254 *u.* 255 *stehen in umgekehrter Folge in einer Zeile, sind durch Zahlen zurecht gerückt.* 256. lan *vor* wolt *gestr.* 260. gar *vor* all *gestr.*

Der keyner acht von wan das gut im keme
Und wer sein schaden neme;
Ir ern man doch nit reme,
Wan das ist in ein pitre gall.

[118v] Nun dise zwen haben zwen herren,
266 Merckt ydes lane:
Dem ersten kan nit wol gewerren;
Dem andern kane
Sein sach gar hart zu gutem end gedeyen,
270 In wirt der feint ein weyen,
Do hillfft gelffen noch schreyen.
Vor sulchen ern unß Got bewar!

18.

Das aber nun die unbesunnen meyte
Dem falschen wirt zu seyte,
275 Schuff weyplich plodikeyte.
Hie merckt welch kaum komen dar zu

Arges zu thun und nach eym schnellen straffen
Zu Got pald schreyen: 'woffen,
Wie lang han ich geschlaffen
280 In sunden! o mein Got, nun thu

Mich iczunt deinem zorn entrinen,
Gib mir dein hulde!
Ich wil vort numer mer beginnen
Das mich verschulde
285 Oder vort sey wider dein götlich gute.
[119r] Her, sterck mir mein gemute,
Das ich vort sey behute
Pey dir in der ewigen ru!'

19.

Das welle Got unß gar sundigen wellfen
290 Alln gnediclichen hellffen,
Das wir dem hewln und gelffen
Dort ewiclich mugen engen.

---

264. e *vor* in *gestr.* 271. Do *aus* In. 272. bewar *reimt noch auf das ausgestrichene, verbesserte* gar *in 260.* 281. deinē. 285. *oder* vart?

Ob unser hercz zu arg sich ye wollt neygen,
Her, so wellst unß zu eigen
295 Mit leichter straff zu sweigen,
Dar durch wir in deim lob besten.

O her, in der gerechtikeyte
Unß nit verdame,
Sunder dein parmung unß auß preyte,
300 Du tuldigs lame,
Sullen wir dich dort preysen ymermere
Mit allm himlischem here,
Spricht Hanß Folcz barwire*re*.
Erloß unß, her, von aller pen!

Amen.

[33.]

[120r]

Z ü g w e i s

1.

I n dem anfang so was das worte,
Und das wort was pey Got, und Got was das wor*t ye*,
Und das was im anfang pey Got,
Und alle ding sint durch das wort gemachet.

5 S y n , mensch, was her in sey der horte:
Der sun was ye im vater sein, vermercket wye
Der vater ye im sun sich hot,
Mit yn der geist ein wesen ungesachet.

Wan allß kein vater on ein sun,
10 Sun on ein vater auch nie wart erkunde,
Allso on augenplicklich thun
Sie persänlich on zeit, weil oder stunde
Ein ander gegenwirtig sein
Ye icz und ewiclich
15 In mitwesung des geistes onentlich.

---

295. schuff *vor* straff *gestr.* 303. barwire. 304. pey *vor* pen *gestr.*

[33.] *Die ersten Worte der Stollen sind in den Hss. nicht ausgezeichnet. Überschr.:* In der zügweis 7 lieder *N2.* 2. *Die Zeile nicht mehr ganz erhalten, da das Blatt beschnitten ist.* 6. das mercket *N2.* 9. kein sün *N2.* 10. Vnd sün an vater *N2.* 14. *aus:* Ye vnd auch ewiclich. 15. weissvng *N2.*

Dar um ist yd persan ewigk:
Wan wo die sünlikeyt an vater wer,
Allso in gleichem form und schick
Die veterlikeyt auch des suns enper,
20 Und weer auch nit die lib gemein,
Der dreyer eynikeit in irem reich,
Die wir nennen den geist so rein,
Welches genod ewig nit von unß weich.

2.

[120a] U n d on yn ist gemachet nichte;
25 Das gemacht was das leben, und das leben was
Auff erden hie der menschen licht,
Und das licht hat die finsternus erleuchte.

K u n t ist das in zweyerley pflichte:
Von erst allz Got himel und erd, laub unde graßß
30 Beschuff in all diser geschicht,
Hat dises wort mit gnad die erd erfeuchte

Durch die mitschopfung aller sach.
Zum andern so ist an yn nicht beschaffen,
Das sint sund, laster, schand und smach,
35 Die Got dar um vernicht und hart wil straffen;
Des Lucifer ein anfang waß
Durch sein grosse hochfart,
Um welche er vernicht wart und verkart.
Was durch das wort ye machet Got,
40 Das wore licht und auch das leben war,
Das ist noch cristenlichem stot
Der heillig glaub, die tauff, die offenbar
Erleuchten nün der herczen fas.
Woß vor der tauff durch die erbsund so hart
45 Mit vinsternus vertunkelt was,
Sint nun erleuchtet durch den glauben zart.

---

23. von vns nit *N 2.* 27. erleuchet *N 2.* 30. al in *N 2.* 31. dürchfeuchtet *N 2.* 33. Z. a. ist in das wort nicht *N 2.* 38. vnd wart *N 2.* 39. *am untern Rande nachgetragen M.* 40. was *vor* war *gestr. M.* 41. pot *N 2.* 42. t. so off. *M.* 43. *oder* nüm? *M.* 45. psas *N 2.*

3.

[120r] D i e finsternus sein nie begreiffe:
Ein mensch von Got gesant, des nam was Johann*es*,
Der kam, das er ein zeüge wer
50 Und zeügnus geb, das sie durch yn gelaupten.

H i e prufft der gleichsener umsweiffe
Mit iren außreden und falschen widerseß
Und der verstockten herczen swer,
Durch die sie sich seiner genad beraupten.

55 Wie nun Johannes wart gesant
Die cristenlichen tauff yn zu verkünden,
Vom licht yn zeugnus geb zuhant,
Das sie sich des heilsamlich unterwunden,
Dar um, o irre judischeyt,
60 We deiner verfluchung,
So dir in deiner eygen sprach und zung
Das wore licht verheissen was,
Do die in der vorhell auff hofften gar,
Und ir ym drugt so grossen haß,
65 Das doch auß ewer profetischen schar
So clerlich allß was vor geseyt.
Dar in ir sucht die ewig verdamung,
So ir so frefflich euch ab scheyt
Von der hoen gotlichen vorderung.

4.

[121r] U n d diser was doch nit das lichte,
71 Sunder das er von dem licht zeugnus gebe hye.
Es was ein wor licht, das erleücht
Ein yden menschen komend in die welde.

K u n t det er selb wie er mit nichte
75 Das wor licht wer, allz dan die juden meinten ye
Und haben das wor licht gescheucht,
Dar auß enpran all cristenliche sellde.

---

47. begreiffen *N2.* 48. nes *beim Binden abgeschnitten M.* 49. zeugnüs *N2.* 51. Hye prüff aüch der gleisner *N2.* 52. falsch aus reden schnoden widerses *N2.* 68. felschlichen abscheit *N2.* 70. das *aus* daß *M.* 71. dē *M.* gebe zeügnüs *N2.* hye *aus* ye *M.* 73. kümen *N2.* 74. selb *aus* seb *M.* 76. vᵉsmecht *vor* gescheucht *durchstr. M.* 77. Dar aüs vns kam *N2.*

Dis wore licht was anders nit
Dan das wort Got des vaters in dem trane
80 Und nicht ein wort noch sulchem sit,
Das stim, thon, red, schall, lautung im hing ane.
Doch es Johannes menschlich zeigt
Hie mit dem finger sein,
Das ye den falschen juden nit ging ein
85 Pis an ein teil, die in der schal
Den woren kern der gotheit hant gesmeckt,
Der vor den gleichsnern allzumal
Mit der menscheit yn was so gar verdeckt.
Weil sich die hoffart in yn eigt,
90 Was yn verspert der schacz der gnoden schrein.
Wer in demut sich zu im neigt,
Erlost er hie und dort vor aller pein.

5.

[122r] E s waß in der weld, und die welde
Die ist durch es gemacht, und sie erkant sein nit.
95 Er kam auch in sein eygen heer,
Und die seynen enpfingen sein hie nichte.

D e s wart götliche zir und selde
In auch enthallten in erkantnus sein, domit,
So sie ym nit erputen eer,
100 Det er sich yn nit gegenwart durch ichte;

Nur die yn gütlich namen an,
Seiner demut und wunderwerck gelaupten,
Nicht die sein ler verschmehet han
Und sich der gnad des herren gar beraupten.
105 Do secht wie die verlossen sein
Dem fluch gancz offenbar,
Und wie sie stetigs wackeln her und dar,

---

78. Das *N 2.* 79. Wan *N 2.* gottes vatters *N 2.* 80. nicht] mit *N 2.* 81. red *fehlt N 2.* noch laůtvng *N 2.* 86. han *N 2.* 87. Der *fehlt N 2.* gleisneren *N 2.* 88. yn] ye *N 2.* 89. in] bey *N 2.* 92. er *fehlt N 2.* aůs helle pein *N 2.* 94. yn *mit wässerig grünlicher Tinte in* es *verbessert M.* 98. auch *hinter* auch *gestr. M.* 99. entpůten *N 2.* 102. Seine *N 2.* 104. gar] nicht *N 2.*

Haben nindert kein pleiplich stat,
So gar hat sie ir neit und haß verplent,
110 Das sie verloren hant das pfat,
Und ist ir spot, wo er yn wirt genent.
We, judscheyt, der verstockung dein,
So du stet nymest deins messias war
Und doch das hirtenpfeifflin clein,
115 Das kindlin Jhesum host verschloffen gar!

6.

[122ᵃ] D i e aber yn enpfingen, mercket,
Gab er gewallt kinder Gottes zu werden gar,
Glaupten sie in den namen sein,
Doch nit vom plut noch aus des fleisches willen.

120 H i e würden nemlichen gestercket
Sein zwelff junger, in dem das sie schnel namen war
Der sussen vorderung gemein,
Detten seiner worheit und lere zillen

Recht allß er in geruffen het.
125 Des sie vort seine kind geachtet woren
Und zu seinen jungern bestet
Und wurden seinen namen offenboren.
Nicht das sie seine kinder wern
Schlechtlichen nach dem plut,
130 Sunderlich nach dem geist, der in yn glut,
Der iren willen, werk und wort
Yn alles in den herren Cristum zoch;
Der was ir oberster haupthort,
Dem sie in all ir übung folgten noch,
135 Welchs die plint judscheit muß enpern,
Seit das in eitel falscheit grunt ir mut.
Her Jhesus, durch dein plutverrern
Verley yn, ob du selber willt, dein hut!

---

108. Haben ny nyndert *N2.* 111. wo jesüs wirt *N2.* 112. We dir jüd der *N2.* 116. in aber *N2.* 117. gar] do *N2.* 120. würden *aus* werden *M.* 121. dᵃ *M.* das sie würden so fro *N2.* 123. Dürch die sie seiner lere tetten zillen *N2.* 124. berüffet *N2.* 125. Das *N2.* 126. Vnd waren sein jüngen bestet *N2.* 127. wurden] teten *N2.* seinē *M.* 130. in] pey *N2.* 131. *aus:* Iren willen weiß werk vnd wort *M.* Die *N2.* werck *fehlt* *N2.* 132. In allen dingen in den herren zoch *N2.* 133. Das *N2.* 134. aller vbvng *N2.* 135. Welchs *fehlt* *N2.* 138. yn] vns *N2.*

7.

[123r] Der nit nach dem willen der mane,
140 Sunder auß Got geporen, und es ist gemacht
Das wort zu fleisch und hat gewant
In unß, und wir haben sein er gesehen,

Wie eines eingepornen frane
Vom vater voller gnoden und worheit besacht.
145 Ir cristen, hie werdet vermant:
Welch nach dem lust fleischlicher libe spehen,

In den enwonet nicht das wort
(Das ist der herr Cristus im sacramente).
Sehen auch nit sein ere fort,
150 Dar um er ist zu unß auff erd gesente.
Wer aber hie sein er an sicht,
In des sel, hercz und schrein
Wil er hie wonen und dort ewig sein.
Er ist der guldin ancker stark,
155 Wem er an hafft in disem jamer mer,
All sein glidmas, pein und auch marck,
Syn und vernufft flihen all welltlich er.
O cristen mensch, her ein dich richt,
Neig in den hern Jhesum den willen dein,
160 Willtu ym ewig sein verpflicht
Und dort entflihen der hellischen pein!

[33[a].]

[124r] Domino dicite pape pie unacum graciarum accione, devote dicentibus contribuit ad unumquemque dies totiens quociens ist von latein in teutsch *reim* gemacht durch Hanß Folczen fur die leyen.

1.

Dis trank und auch die speise du
Gesegen, gutigster Jhesu!
Speis und das trank dis folks hie pey,
Du herr und Got, gebenedey!

---

139. Der *M*, Sie (*oder* Die?) *N2*, *l.* Hie? 141. wort] wont *N2*. 147. enwonet] so wonet *N2*. 150. aůf ert zw vns *N2*. 151. seiner? *N2*. 154. ancker *aus* eymer *M*. 156. gelidmaß *N2*. aůch *fehlt N2*.

[33[a].] *Überschr.:* Dn. qo *vor* dies *gestr.* (?) teutschr. *Je zwei Verse stehen in einer Zeile, durch / getrennt.*

5 O sußer Jhesus, nun pis hewt
Ein speis hie aller cristen lewt!

2.

O her, gesegen durch dein krafft
Speis und trank hie diser wirtschafft,
Auff das sie hie stet loben dich
10 Und dort ymer und ewiclich!

Lob sey dir, Jhesu, auß dem essen
Hie und dort ewig zu gemessen!

Dem Got der unß mit diser speis
Gesetigt hat, sey lob und preis!
15 Und wel auch die von den wirs haben,
Der ewiclich mit fre*ude* laben!

[33^{b}.]

[124^{a}] Ir hern, versecht mich armen auch,
Wan ich gern auß dem pirglas schlauch.
Mir ist der wein heur vil zu teur!
Dar um ger ich keinr grossen steur;
5 Wem nit vil gulden wonen pey,
Der geb ein groschen oder drey.
Doch e sich einr leg auff den porch,
So thu er e ein strich dar dorch,
Wan ich nymant zu nichten pind!
10 Ich schlag ab allz die fundelkind
Und pin sunst auch ein guter gaul
Und sich so manchem des jars ins maul.
Solt ider mir ein groschen geben,
Mich teucht ich kem auch wol hin neben,
15 Dan wir das opffergellt gipt gern,
Das sol mit zwagen, lossen und schern
Verdint werden besunderbar
Und wunsch yn dar zu ein selgs newes jar!

5. *vor* nun *ein Punkt.* 15. vō *oder* vñ? 16. fre.
[33^{b}.] 12. machē. 17. *aus* besundarbar. 18. news? *undeutlich.*

[34.]

Das erst par.

1.

[133r] Ave virgo et mater,
Cui celestis pater
Non dicit ne,
Was du yn an thust müten
5 Durch deynen sun denn gutenn,
Ja, nymer me
Wirt dir das abgeschlagen,
Du herscherynne aller reich
Vonn ewigkeyt fursehenn.

10 Seit du pist so gewaltig,
O junckfraw, tausentvaltig
Man ich dich des
Mit ander deiner wirde
Des adels unnd der zirde,
15 Das du gemes
Mich mach*est* unverzagenn
Funffzehenn wunder sunderleich
Zu kundenn unnd verjehenn:

Wie dein sun der vill reyne
20 Vor allen menschenn ist gefreit,
Als ich der wunder funff euch hie pemelde,
Wie Gott an sach den schadenn
Dar mit dann was peladenn
Alles geschlecht
25 Menschlicher creature,
Als schrifft, natur, figure
Uns zeigen recht,
Wie er der wer alleine
Der menscheit nem vonn einer meit
30 Unns zu ewiger selde.

2.

[133v] O tu mitis et pia
Virgo, mater Maria,
Ich ruff zu dir
Das du mir helffst besunder
35 Verkundenn dise wunder,
Dor in mein gir
Deins suns gepurt florire,
Dar durch sein parmung werd erkant.
Das erst ich hie erclere

40 Wie das dein sun ist kummenn
Her auß der hochstenn summenn
Der ewikeit,
Noch dem funfftausent jore
Geschriren wart fur ware
45 Fur ewigs leyt.
Er ließ den trone zire,
Do yn die parmung uberwant,
Unnd kert yn armut here

[34.] *Die kürzeren Verse sind in M vielfach, doch ohne Konsequenz, zu je zweien in einer Zeile geschrieben. Überschrift:* Im vnbekanten don *X*, Im vnbekanten don 7 lieder das erst par h. F. *N 2*, *fehlt M*. 4. Weß *X*. th *vor* an *gestr. M*. 13. Vnd *W*. 14. Erfül junckfraw mein girde *N 2*. 16. mach *M*, machest *X N 2*. an vˢzagen *X*. 19. Durch die dein sun so reinne *W*. 21. Als ich dir nun der fünff will hie donn melden *W*. 23. was] das *N 2*. 36. Ist mein begir *W*. 37. klarieren *W*. 42. sunnen *W*. 43. de *M*. 46. Es *N 2*. der *X N 2*. 47. Dar dürch sein parmüng werd erkant *N 2*. 48. Das erst ist hie erclere *N 2*.

In diß elennd trubsale.
50 Den als geschopff vor nie beschloß,
Der ließ ein arme meit sich umbe fahen,
Ich mein des kunges sune,
Der lossen mocht unnd thune
Von eigenschafft
55 Gotlicher freier mechte,
Denn macht si unns gerechte,
Die tugenthafft.
Gelten must er den fale.
Ja, was das nit ein wunder groß
60 Das heyl also solt nahenn?

3.

[134r] O imperatrix celi,
Des kungs Emanüeli
Leiplicher tran,
In dem er sich vertrewet
65 Zu der menscheyt unnd newet
Des glauben pan,
Dor yn wir selig wurden,
Das ander wunder ich hie meld,
Das mensch noch geyst besane,
70 Wie sich der aller hoste,
Der mechtigst unnd der groste,
Alpha et o
In lauter gotheit pure
Mit menschlicher nature
75 Sich eint also
Und nam auff sich die purden
Der menscheit gros, dor in unseld
Auff erd ym nie zurane.

O mensch, betracht mit schmerzenn
80 Die keyserlich almechtikeyt,
Dem himlisch knie, irdisch und hellisch neigen,
Wie sich der hat genidert
Unnd keiner pein gewidert
Umb unser heil,
85 Unnd wart ein knecht der knechte,
Umb das er wurd gerechte
Umb allen teil.
Ir cristen, nembt zu herczenn
Wie er sich uns zu dinst bereyt,
90 Piß er gestilt den feigenn.

51. meit] dirn *XW*. vmb *M*. 54—57 *fehlen W*. 66. glaubez *X*. 77. grob *X*. 86. gerecht *M*.

4.

[134r] Ducissa angelorum
Et omnium bonorum
Ein fundament,
Furpas mich unterweise
95 Deim werdenn sun zu preise,
Das werd genent
Von mir das dritte wunder,
Wie die entpfencknüß seinr menscheit
Mit unns kein gleichnuß hotte:
100 Wan all die ye bekamenn
Her, von Adames samenn
Enpfangen sein
In den erbsunden schnode
Durch die vermischung plode
105 Vnd gancz unrein,
Den du, und Crist gesunder
Pey dir vom geist ann alles leyt
Enpfangenn wardt so drote
Schneller dan ynn eim plicke;
110 Ee du vol redt 'fiat michi
Secundum verbum tuum' zu dem engel,
Do was das wort vom vater,
O tu virgo et mater,
Pei dir vom geist
115 Und durch sich selbs geczymert;
Do wart yn ein gewymert
Gancz unerfreist
Das frey behend geschicke
Wunderperlich, nymant weiß wy
120 Sich eint wurcz, plum unnd stengel.

5.

[135r] O tu precellens *vera*,
Virgo celestis spera
Und margarit,
In der trivalt ein zirde,
125 Erfull, junckfraw, mein girde,
Als ich dich pit,
Das vird wunder zu kunden,
Seit all menschlich persanen hie
Von leib und sel han wesen,
130 Unnd nach der gotheit reiche
Dein sun was ewigleiche
Ein war persan
Unnd ist kein andre wordenn
Hie yn menschlichem ordenn.
135 Wer kan verstan
Und mit vernufft ergründen
Wie Got das pleib das er was ye
Inn seim gotlichen zesen,

91. Duassa *N2.*, 95 dein *N2.* 101. adames *aus* adams *M.* stamen *XN2.* 106. Dan *N2.* uns *M.* besunder *XN2.* 109. ye ein *N2.* 113. mater *fehlt X.* 116. vᵉwimᶜt *X.* 121. vera *XN2W*, fera *M.* 129. sel v *vor* leib *durchstr. M.*

Und doch ein anders warte,
140 Das er nit wart personlich vor
Und wesenlich auch von natur nit hete.
Das ist sein menscheit milde
Personlich nach dem pilde,
Dest mynder nicht
145 Doch ein person in peiden.
Die frag pleibt unentscheidenn
Wie das geschicht,
Und ungeoffenbarte
In der geschrifft, weis ich fur war,
150 In Got verporgenn stete.

6.

[135ᵃ] O tu virgo divina,
Pulcerrima regina,
Ein wunder wild
Ist das das alle leibe
155 Vonn man und auch vonn weibe
Haben ir pild,
So hat Jesus der werde
Allein von dir das pilde sein,
Als es der rat beschlosse

160 Unanfangk der gesproche,
Auff das er entlich reche
Das ewig leid.
Do merck wie die trivalte
Hie wurckt yn eim gewalte
165 Des suns menscheit.
Got sant sich selb auff erde
Durch die person des vaters ein
Unnd wart der meit genosse.

In der warlich ennpfinge
170 Got yn person des geistes sich,
Got yn des suns person wart mensch besunder.
Also die gotheit gancze
Ir wurckt menschlich substancze
In einr person.
175 Wer kan menscheit nun freien
Vonn den persan all dreien,
Der laß verstan,
Seit ein Got ist der dinge
Der menscheit nam so williglich
180 Unnd ist das funffte wunder.

---

139. kein *N2.* 140. waß *XN2.* 154. Ist es das a. *N2.* 160. Von anfang *N2*, On anf. *XW.* 163. Doch *X.* merckt *XN2.* 172. Als *N2.* 173. wurckt] merckt *N2.* 174. ein *N2.*

7.

[136r] O mater Jesu Cristi,
Que verbo concepisti
Das ewig wort,
Den werden fenix frane,
185 Der maussen sich begane
Von di*r* sei*m* ho*rt*
In deiner keuscheit flame;
Der auß erwelte adelar,
Der unns yn noten sahe;

190 Ich mein denn leben zame,
Der totlich hie vername
Die welffen sein,
Der wolt mit lautem gilffe
Unns kumen hie zu hilffe
195 Auß todes pein
Und gleich werdenn eim lame
Und unser schuld hie tragenn gar,
Das seit durch yn geschahe:

Von dir wolt er mensch werdenn,
200 Der milt unnd guttig pellican,
Auff das er uns mit seinem plut erquicket
Auß dem stincken*den* rachenn
Des mortgifftigen trachenn
Und helle hund,
205 Der basilisc und uncke
Dieff yn des kerkers tuncke
Und abegrund,
Der uberkemp*f*t auff erdenn
Wart durch dein sun, *meit* lobeson,
210 Durch den uns hat gelicket.

Amenn.

Das ander par.

1.

[136v] Ave fons castitatis,
Ab omnibus irreatis
Der himeltron
Mit stetem lob gerumet,
215 Das nymer wirt volplumet
Durch kein gedon
Der engel noch der selgen
Unnd yecz leblicher creatur
Kunftiger unnd vergangenn,

220 Ich man dich, herscherynne,
Das dich vor anbegynne
Der kung der ern
Ewig dar zu fursahe
Das dir das heil geschahe
225 Daz du gebern
Soltest den hochsten helgen
Der yn dir auß dem hochstem flur
Vom geist hie wart enpfangenn.

---

186. die *(?) M.* seim *X*, sein *MN2.* hort *XN2 (richtiger Reim zu 183)*, hercz *M.* 195. Vnd *N2.* 201. seinē *M.* erkucket *N2.* 202. stinkenn *M.* 208. vber kempt *M.* 209. meit *fehlt M.* *vor 211:* Das ander par *X*, Im vnbekanten don 7 lieder das ander par *N2*, *fehlt M.* 212. beatis *XN2*; *M führt eher auf* creatis *(R.)*. 218. yecz] ist *N2.* loblicher *MN2.* 225. gebern *aus* gewern *X.* 227. auß] in *N2.*

Durch das mir, junckfraw zarte,
230 Hilff kunden *hie* funff wunder groß,
Dar mit dein frucht begabt was sunderleichen
Inn deines leibs junckprunne,
Dor inn die ewig sunne,
Der her Cristus,
235 An sich nam menschlich forme
Wider naturen norme,
Des nam Jesüs
Genant vom engel warte,
Do er zu muter dich erkoß.
240 Lob hab, du erentreiche!

2.

[137r] O rosa sine spina,
Tu stella matutina,
Mein hercz erleucht
Das erste wunder werde
245 Zu plumen mit begerde,
Seit sich verzeucht
In muterleib das leben
Dem kint yn einigung der sel
Piß hin nach virczig tagenn,

250 Und das dein sun so schnelle
In deines leibes zelle
So zeitlich was
Ein gancz volkumner mane
In der cleinstenn persane
255 Seiner glidmoß,
Unnd was natur mag gebenn
Der menscheit noch der hochstenn wel,
Das was im dar geschlagenn.

Als pald die potschafft ente,
260 Do was dein leip der kuncklich tron
Dor in Got menschlich und gotlich reigiret
In einr persan gancz mechtig,
Als die trivalt eintrechtig.
Er het dich, meit,
265 Ewig dor zu behute
Das auß deim clersten plute
Got nem menscheit,
Die nymer wirt getrente
Vonn einigung der gotheit fron,
270 Die sie dort ewig ziret.

230. hie *XN2*, mir *M*. 232. leibes *M*. 238 *fehlt N2*. vō *M*. 248. eingissvng *XN2*. 250. so *fehlt X*. 252. zaulich *X*, zewlich *N2*. 253. volkumēr *M*. 264. Ir *X*.

3.

/137v/ O tu ardens lucerna,
Sanctorum laus eterna,
Gib steure mir
Das ander wunder freie
275 Kunden, wie das wont peie
Mit leben dir
Die frucht deins leibes werde
Lenger dan nie kein menschlich frucht;
Wann als du yn enpfingest,
280 Do was Got mensch volkumen
Und hat als pald genumen
Von dir dein speiß
Deins clersten plutes reine
Virczig wochenn an eine,
285 Der kunig weiß.
Dor umb Jesus auff erde
Neher gesipt was deiner zucht,
Des du hie schwanger gingest.

Wann sunst kein menschlich pilde
290 Mag vater und auch muter sein,
Das nach ir peider samen wirt verkeret
Unnd die den dritteil mynder
Speiß nemen als wir kinder
Der missetat.
295 Hie pei merckt man den schmerczen
Maria sel unnd herczenn
In Jesus not,
Do ir entging der milde,
Den sie yn junckfreulichem schrein
300 So zertlich hat generet.

4.

/138r/ O tu que meruisti
Nunc esse mater Cristi,
Ein wunder frey
Das ist das all persane
305 Der weißheyt pleibenn ane
Uncz in wont pei
Des alters etlich jore,
Und Jesus im erstenn geschick
An weißheit was volkumenn
310 Unnd sein sel offen ware
Die ganczen gotheit clare
Durchleuchtig sach
Als iczunt yn dem zesen;
Auch ist selig gewesenn
315 Sein menscheit schwach,
Ee er hie lit fur ware
Und an dem creucz gewan den sick,
Das uns hat leyt benummen.

272. laus] fons *W* 280. Der *W.* 282. dein] die *X N 2.* 285. kung *M.* 293. wir] wie *X.* 295. merck *X.* 298. er *N 2.* 302. In *W.* 306. Piß *N 2 W.* 310. offen ware = *offenbare* 313. Als er wondt in dem zesen *W.* 314. Vnd *W.* 316. leit *N 2 W.* 8. genümen *N 2.*

Dor umb du pillich, frawe,
320 Sein schwanger ginst an alle schwer,
Der yn dem tron ist aller engel wunne.
O mit welchem hofiren,
Lust, freud unnd jubiliren
Dein hercz do was
325 Mit aller lieb durch krochenn
Die an ein virczig wochen.
Du reines vas,
Du wert die kunglich awe,
Dor yn durchleuchtig ymer mer
330 Uns scheint die gotlich sunne.

5.

[138a] O tu sponsa formosa,
Omnium gloriosa,
Gib kundung frist
Von vier*er*ley gepurte,
335 Do von der menschlich furte
Gesammet ist.
Der Adam was der eine
Weder von weib *noch* man
geporn*n*,
Sunder vonn Got auß erdenn.

340 Die ander durch ein mane
An weib der herr besane,
Das was Eva,
Die Adam wart zu weibe,
Wann sie warn peid ein leibe
345 Vor und auch na.
Die drit gepurt gemeine
Von man unnd weib werden
*er*korn,
Als noch in erbsund werdenn.

Hie wirt uns auß geschlossen
350 Die vird gepurt Emmanuel,
Die gancz in lauter keuscheit ist geschehen
An weib unnd man furware
*Neu*r durch ein junckfraw clare.
Wider natur.
355 So heist auch wol ein wunder
Das leib unnd sel besunder
Ist*unser kur,
Dor yn Cristus on mossen
Fur trift, das gotheit, leib unnd sel
360 Ist ein person fursehenn.

319. frawe] frone *W*. 320. gingest a. all *N2*. 323. Mit lust vnnd j. *W*. 325. prochen *N2*, trochen *W*. 326. Da vn *N2*. on *X*. 327. reins *M*. 328. warst *N2*. 330. Scheinet die *N2*. 332. In omni *N2*. 334. vierley *M*. 338. vonn *M*. 341. her[illegible] *M*. 344. Sie waren p. *N2*. 347. weib vnd man *N2*. geporn *M*, erkorn *X N2*. 350. [illegible]manuel *M*. 353. Neur *X N2*, Imer *M*. ein] die *N2*.

6.

[139r] O tu porta serata,
A deo consignata,
Ein sach ich fint,
Do mit ist nit zu scherczen,
365 Wie du an allen schmerczenn
Gepert dein kint:
Hie irt als ebenpilden,
Exempel, gleichnuß unnd figur,
Der man sich untterwindet.

370 Man sagt: gleich als der schattenn
Die wasser thu durch watten
Und sich nit necz
Und als der sunnen scheine
Dring durch die fenster eine
375 Und sie nit lecz,
Also Got sun den milden
Du, meit, geper, die zwo natur,
Als man gedicht vil vindet.

Mit urlaub ich hie melde:
380 Schatten unnd schein ungreifflich sint
Und wurcken das naturlich hie besunder.
So hat sich Got entnummen
War fleisch unnd plut volkummen
An all verser,
385 Ein gancz greifflich persane
Vonn dir, du junckfraw frane,
Do du geper
Den schopffer aller welde,
Dor in naturen werck was plint
390 Unnd ist das funffte wunder.

7.

[139v] O mundi medicina,
Aures tuas inclina
Ad nos, virgo,
Durch die funff wunder freye
395 Unnd won mit hilff unns peye,
So es her no
Das uns der tod pesende
Unnd menschlich hilff uns gar ver let,
Meit, so gedenck der eren,

400 Das dich hatt selbs erkorenn
Den du hast mensch geporenn
An vater hie,
Der von seim vater reiche
An muter ewigkleiche
405 Geporen ye
Und ewig wirt an ende
Und doch zu muter dich bestet,
Das du ynn solst geperenn.

366. Geper *X*. 368. vnd *fehlt N2*. 377. geparst *N2*. 378. geschriben vindet *N2*. 383. Fleisch und aüch plût v. *N2*. 384. Got sün versert *N2*. 387. Den dw gepert *N2*. 392. tuos *W*. 395. So *W*. Won vns mit hilffe peye *N2*. 396. Wann *W*. 399. so *fehlt N2*. 401. mensch] meit *N2*. 403. von] in (*aus* von) *N2*. seim] got *W*. 407. Der dich zu muter hat bestet *W*. 408. y *vor* du *gestr. M*.

Der ye dein vater ware,
410 Dein her, dein schopffer und dein Got.
Welch selde sunst keym menschen wart behalden
Wann dir, du Gottes tempel,
Als wir vonn dir exempel,
Meit, finden vill
415 In leuffen der nature,
In schrifft unnd yn figure,
Dor yn so zil
Uns zu der hochsten schare,
Do wir an mittel der gepot
420 Gotlicher liebe waldenn. Amenn.

Das drit par.

1.

[140r] Ave, tu vite via,
Tu mundi spes, Maria,
Und in dem tran
Gewaltig aller mechte,
425 Der als himlisch geschlechte
Ist untertan
Auß des hochstenn gepote,
Der dich, junckfraw, von ewikeyt
Hat ye dar zu fursehenn

430 Das mit der engel schare
Die patriarchen gare
Dich, keiserin,
Stet rumpten auß begerden
Mit den zwelffpotenn werdenn
435 In seraphin,
Do dein sun mensch und Gote
Dir selber nymer mer verseit.
Dar zu dir lobes jehenn

Die vier ewangelistenn
440 Und all heilig merterer her,
Der peichtiger unnd der junckfrawen zunffte.
O durch die grossenn wirde
Erful, junckfraw, mein girde,
Das ich auß sprech
445 Wie nach deins suns gepurte
Funff wunder sint berurte,

410. vnd *über der Zeile M.* 412. dir] dann *W.* 413. wir] mon *N2.* 414. findet *N2.* 415. Zu *W.* 417. Dar vm *X N2.* 418. hochsten] engel *N2.* 420. lieb *M.* *vor* 421. Im vnbekanten don 7 lieder das drit par *N2, die Überschrift fehlt M X.* 421. O virgo *W.* 429. ye] die *N2.* 431. Al *W.* 433. rümen *N2.* 436. Die *N2.* s *vor* dein *gestr. M.* 438. zu] in *N2.* 440. Die schar der heilgen merterer *X,* Vnd alle h. mertrer h. *N2.* 441. Der peichtiger der meid vnd witwen zunffte *X.* 446. Sin fünf w. b. *N2.*

Durch die man spech
Wie kunt werd allen cristen
Sein marter hie und dort sein er
450 Und auch sein leczt zukunffte.

2.

/140r/ O vera mater dei,
Sis nunc adiutrix mei
Zu kunden fort
Das erst wunder behende,
455 Seit all menschenn elende
Umb Adams mort
Der sund leiden verdrisse,
Trubsal, angst, jamer und den tod
Denn Got Adam verjahe,

460 Und das dein sun so gutte
Nye sunden furt gewute
Und solche pein
Am hochsten doch hie leite
An der clerstenn menscheite
465 Des leichnams sein,
Den die gotheit verlisse
Am creucz yn seiner grossenn not,
Dor inn er unns versahe;

Der sich selb fur unns alle
470 Gab yn den tod so willigleich
Unnd yn gehorsamkeit des vaters starbe,
Auff das er unns vergesse
Adames widersesse,
Der an dem reis
475 Gottes gehorsam prache,
Das selb Cristus hie rache
Mit grossem fleis
Und pracht wider den fale.
Gelobt sey *des* der furste reich
480 Der unns das heyll erwarbe!

447. Die synt so spech *W*. 448. wart *N2*. Zu kinden allen christen *W*. 450. Vnd syn letste z. *W*. 456. adäs *M*. Hie vmb das mort *XW*. 458. vnde not *W*. 459. Das *N2*. 460. Vnd das ihs der gute *XW*. so] der *N2*. 461. dürch wüte *N2*. 462. Vnd semlich pyn *W*. 463. Am aller hochsten leitte *XN2W*. 464. In *N2*. 465. Des lybes syn *W*. 466. Den got leidlich *XN2W*. 468. Do mit *XW*. 469. Wan er sich fur vnß alle *XW*. 470. so] gancz *X*. 471. des] seins *N2*. 472. vergebe *N2*. 473. widerstrebe *N2*. 476. cristüs hie selb *N2*. 477. grossem] allem *XN2W*. 479. des *fehlt M*. Dez sey gelopt d[̕] furste reich *X*. Gelobet s. d. fürst so r. *N2*, D. s. g. d. fürst so r. *W*.

3.

[141r] O virgo coronata,
A deo consecrata,
Gib steures krafft
Das ander wunder werben,
485 Seit all menschenn im sterbenn
Von eigenschafft
Am leichnam feulung nemen
Uncz an der vier pusaunen dos,
So Got das taglon reichet,
490 Unnd das dein sun hie starbe
Unnd durch kein feul verdarbe.
Der doch bestet
Wart zu dem grab mit wirde
Noch toter leichnam zirde,
495 Den das *er* det
Den tot großlich beschemen
Unnd trat yn untter sich gancz ploß,
Der sunst nie wart geleichet,

Unnd ist ynn eigner machte
500 Erstanden an dem dritten tag
Got, leib und sel, als du yn meit gepere,
Unnd hat gepent die strossenn
Dan Lucifer verstossen
Wart umb hoffart,
505 Unnd hat denn weg gepawen
Den Adam hett verhawen
Durch geicz*es* art,
Und gab ein end der nachte
Dor in die menscheit traurig lag, —
510 Lob hab der furst so here!

4.

[141v] O tu ros supernorum,
Tu germinans flos florum,
Steur, pit und fle
Mir hie das dritte wunder
515 Zu kundenn rein unnd munder:
Ich mein, fraw, ee
Dein sun hie von uns keret,
Do ließ er sich zu lecze gar
Der cristenheit zu frummenn
520 Weder mynder noch mere
Dan alles himlisch here
In ewiglich
Dort neust von aug zu augen,
Dann das er hie gar taugen
525 Erzeiget sich,
Do durch der glaub peweret
In uns werd lauter unnd auch clar,
Dor umb er her ist kummen.

484. Ein wunder hie zu w. *X*. 485. Seit das al menschen sterben *N 2*. 490. das] do *N 2*. Vnd das ihesus hie starbe *X W*. 492. Vnd *N 2*. 493. Wart *fehlt N 2*. dē *M*. 494. dodes *N 2*. Noch het der lichnam zirde *W*. 495. er *fehlt nur M*. Vnd das er tet *N 2*. 496. großlich] krefftlich *W*. Dar nach den tot beschemen *N 2*. 498. sunst] vor *X W*. gelichtet *W*. 499. Wan er jn eygner machte *X W*. 500. Erstanden ist am dritten tag *X W*. 502. Vff dass er but die strassen *W*. 503. Wann *W*. 507. geiz *M*, geiczig *die andern*. 511. O rosa *W*. 517. D. s. von hinnen kerte *X*, Dyn sun von hinnen köret *W*. 524. Do er heimlich an taugen *N 2*. 527. auch *fehlt N 2*.

Hie irren alle synne,
530 Stant, griff, ruch, kosten und gesicht,
Allein im glaubenn stet der gotlich troste,
Das yn so cleinr gestalte
Der pristerlich gewalte
Die gotheit gancz
535 In wein und protes zeichen
Unns teglich hie dut reichenn
Mit der substancz
Des leichnams clar, dor inne
Er uns erwarb das ewig licht
540 Unnd an dem creucz erloste.

5.

[142r] O tu dulcis et grata,
Sis nostri advocata,
Dein gut ich pit
Das vird wunder zu helffen
545 Kundenn mir armen welffenn,
Ich mein das nit
Am jungsten tag enthalten
Sich mag kein mensch*lich* creatur
Vor deines kindes plicke

550 Gluend yn zornes flame.
Der hie gleich einem lame
Senfftmutig was,
Der wirt in lebes mute
Belonen pas unnd gutte
555 Mit voller maß
Unnd wirt ir rechtlich waltenn
In moß, das der gancz himlisch flur
Der strengheit nyme*t* schricke.

O todsunder du armer,
560 Der cristen namen hat erkant,
Wo pleibet dan die krancke hoffnung deine?
O ketzer, zweifelere
Und winckelpredigere
In schaffes watt,

529. all fünff sinne *W.* 530. Schmack kosten greiffen vnd gesicht *N2*, Versuch gryff schmecken vnd gesicht *W*, *l.* Smac, griff, ruch, horen und ges.*? (R.)* 532. Wie in kleyner gestalte *W.* 535. prot das zeichen *N2.* 539. Gott vnde mensch das ewig licht *W*, Als wie er vns das ewig licht *N2.* erwarb *aus* warb *M.* 540. Vnd vnß am *X.* Am fronen creucz erloste *N2.* 542. A deo *XW.* honorata *X*, coronata *W.* 545. Mir künden *N2.* 548. mag nit *(verwischt oder gestr.?)* kein *M.* kein] ein *W.* mensch *M.* 550. Blühend yn *N2*, Dan gliet in *W.* zornes] prünstes *N2.* 557. Das sich der gancze hymmelisch flur *W.* 558. nymet *X*, nymer *(?) M*, nymant *N2.* Der strengkeyt do herschricket *W.* 559. du] fil *X.* 561. dan] nun *X.* pleiben *N2.* kranck *M.* 563. O *X.*

565 All juden, turcken, heiden,
Die vor hatt abgescheidenn
Der gotlich rat,
Wo pleibt dan ewr erparmer,
So Got spricht: 'get zur linckenn hant
570 In die anentlich peine!'?

6.

/142v/ O tu fulgens aurora,
O candens flos decora,
Dein keusch ich man
Daz funfft wunder zu enden
575 Mir armenn unnd elendenn,
Wie in dem tran
Dein sun siczt zu der rechten
Des vaters yn der ewikeit
Mit Got dem heilgenn geiste.

580 Do die drey krefft der selen
In jubilirn unnd welen
An unterloß,
So wirt der menschlich lane,
Die menscheit Cristi frane,
585 Mit freud so groß,
Die kein hirn moch erspechten,
Noch menschlich zung nie auß gepreit,
Noch nie kein hercz erfreiste.

Wie dort die gotlich sunne
590 Durchleuchtet aller herczen fach
In stetem jubiliren unnd frolockenn,
Du aller heil*g*enn spiegel,
Dor ein das gotlich sigel
Druckt form unnd pild
595 Im selber *uns* geleiche,
Trenc*k* uns dort ewicleiche
In susser mild
Auß deines heiles prunne,
Do ewig ru ist unnd gemach;
600 Ma*n*g hercz yn freud thut schockenn.

565—567 *fehlt X. Am Rand 2 Striche, die das Fehlen andeuten sollen.* 566. vor] not *W.* 568. So *fehlt X.* 572. Tu pulchra *X N 2.* 574. Das 5te wunder enden *X W.* 575. Zu kunden mir elenden *X.* 576. dē *M.* 581. In jubiliren wellen *N 2.* 583. Do *X.* 584. Der leichnam *X.* 586. Das *N 2.* misc *vor* hirn *gestr. M.* mocht *X N 2.* erspehen *M.* Die nie kein hirn erspechte *W.* 588. Vnd *X.* 589. gotliche *M.* 591. Mit *X.* fronlocken *W.* 592. heiligen *M.* Vnd dich du clarer spigel *X.* 595. vntergeleiche *M,* vnß geleiche *X N 2 W.* Nun *W.* 596. Trenckt *M.* 599. ist] hant *X* (*aus* ist), *fehlt N 2.* 600. Manig *M.* yn] vnd *W.* Die dort in freiden schocken *X.* *Die Korrektur in X* 599 *und* 600 *später mit dunklerer Tinte geschrieben.*

7.

[143ᵛ] O virgo vite datrix,
Celorum imperatrix,
Gedenck der ding
Der du pist gancz gewaltig
605 Mit erenn tausentvaltig,
Wig unns nit ring,
So die vir horn mit gryme
Peruffenn alle ortt der weld:
'Stet auff, ir totten gare!'

610 O wo wirt do behaltenn
Die parmung, der hie waltenn
Thet, meit, dein sun?
Des wort dann werden wittern,
Des all himel erzitternn.
615 Was wiltu nun?
Aller zwelpoten styme,
So er sein strenges urteil melt,
Keinr wider redt das zware.

O mutter Gottes milde,
620 Was wilt du dich dan nemen an,
Ob Got den sunder wolt also beschamen?
O muter aller gnodenn,
Do leg wir gancz am schadenn,
Ob *n*it dei*n* gut
625 Senfftmutiglich an neiget,
Das unns zu werd geeiget
Die lilgen plut,
Die uns sust gäncz werd wilde.
Maria, thu unns pei gestan!
630 Wer des beger, sprech 'Amenn!'

Hanß Folcz.

[35.]

1.

[146ʳ] Quicumque salvus esse vult,
Wer heilsamkeit beger,
Der lug das er sich nit verschult
In dem cristlichen glaubenn her,
5 Den neur ein itlicher behalt:
Sust ewigliche*n* er verdirbt

611. Der *N2.* Vnd der hie nit thet walten *W.* 613. Des *XN2,* Das *M.* 615. Was wil dan dün *N2W,* Waß wil da thun *X.* 623. am] jm *XW.* 624. mit dē *M.* 625. an] jn *XW,* im *N2.* 626. werd zw *N2.* wurd *X.* 628. wer gancz *N2.* werd] wer *XN2.* 629. Jungfraw nun thu vnß bey gestan *X.*

[37.] *Nur die Strophen, nicht die Reimzeilen sind in M abgesetzt.* 4. cristen geläuben *N2.* 5. Den ayn itlicher mensch behalt *N2.* 6. ewiklich *M.*

In straff ewiger ungedult,
Die sich scheit *n*ymer mer.
Dor umb so lebt in Gottes huld
10 Und volget noch der schriffte ler;
Glaubt rechtiglichen die trivalt,
An die nymant das heil erwirbt!

Das ist das wir g*e*lauben sulln
Trivaltig einen Got
15 Und ware eynikeit yn der trivalt, ist not,
On deilung der person,
Noch auch das wesen scheiden nicht
Yn der herlichen gotheit fron.
Nicht went das des vaters persan
20 Des suns persane sey
Noch auch do pey
Des geistes persan frey,
Wann der persan sint worlich drey,
Got vater, sun, heiliger geist,
25 Ein Got der hostenn jerarche*y*
In gleicher majestet unnd *g*walt.
Wol im der yn dem glaubenn stirbt!

2.

[146r] Got vater ungeschaffener,
Got ungeschaffner sun,
30 Got ungeschaffner geist so her,
Doch nit drey ungeschaffen nun,
Sunder ein *un*geschaffner go*r*
Er ye was unnd *auch* ewig ist.

Des gleich Got vater ewiger
35 Und almechtig zu thun,
Der sun und geist itlicher der
Almechtig, ewig, doch do von
Nit 3, sunder ein got, fur wor
Du almechtig und ewig pist.

---

8. endt nymer mer *N2*. ymer *M*. 9. Vnd werbet hie nach gottes hult *N2*. 11. Vnd glaůbet recht an *N2*. 13. sulln *aus* sullen *M*. man gel. sol *N2*. glauben *M*. 14. e *vor* einen *durchstr.* *M*. 22. Des heilligen geists *N2*. 25. jerarchen *M*. 26. vnnd *fehlt* *N2*. gewalt *M N2*. 32. geschaffner got *M*. 33. auch *fehlt* *M*. 37. doch dar sün *N2*.

40 Unnd als der vater, so der sun,
Gleich yn der heilig geist,
Itlich persan gleich Got und her worlichen heist
Und unmessig do pey.
Ydoch sint der unmessigen
45 Gotter noch herren ye nit drey,
Sunder glaubt ein unmessigen,
Ein hern und auch ein got,
Recht als mit not
Uns lert das cristlich pot
50 Ein itliche persan an spot
Zu nemen Got und her. des gleich
Verpeut uns cristenlicher stot
Drey got zu sprechen mit gefor
Nun und zu ewiglicher frist.

3.

[147r] Auch ist gepornn noch wordenn nie
56 Der vater endeloß.
Den sun gepirt der vater ye
Auß seiner veterlichen schoß;
Vonn welchen peyden fliessen ist
60 Der heilig geist an anbegint.

Nempt gleichnuß vonn der lieb, wie die
Uns sey selb drit genoß:
Ein ursprung von dem fleusset sie;
Ein end zu dem sie get on moß;
65 Die mit ist libe selbs, das wist,
Wie von den zweyn zu samen rint:

Also verstet hie die trivalt
Der hoen gotheit reich
Yn dreyn persan*en* ymer und *auch* ewigleich.
70 Kein persan nicht die erst
Weder die ander noch die drit,
Dor in man irret aller serst;

42. herre warlich *N2.* 43. Vngemessen *N2.* 44. vngemessen *N2.* 46. Dan glaubet *N2.* 48. Gleich *N2.* 49. cristenlich gepot *N2.* 51. hern also *N2.* 55. Geporen ist noch werden nie *N2.* 60. an] von *N2.* 61. Nim *N2.* vonn] bey *N2.* 62. Mūs sein *N2.* 63. Vrsprūnck da her dan f. s. *N2.* 64. An endt da hin sie *N2.* 66. Thūt von den zweyen zamen rinn *N2.* 68. hoen] herren *N2.* 69. persan *M.* auch *fehlt M.* 71. noch *vor* Weder *durchstr. M.* ist *vor* noch *durchstr. M.* 72. *oder* ferst *(?) M,* meist *N2.*

Nicht voderers, nicht hintterers,
Merers noch mynders nicht,
75 Noch mittels icht,
Sunder yn Gotz gerecht
Noch wesen, substancz und geschicht,
So sint Got alle drey persan
In ganczer eben gleicher pflicht.
80 Das glaub ein yder frummer crist,
Do von er ewig rw gewint.

4.

/147v/ Wie nun dem vater zu geczalt
Werd ewig mechtikeit,
Hie wirt er nicht gescheczet *alt*,
85 Wan alter schwacheit auff im treit,
Und deut das er yn krafft und macht
Ist gleich dem geist unnd auch dem sun.

Das man dem sun dan manigfalt
Zu eiget die weißheit,
90 Hie nymt die irrung auffenthalt
Das er nit junger *wirt gereit*,
Wan jugent leichter weißheit acht.
Den zweiffel wil Got von uns thun.

Durch was dem geist die guttikeit
95 Dan zu geeyget sey,
Hie macht uns Got von den schwinden gedancken frey,
Die menschlich hercz besorcht.
Wan wo vonn geisten wirt gemelt,
Do schickt sich ubung zu der vorcht.
100 Dor umb merckt, als die mechtikeit
Ist allen persan gleich,
Als miltecleich
Glaubt auch die weißheit reich
In alln persan volkumeleich;

---

76. Sünder in got ist aüch gericht *N 2.* 82. Durch was dem *N 2.* 84. alt *fehlt M.* 85. schmachheit *N 2.* 87. geiste vnd dem *N 2.* 89. eigent *N 2.* 91 *f.* wirt — leichter *fehlt M.* 95. geyget *M.* 96. geschwinden dancken *N 2.* 100. merckt] recht *N 2.* 101. alln *M.* Aller persan ist gleich *N 2.* 102. So *N 2.* 103. Glaübet die w. also r. *N 2.*

105 Des gleich glaubt das die guttikeit
Von keinr persan numer geweich.
Also die eynekeit betracht
In form, substancz und wesen nun!

5.

[148r] Dor umb vestmuticlich nit halt
110 Zu vell in Got zu sein,
Sunder nye jung und numer alt;
Natur noch zeit einfluß noch schein
In Got wurcklichen wurden nye,
Wan all wurckung von Got auß got,

115 Nicht auß bewegung der trivalt
In zorn, lib, leyt gemein:
In im ist ewig der gewalt
An all verenderung so clein;
Nicht news in Got wart funden ye,
120 Der all heimlikeit yn im hot.

Kunfftig*e*, verganges, gegenwart
Ist allz in Got geleich,
Gedechtnuß, rot, betrachtung muet nie sein reich;
Noch keiner hande schar
125 Die worden sint und werden sulln
Von allen creaturen gar
In himel, erd, fegfeur und hel,
Geist, menschenn oder seln,
Bedarff kein zeln
130 Mit moß, gewicht noch eln
In Got, dem nichcz nit mag gefeln:
Der lufft das millwlin nie gepar
So clein das sich Got moch verheln,
Noch all gedanck der menschen hie.
135 Dor um furcht Got, das ist mein rot!

105. Des gleichen das d. g. *N2.* 106. keiner *N2.* weich *N2.* 107. ewikeit *N2.* 109. senftmutiglich *N2.* 115. N. aüswendigen der *N2.* 116. Zorne noch lieb gemein *N2.* 121. Kunfftiges *M.* Kunfftig vergangen g. *N2.* 122. alles *N2.* gleich *N2.* 123. müt sint sey so reich *N2.* 125. Das werden sol vnd werden ist *N2.* 128. mensch *N2.* *Vor 129 ist in M gestr.:* noch aln jn got dem nichtz nit mag gefeln. 130. Mit was gew. noch mit der eln *N2.* 133. moch *M*, mocht *N2.* 135. got] in *N2.*

6.

[148c] Wie die menscheit Cristi Jhesu
Nun sey zu glauben recht?
Merckt, als die sel dem leichnam zu
Geeiget ist in peider mecht,
140 Ist sel und leib ein mensch genant
Durch leiplichs wesens eygenschafft.

Des gleich glaubt der naturen zwu
In Cristo unerspecht,
Got und menscheit vereinet nu
145 In ein persan volkomen schlecht.
Also sey Cristus euch bekant
In drey substanczen einer krafft:

Das ist yn der substancz der sel,
Des leichnams und gotheit:
150 In *der gotheit* dem vater gleich an unterscheit
Und mynder noch dem fleisch.
Wie nun durch die vereyniung
Die gancz persan anpettung heisch,
So merckt: nit auß verwandelung
155 Ein Gottz in menschenart,
Sundern hie wart
Die menscheit Cristi zart
Gancz auff genomen zu der vart
On al*ls* mittel yn die gotheit,
160 Des nymant ist noch wirt gelart
Wie sich natur geeynet hant,
Des menscheit der gotheit an hafft,

7.

[149r] Der doch vom vater ist geporn,
Gotz sun von ewikeit,
165 Und hat ym menscheit hie erkorn
Von der gebenedeiten meyt,
Vom geist in ir enpfangen rein,
Geporn wider naturlich art.

138. als] weil *N2.* im leichnam rw *N2.* 139. In aynigvng in p. m. *N2.* 140. Ist sel vnd leib vnd sel *M*, Wirt l. v. s. *N2.* 141. Dürch ein natürlich aygenschaft *N2.* 142. Also geläubs naturen z. *N2.* 144. vernemet *N2.* 150. der gotheit *fehlt M.* 152. nun] doch *N2.* vereynung *M*, aynigūng *N2.* 154. mercket *N2.* wandelung *N2*, verwandlūg *M.* 155. *l.* Einß gottez *M*, got *N2.* 157. Die heillig m. *N2.* 159. alles *M.* 162. Das *N2* (*oft statt* des). zaft *N2.* 163. wirt *N2.* 164. Vnd ist von e. *N2.* 165. hie] aūs *N2.* 168. wider] vber *N2.*

Auff das wir nicht wurden verlorn,
170 Nam er an menschlich cleit
Und sunt dor in seins vaters zorn.
Do mocht im nit werden verseit,
Es wer dan die trivalt nicht ein;
Doch sterben im zu gebenn wart.

175 Wan solt von uns der ewig tod
Werdenn geleget ab,
So must die ewikeit selb komen in ein grab
In menschlicher natur.
Also det Got im selb genug,
180 Das sunst vermocht kein mensch so pur.
Auch das dem veint genug geschech,
Des wir woren all sant,
Do was kein pfant
So hoch gultig genant,
185 Es wurd dan Got ein mensch erkant
Und sturb fur uns als Cristus hat,
Do er am creucz in uberwant.
O mensch, bedenck das leiden sein,
Der dich erarnet hot so hart!

Amenn.

[36.]

1.

[149ᵃ] Maria, himel keyserin
Gewaltig aller throne,
Verley mir wicz, vernufft und synn
Zu loben dich gancz schone,
5 Das ich bewer durch die natur
Peyde durch schrifft und durch figur,
Durch pillikeit,
Exempel und durch wunder,
Durch die ich zu bewerenn mein
10 Das du, kungin der himell,
An erbsund wurd enpfangen rein
An leiplichs lustes schimel
Auß willenn der gotlichenn kur,
Des muter rein, clar, lauter, pur
15 Du auß freiheit
Soltest werden besunder;

169. werden *N2.* 170. Nū *M.* an] das *N2.* 171. Dar in er sünt *N2.* 172. werden nit *N2.* 173. E. w. d. mit der gotheit mein *N2.* 181. dē *M.* 182. waren wir *N2.* 183. So *N2.* 184. Für war so *N2.* 185. ein] selbs *N2.* 186. als er dan det *N2.*

[36.] *Überschrift:* In der schranck weis *X.* In meister hans Volczen schranck weis 5 lieder *N2.* *Die Zeilen 7. 8, 15. 16, 20. 21, 27. 28 jeder Strophe sind im M je als eine Zeile geschrieben.* 11. wart *N2.* 12. Vñ *X.* leiplich *N2.* 14. lauter *vor* clar *gestr. M.* clar rein *N2.* 16. Werden solltest *X.*

Wan Got doch das wol muglich was
Pey Adam unnd Eva, merckt das,
Erbsundenn halb zwey reine vas.
20 Merckt wie das prot
Der prister drot
In den sun Gotz gewandelt hot.
Ob der priester yn sundenn stot,
Got es dor an nit hindernn lot.
25 Also ob elich werck hie sein
Mit An und Joachim erschin,
Doch unbeleit
Pleib sie des rein und munder.

2.

[150r] Naturlichenn hie zu bewern,
30 Secht wie die sun gemeine
An stinckent stet irn schein dut rern
Unnd schat der sun doch cleine;
Des gleichen in der erd das golt
Doch seiner clorheit nicht verzolt;
35 Secht pey den dornn
Wachssen die edlen rosen;

Secht an wie feur yn wasser lischt
Unnd pleibt doch ungekelte
Noch wirt mit feuchten nit vermischt:
40 Also die außerwelte,
Die im Got selb bewaren wolt,
Elich geporenn werden solt,
Die doch enpornn
Hot der erbsunden mosen.

45 Secht wie ein wilder paum gepirt
Geschlachtig frucht gancz ungeirt,
So sie dor auff gepelczet wirt;
Und secht auch an
Wie feures glan
50 Dem salamander gancz kein gran
An seinem leib verseren kan,
Wie lang er dut dor inne stan:
Also geleutert unnd erfrischt
Hot Got sein muter die vil hern
55 Im auß erkornn,
Als ich wil paß verglosen.

---

17. W. es doch g. w. *X.* 19. Der erbsund h. *X.* 20. Secht *X.* 22. verwandelt *X.* 23. Vn̄ wie der prister hallt jn sunden stat *X.* 25. sein] in *N2.* 26. Von *X.* und *fehlt X.* 29. hie] das *X.* 31. In *N2.* 33. gl. wy in *N2.* 34. Daz doch der clorheit *X.* nicht] mit *N2.* 35. dem *X.* 37. Sech auch *N2(X).* 39. Doch *N2.* 40. aüs der welte *N2.* 42. geporпn *M.* 43. Ye *N2.* 44 *fehlt N2.* 46. Geschlachti *XN2.* 47. sie] die *X.* 50. gancz] gar *XN2.* 53. gefrischt *N2.* 55. Vnd jm erkorn *(mit dunklerer Tinte hineingeschrieben) X.*

3.

/150ʳ/ Furpas so mercket die geschrifft
Wie Maria enpfangenn
Sey an aller erbsunden stifft;
60 Im puch der lobgesangen
Geschribenn stet: 'pulchra tota
Es tu, o amica mea.'
Du freundin mein,
Du pist gancz schon unnd clare.

65 Unnd Lucas an dem erstenn spricht:
'Ave, gratia plena.'
Gancz voller gnod er sie vergicht
'Et sine omni pena.'
'Ordinata ab eterna,
70 Antequam fieret terra,'
Schreibt von ir rein
Der weyß man offenbare

Proverbiorum octavo;
Et eodem capitulo
75 Do spricht er clerlichenn also:
'In ir person
Enpfangenn schon
Was ich, ee ye kein tieff fing an.'
Ecclesiasticus sagt fran:
80 'Ee das die welt anfang gewan,
Beschuff mich Got yn seiner pflicht.'
Secht wie die jungfraw sey verprifft,
Das erbsund kein
In ir enpfengnus ware.

4.

/151ʳ/ Ach*t* menschenn fristet Got fur not,
86 Ut Genesis am echtenn,
Do die sintfluß die welt ertot:
Also hat Got mit mechtenn
Vor der erbsund acht creatur
90 Pehalten rein, clar, lauter, pur,
Die sunder par
Gen himel hant genisti.

Der sint zwo leib unnd sel, Adam,
Die ander sel unnd leibe
95 Eve, des weibes sein, mit nam;
Also auch worlich pleibe
Maria sel noch Gottes kur,
Der leib nie teglich sund erfur;
Dor pei nempt war
100 Leib, sel des herren Cristi.

---

61. pulchra *fehlt N2.* tota pulchra *X.* 62. Est *N2.* o] nunc *X.* 67. vol genad *X.* 69. Ab eterna ordinata *X.* 75. Bestimpt *X.* 78. *oder* treff? *M;* tieff = *abyssi.* 79. So spricht eclesiastez fran *X.* 82. die meit vns ist v. *X.* 85. Ach *M.* vor *X.* 90. clar rein *N2.* Behalltē lauter clar vñ pur *X.* 95. sein] sūn *N2.* 96. worlich auch *X.*

Sech wo der sunnen glast hin mag,
Do ist nit anders dan der tag,
Seyt sich dan ewig nie verwag
Der gotlich glan,
105 Der ewig pran
Unnd mit sein scheyn nye hat verlan
Zu schimern in Marien fran,
Die er ym ewiglich besan
Zu einer muter, dem do zam
110 Von der zu nemen menschlich wat.
Die er gancz clar
Im het dar zu gefristi.

5.

[151a] Durch was nun aber pillich sey
Das Maria gelobet
115 Werd der erbsund halb genczlich frey?
So heilig ward begobet
Jeremias in muter leib:
Secht ob nit pillich heilig pleib
In sulcher pflicht
120 Der frucht den tot ertote!

Unnd auch sant Johannes baptist,
Der mit dem wasser plose
Unsernn erloser Jhesum Crist
In seiner tauff begosse;
125 Sag ob nit heilig auch beschreib
Pillich die kirch, pey der becleib
Das ewig licht,
Ein person mensch und Gote,

Neun menet gancz, in der er nam
130 Die speyß als seiner kintheit zam,
Der auch an zweiffel zu ir kam
In sein pallast
Nicht als ein gast,
Wan keinerlei do nie geprast
135 Sunder mit der ewigen rast
Durch schimert sie des geistes glast.
Dor umb du, junckfraw, pillich pist
Fur die habend die hochstenn wei,
Welcher geschicht
140 Dein keusch fur troffen hote.

101. Merckt *X*, Secht *N2*. 106. seim glácz *X*. 107. schimer *M*, schinet *N2*. jn die jūgfraw fr. *X*. 112. Im dar zu het g. *X*. 113—140 *fehlen XN2*. 135. ewige *M*.

6.

[152r] Exempel zu beczeugenn das
Wie Maria enpfangen
Wurd an aller erbsunden haß,
Das was: solt sie erlangenn
145 Das Got sein menscheit von ir nam,
Der doch den sunden ye was gram,
So must sie nie
Der sunden meil beruren.

Dar czu must die fursprecherin
150 Der armen sunder schare
Nicht in erbsundenn sein erschin,
Durch die die sund all gare
Wurd hin gelegt, do vonn dan kam
Das ir der konig wart so zam,
155 Der uns durch sie
Nie ließ den veint verfurenn.

Der leib nie teglich sun*d* vermert,
So*lt* an der sel paß sein erclert,
Welch schon der sun Gotz selber ert.
160 Auch die do mit
Des fusses drit
Die schlang zu mischt, ir haubt zu glit
Und dem teuffel sein macht verschrit,
Must ym sein unterworffenn nit.
165 Dor umb vor ewigem begin
Wertu der koniglich pallas,
Den im Got hie
Zirt, als im thet gepuren.

7.

[152v] Dor umb du durch denn adel dein
170 Gar pillich wirst genente
Got vaters tochter ymer sein,
Muter seins suns an ente,
Des geistes wor gespons gezalt,
Ein dirn der heiligenn trivalt,
175 Schrein der gotheit,
Schwester der engel clare,

Des heils ein worer uresprung,
Spigel himlischer zunffte,
Aller heiligenn samenung
180 Yecz und auch yn zukunffte,
Do ewig herschet der gewalt
Got Crist yn menschlicher gestalt,
Do er bereyt
Die grossen me*n*g und schare.

141. Durch waß aber nū pillich was *X*, Dürch was ex. z. bezeigen d. *N2*. 142. Daz *X*. 148. Keinr sunden ruß beramen *XN2*. 150 zware *XN2*. 152. *ein* die *fehlt X*. sund *fehlt N2*. 153 hin] ab *X*. 156. Lis ny *N2*. beschamen *XN2*. 157. D: *vor durchstrichnem* Welch *X*. sunder *M*. nie—s.] jn sund nie wart *X*, in teglich sünt nie wart *N2*. 158. Sollt *X*, Junst *(?) M*, Müst *N2*. 160. Wan die die m. *X*. 164. in *N2*. 165—8. Lob hab du himel künegin Die vnser noturfft nie vergaß Verleich vnß hie Dich dort zu schawen AMEN *XN2*. 169—197 *fehlen XN2*. 177. ursprung *M*. 184. menig *M*.

185 O clarer tag ewiger nun,
Aller himel durchleuchtig sun,
Du lauter frisch klingender prun
Der se*l*gen dort,
Du himels pfort,
190 Schacz aller schecz ein uberhort,
Die uns becleydt das ewig wort
Mit der menscheit, *dar* durch du vort
Uns cristen hast *die* versunung
Erworben vonn hellischer pein,
195 Gib selikeyt
Der cristen sammung gare!

Amenn.

Hanß Folcz.

[37.]

1.

/*153r*/ O cristenn mensch, betracht
Das inprunstig beweynenn
Maria der vill reynen,
Do sie ir kinth
5 Hoch an dem creucz sach hangenn
Unnd solich groß onmacht
Sic*h* an ym thet erscheinen
Unnd aller trost het keinenn.
O mensch, besint
10 Das muterlich verlangenn

Des junckfreuliches herczenn ir,
Wie sie mit flammender begir
Gedacht: 'ach das ich hing pey dir,
So wer mir woll.
15 O sun, wie sol
Ich ansehenn den schmerczenn
Deines betrubtenn herczenn?'
Wo pleib do, meit, dein scherczenn
Des trostes vol,
20 Als do er noß dein spunne?
Sag wes du hie begunne,
Do er vol alles kumers dol
Was an dem creucz umbfangenn

185. *l.* wun? 188. seligen *M.* 192. dar *fehlt M.* 193. die *fehlt M.*

Ms. XXXVII von Wackernagel aus N2 abgedruckt im 2. Band seines Kirchenliedes No. 1051. Wackernagel hielt das Lied nicht für ein eigenes Werk Folzens, was aber durch sein Vorhandensein in M ohne weiteres widerlegt ist. Überschrift: In meister hans volczen passional 7 lieder *N2.* 7. Sich *N2,* Sie *M.* 20. den gspüme *N2.* 21. S. weis dy hy pegünen *N2.*

2.

[153v] So gar an allenn trost
25 Zu pein unnd not pereyte,
Mit armen auß gepreite
Unnd plossem leib
An dreyen nageln schwebenn,
Den schechernn gleich genost
30 Zu sunderlichem leyte
Der seinenn guttikeyte
Unnd dir, du weib,
Unnd wer sich ym het gebenn.

Wie doch dein junckfreulich beger
35 Fur nam: 'creucz, neig dich zu mir her,
Nym mich auch yn des todes ser,
Du strenges pet!
So wirt geset
Der argen juden rache
40 Inn unser peyder schmache,
Dor zu yn lang was jache.
Ach herr, bestet
Mich hie mit dir zu sterbenn,
Laß mich mit dir verderbenn,
45 So wirt mein elend gar verczet,
Dor yn ich doch *tu* strebenn!'

3.

[154r] Nun was ein wunder groß
Wie Jesus leibes laste
Ein so*ll*che lange raste
50 Drey ganoze stund
Nit vonn dem creucz abschilte
Unnd an denn negeln ploß
Enthaldenn ward so faste
Das hant noch fuß auß praste.
55 Hie sey euch kund
Wie man sei*ns* leibes wilte,

Das do pleib weder fleisch noch plut,
Dan das ym auß der seytten wut,
Do vonn uns kam des tauffes flut;
60 Das ander zwar
Am olperg far
Unnd an der geysselungen
Wart hart vonn ym gezwungen,

25. Zw seiner not bereite *N2*. 30. In *N2*. 37. pet] tet *N2*. 41. im *N2*. 46. dw *N2*. *fehlt M*. leben *N2*. 49. solliche *M*. 54. haůt *N2*. 56. seines *M*. 59. teůfels *N2*. 63. in beczwůngen *N2*.

Dornoch an der kronungen
65 Unnd auch fur war
In der annaglung herte.
Also wart auß gererte
Plut, fleisch mit ander feuchten clar,
Das yn der *tot* behilte.

4.

[154ᵃ] O wer mocht ymer paß
71 Die sach nun han erkente,
Wie er sein czins unnd rente
Het auß gespant,
Wann das muterlich hercze.

75 Als er verwesenn was
Unnd an dem fleisch verschwente
Peyn unnd oder zu dente,
Die man zu hant
Mocht han geczelt an schercze.

80 Hie pey die muter auch wol spurt
Das lebenn das er het gefurt
Piß *an* das creucz vonn seiner gepurt
In hicz unnd kelt
Unnd manigfelt
85 Mit vastenn, wachen, piten
Unnd manchen hertten triten,
Piß wir wurdenn erstriten.
O wer erzelt
Den mynsten teyl der peine
90 Der strengenn marter seyne,
Unnd wie die muter ward gequelt
In ires kindes schmercze?

5.

[155ʳ] Nun tracht wie mangenn ranck
Er an dem creucz verprachte,
95 Piß er sich gancz auß fachte
Unnd also stund
Gen der muter gepucket

Schwach, durstig, mud und kranck.
Durchflossenn mit onmachte
100 Unnd an der kel verschmachte
Mit durren mund,
Sein zung gancz auß getrucket.

64. in *N2.* 69. tot *fehlt M.* 71. nun] da *N2.* 82. an *N2, fehlt M.* seiner pürt *N2.*
93. Petracht wy manchen sanck *N2.* 94. volprachte *N2.* 95. auß] ab *N2.*

Sein haubt gekront mit dornen was,
Sein augen voller czeher naß.
105 O wen solt nit erparmen das,
Wan gancz anffar
Sein antlitz war
Mit totlicher gestalte,
An krefftenn gancz erkalte
110 Noch menschlichem gewalte,
Durchlochert gar
Waren sein fuß unnd hende
Gerecket an drew ende.
Wie nun die sel der muter clar
115 In leyd pleib unverrucket,

6.

[155ᵛ] Do sult ir pey verstan:
Seit das sie was die hoste,
Die wirdigst unnd die groste
Ob aller czir
120 Der rein junckfrawenn schare,
Das selb der herr sach an,
Do er yn trubsal roste,
Unnd thet sie ym genoste.
Do ir pegir
125 In mitleydung so gare

Gen im besessenn was so gancz,
Do wolt Got das sie auch den krancz
Vor trug an der merterer tancz.
Wie mocht nun pas
130 Geschehen das,
Dann yn der gegenwarte
Des strengenn leydens hartte
Irs liebstenn sunes zartte?
Do vonn durch maß
135 Ein schwert ir hercz unnd sele,
Das ubertraff ann zele
Die heilgen marter, was ir was
Nach irem sun fur ware.

106. misfar *N2.* 108. Redt ich (?) gancz mis gestalte *N2.* 109. Ir *N2.* 113. Gestrecket *N2.* 120. Dar ein *N2.* 123. sie] zw *N2.* 128. mertrer *MN2.*

7.

[156v] Ja, het der sun ir nicht
140 Besunder steur gegebenn,
Geendet wer ir lebenn
Tausentveltich,
Ee er versucht die galle.

Ich schweig der zuversicht,
145 Do sie sach recht unnd ebenn
In mit dem tode strebenn
Unnd den sperstich
Noch seines todes valle.

Dovon ir hercz unnd sel led mort,
150 Do sie sach das ir hochster hort
Der menscheit sterblich was zu stort
Unnd sich nit eigt,
Sein haubt geneigt
Lag auff der prust her niden,
155 Mit offen mund verschidenn
Un*d* seren augen glidenn,
Do durch sich czeigt
Der pruche seiner augenn.
O mensch, bedenck wie taugenn
160 Ir hercz yn jamer wart geschweigt,
Das helfft ir clagenn alle!

Amen.

Hanß Folcz.

[157r] [38.]

Hannen krath Hans Foltzen barbires.

1.

Hie vor ein keyser mechtig saß zu Rame,
Pamphilus was sein name.
Der het als ym woll zame
Ein marschalck trew unnd stete zwar.

5 Der ließ ein sun, do in zwang sterbes note,
Dem thet er drew gebote:
Das erst: wer zu dem dote
Mit recht verurteilt wurd furwar,

Umb des lebenn solt er nit piten
10 Gancz numer mere;
Das ander: das durch yn vermitten
Do wurd vil sere

149. laid *N2.* 156. Vnd serent *N2,* Vnnseren *M.*
[38.] 9. *Von hier an gibt die Zeilenabteilung in M das metrische Schema nicht mehr wieder.*

Das er kein merern lud zu hauß durch ichte;
Das drit: das er mit nichte
15 Sein weib der sach berichte
Die er yn stil noch hete gar.

2.

Sein vater sturb. der sun das ambt versahe.
Dornoch yn kurcz geschahe,
Urteil und recht verjahe
20 Den tod eim ubelteter do.
Nun west der sun sein ampt also bestete,
Der erst do er umb pete,
Daz der dem tod nit nete,
Und san dem in ym selber no:

25 'Ich kan doch nit wol pezerz schicken,
Ich ret den armen.'
Pald loset er in von den stricken
Durch groß erparmen
Unnd verachtet alda seins vaters lere.
30 Der arm danckt im vil sere.
Der junge marschalck here
Daucht sich der sach gemeyt unnd fro.

3.

[157r] Dem andernn pot gund er auch noch zu drachten
Unnd sprach: 'thu ichs verachten,
35 Wem mag es ungeschlachten?'
Ein groß wirtschafft er do zu richt.
Er lud den keiser unnd sein herschafft gare,
Die kamen all fur ware.
Do trug der marschalck dare
40 Al schecz unnd cleynet zu gesicht.

Do nun die wirtschafft nam ein ende,
Der keiser reiche
Die cleinet nemen ließ behende
Alle geleiche
45 Und sprach: 'es zimpt keim diner sulcher schacze;
Pey dem want der fursacze
Das er *der* hoffart dracze
Dar inen ub und anders nicht!'

---

24. selb. 25. schicke. 31. her. 42. Dē. 47. der *fehlt.*

4.

Die wirtschafft der herschafft die schit do vane.
50 Nun het der keiser frane
Ein sun, was erb der trane.
Zu dem begund sich keren schir
Der marschalck und wart sich mit im zu flicken
Und doch in sulchen schicken,
55 Wie er sein hercz mit stricken
Der lib enzunt und mit begir,

Auff das er auch das drit gepote
Seins vaters preche,
Und solt er dor umb leiden note,
60 Ob er sich reche.
Eins weibes gruß det er im offenbare
Mit listenn auß gefare,
Unnd wie so zart und clare
Ir anplick wer unnd all ir zir.

5.

[158r] Durch disenn grus enczundet wart mit schmercze
66 Des junglins mut und hercze.
Er docht wie *er* zu schercze
Mocht mit der schonen komen pald.
Teglich gund er den marschalck an zu fechten
70 Wie sie ein sin gedechten
Und schir zu wegen prechten
Die zart die im do det gewalt.

Der marschalck sprach: 'ein sunders gaden
Hab ich *euch* wole.
75 Dar ein will ich die schonen ladenn
Recht als ich sole.
Do schickt euch auff ein menet stet zu pleiben,
A*l* unmut auß zu treiben,
Das wil ich euch zu schreiben,
80 Auff das ich euch zu freund behald.

6.

Ye doch d*as* nymant inen werd der sache
Außerthalb dem gemache!'
Das selb der sun versprache.
Nun hort besunder abenteur:
85 Ein offne dirn mit aller schon beladen
Hieß er sich zir und paden,
Die furt er yn sein gaden,
Det ir mit reicher cleidung steur;

67. er *fehlt.* 74. euch *fehlt.* 78. Alhie. 81. des.

Des keisers sun das offenbarte.
90 Do hin er kame:
In daucht das weib von hoer arte
Und edlen stame.
Nun was sie unterweiset sulcher sitten
Das er durch fle und pitten
95 Sich ir nit kunt genitten,
Pei ir was im die weil geheur.

7.

158v) Laß wir die zwey sich yn der lieb verrichtenn
Und als ir leid vernichten!
Der marschalck der wart dichten
100 Wie er sein sach mit fleiß vollent.

Ein kelblein pracht er heimlich im zu wegen,
Er stach es mit seim tegen,
Macht plutig den und stegen,
Begrub es in ein stal behent.

105 Des marschalcks weib das plut ersache,
Vill laut sie schreie.
Sie sprach: 'mein man leit ungemache!'
Von wem das seie.
Der marschalck wart sich ir zu sehen geben
110 Und sprach: 'schweig stil und eben,
Es gilt mir leib und leben,
Ob ich hie werd von dir genent.

8.

Doch wolstu mir dein trew und eid verpflichten
Das du in den geschichten
115 Mich melden wolst mit nichten,
Ich offenbart dir dise dat.'

Die fraw sprach 'ja' und saczt im auch dor neben
Zu pfand ir leib unnd leben,
Das wolt sie dor umb geben,
120 Ob sie in precht in solche nat.

Do sprach er: 'weib, ich han verschuldet
Den tod mit sache
Das ich der wort nit han geduldet
Die zu mir sprache
125 Meins herrnn des keisers sun yn stroffes gute,
Das durchging mein gemute,
In zornn ich auff yn wute
Unnd nam ym do sein lebenn drat.'

108. we. 120. nat *aus* not. 128. drat *aus* drot.

9.

[159r] Auß zoch er seinen degen zu wor zeichenn.
130 Die fraw begund erpleichen,
Sie sprach: 'io ewicleichen
Muß ich furpaß besorgen dein!'

Der marschalck sprach: 'die sach leit neur an dire,
Es weyß nymant dan wire.'
135 Do schwur sie aber schire,
Vonn ir solt es verschwigen sein.

Das hilt die fraw mit ganczer stete
Vil noch ein stunde,
Piß sie zu ir gespilen nete.
140 Ir hercz und munde
Kunt ir die dat nit lenger fur do haltenn.
Sie sprach: 'wolt sich nit falten
Dein hertz und wolst gewalten
Dein zung, ich kunt dir grosse pein.'

10.

145 Unnd all die weil sagt sie ir dise date
Und sprach: 'nun schweig durch Gate,
Mein her must sterben drate,
Do hulff kein pittung numer mer.'

Also verpot ye ein der andernn harte,
150 Piß sein die stat vol warte:
Die red zum keiser karte
Wie den sein sun erstochenn wer.

Also es volleclich auß prache,
Er wart gefangen;
155 Den mort der marschalck pald verjache,
Wan man in langen
Des keysers sun nyndert gespuret hete.
Dor umb so wart bestete
Das man sein recht im dete.
160 Nun was zu Rom der site ser,

11.

[159v] Wan das sie leut mit recht verderben wolden,
So mustes ein besoldenn.
Nun det gemeinclich holden
All volk den marschalck trew und stet.

165 Dor umb was nimant der yn gert zu doten
Durch pet oder mit noten;
Doch wolt die schom nit roten
Den dip den er erpiten det.

137. gancz. 151. zu. 153. er. 162. *l.* bescholdenn. 163. *l.* het? *oder* 164 dem?
164. Alles.

Der selb nam yn zu doten ane
170 Umb ringes gute,
Das gab er seiner trew zu lane
Auß schalkes mute.
Dor umb wo haut und hor ist gancz vernichte,
Do wirt der pelcz entwichte,
175 Wie vil man dran verstichte:
Dem gleich auch diser poßwicht det.

12.

Erst wordenn im bekant seins vaters lere,
Die er veracht het sere.
Er dach: 'ja ymer mere
180 Wil ich gedencken seiner ret!'
Er sprach: 'verflucht sey ewiclich dein stame,
Von dan dein leib ye kame!
Wo ist yn dir die schame,
So iderman mich ledig let
185 Unnd du allein denn gerest toten
Der dich erneret?'
Der poßwicht sprach: 'wer det dichs noten?
Sich hat gemeret
Doch sider allenthalben mein unheile,
190 Dor zu pleib ich noch feyle
Dem ich do wart zu teyle,
Als recht und urteil gebenn het.'

13.

[160c] Do das der marschalck hort und recht erkente,
Zum keyser er hin sente,
195 Das er sein zorn ab wente,
Seyt Got sein sun erkuket het
Gancz von dem tode wider zu dem lebenn
Und im wurd wider geben.
Das marckt der keyser eben
200 Und pot das man yn pringen det.
Do vonn wart alles volck erfrewet
Der widerkere.
Mit dem marschalck man sich do zewet
Zum keiser here.
205 Do offenbart er im die sache gare,
Unnd wie er lauter clare
Do werdenn wolt geware
Der pot seins vaters trew und stet,

169. nā. 178. se *vor* het *gestr.* 179. = dacht. 180. seinē. 185. gerst. 193. rec *vor* hort *gestr.* 204. Zu. 205. sach.

14.

Die er im gab an seinem leczten ende.
210 Der keiser ließ hin sende,
Das man yn precht behende
Den aller liebsten sune sein,
Und ob des marschalcks red wer auff gerichte.
Der sun west genczlich nichte
215 Vonn aller vor geschichte
Und von des jungen marschalcks pein.

Also het er es wol bestellet
Gar ordenleichenn.
Groß freud im keiser sich auff wellet,
220 Und inecleichen
Beweinet er yn freud des su*ns* zu kunffte
Mit grosser schar und zunffte
Unnd urteilt auß vernunffte
Aldo dem jungen marschalck rein

15.

[160a] Erlediung auß aller seiner nate.
226 Dar zu er pald gepote
Das man sein cleynet drate
Im wider antwurt schnelle gar.
Seyt er das het auß abenteur begunnen,
230 So geb er im gewunnen,
Doch sprach *er*: 'piß besunnen,
Das du hin fur sein nemest war!'

Auff die drei sach ein yeder trachte:
Daz erst das ere!
235 Lad kein zu hauß dem er und machte
Sei michelz mere;
Wan wo der reich dem armen wil genossen
Und mit im hoch wil possen,
Der wirt von in gelossen,
240 Ob sich sein ende trifelt gar.

16.

Das ander: wo das recht den tod urteilet,
Ein der do ist vermeilet,
Der pleibt doch ungeheilet
Der urteil, die do rechtlich ist;
245 Wan es muß ye das recht erfullet werdenn
Dort oder hie auff erden,
Und vor sulchen geferden
Hut dich, mensch, ob du wiczig pist.

---

209. seinē. 213. ob des jungē m. 221. sunes. 231. er *fehlt.* 233 *f. steht hinter* 235 *f.; umgestellt von Roethe.*

Wann poß gewonheit auß zureutten
250 Ist hart und schwere,
Die vonn jugent anhangt den leuten
An widerkere,
Vor auß, wo sein der mensch nit selber remet
Unnd nicht sein willen zemet
255 Und keins lasters sich schemet,
Do ist verdorben aller list.

17.

/161r/ Das drit: so wart kein weib so milt und stille,
Begreifft sie der unwille,
So ist ir nichcz zu file,
260 Sie offenbaret was sie weiß.
Ich wil geschweigen der die gancz unguttig
Sint, zornig und auch wutig.
Dor umb so seit einmutig
Vor in, sie nidern euren preiß!
265 Besunder hut euch vor den frawen
An eren lamen,
Die heimlichen, die winckel pawen
Und sich nit schamen,
Und vor den allen vor den offenbaren,
270 Die aller schanden faren,
Durch die in kurczen jaren
Sich mancher steln und morden fleiß.

18.

Dorumb ein yeder seines mundes hute
Vor weiber, der gemute
275 In furwicz teglich plute,
Oder wie frum eins eweib sey.
Wann weib hant kurczen mut und lange cleider,
Unnd ist ein deutung leyder,
Wie groß die lieb ir peider
280 In ymer hat gewonet pey,
Noch ob sie weyß ein alten duke
Von irem mane,
Wie vill der zeit dor noch hin rucke,
Sie denckt im drane,
285 Spricht Hans von Wurms barbirer unnd gibt rote
In seinem hanen crote:
Hut euch vor sulch*er* date,
So singt er frolich hey ho hey!

Amenn.

Hanß Folcz.

---

250. schwer. 256. verderben *M*, verdorben *Roethe*. 264. eurn. 282. irē. 287. sulch. 288. *l.* ir?

12*

[39.]

1.

[161v] Ir singer hochgepornn,
Mir ist so vil gesaget worn
Wie das man *mit* gesanges sporn
Wol auff der kunstenn pferde rit.
5 Die kunsten reichen pffet
Nim ich allz einr der geren het
Was zu den kunsten leyten det:
So hab ich in meinr jugent nit

Mein grobenn leichnam nye dar zu gewegen,
10 Das ich het sulcher hoen kunst gepflegenn.
Welt noch geluckes regen
Mich feuchten hie, das wer mir not.

2.

Mocht ich der weißheit spin
Geleben auß der kunsten rin
15 Unnd honig saugen mit den pin
Auß meisterlicher kunsten wifft,
Das reiner plumen safft
Auß wurckung meiner meisterschafft
Nicht an sich nem der spynnen krafft
20 Unnd im mir wurd zu arger gifft!

Wo man mein kunst dan spuret pey den weysen,
Worlichen schanden mocht ich nit entreisen;
Der mich dor fur det speysenn,
Mit gunst ich volget seinem rot.

3.

[162r] Wann ich pin leyder grob.
26 Kranck mutekeyt hot schwaches lob,
Welch haubt nit schwebt des synnes ob
In taugenlicher fantasei,
Doch zwingt mich dor zu hart.
30 Es warb ein man noch pischoffs art,
Zu letst er doch ein mesner wart
Des selben stifftz unnd want im pei.

So spricht man auch: wor noch der man dot *ringen*,
Des mag er doch ein teil zu wegen pringen:
35 Mocht mir des gleich gelingen,
Dornoch mein sin geworbenn hat.

[39.] 3. mir. 4. pferd. 6. Nū. 14. *l.* Geheben? 33. ringen *fehlt.*

4.

Nun dut mich eins gefreyt:
Vill offt ein krumes durres scheyt
So vil der guten flamen geit
40 Als eins das grun und eben ist.

Auch fint man das gemein:
Vil offt ein rawer grober stein
Gepildet wirt so scharff unnd rein
Noch seines weisen meisters list,

45 Der yn noch kunst getreulich hat gewurcket.
Des gleichen ir in kunsten mich hie stercket,
Das ich nit werd gemercket
Strofflicher art in mancher dot.

5.

[162a] Wen wisset das mein art
50 Des esels siten nie gespart.
Wo der ein mol dut strauchen hart,
Die stat die meit er, wo er mag.

Dem selbenn ich mich gleich.
Wer mich getrewer ler verzeich,
55 Des stat ich furpas alzeit weich,
Und solt ich leben manchen tag.

Auch wo der esel get uber ein pruckenn,
Man per im dan gar hart den seinen rucken,
Sicht er dar durch ein luckenn,
60 Mit grossem angst er fur paß gat.

6.

Dor umb, ir meister frut,
Seit strefflich mit der kunsten rut,
Senfftmutiglich an neides mut,
Verschmecht nit ander meister kunst;

65 Ob euch Got hat getan
Besunder gnad auff freyer ban,
Lat schlecht einfeltig auch bestan,
Das euch nit ple der hoffart dunst,

Dor umb Nabuchodonosor must leiden,
70 Wol siben jar sin unnd vernufft vermeidenn,
Als offt noch dem gescheidenn
Geschehen mocht durch arge sat.

Hanß Folcz.

---

58. gar *und* den *nachträglich hereinkorr., ebenso* seinē *aus* dem *gemacht.* 66. freyr. 70. sin *Roethe,* sein *M.*

[40.]

1.

[163r] O Got, wie rein und zart
Ist meister *gsang* in seiner art.
Wol dem der des ye wirdig wart,
Das er gesanges pflegen sol!
5 Ir werden singer frut,
Und habt mein grobheit hie fur gut,
Mein hercz nicht anders zu euch mut,
Dan mocht ich euch gefallen wol

Mit mein gesang, doch wil ich mich lon stroffen,
10 Unnd zwor mich dunckt, ich hab zu lang geschloffen.
Kunstelosens woffen
Fur ich noch in den hendenn mein.

2.

Dor umb, ir schuler auch,
Nempt auff yn gut mich armen gauch,
15 Wie wol mein kerren nicht endauch,
Ye doch gefelt mir wol die kunst.
Ach das es Got neur wolt
Das ich die czeit gelebenn solt
Das auch mit lernung wurd erfolt
20 Mein hercz in hiczelicher prunst.

Dor umb wolt ich meins krausen hors enperen
Unnd wolt mir lan ein narren platten scheren.
Der mich die art wolt leren,
Des diner wolt ich ymer sein.

3.

[163v] Ye doch ob einer wer
26 Der sich bedeucht an kunsten schwer,
Der mocht sich an mich seczen her,
Ob mir sein stroff zu lernung docht:
Ich mein den pesten hie,
30 Hat man im vor geschneuczet nye,
Worer gesungen hot und wie,
Von mir er hie wol losen mocht.

[40.] *veröffentlicht von Habel in den „Quartalblättern für Literatur und Kunst zu Mainz.“ Dritter Jahrgang 1832. Heft 4. S. 60. cf. Keller, Fastn. III, 1271. Goedeke Grundriß I, 350.* 2. gesang. 3. dem *aus* jm. 9. *l.* meim? 11. *l.* Ein kunsteloses? 19. erfolt *aus* erfalt. 30. jm *vor* jm *gestr.*

Dor umb wurff ich die wurst wol an den pachen.
Geschweigt er mich der poßheit, muß ich lachen.
35 Ich hoff es werd sich machen.
Wer an mich wol, des acht ich clein!

Hanß Folcz.

[41.]

1.

Wol her, wol her an mich,
Als du hast underwunden dich!
Doch merck*e* mich vor fleisseclich,
Was ich dir hie auß dingen thu:
5 Nym all dein kunst enpfor,
Was du ir alle deine jor
Gelernet host. so schol dir zwor
Von mir kein neit gescheen ye.

Unnd sein dir als gesang auffs grobst erlaubet,
10 Dor mit du manchen hast seinr wicz beraubet.
Wird ich vonn dir getaubet,
Den spot unnd schaden wil ich han.

2.

[164r] Nymant zu liebe gar
Noch auch zu leid in diser schar,
15 Sunder in kurcz weil offenbar,
Das es den leuten wol gefall,
Also sing du mit mir,
(Des gleichen will ich auch mit dir)
Unnd sing noch all deins herczen gir!
20 Wan ich secz ye an dich mit schall

Auff diser wal mit mancher spehen kure
Unnd *ob* ich dich auff falschem steig hie spure
Unnd ich dich dor noch rure,
So laß dirs nit zu herczenn gan:

3.

25 Wan ich sag dir do pei:
Wer ich yn dein geduncken sei,
So fur ich doch der kunsten zwei
Auff meinem helm unnd reit dich an
Mit schilt unnd auch mit sper,
30 Ich *ſicht* yn ritterlicher wer
Und geb umb dich halt nit ein ber;
Mein kunst zelt auff der kunsten pan,

[41.] 3. merck. 8. ye] *l.* nu? 13. liebe *aus* lieb. 22. ob *ergänzt von Roethe.* 30. ſich *Roethe* (= ſicht), sich *M.* 32. *l.* zilt? *Roethe denkt an* helt.

Dor auff ich manchen singer hab besessen,
Das seines hoen rumes wart vergessen.
35 Wol auff, und loß unns messen
Die sper, so haw wir frolich dran!

Hanß Folcz.

[42.]

1.

[164v] Mein draut geselle gut,
Wie gern erzeiget sich dein mut!
Dein hercz das glimet als ein glut
Gen mir in hiczelicher ger.
5 Unnd zwor du rewest mich:
Das ich noch ye so hertenclich
Mit meim gesang erzurnte dich,
Vergib mir das und ander mer!
Wann ee ich deiner freuntschafft wolt enperen,
10 Ee hulff ich dir gancz deine hab verczeren
Und wolt mich pey dir neren,
Ob sein halt kein schadenn het.

2.

Dor umb *so* schon du mein,
Des gleichen wil ich zwor auch dein.
15 Du dunckst gar gut einfeltig sein
Und werst ein guter trampel knecht.
Dor umb so volg du mir.
Ein guten rot den gib ich dir,
Das du ernertest deiner vir.
20 Auch werstu dar zu gar gerecht.
Nun zeuch dich hin gen Francken unbezwungen,
Do ler ich dich die reben hofflich dungen
Und volg meiner lernungen:
Dein sach dir fur paß eben get.

3.

[165r] So du gescheissest fru,
25 Das wurff in munt dan alles nu
Unnd keu ein stro hubschlich dar zu,
Piß es recht wol gemuschet ist.
Dornoch nym eben war
30 Unnd spey es an die stocke dar
Unnd also thu in allenn gar.
Auff erden wart nie pesser mist!

[42.] 10. dein. 12. *l.* Ob ich sein? 13. so *fehlt.* 14. dein *vor* auch *gestr.*

Unnd ist dir nuczer dan dein armes singen.
So thut dich auch des ambcz nymant verdringen.
35 Nun heb dich hin geringen,
Ee man ein andernn dar zu pet!

¡Hanß Folcz.

[43.]

1.

Ach das ich dich nit kant
Unnd mich gesanges unterwant
Mit dir, das pringet mir hie schant,
Wan ich gespottes wartten muß,
5 Als ich an dir wol spur.
Jo, wer ich daussen vor der thur,
Mit dir zu singen ich verschwur,
Ob ich erwurbe deinen gruß.

Sag mir unnd pistus nit der Regenbogen?
10 Wor umb hab ich mich dan nit paß geschmogen?
Gestalt hat mich betrogen,
Vor ein andernn ich dich erkent.

2.

[165r] Und solt ich han geschwornn,
So sach ich neulich ein do vorn,
15 Der was uber den kamp beschornn
Unnd het ein narrenkappen an.
Fur den ich dich erkoß
Als lang, piß deiner styme doß
Mit linden worten senfft her floß,
20 Dor noch ich mich erst rech versan.

Jo, wer Kunrat von Wirczpurg noch pei leben,
Dem man doch hort vil hoes *preises* gebenn
Und Frawenlob dor neben,
Der ein wirstu von mir genent.

3.

25 O meister kunstenn hol,
Wie wol schmeckt dir meins lobes zol,
Des gleich ich dich dem rabenn wol,
Und der die pfaben federn fant;
Die stackt er in sein schwancz,
30 Sein gnoß wart er verschmeen gancz
Unnd zoch hin an der pfaben tancz,
Die triben auß im iren dant;

[43.] 20. = recht. 22. h *hinter* hort *gestr.* preiß.

Zu letst do kamenn uber yn gelauffen
Und gunden im sein federnn all auß rauffenn.
35 Also wirstu dir kauffen
Umb deine hoffart solch present!

Hanß Folcz.

[44.]

1.

[166r] Nun merck ich wol an dir,
Als du dich host erzeiget mir,
Das du bestundest meiner vir
Mit deiner grossen listikeit.

5 Dor umb so frag ich dich
Ob du wist zu bescheiden mich
Unnd mir verantwurst meisterlich
Hie meiner froge unterscheit.

Sag an: wer hat den ersten man gemachet?
10 Weistu des nit, dein wirt in spot gelachet,
Auch wirt dein kunst geschwachet
Vonn mir an allen enden gar. —

2.

Noch eins mich hie bescheit:
Wer hat gelept yn diser zeit,
15 Der nicht auff aller erden preit,
Noch in dem paradeise wer,

Noch in des himels port,
Noch in dem mer an keinem ort;
Auch was er nit, nun merckt mich fort,
20 Dort in der pitternn helle schwer,

Noch im feugfeur. nun rot in schneller eyle,
Rat wer er was und wo er wer die weile!
Dein lob an preises zeile
Ich selber sing gar offenbar. —

3.

25 Noch eins rot du mir fort
Und sag mir auch an welchem ort
Ein esel farczt, das es erhort
Daz volk auff erden uberall.

Retstu mir dise ding,
30 So glaub ich wol das dir geling,
Dein lob ich furpaß selber sing
Mit meisterschafft auff diser wall.

---

36. dein.
[44.] 21. noch *hinter* feugfeur *gestr.*

Weistu des nit, so wurd nit lang zu rote
Und lauff dem leremeister noch vil drote
35 Und stich in pald zu dote,
Das man seinr kunst nit mer erfar!

Hanß Folcz.

[45.]

1.

/166v/ Ach du mein schlindentrunck,
Nun pistu doch zwor nit so junck,
Hestu der kunsten uresprungk,
Die frag hestu beschiden mir.
5 Doch das dein mut nit denck
Das ich dich neur *mit* freg hie krenk,
Der frog auffschluß ich dir auch schenck,
Ob du dar zu hettest begir. —

Go*t* schuff Adam ein jungeling so frane,
10 Den macht dor noch Eva zu einem mane,
Do er mit ir begane
Die werck menschlicher lustikeit. —

2.

Die ander frag ist die:
Abacuk lebet zeitlich hie,
15 Der selbig doch auff ein zeit nie
In himel, erd noch helle,
Auch in dem mere nicht
Noch in des paradeises pflicht,
Sunder durch die gotlich geschicht
20 — — — — — — — — — — —

Got yn hin furet pey dem hare
Zu Daniel ind lebengruben zware,
Das er im precht sein nare,
Die er den schnittern hett bereyt. —

3.

25 Wo alle welt auch hort
Denn schiß des esels, das was dort
In der arch Noe, mercket fort,
Die acht person neur woret in! —
Nun dar, mein lorleinß knab,
30 Mein frag ich dir beweret hab,
Thu dich deins singes furpaß ab,
Ee das ich dir noch grober spin.

[45.] 6. nit. 9. Go. 20 *fehlt.* 22. ind leben. 28. *l.* Da acht p. n. worent in? *(Roethe).*

Wann du pist ye gesanges noch ein affe.
Heb dich dor von, ee das ich dich paß straffe
35 Unnd mit gesang hie schaffe
Das man dich in ein wasser dreyt!

Hanß Folcz.

[46.]

1.

[167r] Mich wundert ser und fast
War auff du dich doch neur verlast,
Das du gesanges dich nit mast
Und furst doch nit gesanges art:

5 Schloß reymen, punt und hell,
Die creucz, die spiß, der korner zell,
— — — — — — — — — — — —
Des doch gesanges nit erspart;

Verporgen reyme sint dir unbekante,
10 Gespalten wort die reymen vil in hante,
Die werden gar genante
Auß grobheit deiner dunnen wicz.

2.

Dor umb ich dich hie stroff;
Schlegreym, die cleb und uberhoff
15 Die plestu sam ein altes schoff,
Das den roczigen husten hot.

Der halben silben cleng
Pringstu zu lang ir aneheng,
Zu weich, zu hart die meisten meng,
20 Ein rechtes mittel wer dir not.

Dor umb pistu deinr kunst gar ungemessen,
Doch hastu sein noch nit gar vil vergessen
Und hast zu lang versessen,
Dor um ich dir dein kunst verricz.

---

34. d *in* dich *aus* u *korr.*
[45.] 7 *fehlt.* 14. rey.

3.

25 Auch gestu ire da
Der kunst genennet musica
Gesanges ut re mi fa sol la,
Das alles *gsang* dut ziren hie.

Nun wil ich roten dir:
30 Wiltu sein unbeschempt von mir,
Deins falschenn singes hie enpir.
— — — — — — — — — — —

Pey all dein tagen wardt so rein geschneuczet,
Hestus gewest, dir het vor langst gescheuczet,
35 Geseget unnd gecreuczet
Hestu dich heut vor angst unnd hicz.

Hanß Folcz.

[47.]

1.

[167a] Noch kerstu dich nit dran
Was ich dein ye geschonet han.
Ich sag dir, lestu nicht dor von,
Dein plerren muß dir werden leyt.

5 Nun ist es doch nit lang
Das ich allein mit 12 sang;
Der schluffen drei unter ein panck
Und 2 hinter ein mantel preyt,

Der do hing hinter einer stuben thure;
10 Do guczt der eyne pey der weil her fure
Und het aldo sein spure
Wie es den andernn wurd ergan.

2.

Ein cleine weil dornoch
Der sechst hinter den offen croch,
15 Den hut er fur die augen *zoch*,
Das man sein nit erkennen solt.

O Got von himelrich,
Do sahen erst so jemerlich
Die, das sie *ser* erparmten mich.
20 Ir keiner auch mer singen wolt.

Doch reckten sie die finger auff gemeinen
Und huben an so jemerlich zu weinen;
Do kam ein junckfraw reine
Und schri mich inechichen an,

25. = irre. 28. gesang. 32 *fehlt.* 33. *oder* dem?
[47.] 12. ai *vor* ergan *gestr.* 15. *Das Reimwort* zoch *fehlt.* 19. ser *fehlt.*

3.

25 Das ich sie leben ließ,
Dor umb sie mir irn dinst verhieß;
Ein ring vonn gold sie mir an stiß
Unnd saczt mir auff ein krencze-
lein,
Umb das ich tet *in wol*
30 Unnd liß sie lauffen all zu mol.
Des wurden alle freuden vol,
Wann ich gewert die maget rein.

Do sach kein man auff erd so froer leute!
Also wirt dir gescheen auch noch heute;
35 Mit kunst ich dir bedeute,
Das du mit schand auch lauffst dor vonn.

Hanß Folcz.

[48.]

1.

[168r] Ach was hab ich gethan,
Das ich so gar ein weisen man
Mit frag alhie beschemet han,
Dem es doch nymant het gedraut,
5 Und ich doch ane zil
Von im gehoret hab so vil
Das ich sein numer glauben wil,
Und wil auch seczen an sein haut.

Wan wonet kunst in seinez herczenn grunde,
10 Mein frag het er verantwurt mir zu stunde,
Des er doch nit enkunde,
Als man an im wol spurt mit recht.

2.

Wan wen ein frag an went
Die er mit antwurt nit bekent
15 Und mit eym andernn es
verquent,
Das auff die frag doch nit enzimpt,
Zwor der gibt schuldig sich
In seinr unkunst mit krummen
schlich,
Do mit er gernn wolt effen mich,
20 Wie wol er sein nit lobes nympt.

Nun kum ich auß eym dorff von Francken here
Und meint mit frag weyßheit von euch zu lere,
So sint euch vil zu schwere
Drey kindisch frag von grobenn knecht.

29. in wol *fehlt; erg. v. Roethe.* 33. man nie auf.
[48.] 7. numer^s. 10. mir *hinter* er *gestr.* 15. eȳ. 18. vnkunst *aus* kunst. mit eym krummen.

3.

25 O meiner hoffenung!
Die weil ich was von joren jung,
Do docht ich wie der uresprung
Mitt kunst allein zu Nurnberg wer.
So hat mich erst erschreckt
30 Das ich so pald hie hab besteckt
Den esel der lang auff geleckt
Hot gar in hofffertiger ger.

Des wil ich mich meins dorffs dest mynder schemen
Und wil furpaß der grosse stete remen,
35 Die meister dor in semen
Mit meinen stadelkunsten schlecht.

Hanß Folcz.

[49.]

1.

[168ᵛ] O Got, was paurn pin ich,
Das man gen schul nit lisse mich
Unt das ich suden must dem vich
Und unter weiln zu acker gan.
5 Villeicht ich worden wer
Auch diser kunst ein meister her,
Der siben sint und ander mer,
Die do pey zelten auff der pan.

Doch mein ich zwor, man find noch manchen narren,
10 Der von den siben kunsten vil thut plarren,
Het er die poden scharren,
Gar wol er sich genugen list.

2.

Ist es an sophistrey,
Das dir die kunste wonen pey,
15 So weiß ich nit vier doctor frey,
Die dir geleichen mugen zwor.
Aber mich dunckt eins zwei,
Wie du auch seist ein grober ley,
Wie doch du hast ein groß geschrey
20 Mit deinem geuden uber jor.

Und wolt mirs neur der wirt alhie gestaten,
Mit stadelkunsten wolt ich dich noch maten,
Das du wurst gleich dem schaten,
Der ringer dan ein federnn ist.

33. dorffes. 35. semen = sæmen *'befruchten'? oder l.* zemen?
[49.] 3. *l.* fuden? *(Roethe).* 14. kunst. 16. gleichen. 20. deine.

3.

25 Es stet eym weisen man
Sulch rumerei gar ubell an,
Der er doch nit beweren kan,
Ob es etwen zu schulden kem.
Wan wer es dar mit schlecht,
30 Das einr ein plenckinger her mecht
Unnd dor mit het ein groß
geprecht,
Das man es dan fur kunst auff
nem,
Man wurd der hohen schul gar wol enperen,
Dor noch mancher muß grosses gut verzeren,
35 Das er bestee mit eren,
Wo man die 7 kunst auß mist.

Hanß Folcz.

Das gesi*b*ent par ist durch Hannsen Foltzn vonn Wormbs barbierern zu Nurmberg gemacht unnd gedichtet Jacoben Bernhaubt Schwennter benant. Ime in grosser gunst unnd liebe zugestelt, doch umb sein darbezalunng unnd ist im 1496 jarnn gesunngen durch angezaigtenn Schwentern auff der singeschul umb ein klainoth. Es ist im unbekanten thon und saget von den siben freyen kunsten itlicher, ir erfinder, planeth, farb, methall.

25. eÿ. 38. gesibent *Roethe*, gesilbent *M*.

II.

Die Weimarer Handschrift

Q 566.

[50.]

Lied.

[27r] *Der nächtliche Besuch oder Der Junggesell und der Wächter.*

1.

'O trauter wachter gut,
Durch deinen senfften mut
Meins herczen clag vernym,
Wie grim
5 Ir senen mich durch echt.

Pistu ein gut gesel,
Mein grosses ungefel
Las dir geclaget sein.
In pein
10 Mein hercz sich zu ir necht.

Ich gilff;
Hilff
Tragen mir mein leit!
Jo
15 Wo
Mir wurd dein hillff ferseit,
Bereit
Wur ich von herczen
Zu schmerczen,
20 Das mir dein untrew brecht.

2.

O guter wachter eil,
Pflig schneller kurczer weil,
Hallt frawen dinst bevor;
Fur wor
25 Dir numer misselingt.

In stil spreng dich zu ir,
Hor selber ir begir.
Waz dir die zart enpfhel,
Thu schnell.
30 Zu wirden ez dich pringt.

Und wie
Sie
Dan gen dir gepar,
Das
35 Las
Mich wissen alles gar,
Und zwar
Du wirst begobet,
Gelobet,
40 Ob mir dein hillff zu springt.'

[50.] *Die Überschrift von moderner Hand. Die 3. Zeile des Abgesangs schwankt zwischen 5 und 6 Silben.* 16. wirt *vor* wurd *durchstr.* 21. zar *vor* gut: *durchstr.* 36. offenb *vor* alles *durchstr.*

13*

3.

Der wachter gutlich sprach:
'O libster knab, die sach
Ist mir ein teil zu swer;
Mein her
45 Hot mir es nit verkunt.

Dein ring swer schaczig not
Precht mir den pitern dot.
Wer acht wie mir geschech,
Man sprech
50 Ich het dar nach gesunt.

Um diß,
Wiß,
Zimet es mir nicht.
Drab
55 Ab!
Ich ruch wie dir geschicht.
Nit ficht
Um cleines leiden,
Ob meiden
60 Dein hercz hat an gezünt.'

4.

Das freylin het erhort
Des strengen wachters wort.
Ir hercz in leid ercracht
Und sacht
65 Ser nach dem knaben gut.

Auß inprustigem flam
Sie ir das urteil nam,
Wie sie ir lip erjagt,
Und wagt
70 Sich mit bedruptem mut,

Nempt war,
Dar
Wol zu dem wachter hert.
Ir
75 Gir
Wart vor im auff gespert.
Verkert,
Ir farb waß gare
Unffare,
80 Erkallt was allz ir plut.

5.

Sie sprach: 'draut wachter gut,
Wart nit bewegt dein mut,
Do du so senlich wort
Erhort
Des *[27r]* knaben in dem tal?

85 Mir kam auß ußer gim
Seinr clage wort eyn stim
Getrungen in mein orn;
Geporn
90 Daucht cleglich mich sein hal.

Ach nu
Thu
Entlenn deins herczen has!
Rat
95 Drat
Wie im werd kumers pas,
Nit las!
Kul wirt die nachte.
Hab achte!
100 Man sicht der stern an zal.

63. *oder* ertracht? 70. bedruptē. 71. Nempt *aus* Nimpt. 85. des des. 94. Rat *über durchstr.* acht.

Merck, wachter, wie geswind
Sint heint die külen wind.
Ich spur des riselns neßß.
Wie reß
105 Wirt es der reiff gen tag!

Kanstun her ein versteln,
Ich hillf dirs selb verheln.
She hin mein weiplich trew,
Kein rew
110 Enpringt ez dir noch clag.'

6.

Jo, wer
Der
Wachter im spital
Ye
115 Hie
Gewest in sulcher qual,
Zu mal
Het er do wol enpfunden
Von stunden
120 War nach ir hercz hatt frag.

7.

Der wachter auß vernunft
Besan der clag zukunft
Seinr zarten frawen her,
Ob er
125 Den knaben lis elent.

Pald er sich zu im swang,
Do von vor freud auff sprang
Das hercz in irer prust;
Vertust
130 Wart do der knab behent

Zu ir
Schir
Heimlich an ir gemach,
Jo
135 Do
Vor freiden nit zuprach
Mit ach
Ir herczen gare;
Fur ware
140 Das wunder mich noch plent.

8.

Der wachter weiß und clug
Gar auß gelimpfes fug
In zuchten zu in kort,
Verhort
145 Ir peider sin und mut

Und mellt dar pei sein not.
Gelobet wart im drot
Das keiner hand uner
Noch gfer
150 Sie reiczt dan eytel gut.

Von stat
Drat
Er do und sprach: 'pflegt rü,
Secht,
155 Specht
Wan ich euch weke frü
Und thu
Mein horn erschellen,
Den geellen
160 Nym ich dan in meyn hut.

---

101. wachter *über* wie *u.* 102. külen *über* wind *mit dunklerer Tinte eingefügt.* 106. Kanstun — Kanstu in. *vor* 126 Palld eylend er sich swang *durchstr.* 137. mit ach *in grober Schrif über durchstr.* daz hercz. 138. peid^c *vor* herczē *(grobe Schrift am rechten Rande) durchstr.* 158. erschellen *aus* erschelln. 159. gesellen *aus* gsellen.

9.

Der wachter eillt sein stroß,
Die zwei auß libe groß
Sich schmuckten in die arm
Fil warm.
165 Die zart zehern begund.

[28r] Der knab auß drostes güt
Leib, sel, hercz und gemüt
Der frawen sein erkukt.
Gegluckt
170 Het in die selig stund.

Nach lust
Prust
An prust gedrucket wart,
Kundt
175 Munt
Dem mund wart manig fart,
Nach art
In lib verrigelt,
Versigellt
180 Wart hercz mit herczen grund.

10.

Erst wart von lib gekost,
Hercz, lib von lib getrost.
Prunst, flam in zunders plick
Fil dick
185 In in wurkt heiß und kald.

Der knab auß senen swach
Sich nach der strew um sach,
Kort mit der schon zu pett:
Verzett
190 Wart do ir umut pald.

Wie zart
Wart
Herczlib von lib getrewt,
Schmercz,
195 Schercz
Im herczen offt vernewt.
Berewt
Wart dik ir scheiden
Von freiden,
200 Das in wurd thun gewallt.

11.

Ez naht der dagez stund,
Der wachter eilln begund
Pald zu erscheln sein horn.
Geparn
205 Det cleglich die fil zart.

Der wachter clopfet leiß,
Dar sprang der jugling weiß
Und sprach: 'ich pin bereit!'
Und seit
210 Im danck seinr trewen wart.

'Ach, ach,'
Sprach
Der wachter, 'nym die lecz;
Acht,
215 Dracht
Wie ich in schirm dich secz;
Ergecz
Dich mit ir drate
Piß spate,
220 So nym die widerfart.'

161. z *vor* wachter *durchstr.* 165. do *vor* **und** det *nach* zehern *durchstr.* 177. nach art *über der Zeile nachgetr.* 180. *am Rand rechts undeutlich* grūt? *vor* 198 So sie jr *durchstr.* 210. fil māig fart *durchstr. vor* seinr trewn̄ wart *(am rechten Rand).* 220 nȳ.

12.

O mort und wafino!
Sie sach dem knaben no
Und wunscht im tausent stunt
Von grunt
225 Irs herczen gluck und heil. —

Hie spür ein flamendz hercz
Wie hicz prinender smercz
Den zweien ir gemut
Durch glüt,
230 Die vor in lib so geil

Die nacht
Wacht
Hetten in freid volentt.
Jo,
235 So
Ir lib doch unzutrent
Bekent
Wart, und die widerker
Ir swer
240 In entlich machet feil.

13.

O rerenprun der lib,
Ob ich die schuld dir gib
Mit deim schissenden stral
Sulch qual
245 An thun der jungen welt,

So loß in dein gericht
Dar um mich vallen nicht
Zu kestigen mein sel
Mit quel,
250 Das ich dein art nit schellt.

Wan nicht
Dicht
Ich sulches von mir zwar,
Wie
255 Hie
Drin stet gemeldet vor;
Fur wor
Kunt Hanß Folcz barwirer
Durch er
260 Den leuffen in der wellt.

[51.]

Der Lehrling.

1.

[28v] Ir weisen meinster alle,
Got geb euch heil und glucke
Zu ewer werden kunst,
Ob ir an falsche galle
5 Und auch an neides düke
Nit weget lib noch gunst,

Sunder daz ir das recht ab schaczet eben.
Auff dise sach wollt ich mich auch begeben,
Daz ich hart dete sunst.

---

von 221 an hellere, grünlichere Tinte. 223. vn. 233. freid *über durchstr.* lib. 238. vñ. *von 241 an noch hellere Tinte und weiter auseinander geschrieben.* 241. reren *undeutlich.* 253. sulch[es] *aus* sulch geschicht *verbessert.*

51.] *Die Überschrift von moderner Hand.*

2.

10 Wan mir ist ye fur komen
Ein newes testamente,
Daz principaliter
Dar um sey fur genomen,
Daz dar durch wurd geente
15 Der krig und auch der werr

Dar durch die kunst gar lang hie lag zuzaspet.
Hillff Got, daz sie zu samen werd geraspet!
Sie leit zurütet ferr.

3.

Wan wo die schaff sich strewen
20 Und selber hirt sein wellen,
Do drifellt sich ir schar;
Do von die wollff sich frewen,
Thun sich zu in gesellen,
Verloren sint sie gar;

25 So daz die hirten spuren die ir pflagen,
Und merken sie in sulchen niderlagen,
Den wirt ir red dan war:

4.

Ich mein die predigere,
Eppt, pischoff und prelaten,
30 Der ler sie hant veracht,
Und mein, sie kunen mere
Und wellen differ watten.
Dar nach ein ider acht

Wie er den andern unter sich mug druken;
35 Er meint ein staffel hoer nauff zu ruken.
Nun rat wer sein dan lacht.

5.

Bedenkt Lucifers steigen,
Wie er dar innen suchte
Die eigen ere sein,
40 Dar durch er sich must neigen
Und wart dar um verfluchte
In die unentlich pein.

Dar um so rat ich, welcher sey der groste,
Thu sich dem aller minsten gleich genoste.
45 Nun folgt der lere mein!

---

17. *das* s *in* samen *aus* m *korrig.* 27. jn *(?) vor* jr *durchstr.* 35. einr? 45. me *mit Schnörkel.*

[52.]

[36r]

Im hanen krat.

1.

Gotlich weißheit und welltliche dorheite
Die haben manchen streite.
Weißheit spricht: 'pis bereite
Mit danckperkeit dem herren dein
5 Und such des dagz am ersten Gottes reiche,
Pit in andechticleiche
Daz er dein hercz erweiche,
Das sulche weisheit kum dar ein,

Das du der hoffart wider strebest
10 Und auch dem neide,
Und auch den feinden dein vergebest,
Das durch die peyde
Dein hercz keinr rachsal numer nit begere
Noch stell nach sullcher ere
15 Die leib und sel beswere,
Dar durch du must in ewig pein.'

2.

Dorheit spricht: 'mensch, niet dich deinr jungen tage,
Iß, drinck, leb frisch an clage,
Dancz, spring, spil, sing und sage;
20 Allczeit die sun dein weker sey
Fer auff den tag mit irem lichten scheine,
Auff daz du deine peine
Nit stoßest an kein steine,
Und won der ful des ersten pey!

25 Veracht mit willen allez straffen
Der predigere;
Schillt, fluch und schrei du ymer 'woffen',
Wer dich beswere;
Gedenck dir dez ich han an leichter ere;
30 Het ich der pfenning mere,
Ich acht der sel nit sere;
Ir wont doch dort kein leben pey.'

[52.] *Überschr.:* In dem hannen krat meister hans volczen 25 lieder *N2*. 1. Gotliche *N2SV*. weltlich *N2*. 2. Die hond so *SV*. hetten einen *N2*. 3. sprach *N2*. 4. herren] schopffer *N2SV*. 5. Nun such dein tag *SV*. 8. sulche] götlich *SV*. 9. du *fehlt N2*. 11. Und auch *fehlt N2S*. 12. se *vor* das *gestr.*, durch *am r. Rand X*. die *fehlt SV*. 13. kayn Raich sel *N2*. kein rach solt nymer mer begeren *SV*. 14. Nit *N2*. Hüet dich vor sollcher eren *SV*. 15. sel vnd lyb bescheren *SV*. 16. Dz du nit kumpst in helle pein *SV*. must] kümst *N2*. 17. D. spr. nyett d. deiner j. t. *SV*. deinr] der *N2*. 18. trinck frölich on *SV*. 20. Die sonn all tag *SV*. 21. tag bey höher sonnen scheine *SV*. lichten] claren *N2*. 22. Vnd das *SV*. 23. stosßet a. k. *X*, stost an keinen *N2*. an ein *SV*. 24. Fül dich frw vnd leb sorgen frey *N2*, Fül dich vnd biß du sorgen frey *SV*. 25. alle stroffe *N2*. Wer dich mit willenn aller stroffe *SV*. 27. waffe *N2*. 29. das *SV*. d. d. het ich hie güt vnd ere *N2*. 30. Vnd aüch *N2*. 31. Der sel acht ich *SV*. 32. doch] auch *SV*. leben] leiden *N2SV*.

3.

Weisheit spricht: 'mensch, regir recht dein 5 sinne
Auff gotlichen gewinne,
35 Sich, hor, ge, ste darinne;
Pis millt den armen, wo du macht,
Mit speisen, drencken, cleiden und hant reichen,
Gefangen, cranck dez gleichen,
Dar zu begrab lobleichen
40 Die doten, und dar pey bedracht
Gotez des uber sie gebote,
Der nimant schonet.
Arm, reich, jung, allt muß sterben dote,
Und wie er lonet
45 Eim yden noch dem allz der dot in findet,
Ein in die hell er pindet,
Dem andern leit verswindet.
Bedracht dein sterben dag und nacht!'

4.

Dorheit spricht: 'mensch, sich um nach schonen frawen,
50 Red nach, thu unglick pawen,
Hab zu dir *(36v)* selbz getrawen,
Schmek und enpfind deinß leibez lust;
Ge, ste zu suchen neur dein eigen nucze,
Leb stet in widerdrucze,
55 Keinr parmug dich bekucze,
Gedenk nit wan du sterben must!
Dich wirt der dot wol selber finden
Und auch heym suchen
Hie und auch dort von sorg enpinden!
60 Nicht glaub den puchen!

34. götliche *SV*. 35. Dein heil ist auch darinne *SV*. 36. dem *SV*. wo du] ww *N2*. 37—40 *lauten in SV:*

Zů lobe got der für vns hett gestritten
Menschlichen hett gelitten
Kein pein hett er vermitten
Do er am frone (an dem fron *V*) krütze facht.

40. Deie *X*. vñ bedenck die macht *vor* vñ dac pey bedracht *gestr. X*. 41. An den der u. s. g. *N2*. Mit dem als so (also *V*) ist gebotten *SV*. dez] *l.* der? 42. Vnd *N2*. 43. Jünck reich arm müssen st. d. *N2*, Jung alt arm vnd reich m. st. d. *SV*. 44. er] gott *SV*. 46. verpindet *N2(SV)*. 49. sich] schaw *N2*. spr. sich du vmb *SV*. 50. Reidt nach deins klückes pawen *N2*, Richt dich nach vngligs krowenn *SV*. 51. vertrawen *SV*. 52. Schimpff *SV*. deinß] des *N2*. 53. Bestee *SV*. 54. Blib *SV*. 55. Kein *N2SV*. bekrütze *SV*. 57. wol der tot selber *N2*. 59. auch *fehlt N2*. sorgen *N2SV*. binden *SV*. 60. Glaub nit an (ant *V*) b. *SV*. dem *N2*.

Wer kam ye her von himel oder helle?
Het ich hie gut gefelle!
Und sorg recht wer do welle;
Wan ich gestirb, so ists um sust.'

5.

65 Weysheit spricht: 'mensch, lib Got in allen sachen,
Dein nechsten thu bewachen
Allz dich in allen fachen,
Hallt in allz du von im begerst;
Er einen Got, nit swer pey seinem namen,
70 Kein feier thu beschamen,
Deinr elltern solt nit ramen
Mit untugent, wo du hin kerst!

Nicht dot mit wort, werck oder weise,
Unkeusch pis ane,
75 Still nit, kein fallsch zewgnus du preise,
Fleuch weit davone,
Beger nit fremdez gucz noch fremder weibe
Und kastigir dein leibe,
In Gotez forcht beleibe,
80 Auff das du dort dein selldi merst!'

6.

Dorheit spricht: 'wer sach ye Got noch die seillgen
Zwellff poten oder heilgen?
Wen kan die sund vermeillgen,
So sie die pfaffen selber thun?
85 Dar um so mag man glauben waß man wile,
Der heiden ist so file,
Juden, turcken an zile,
Die all von Adam komen nun.

Sollten die alle sein verloren,
90 Wer ymer schade,
So het sie Got selber erkoren
In swefelz pade.

62. hie *fehlt SV.* 63 *in X am Ende der Strophe mit Verweisung nachgetr.* Nym sorg halt *N2.* 64. es ist *N2.* 67. Als dich thu inn an (on *S*) lachen *SV.* 70. Kein *aus* Keinr *X.* Ere vatter vnnd můtter beidsame (baide samen *V*) *SV.* 71. Dein *N2.* solt] dw *N2.* Am feirtag vor sünde schame *SV.* 72. Mit aller zucht wo *SV.* 73. dot] thů *SV.* 74. Vnkeusch besinne *SV.* 75. getzügnüß brise *SV.* 78. keste *N2SV.* deinen *SV*, hy dein *N2.* 79 *fehlt N2.* 80. du *fehlt N2.* sel ernerst *N2*, heil auch merst *SV.* 81. got ye *SV.* heillgen *N2 (SV)*; *das* i *in* seillgē *vielleicht von spätrer Hand X.* 82. vnd auch die sälgen *VS.* seiligen *N2*, heilgen *aus* seilgen *X.* 83. Wer *N2.* kan] lond *SV.* 86. zů fille *SV.* 87. In der sum alle zille *SV.* 88. Seid die all v. *SV.* kamen *N2.* 91. sie] sich *SV.*

Die hell allein dem teuffel ist gemachet,
Der himel weit durchfachet,
95 Den menschen zu gesachet,
Dar in ist frid und guter sun.'

7.

Weysheit spricht: 'zwellf artickel sint des glauben,
Do von man nicht sollt rauben
Die weisen noch die tauben,
100 Wer anders selig werden will;

Acht sellikeit und 7 sacremente,
Dar durch man zu Got lente.
Wer crist wel sein genente,
Der hoff *[37r]* dar in das mittel zil!

105 Ob manch gelert dar innen irre
Mit krumer bane,
Dar ein dich, tumerley, nit wirre,
Such dein persane,
Ob nun der babst selber ein keczer wurde,
110 Daz man prent auff einr hurde,
Hut dich vor sulcher purde!
Dez guten dut nimant zu fil.'

8.

Dorheit spricht: 'Got der hot unß all erarnet,
Am kreucz hot ers gegarnet,
115 Vor not seyn wir gewarnet,
Seit nun die hell zubrochen ist.

Wan sie Got selber crefftiglich zubrache,
Sich an dem teufel rache
Allz um die allten sache
120 Und pant in in die hell mit list,

Dar in er noch gefangen leite
Von Gottez panden.
Wer sach ye teuffel in der zeite
In allen landen?

---

94. weit] ist *SV*. 95. Dem *N2SV*. 96. freid *N2*. 98. Nymant dar von sol rauben *N2*, D. v. soll nyemant r. *SV*. 102. Dar dar *X*. 103. Wer dort wil genente *SV*. 104. do auf das rechte zil *N2*, doch in das rechte zil *SV*. 105. gelerter *N2*. Ob nun die gelerten darinn irrendt *SV*. 107. tumer] schlechter *N2*. Darumb ir schlechten leyen nit wychendt *SV*. 108. Sich *N2SV*. 109. Vnnd ob der babst doch nymmer selig würde *SV*. 110. m. in brant vff der h. *SV*. 111 *X* = 110 *N2*. 111. Die den gelauben rürde *N2*. 113. der *fehlt SV*. alle *SV*. 114. erst *N2*. Auch an dem crütz ergarnot *SV*. 115. seyt *X*. 116. nun] das *SV*. zw storet *N2*. 117. selb krefftigklichen *SV*. 122. handen *SV*. 123. ye] die *SV*.

125 Dar zu ist er allz grausam nit geschaffen
Allz do sagen die pfaffen,
Dan das sie mussen claffen
Ir narung halben in der frist.'

9.

Weysheit spricht: 'mensch, widerred numermere
130 Der heillgen schriffte lere,
Frefflich dar von nit kere
Mit wercken, worten noch gedanck!
Ob du nit pist so hoch an deinr vernunffte,
Enpfills der lerer zunffte
135 Und hoff guter zukunffte,
Daz du icht kumst auff irren gang.

In der unentlichen gotheite,
Du ley, nit grubel,
Daz du fur Gotz parmherczikeite
140 Nit steckst ein schubel
Und komest in die außern finsternusse
In pech und sweffelz flusße,
Ob nit durch willig pusse
Du kumest auß dez zweifelz wanck.'

10.

145 Dorheit spricht: 'wer irt fester dan gelerte,
Durch wen wirt mer verkerte
Der glaub und auch beswerte
Mit irrung und mit keczerei?
Machmet, der hoch gelert, keczert die heiden.
150 Dallmut det fallsch bescheiden
Den juden in zu leiden
Der wibel grint, allz in want pey.

Der Wikleff dort in Engellande
Keczert die cristen.
155 Johannez Huß die irrung fande
Und hat mit listen
[37v] Dar mit gewurczt unter die bemisch krane
Mit hillff dez Rockenzane.
Jorg Heimbach hillt auch ane,
160 Wie er doctor doctorum sey.'

125. sind sie so grausam nit erschaffen *N2*, ist er so *(fehlt V)* grusamlichen geschaffen *SV*. 126. do] dann *SV*. die *fehlt N2*. 128. halbm̄ *(?) X*. haben zu *N2*. narung ghabend *(haben V)* dauon in *SV*. 130. schrifft vnd lere *N2*. 132. worten wercken *N2*. 133. so hoch nit pist *N2*. 134. Pefilchs *N2*. 136. D. d. nit gest ein iren g. *N2*. 139. D. d. gottes p. *N2*. 140. scheckst *N2*. 143. O *N2*. 144. aûf der zweiffel panck *N2*. 145. dan dy glerte *N2*. 146. wen] mer *N2*. 147. pescherte *N2*. 150. dût *N2*. 151. Die *N2*. 152. = bibel grünt *N2*. jn *fehlt N2*. 153. in einem lande *N2*. 157 vndes *N2*. 159. hamberg *N2*.

11.

Weisheit spricht: 'welch gelerten hoffart plendet,
Von dem sein gnad Got wendet,
Das er in hoffart endet,
Wan wer sich hocht, den nidert Got.
165 Wan Got vor allem ding die hoffart hasset:
Der Lucifer hoch passet,
Den hot die hell gefasset,
Got warff in von seim trone drat.

Adam, Davit und Salamonem
170 Got grozlich plaget;
Datan, Abiron, Absalonem
Die straff auch daget;
Nabochodonosor nam fichez leben,
Filius im korb must sweben,
175 Aristotlem dar neben
Ein fraw schentlich geritten hat.'

12.

Dorheit spricht: 'seit den weißen daß geschichte,
Daz ist ein zuversichte,
Wez sich der mensch verpflichte,
180 Das kert nature wie sie wil;
Wan ez sint ye planeten und auch zeichen
Und einflus auch dez gleichen,
Dar durch der mensch erreichen
Von not muß seinez endez zil

185 In armut, reichtum oder gluke
Und ander sinne.
Man reiß, man schnid, man schab, man zuke
Und such gewine,
Noch sicht man, wer zum heller ist geporen,
190 Wil er noch zweyen foren,
Die mü ist gancz verloren:
An mü hot mancher gutez fil.'

---

162. got sein gnad *N2.* 163. dorheit *N2.* 164. Wer sich hy *N2.* 165. vor allen sunden hoffart *N2.* 171. abiron] abraham *N2.* 174. F. in k. scheben *N2.* 175. Aristotiles eben *N2.* 176. weip *N2.* 180. keret natür *N2.* 181. ye *fehlt* *N2.* 182. V. e. des geleichen *N2.* 183. der reichen *N2.* 188. Man *N2.* 189. wey züm helle *N2.* 190. zweiffel koren *N2.* 191. mü] nün *N2.* gar *N2.* 192. Seit nün *N2.*

13.

Weisheit spricht: 'Got gab dir wicz und vernunffte
In deinez leibz zukunffte
195 Ob aller thiren zunffte,
Darob den freien willen dein.
Ob durch zufel dein fleisch in arg wollt sweben,
Dein wil mag widerstreben.
Daz hot dir Got zu geben,
200 Do kein einflus mag wider sein.

So du dein neigung dan nit prichest
Und ir stest wider,
Zu hell du ewiclichen sichest
Und ligst dar nider.
205 Wer aber hie sein eygen willen zemet
Und Gotez willen remet,
All teufel er beschemet
Und wirt enthallten von der pein.'

14.

[38r] Dorheit spricht: 'wir sint all gepillt nach Gote,
210 Dar zu er selbz den dote
Fur unß geliten hate,
Dorum wil er gelobet sein.
Sollten nun alle menschen sein verdumet,
Durch when wurt dan gerumet
215 Sein lob und auch geplumet,
So sie all kemen zu der pein?

Wan ez ist kaum der 12 teil cristen,
Allz man dut schreiben.
Sollten die all gen helle nisten
220 Und*d*arin pleiben,
Waß wer dan die gotlich parmherczikeyte
Von der man singt und seyte
Sie hab dez merez preite
Gen einem dröpflin wazerz clein?'

15.

225 Weißheit spricht: 'mensch, die sel ist Gotez pillde,
Der leib von erden willde,
Dar ein die gotlich millde
Goß willn, gedechtnus und vernunfft.
Ob nun der wil irdischem lust nach drachtet,
230 Der sele heil verachtet,
Dar durch in im benachtet
Die hoffnung götlicher zukunfft.

---

194. deins leibes *N2*. 195. doren *N2*. 197. in arg] vnd marck *N2*. 199. dir zw gegeben *N2*. 201. dein eygen wil nit *N2*. 202. Vnd stest nit wider *N2*. 203. schiffest *N2*. 208. behalten *N2*. 216. kümen *N2*. 220. Vndar jn *X*. 221. die *fehlt* *N2*. 224. wasser *N2*. 229. irdischen *N2*. 231. in *fehlt* *N2*.

Soll in Got zu seim dinst auch nöten,
Der fur in starbe,
235 Durch grose mater sich lis tötten,
Im heil erwarbe,
Dar durch sein parmung gnung ist offenbare?
Wer die veracht so gare,
Der nem seinr straf auch ware
240 Ewig in der verfluchten zunfft.'

16.

Dorheit spricht: 'allz ich mich der mer verstane,
So kumpt die zwellfft persane
Kaum auff der himel bane,
Der cristen ich gesweigen wil,
245 Der denoch kaum der dritteil wirt behallten,
Sunder von Got geschallten,
Die all der hellen wallten
Dort ewiclich an endez zil.
Hie spur ich fur treffung der hellen
250 Das himellreiche,
Dar ein sich so fil schar gesellen
Und Got entweichen,
Heiden, keczer, turken und auch die juden,
Die in der helle suden
255 Dort pey des teufels rüden,
Do sie verschlint des trachen gil.'

17.

Weysheit spricht: 'Got tut einem kauffman gleiche,
Der ein karfunckel reiche
Hat schaczper und lobleiche
260 On all befleckung clar und reyn.
/38r/ Das clerest gollt macht er im untertane,
Vorn in des keysers crane
Ist er wirdig zu stane
Und wirt gelobt fur dis gemein.

---

233. got aūch zu s. d. n. *N 2.* 234. vns *N 2.* 235 *lautete zuerst:* Mit grossen engsten vñ mit nöten; *die spätere Fassung am rechten Rand X,* Wan er sich vūr vns hie lis dotten *N 2.* mat' (= marter). 236. Vnd *N 2.* 237. durch] vmb *N 2.* 238. verachtet gare *N 2.* 239. sein *N 2.* 241. mer] sach *N 2.* 245. denoch] dring (*gemeint ist wohl* vbring) *N 2.* 246. gespalten *N 2.* 248. Wert *N 2.* 249. Ich sprich das do vūr dreffe die helle *N 2.* 251. D. e. sich ir so vil ges. *N 2.* 252 *lautete erst:* Peid arm vnd reiche. *Die spätere Fassung am rechten Rand; zuerst hieß es hier* Ja degeleiche *X.* Die *N 2.* entweiche *N 2.* 253. vnd auch die *aus* heidñ vnd *X.* Als heiden dūrcken keczer vnd dy jūden *N 2.* 254. helle *fehlt N 2.* 257. dut vns eim k. geleiche *N 2.* 262. Foren in keissers k. *N 2.*

265 Dar wider manchen felsen rawe
Und schrofen wilde
Er kaum verleicht das er in schawe.
Allzo der millde
Ihesus schaczt ein frumen fur all verdampten,
270 Die fallsch sint in irn ampten.
Gerechtikeyt mit sampten
Der parmung sint dez uber ein.'

18.

Dorheit spricht: 'wo die meinsten meng hin fare,
Do nem man mein auch ware!
275 Ez kan so hefftig zware
Gar hart gesein, allz man dan seyt.
Jo, wer zu hell suliche nöte und pein*e*,
Reich, weis, gelert gemeine
Der stellet keinr dar eyne,
280 Der mancher doch dar noch arbeit.

So sie durch hofart, geitz und rume
Fil ern nach dracht*en*,
Der wort im ewangeliume
Sie luczel achten,
285 Daz ein camel gar fil mit mindrem zwange
Ein nodel or durch gange,
Dan daz der reich erlange
Die freid ewiger selikeit.'

19.

Weysheit spricht: 'Got haut dar pey auch gesprochen:
290 Kein sund pleyb ungerochen
Dort ewig, hie mit sochen.
Wer hie bezallt, wol im des dort!
Es wirt auch keinr dez andern schulld nit gellden
Noch fur in farn zu sellden:
295 Allz daz Got selb det mellden,
Hot auch dar pey gekundet fort:

---

265. D. w. fint man pelsse r. *N2.* 266. In strasse wildę *N2.* 267. Er kümpt villeicht das er an schawe *N2.* 269. Seczt ein seligē vür al verdampten *N2.* 270. sint *fehlt N2.* iren *N2.* 271. Vngerechtigkeit *N2.* 272. Die sein parmüng düt er nit schein *N2.* 276. gestein *N2.* dan] es *N2.* 277. pein vn̄ note *durch* 2 *u.* 1 *zurechtgewiesen X.* Wer in der hel aüch solche *N2.* 278 *fehlt N2.* 279. Es *N2.* 280. kaum de^c hell erbeyt *vor* doch *gestr. X.* Der sünst dar nach also aR weit *N2.* 281. durch] der *N2.* 282. dracht *X.* 284. So wenig a. *N2.* 285. Ein kemel dir das mocht vil ee mit zwange *N2.* 289. hat aüch da pey besprochen *N2.* 290. pleibt *N2.* 291. ye *N2.* 294. gen helden *N2.* 295. Als got selber düt m. *N2.* 296. Als von im hy verkündet wort *N2.*

Hüt euch vor den gelönten hirten,
Die schaff sie strewen
Und werden ser durch sie verirten,
300 So sie in drewen.
Dar um follgt iren worten michels mere
Dan iren wercken swere,
Wolt ir dort imer mere
Besiczen den ewigen hort!'

20.

305 Dorheit spricht: 'erst spur ich mich ungerechte
Und merck, wer ler verschmechte,
Den dut die gotlich echte
Von im geschiden ewicleich.
Wer aber auff kein zeitlich er nit pawet,
310 Allzeit das end an schawet
Und Got darin getrawet,
Dem gipt er milltecliich sein reich.

[40r] Dez pit ich dich, du weisheit werd,
Meld mir die peyne
315 Der die der pot dez hern auff erde
Nit wilig seyne,
Und melld mir auch dar pey daz ewig leben,
Daz Cristus den willgeben
Die im nit wider streben,
320 Auff daz ich auch sein huld erschleich.'

21.

[39r] Weysheit spricht: '6 sint thor in Gottez reiche,
Der glaub, die werck lobleiche,
Forcht, lib, hoffnung dez gleiche,
Bestendikeit den lon erwirbt.
325 Wer nit den weg durch diese pforten pawe,
Leit we, clag, angst, forcht, grawe,
Schmercz, pein, gotlicher trawe
Er ewiclichen dort verdirbt.

---

301. D. v. so folgt iren worten vnd der lere *N2*. 302. Mit *(oder* Nüt*?) N2*. 306. Jüd hor *(?) N2*. 307. dut] will *N2*. 308. Dort von ir scheiden *N2*. 310 *hinter* 311, *die Verse jedoch durch* a *u.* b *zurechtgew. X*. 311. darin *X (undeutlich)*. 312—320 *an dieser Stelle von späterer roher Hand (X2). Ich gebe das Stück nach Folz eigener Niederschrift, die ursprünglich hier anschloß, aber durch Vorbinden eines Blattes an den Schluß des Gedichts geraten ist.* 314. 317. Mell *X2*. 315. die] ye *X2*. pot gotes *X2*. Von dem die pot gocz *N2*. 316. Vnwillig *N2*. 318. Den *X2*. 321. spr. fünf schar gen in *N2*. 322. die]mit *N2*. 324. Dar mit der mensch d. l. e. *N2*. 325. pard düt pawen *N2*. 326. Leid we angst not send grawen *am Rande hinter 327 nachgetr. N2*. 327. S. p. mag ewig schawen *N2*.

Dorst, hunger, zorn, hicz, frost, gezencke
330 Im nit zu rinet;
In swifligem helschem gestencke
Er ewig prinet;
Grisgramen, zanclapern, schreien und gellfen,
Heuln der verfluchten wellffen
335 Ewig an allez hellfen,
Welch pein in numer mer ab stirbt.'

22.

Dorheit spricht: 'nun hab ich doch wol vernomen,
So Got in zorn werd komen,
All schuld der wel*t* besumen,
340 So er besic*zt* daz jungst gericht,
So kny Maria und Johans babtiste
Für Got, dem werden Criste,
Daz er den sunder friste,
E er daz streng urteil auß spricht.
345 Ob in Got wollt die pet versagen,
Sich nit lan lindern,
So werd Maria wein und clagen
Und in erindern
Daz er sein selbez menscheit dar an ere
350 Und auch sein marter swere
Und seinen zorn ab kere;
So mug ir Got versagen nicht.'

23.

Weisheit spricht: 'e must allz geschopff zu gane
E daz Got rat auff wane.
355 Merck waz er hat verlane
Mit seynen jungern, do er sprach:
"Den von Gamorr und Sodama der schare
Wirt ez geringer zware
Am jungsten dag fur ware,
360 Do sich daz hellisch feur an rach,

329. zorn *fehlt* *N2*. zencke *N2*. 333. würgen *(?)* dot an allez heil ern *vor* Grisgramen *gestr.* *X*. 334. Hauln? *X*. Han die *N2*. 335. dort *(undeutlich)* *vor* Ewig *gestr.* *X*. 336. im *N2*. 337. so han ich do *N2*. 338. Wan got selber wirt k. *N2*. 339. alld *(?)* *vor* all*gestr.* *X*. wel *X*. A. s. do vber sümen *N2*. 340. Wan *N2*. besiczet *X*. daz] sein *N2*. 341. kny] kümpt *N2*. 342. Vnd pitte jhm criste *N2*. 343. dem *N2*. 344. sein leczt vrteil *N2*. 345. Ob er in wolt ir p. v. *N2*. 346. lis *N2*. 349. selbs m. darinen e. *N2*. 352. So mag er in *N2*. 354. Dan *N2*. 355. Also hat er v. *N2*. 357. Den *vor* Von *am linken Rand nachgetr.* *X*. gomorr *aus* gamorra *X*. Zw dem jamona sadoma d. s. *N2*. 358. Wirt nit geringert z. *N2*. 359. dag *fehlt* *N2*. 360. sie *N2*. an] mit *N2*.

[39v] Dan den die meinr gepot nit foren."
Nach ewrem rate
Baz zum in, sie wern nie geporen
In sulchem state!
365 Sich, cristen mensch, daz nym trewlich zu herczen
Und schacz es fur kein scherczen;
Bedracht mit grossem schmerczen
Die grim, cleglich, unentlich rach!'

24.

Dorheit spricht: 'erst spur ich und merck fil eben:
370 Got hat dem menschen geben
Vernunfft, sel, leib und leben,
Dar durch er heil erwerben mag.
Wer aber dar in wolt sein ungeflissen,
Seins dinstez het verdrissen,
375 Dez wil Got auch nit wissen,
So er die nacht lipt fur den dag.

Er seczt unß heym Got der gehewre
An allz bezwingen,
Zeigt unß daz wazer und daz fewre.
380 Wer nun gedingen
Zu Got nit hab, dem kumpt ez dort zu leyde.
Mein weisheit, nun bescheyde
Ein teil mir dort der freyde,
Auff daz ich auch die selb erjag.'

25.

385 Weisheit spricht: 'do ist ewigz jubiliren,
Lust, wun, englisch hofiren
Der himelischen ziren
In frolockung der heilgen gar,
Ewiger tag, glancz, licht, durchlewchtigz spehen,
390 Got ewigz lob verjehen,
In stet erken und sehen
Dryeinlich, götlich, menschlich clar

361. Sie sie mein pot hy vber foren *N2*. 362. irem *N2*. 363. Vil pas zem in sie *N2*. 364. solcher *N2*. 365. O *N2*. 366. Vnd halt das *N2*. 367. Die pein vnd grossen s. *N2*. 368. Die vnaüssprechlig hellisch plag *N2*. grinn *(?) X*. 369. spur] prieff *N2*. fil] gar *N2*. 372. Dar mit der mensch e. m. *N2*. 373. W. a. nit d. w. sein flissen *N2*. 375. nit *fehlt N2*. 377. ims *N2*. 380. An das verdringen *N2*. 381. Wer got nit er es kümpt im dort z. leiden *N2*. 382. w. dw bescheiden *N2*. 383. m. von den freyden *N2*. 384. Das ich die selben auch er jag *N2*. 385. ewigz *fehlt N2*. 386. wun] freüd *N2*. 388. Mit *N2*. schar *vor* gar *gestr. X*. 391. In *fehlt N2*. erkennen *N2*. 392. Drey person vnd ein gottheit clar *N2*.

In ymer wernder freid allfriste
An allz abwenken.
395 Nun piten wir Got Jhesum Criste
Unser gedencken,
Ret Hanß von Wurmß barwirer frü und spate.
Nun folg wir seynem rate
Und hallten Gotz gepote,
400 So kum wir an der selgen schar!

AMEN.

[53.]

1.

[46a] Man list vom patriarchen
Her Noe, der vil gut,
Das der pawet ein archen,
Die in des woges flut
5 In allen gab geniste
Pis an das ent der note.
Pey diser archen feste
Die cristlich kirch verstet,
Die durch kein uberleste
10 Pis an das ent zurget,
Sunder von Got gefriste,
Das sie nit unter gote.

Ein fenster von cristallen,
Dar ein der dag gunt fallen,
15 Waß in die arch gezirt.
Daz fenster dewt die maget,
Dar durch das licht unß daget;
Den dag der glaub gepirt.
Allzo die erentreiche
20 Ursprunglich ist das heil,
Dar durch wir ewicleiche
Besiczen das erbteil;
Die muter Jhesu Cristi
Macht unser unglick feyl.

---

393. werder *N2.* 394. al *N2.* 395. den he *vor* got *gestr. X.* her Jesw criste *N2.* 396. Vnsser zw dencken *N2.* 397. Spricht *N2.* parwirer drote *N2.* 398. Volget ir dissem rotte *N2.* 399. haltet gottes pote *N2.* 400. kümpt ir *N2.*

[53.] *Überschr.:* In der stroffweis hans volczen 3 lieder *N2.* 2. no *X*, noye *N2.* 3. ein] sein *N2.* 5. Mit aller *N2.* 6. aüf *N2.* 10. aüf *N2.* verzet *N2.* 17. Dürch dy *N2.* 21. Dürch die *N2.* 24. Mach *N2.*

2.

25 Merck, so die sun ein scheinet
Durch ein geferbtes glas,
Allz pald die farb sich einet
Dem schein in sulcher maß
Nicht das die sun dar vone
30 Der farb vermischet werde:

Allzo Gotz sun volkomen
In jungfrewlichem schrein
Hot menscheyt an genomen
[47r] Auß irem plut so rein
35 Nit das die gotheit frone
Vermuschet wurd der erde.

Got ist an wandelbere
Ewig und ymermere
Und nam den leichnam an
40 In lauter keuscheit pure
Ganz uber die nature
Von einer jungfraw fran,
Leib, sel, fleisch, plut, marck, peyne,
Im ersten augenplick
45 Geformt ein kindlin cleine
Auß gotlichem geschik,
Der unser not besane
Auff erden offt und dik.

3.

So von den obern speren
50 Die elementen rein
Sich zu den untern keren
Und sich mit in verein,
So schimern fil der farben,
Der regenbog das zeiget:

55 All zo do die gotheite
An nam die menscheit werd,
Do wurden außgepreite
Mancherley gnad auff erd,
Der wir sunst musten darben,
60 Het sich Got nit geneiget

Zu unß her ab gen tale
In jungfrawlichen sale,
Die dar zu waß erkorn
Von ewikeit on ende
65 Daz Got in dem elende
Zu drost unß wurd geporn.

---

27. Gar *N2.* 33. Hot fleisch vnd plût genûmen *N2.* 35. Nit das gotz sûn so frone *N2.* 36. wart *N2.* 37. an wandel pûre *N2.* 38. Imer vnd ewig mere *N2.* 39. die menscheit *N2.* 40. Die *N2.* gotheit *N2.* 42. Ein gancz vol kûmer mon *N2.* 43. Fleisch plûd leib sel marck peine *N2.* 45. Gformiret *N2.* 48. erd gar offt *N2.* 49. Mon sich die obren spere *N2.* 50. Der *N2.* 53. scheinen *N2.* 57. D. wart vns a. *N2.* 61. gen] zw *N2.* 63. wart *N2.* 65. got] er *N2.* 66. Vns (*aus* Vnd) wûrd zw dr. g. *N2.*

Nun sprecht, singt, lobt und rumet
Und erwirdigt die *meit*,
Von ir dicht, reimpt und plumpet,
70 Seyt ir zu dinst bereit,
Die unß mit follen garben
Die ern so trewlich schneit!

4.

Her in sich widerseczet
Ein roher lei allz ich,
75 Auff daz er alldie leczet
In worten freffelich
Die sprechen das gotheite
Die menscheit hie an neme;

Und waß sein argumente
80 Wie in der gotheit sein
Der persan 3 genente,
Auß den der sun allein
An nem menschliches cleite;
Von dem die red nit zeme

85 Das er die gotheit seye,
Sie weren dan all dreye
Mensch worden zu der frist;
So zem es wol zu reden. —
Sulch zweiung von den peden
90 Wart einem weisen kunt,
Mit namen eim doctore,
Der sucht theologey
Und sprach: 'er irt fur ware
Und get auff sufistrey.
[47ᵃ] Ez mag im werden leite,
96 Pleipt er dem irtum pey.'

5.

Hie sucht der frei prelate
Ein schrifflichen sentencz
Und fant ein gleichnus trate
100 Durch ein war expergenz
Und das von dreien dingen
Die zu einr harffen zimen:

Daß ist das spilmans kunste,
Die seyten und die hant;
105 Auß diser dreier gunste
Wirt unß ein lit bekant.
Wie wol der seiten clingen
Allein verkunt die stimen,

---

67. Dar vm singt sprecht lob rümet *N2*. 68. meit *fehlt X*. 69. Vnd ir vnd ticht rüemt vnd plümet *N2*. 72. ert *N2*. *Mit 72 schließt N2*. 75. daz | d a z. 76. frechelich *aus* freffelich. 92. theologey *aus* thelogey.

Die kunst die hant recht furet,
110 Die hant die seyten ruret,
Die seyt bestimet wirt.
In diser dreier fache
Ist einß dez andern sache,
Das sich die stim gepirt.
115 Allzo die gotheit gancze
Hat in des sunß persan
Die menschlichen substancze
Auff erd genomen an,
Dur das ich hoff gelingen
120 Mit worheit zu bestan.

6.

Das aber die gotheite.
Hie nem die menscheit an,
So mercket unterscheite:
Gotheit sint 3 persan,
125 Die menscheit allz geschlechte
Menschlicher creature.

Wan gleich allz ein persane
Gancz gotheit nit sol sein,
Allzo ein mensch nit kane
130 Die menscheit sein gemein.
Dar um so mercket rechte
Unterscheit der figure:

Gotheit nam an zu hellffen
Allen menschlichen wellffen
135 Auß der ewigen not;
So kam Got her auff erden
Ein warer mensch zu werden,
Fur unß zu sterben dot.
Allzo seyt ir entscheiden
140 Gotz und der goteit hie,
Mensch und menscheit in peiden:
Hapt ir gehort auch wie?
Hinfur euch nit verjhechti,
Allz zweiffler teten ye,

7.

145 Clerlicher zu verstane
Wie gancz götlich drifalld
Hie nem die menscheit ane
In einigem gewalld
Gotlicher meienstete,
150 Wie doch nach den persanen

Die sendung zu geeiget
Dem vater wirt gemein,
Enpfengnus zu geneiget
Dem geist, in der fil rein
155 Der sun ir nahen dete,
Do sie enpfing den fronen,

133 Goth^{t}, 140 got^{t}, 141. 147 mensch^{t} *und so öfter.*

[48r] Der nicht allein an name
Die menscheit, sunder kame,
Das er mensch werden wolt;
160 In dem die gotheit ganeze
Wurket menschlich substancze,
Und wart loblich erfollt
Im keuschen leib Mareie
Got mensch ein worer Crist;
165 Dar um die jungfraw freie
Gotz muter werlich ist,
Durch die groz heil unß nehte
Zu ewiclicher frist.

8.

Von dem dicht wart gehandellt,
170 Allz ich hernach bestim,
Seit man die red nit wandellt,
Dar in man was so grim,
Do man mit worten schnelle
Sich wider mich verpflichtet.
175 Doch heist man mich einß fragen
Mit namen euch, her Zorn,
Her wider mir zu sagen,
Seit ir so diff wellt born,
Das ir erleutert helle
180 Und darauf sint und dichte*t*:

Wirt Got mynder gereite
Dan sein ware gotheite?
Das macht unß offen bar,
Seit das euch nit ist wider,
185 Got nem menschlich gelider,
Die gotheit nie fur war.
Wist ir das zu beweisen
Auß hoer lerer munt?
Dan ez zimpt nit zu preisen
190 Zu suchen newen funt,
In Got pringen zufelle
Die im nie wurden kunt.

9.

Die sach hie zu beschlissen,
So nymet wunder mich
195 Und pringt deglich verdrissen
Den weisen sicherlich
Von wannen das her kome
Das sich die rohen pauren
So tiff mit der drifallde
200 Bekumern dag und nacht,
Die an zweifel nit palde
Ir selber nemen acht,
Dan das hofart und rume
Sie plent die selben knauren.

171. w *vor* red *gestr.* 180. dichte. 189. Dā ez *aus* Doch.

205 Nun muß gelernet werden
Ein yde kunst auff erden
Ye pas von tag zu tag,
Vor auß die heilig schriffte,
Die alle kunst fur driffte
210 Und nymant grunden mag.
Der will ein yder affe
Nun ganczer doctor sein,
Man pit im oder schaffe,
So weiß erz allz alleyn.
215 Jo, wer ich neur kein stume,
Ich dorst ins sagen rein!

[54.]

1.

[48v] Gegrusset seystu, dirn und meit,
In ewikeyt
Gotlicher trinitat
Und do du gancz an unterscheit
5 Got contemplirst
Und mit regirst
Die engelischen zunft!
Gegrusset seistu, dochter fran
Warer persan
10 Got vatters, der dir hat
All kor gemachet untertan,
Die du regirst
Und ewig zirst
In der sellgen zukunfft!

15 Geggruset seistu, reiner gart,
Des sun Gottes ein muter zart,
Der von dir nam sein menschlich art:
Der dich hie selber swengert,
In nemung menschlicher substancz
20 Wart Got und mensch, ein ewig pflancz,
Noch der gotheit unteilich gancz,
Die sich nit weit noch engert.
Dez du, jungfraw, onentlich vor
Nun ewig muter pist
25 In einr persan, du jungfraw clar,
Den man do nennet Crist.

[54.] *Überschr.:* In münichs vō salczpürg korweis 3 lieder *N2.* 4. Darin du gancz *N2.* 10. der *aus* dir *X.* 12. reignirst *N2.* 18. Do *N2.* hie] got *N2.* 19. nëüg *X.* 20. War *N2.* 21. vndeilvng *N2.* 22. ny *N2.* 23. an ende gar *N2.* 24. zeitlich *N2.* 26. Den mon nent jesu crist *N2.*

2.

O Maria, gegrusset seyst,
Dem heiling geist
Ein ewige gespons,
30 Der in dich kam zu tal gereist
Und dich umschatt,
De*in* son bestat,
Den er in dir enpfing!

Gegrusse*t* seystu, swester clar
35 Der engel gar,
Tu castitatis fons,
Do du gancz uber triffst ir schar,
Dar mit begat
Got selber hat
40 Dich ye vor allem ding!

Gegruset seist, warsagerin;
Aller profeten wicz und sin
Wertu das end und anbegin,
Dar auff sie hant gezeiget
45 Vor deinr gepurt fil hundert jar
In iren spruchen offenbar.
Dar um, du keusche jungfraw, zwar
Wert ye dar zu geeiget,
Das du an vater hie zeitlich
50 Dez muter wurd erkorn
Der dort an mutter ewiclich
Vom vater wirt geporn.

3.

[49r] Gegrusset seist, regirerin
Vor anbegin
55 Der patriarchen al,
Den dein zukunfft ist wol erschin;
Wan in dein gut
Ye hot geplut
Lang zeit vor deinr gepurt.

60 Gegrusset seist, lererin her!
Groz weißeit er
Got selber dir befal
Den zwelfpoten zu weiß und ler,
Den ir gemut
65 Fast dar nach glut
Zu gen deins kindez furt.

Gegrusset seist, meinsterin frey,
Du hoch wirdig jungfraw Marei!
Dir wonten stet durch lere pey
70 Die 4 ewangelisten.

---

28. Dein *N2*. 32. Dem *(?) X*. 33. Der *N2*. 34. Gegrussest *X*. 37. Dar n du vber trifft i. s. *N2*. 43. anbegun *X*. 46. J. al ir s. *N2*. 47. die pillich j. *N2*. 48. Würt *N2*. 50. Gocz *N2*. 54. Vō *N2*. 55. Die *N2*. 56. auch ist beschin *N2*. 57. Das *N2*. 58. Aüch *N2*. 59. zeit *fehlt N2*. deiner *N2*. 62. enpfal *N2*. 63. zw weisser ler *N2*.

Waß in von deim sun unkunt waß,
Dez hastu sie beschiden bas,
Du Gottez tempel und pallas,
Du fundament der cristen.
75 Du pist das puch der newen e,
Dar durch das allt sich ent.
Do du erhort den gruß 'ave',
Do wart das allt zutrent.

4.

Gegrusset seistu, crafft und sterk,
80 Dar auff gemerck
Hetten all merterer
In ires strengen leidez werck;
Waß man in det,
Durch dich bestet
85 Wart entlich lib in in.

Gegrusset seistu, prun und flus,
Der ye begus
Die heilgen peichtiger,
Durch die unß rew erwarb nach pus
90 Dein reins gepet,
Das unß zu nhet
Den ewigen gewin.

Gegrusset seistu, plum und zir
Aller jungfrawen durchflorir
95 Und auch der englischen rifir,
Die dein keusch ubertriffte!
Der dort gancz rein beschuff ir schar,
Den selben hie dein keusch gepar,
Dar durch du, keusche jungfraw clar,
100 Unß host daz heil erschiffte;
Wan du ob allen engeln dort
Die sun pist pey dem man
Und pist nach Got der edelst hort
Allr heilgen in dem tran.

71. Was v. d. s. in ye künt *(?)* was *N2*. 74. Die *N2*. 75. newen] alten *N2*. 76. trent *N2*. 77. Als pald dw horst *N2*. 78. geent *N2*. 80. gemerk] aůch merck *N2*. 85. entlichen an in *N2*. 89. dar *vor* Durch *gestr*. *X*. Dar důrch vnd heil er warb n. p. *N2*. 94. Allen *N2*. 96. keuscheit für triffet *N2*. 97. Wan der gancz *N2*. 99. Pleib vor vn̄ nach ein j. clar *N2*. 100. Des heil dein gůt erschiffet *N2*. 101. Das *N2*. 104. All *X*. Aller heilling im tron *N2*.

5.

[49v] Gegrusset seistu, forcht und graw
106 In helscher aw
Aller verdampten geist,
Die deinen namen flihen, fraw,
Wo man dich nent;
110 Dar pey man kent
Den grossen adel dein.

Gegrusset seistu, widerker
Der zweifeler,
Den du gutlich zu seist
115 Dein hillflich gnad, ob sie nit mer
Die sunt verplent;
Dein gut in swent
Dort die onentlich pein.

Gegrusset seist, ewiger drost
120 All der die sich dir hant genost!
Den selben du mit crafft peistast
An irem letsten ende.
Du zeigst die milden pruste dein
Deim sun, das er die wunden sein
125 Dem vater zeig, der im nit 'nein'
Spricht, meit, sunder dein hende
Heist er dem sunder reken dar,
Wem du dein pit mit deilst.
Des ger *wir* von dir alle gar
130 Das du unß ewig heillst.

AMEN.

[55.]

1.

*M*aria, hoch geplumter zwey
Grosmechtig in der hochsten jherarchey,
Vernym mein ruff,
Den ich, fraw, zu dir sende,

5 Ich armer des gemutez cranck,
Dir, fraw, zu sagen preyß, lob, er und danck!
Der dich beschuff,
Der hat dein lob vollende.

Sunst nye auff erd menschlicher gunst
10 Gnad flamend hercz auß geistez prunst
Verlihen wart, daz er saczt durch sein kunst
Seinr sine huff,
Daz er stund ungepfende.

---

106. Hellischer aw *N2.* 107. verstossen *N2.* 117. mylt *N2.* sent *N2.* 118. on eitel *N2.* 120. der] denn *N2.* 123. prüst so rein *N2.* 124. Dem *N2.* 126. sünder meit *N2.* 128. Dem *N2.* 129. wir *fehlt X.*

[55.] 1. aria. 12. sine = sinne?

2.

Dar um ob ich dein lob, jungfraw,
15 Nit noch der schnur zu peiden seyten haw,
So sich wie kul
Einz krancken leyen . . .

Wellch prun dez wassers nit fil hat,
Dez cloren flussez er wol ledig stat;
Seins grundez *[50r]* hul
21 Seins flusses geng bedruben.

Und lerer halm nie kornes gab.
Dar um wil ich nit lassen ab,
Reich mir, jungfraw, der deinen hillffe stab,
25 Dar mit ich fül
Fur fallen in die gruben.

3.

O Maria, hab mir fur gut
Ob ich daz rein, keusch, hochwirdige plut
Dez herczen dein,
30 Dar von sein menscheit pure

Got in deim keuschen leibe nam,
Der von den hochsten himeln dar ein kam,
Gleich pluten reyn
Irdischer creature,

35 Die durch natures kreffte hie
Unß wunderlich bedewten wie
Auß deinem plüt der furste ye und ye
Dem sune sein
Wurckt menschliche figure.

4.

40 Rein bockez plut natures list
Der stein der allen herten wider ist,
Dem gipt er lind
Zu formen und zu pillden.

Der himelfurst 5000 jar
45 Erhertet waß in seinem zorn furwar,
Nie menschlich find
Die hert mochten gemilden.

Jungfraw, deins keuschen plutes safft
Erweicht dez himelrisen crafft,
50 Do er in deynem keuschen leib behafft.
Gleich einem kind
Zemtestu unß den willden.

---

17. *Das Reimwort fehlt.* 39. menschlich fig^{r}e. 41. *l.* Den?

5.

Keusch lemlins plutez senfftikeyt
Dez leoperden grimen zorn verjeit,
55 Daz menschen fil
Seins wutens nicht engellden.

Dez streng freisamen richters zorn
Menschlichem gschlecht het seynen fluch gesworn
Gar langez zil,
60 E unß benam sein schellden,

Marey, dein keusch zertliches plut,
Dar von dez strengen richterz mut
Gesenfftet wort, do er sein menscheit frut,
Keusch, rein, suptil
65 Nam von der außerwellden.

6.

Auch gipt natur dez hirssen plut
Fur grimen stark dez leibez thun behut;
Dez herczen wurm
Es crefftteclich erstirbet.

[50ʳ] Der helle wurm mit grimem zorn
71 Die wellt regirt pey funffzig hundert jorn,
Nie gwalltes furm
In von der macht enterbet.

Jungfraw, dein reynes plut so millt
75 Dem kempfer locket unde zyllt,
Von dir nam *er* do helm, sper und den schillt,
Mit grossem sturm
Hot er die hell verderbet.

7.

Rein heslins plut naturez kunst
80 Gipt das ez zewhet auß der hicze dunst,
Der giffte steur
Durch ez wirt schnel verdriben.

Die ewig gifft wart unß bereit,
Die Adam durch die schlang wart ein geleit,
85 Der helle feur
Waß unß dar durch beliben.

Jungfraw, deinß reinen plutes list,
Dar von Got mensch geporen ist,
Hat unß ernert zu ewiclicher frist
90 Und unß fil dewr
Zu hoer freid geschriben.

---

67. v *vor* Fur *gestr.* 70. grimē. 71. 500 *vor* funffzig *durchstr.* 76. er *fehlt.* 90. von vngeheur *vor* Vn̄ *durchstr.*

8.

Jung swalben plut ein stein gepirt
Durch dez natur fil feintschafft
wirt geirt,
Die fil der leng
95 In herczen det behausen.

Durch ungehorsam Adams schulld
Menschlich geschlecht in feint-
schafft und unhuld
Dez fursten streng
Lepten in swerem grausen.

100 Jungfraw, das plut des herczen dein,
Do sich menschlich naturet ein
Daß ewig wart zu fleisch und auch zu pein,
Ver eint groz meng
In deines herczen clausen.

9.

105 Rein turtel teuplins plutez feucht
Kranck drub und finster augen
schon erleucht,
Die hiczes not
Mit rotin hat beswerет.

Die veter in der vorhell all
110 Beraubet warn dez lichten glastez
grall.
Die finster hat

[56.]

1.

/53r/ Ave archa deytatis,
Gotlicher tabernackel,
Der so manig profet verhis
Das du, gotliche fackel,
5 Unß leuchten wurdest auß dem
mort
Dar ein die menscheit wart bedort
Durch Eva fal
Auß list dez feindez sagen

Durch an neidung der maiestat,
10 Dar auß er wart verstossen
Und sich der geunwirdigt hot
Mit allen sein genossen
Und verscherczet der freiden hort,
Der unß nun ist versprochen fort.
15 Ave der hal
Die herberg hat beschlagen!

Lob hab, du keuscher sal der ern,
Durch den Got unser heil wollt mern,
Allz all profeten das bewern
20 In spruchen frey
Ir profecei,

93. Durch | durch. *Das Gedicht bricht mit dem Schluß von Blatt 50 ab, Blatt 51 ist leer.*
[56.] 10. dar | Dar.

Wie daz du, keusch jungfraw Marei,
Enpfingt wurczel, stam und daz zwey,
Dem proß, laub, plüt und frucht want pey,
25 Plut, fleisch, mark, pein, mensch, sel und Got,
Der die gotheit keins hie verlis
Inkeim trupsal
Noch zu ewigen tagen.

2.

Ave sponsa regis almi,
30 Die du vermehellt pisti
Durch Gabrihelis grussen hie
Dem herren Jhesu Cristi,
Do van dan Ysaias rett:
'Ecce virgo concipiet
35 Und wirt gepern
Jhesum eyn sün fur ware.'

Hie merk, du cristen, und hab acht
Daz der enpfengnus reine
Kein lautre gleichnus wirt erdracht
40 Wan durch die schrifft alleine,
Und when der glaub dar in bestet,
Allz er die jungfraw selber det
Im gruß dez hern
Vom engel offenbare.

45 Wan Jeremias ret, secht an:
'Ein weib umgeben wirt ein man;'
Do auch Ezechihel ret van:
'Beschlossen hert,
On auff gespert
50 Pleipt diese pfort und unfersert,
Do dan allein der konig wert
Get ein und auß gancz unvermert.'
Dar in die hö und gotlich macht,
Jungfraw, an sach dein demut ye
55 Unß zu ernern
Auß der verdamung gare.

23. vnd zwey *N2.* 27. jnkeim *X.* 32. ihm *N2.* 33. Als da von i. r. *N2.* 34. *Jes. 7, 14.* 36. Jh. e. s. *auf Rasur X.* 37. vnd] mensch *N2.* 38. daz *vor* Daz *durchstr. X.* 39. Ein *N2.* 40. Dan *N2.* gemeine *vor* alleine *durchstr. X.* 42. ee *N2.* 46. *Jer. 31, 22.* 47. *Ez. 44, 2.* 48. Verschlossen *N2.* 52. aus vnd ein *N2.* 54. sich den *N2.* 55. nern *N2.*

3.

Ave templum sanctitatis,
Dar ein der her sich neiget!
Dez auch die schrifft unß macht gewiß,
60 Das puch der weisheit zeiget:
Von seim himlischen stul kumpt er
Stark mechtig miten in sein her,
Do furbaz von
Rabi Brachias mellte.

65 An vater wirt auß euch erkorn
Der himelfurst lobleiche,
[53e] Der dort an muter wirt geporn
Vom vater ewicleiche,
In welches hosten crafft, mit der
70 Du, jungfraw, keusch um schatet wer,
Enpingstu schon
Den schepfer aller welte:

Got menschlich ein folkomen man,
In der cleinsten menschen persan,
75 Welch menscheit die gotheit sach an
So clar und gancz
In ir substancz
Drifaltig und einweslich gancz,
Allz icz in der ymaginancz,
80 Do er ist aller heilgen sprancz,
Allzo du, roß an alle dorn,
9 menet drugt an all verdriß
Den schepfer fran
In deynez leibes zellte.

4.

85 Ave virgo, fonß signatus,
Die du gancz ungemüet
Unß hast gepert dein kint Jhesus,
Recht allz ein gert verpluet,
Allz do von sagt Jeremias:
90 'E ir kein schmercz pey wonent waß,
Hat sie gepert.'
Ysaias sagt clare:

'Ein cleinez kind ist unß geporn,
Ein sun ist unß gegeben.'
95 Micheas hat die stat erkorn
Nach disem spruch, hort eben:
'O Petlehem, ich kind dir daz,
Du pist die cleinest nit firbaz
Unter der hert
100 Der stet Juda furware,

---

59. Das *N 2.* 62. sein? *der letzte Buchstabe ist undeutlich X*, sein *N 2.* 64. seyte *vor* mellte *durchst. X.* 65. A.v. aůch würt aůserkorn *N 2.* 69. welcher *N 2.* 70. vmb stattet *N 2.* 71. Entpfingstw *N 2.* 73. menschlichen volkůmen *N 2.* 76. glancz *N 2.* 78. ein wessen *N 2.* 88. die plüet *N 2.* 89. Dar von auch s. jsaias *N 2, vielmehr Jesaias 66, 7.* 93. *Jes. 9, 6.*

Wan von dir so get auß an fel
Der herfurer von Israhel
Van ewikeit der tag.' nun zel
In welchem schein
105 Daz kindelein
Und auch sein keusche muter rein
Unß durch die schrifft verkundet sein
Anders dan zu eim drost gemein,
Daz ab gewendet wurd der zorn
110 In dem der teufel Satanus
Ye hat begert
Der wellt verdamung gare.

5.

Ave mater salvatoris,
In welcher er gesungen
115 Wart 'gloria in excelsis'
Zu lob deim kindlin jungen.
Groß freid den hirten sich auß spent;
Vom opfer Davit hot bekent
In gab und miet
120 Der kong Tarsis mit namen;
Und Balaam benent den stern
Von Jacob zu entspringen,
Der die kung furt dem kind zu ern
Gollt, mir und weirach pringen;
125 Furbaz Isaias benent:
'Zu fleust daz folk von ydem ent,
Die sein fußdrit
An peten ane schamen.'

Nun sprechet lob der jungfraw rein
130 Und irem libsten kindlin clein,
Daz uns erlöset hat gemein
Auß fluchez fal,
Der hellen qual,
Dar um er dan kam her zu tal,
135 Nach dem geschrien wart mit schal
Von den profeten uberal,
Daz er her ab zu unß wolt kern.
Um dich, jugfraw, er daz nit liß.
O meit, nun pit
140 Fur unß dein kindlein! amen.

101. so *fehlt N2. Micha 5, 2.* 116. dem *N2.* 118. hot *nachträglich übergeschrieben X.* erkent *N2.* 119. miet *aus* myt *X.* 120. *Ps. 72, 10.* 121. *4. Mos. 24, 17.* 123. furt] west *N2.* 126. *Jes. 49, 23.* 127. drit *vor* drit *durchstr. X.* 129. sprecht *N2.* jungfrawen *N2.* 130. libsten kindelein *N2.* 134. dan] da *N2.* 135. Nach dem *aus* dar nach *X.* 137. solt *N2.* 138. er daz *fehlt N2* 139. nū *vor* O *durchstr. X.* 140. Für *fehlt N2.*

[57.]

1.

[54r] O muter vol genaden,
Du tempel wol bereit,
Dar ein von erst geladen
Wart Got in ewikeit,
5 Der um menschliches heile
5 tempel im erwelet.

Und waß der erst auff erde
Deins leibes keuscher sal,
Dar ein Got mit begerde
10 Zu kumen gert gen tal,
Auf daz der sunden meile
Gancz wurden ab gestellet;

Und kam in dich gancz mechtig,
Allz die drifallt eindrechtig
15 Ir het vor ye und ye
Dich gnadenreichen sarche
Und wore Gottez arche
Dar zu erwelt, daz nie
Menschlich vernunfft besane
20 Wie die gotlich natur
Hie nem die menscheit ane,
Daz schrifft, natur, figur
Nicht durch daz minste teile
Mag kunden clar und pur.

2.

25 Der ander tempel reine
Den Cristus im erkoß,
Daz waz die wellt gemeine,
Dar in er armut groß,
Elend, not, angst, drupsale
30 Und schmerczen hat erkoren

Zu drost unß armen wellffen,
Durch die er komen ist
Von dem drupsal zu hellffen
Dar ein Satanus list
35 Unß pracht durch neides quale.
Dar durch wir all verloren

Do sollten sein gewesen;
Die schuld hat auf gelesen,
Jungfraw, dein sun so fron
40 Durch sein plutsweissigz swiczen,
Geisel und pesem schmiczen
Und auch der durnin kron,
Abreissung seines cleides,
Annaglung fuß und hend
45 In sterbung grosses leides,
Der durch sein piters end
Unß auß deß fluchez fale
Lost hie in dem elend.

3.

Der dritte tempel zware
50 Do Got wunder in worcht,
Waß die vorhell furware,
Do mang profet mit forcht
Sas in des dodez schatten
Fil manig hundert jare

55 Und schriren all gemeine
Auß permeclicher qual:
'Zureiß die himel deine,
Got her, und ker zu tal.'
Allzo kam Got zu staten
60 Der groß weisagen schare.

[57.] 2. Ein *N2*. 5. Dar *N2*. 10. zw t. *N2*. 12. G. würd aüch ab gest. *N2*. 13. Got *N2*. 15. Er *N2*. 16. erentreicher *N2*. 19. persone *N2*. 21. Nam hie *N2*. 22. Also schr. *N2*. 27. Was hy die *N2*. 33. Aüs *N2*. 34. satanas *N2*. 35. durch] in *N2*. 36. Dar vmb *N2*. 41. vñ *vor* Geisel *gestr*. *X*. 42. auch] von *N2*. 46. Vnd *N2*. 47. fleisches *N2*. 48. Losset in *N2*. 49. clare *N2*. 55. schreyen *N2*. 58. Her got v. küm z. t. *N2*. 60. gancz weissagent *N2*.

Do waß englisch hofiren,
Lust, wun und jubiliren
Der auß erwellten rott,
Die in ir samenungen
65 In lobten unde sungen:
'Her, du pist unser Got
Und auch unser e drager,
Deß wir lang han begert,
Und aller clag verjager,
/54v/ Die unß lang hat beswert.'
71 Secht, allzo det Got matten
Der ganczen hellen hert.

4.

Der firde tempel reine
Do Got wonung in hot,
75 Sint all cristen gemeine
Die sich der sunden wot
Enplosset haben gare
Und hie der wellt ab sterben
Und die allein Got leben
80 Mit wellen, thun und lan;
Den wil er sich gancz geben
Und wonung pei in han
Mit aller engel schare,
Die im genad erwerben.
85 Die lib wirt im beweiset
So in Got geistlich speiset
Und sacramentlich hie,
Daz er gancz ungemeiligt
Lebet und wirt geheiligt.
90 Auch Gotez muter ye
Mit aller heiling zunffte
Wil wonung han pei im,
Wan in deß sunß zukunffte
Die muter auch vernym,
95 Allß in dem himel clare
In freidenreicher gim.

5.

Der 5e tempel reiche
Ist dort die ewig kron,
Dar in Got ewicleiche
100 Wil sein der menschen lon
Die dort von angesichte
Zu angesicht Got sehen,
Do die 3 krefft der selen,
Gedechtnus, wil, vernunfft,
105 Mit freiden reichem welen
In einweslicher zunfft
Vater, sun, geistez pflichte
Sich ewiclich erbrehen.
Allzo sie contempliren,
110 Got stet sich presentiren
Unschidlich ewig gancz,
So sicht menschlich nature
Gotz menscheit clar und pure
Mit gleicher concordancz
115 Und sein fil millte muter,
Der leib unß in gepar.
O Criste, du fil guter,
Vor sunden unß bewar,
Laz unß verderben nichte
120 Und hilff unß zu dir dar!

67. e] schuld *N2.* 69. aller] vnser *N2.* 70. Dar dūrch wir lang peschwert *N2.* 72. D. gancz verhelle her *N2.* 78. der] die *N2.* 88. pleibt vng *vor* gancz *durchstr. X.* pleibt vnvermeiligt *N2.* 89. geheiligst *X.* 90. Vnd *N2.* 91. selgen *N2.* 92. pej] jn *N2.* 93. Vnd *N2.* 96. Mit *N2.* stim *N2.* 98. der himel drō *N2.* 100. menscheit *N2.* 101. dort] in *N2.* 102. Zw anges. ansehen *N2.* 105. In jübelirn vnd welen *N2.* 106. ein wessenlichen *N2.* 109. So sicht menschlich nature gotz menscht clar vñ pure *vor* Allzo *durchstr. X.* 111. Vnd schidlich *N2.* 112. Do sich *N2.* 115. Vnd aūch sein m. m. *N2.* 117. cristūs *N2.*

[58.]

1.

Maria hoch begabet rein
Mit *5* wirdikeyten,
Dar in, jungfraw, der schopfer dein
Dein adel wolt auß preiten.
5 Und waß dein ersti wird die stet
Daz du Got keusch gelubet het,
Do, jugfraw, ye
Dein red gipt zeugnus vane:
Do Gabrihel dir det erklern
10 Und nun gab zu erkennen:
'Du wirst enphoen und gepern
Ein kint und Jhesum nennen,'
Dar wider du, zart jugfraw, rett
Durch waz doch daz gescheen det,
15 Seyt daz du nie
Erkentest keinen mane.

Allz daz die schrifft clerrer auß leit
Wie du, jungfraw, gancze keuscheit
[55r] Gelubet Got in ewikeit,
20 Auff daz daz du,
Zart jugfraw, nu
Dest angenemer spat und fru
Der meide dien mochtest mit ru
Die Got wirdigen wurd dar zu
25 In zu gepern auß keuschem schrein,
Dez dich Got selber det gewern,
Wan du wert die
Die er dar zu besane.

2.

Dein ander wird waß, jungfraw zart,
30 Daz du vom heiling geiste
Enpfingst wider naturlich art,
Der in dich kam gereiste
Wider naturlich handelung
Allein in der umschetiung,
35 Dar in die crafft
Dez hosten dich umgabe.
Und allz du in enpfigst keuschlich
Ubernaturlich gare,
Allzo du auch gancz seliclich
40 Gepert dein kindlin clare
Durch die gotlichen wunderung,
Daß nie verkundet menschen zung
Wie seldenhafft
Naturen art weich abe.

[58.] 1. begabet] gelobte *N2.* 2. Wol mit fünf *N2.* 5 *fehlt X, es ist Platz für eine Zahl gelassen.* 3. Dürch die *N2.* 4. an spreiten *N2.* 5. waß] ist *N2.* die] dein *N2.* V. 6. du *fehlt N2.* globet *N2.* 8. gab *N2.* 10. Vnd gab dir *N2.* 14. daz] des *N2.* 17. clerlich *N2.* 18. gancze *über durchstr.* ewik *X.* 20. Dar vmb das dw *N2.* 23. mit *über der Zeile X.* Der selben meit mochst dinn mit rw *N2.* 24. erwellen *N2.* 25. keuschē *X.* Keüscher gepürt in zw gewern *N2.* 26. bege*r*n *vor* gewern *durchstr. X.* Aüs reinem jünckfrewlichen schrein *N2.* *Die Reimstellung in N2 ist richtig.* 27. Do wastw die *N2.* 28. er] got *N2.* zu] *oder* jn *(?) X.* 29. Die a. wirden jünckfraw z. *N2.* 32. zw dir *N2.* 33. gemeine *N2.* 34. vmbscheitvng *N2.* 35. In der *N2.* 37. Wan *N2.* 38. V. natur so g. *N2.* 40. ein *N2.* 44. Natürlich *N2.*

45 Davon schrifftlich unß der poet
Ovidius verkindet det:
'Ein himelkind sich zu unß nhet
Flisent gen tal
Her auß dem sal.'
50 Lob hab, jungfraw, der reichen wal,
Wan du nit nach gemeinem fal,
Sunder ob aller sine hal
Got mensch in ein persan, ich sprich,
Zu mittel dein vereinet wort,
55 Dar durch geschafft
Unß wirt der selen labe.

3.

[56r] Dein dritte wird ist, jungfraw werd,
Daz du erwellet hette
Zwo widerwertig sach auff erd:
60 Daz erst jugfrewlich stete,
Welch keusch und doch unfrucht-
per ist,
Dar in wider naturen list
Du, reine meit,
Host fruchtperkeyt erkobert;

65 Die ander sach das du eim man
Zu e vermehellt were,
Welch fruchtper ist, doch
keuscheit an,
Dar in du, jugfraw here,
Keuscheit behilltest alle frist,
70 Des du ein new merwunder pist.
Dein wirdikeit
Den feint hat überdobert

Durch dein geperen wunderleich.
Adam an man und weib geleich
75 Geporen wart auß dem ertreich,
Eva an weib
Auß Adams leib;
Erbsund ich andren allen schreib
An dein gepurt, die keusch becleib,
80 Durch die Got newe wunder dreib,
Der von dir nam sein menscheit fran
An man und an weibes begerd,
Der sein menscheit
Keuschlich von dir herobert.

45. vns schriftlich *N2.* 46. verkünden *N2.* 47. let *N2.* 51. du *X N2, l.* dir*? Roethe.* 52. Enpfingst *N2.* 54. dem *oder* dein*? X.* 56. wart *N2. nach* 56 *am Rand r. ein Schnörkel mit der Bem.* Such pey diesē zeichen; *der Schnörkel wiederholt* 56v *oben, wo das Lied fortfährt X.* 57. Die *N2.* 60. Die *N2.* 65. ein *N2.* 67. Ee *N2.* 70. Dar vmb dw ein new wunder pist *N2.* 72. Dein *N2.* 73. wirdigkleich *N2.* 74. vn weib *vor* mā *gestr. X.* weibe gleich *N2.* 75. Poren *N2.* ertereich *N2.* 78. Erbsünde andern ich zw schreib *N2.* 79. Dan *N2.* keusch] rein *N2.* 80. grosse *N2.* 82. A. m. vnd aūch an w. gerdt *N2.* 83. Got *N2.*

4.

85 Dein firde wirdikeit, jungfraw,
Dar mitu wert beflossen,
Ist daz du mit der gnaden taw
So reilich wurd begossen
Daz suntlich wort, werk noch gedank
90 Dich nie beruret in keim wank;
Gleich feinem gold
Wertu geschonet gancze.
Wan ye pillich und muglich waß
Daz der schrein, arch und sale
95 Und auch daz auzerwelti faz
Dar ein Got kam zu tale
Wer gancz erleutert clar und plank
In Got vor allem anefang,
Dar in er wold
100 Nemen sein menschlich pflancze.

Der gancz veracht den allten dacz
Und von dir kam einß newen sacz,
Do waz pillich daz nach dem schacz
Von dem ich sag,
105 In reinem hag
Neun menet deynes leibes pflag,
Daz du furbaz nacht unde dacg
Rucht nach dem schacz der in dir lag.
Lob hab, du kunglicher ballas,
110 Du Gottez keiserliche aw,
Der dir zu solld
Noch ert dein rein substancze!

5.

Jungfraw, die funffte wirde dein
Ist daz du pist erhaben
115 Hoch über den kor seraphein
Mit sulchen grossen gaben
Daz du mit leib und sel nun pist
Die nest pey Got, deim sune Crist,
Der in gotheit
120 Ist eins mit der drivallde,
Der dir numer versagen *kan*
Wez du in manest zware,
[57r] Do unß der lerer schreibet van
Adam von Sant Victore.
125 Got vater pitestu all frist
Und *pist* gepitent, allz man list,
Deim sun allzeit
Mit folligem gewallde,

---

85. Di: *N2.* 86. peschossen *N2.* 87. mit genaden *N2.* 88. Reilichen wart dürch gossen *N2.* 89. werck wort *N2.* 90. berürt in keinem *N2.* 92. Was dw beschonet gancze *N2.* 93. ye] gar *N2.* 94. Das er sein a. *N2.* 97. so geleütert *N2.* 98. In anfang mitten vñ aüs ganck *N2.* 99. Dar jn er wolld *vor* Dar *durchstr. X.* got *N2.* 101. gar *N2.* 103. Das *N2.* 105. *das* m *in* reinem *undeutlich X.* 108. Rüchst *N2.* 110. gottez] schone *N2.* 111. Gott *N2.* 113. die] dw *N2.* 115. *die letzte Silbe von* seraphein *undeutlich X.* den] die *N2.* 118. Die nechst noch deim sün Jesüm Crist *N2.* 121. Do er dir nit *N2.* kan *fehlt X.* 124. von] de *N2.* 125. Den *N2.* 126. *ein Wort,* pitt? *vor* gepitent *durchstr., es sollte in* pist *verbessert werden X.*

Do du herschest all engel clar,
130 Profeten, patriarchen schar,
Zwelffpoten, ewanglisten gar,
Merterer her,
All peichtiger,
Jungfrawen, wittwen imermer.
135 O muter Gotz, durch die groz er
Dein millde gute zu unß ker,
Sich unß mit deiner parmung an,
Pehut unß vor der hellen pein,
Du reine meit,
140 Unß ewiclich behallde!

[59.]

1.

/55r/ Hort wie der lib Augustinus,
Eximius
Doctor sacre scripture
Im dritten puche sein
5 Der wunderwerk unß dut ercleren
Wie nun wider gewonheit gar
Ein jungfraw clar
Ir kint keuschlich und pure
Enpfangen hat gancz rein
10 An alles megetlich verseren
Und an all hillff menlicher steur
Noch prenung leiplichs lustes fewr,
Welch accidencz ir waren tewr.
Jungfraw, daz zu beweren newr
15 Ger ich petlich deinr hillffe hewr,
Seit doch Got an exempel nicht
Dis new geschicht
Hie ließ an allz beweren:
Wan nach an veterlich zukunfft
20 Die thirlich zunfft
Mancher geschlecht sich jerlichen geperen.

2.

Merckt allz die pin an vater wirt
Und sich gepirt
Der muter halb alleine
25 Und etlich vogel mer:
Sic carbas, wultur et bonafa.
Vom carbas sagt unß Albertus,
Basilius
De wulture /55v/ schr.:pt reine,
30 Ysidirus mit ler
De bonafa verkunde darna.

129. Do *oder* So? *X.* Da herschest tw *N2.* 138. B. v. dort vor helle pein *N2.* 139. In deim geleit *N2.*

[59.] 9. gar *N2.* 10. alle *N2.* 18. nach = noch. 26. fultor bona foe *N2.* 27. schreib *N2.* 30. dar noe *N2.*

Des gleich de piscibus, nempt war,
Mancher philosophus mellt clar
Wie auch an menlich steure gar
35 Ir etwen fil enphaen zwar.
So kumet von dem winde dar
Quod eqwa Capodocie
Enphecht. hort me:
An lust fil wurmlin werden,
40 Den sich nach dem spruch Davit Got
Gegleichet hot
Nit mensch, sunder ein wurmlin hie auff erden.

3.

Seit nun durch die nature Got
Geordent hot
45 Sulch creatur zu werden
An steur menlicher zunfft,
Das doch nach der naturen lauffe
Widerwertig zu sprechen ist,
Sollt dan nit Crist,
50 Ein her himels und erden,
Wider menschlich vernunfft
Von Got dez heilgen geistes drauffe
Enpfangen werden und geporn
Von der die er im het erkorn,
55 Die unß ab leit den langen zorn
Durch den wir waren all verlorn,
Pis unß erlost das keusch einhorn,
Daz Got der vater jaget plos
Her in die schos
60 Dez jungfrewlichen herczen,
Dar in es fur uns wart gecleit
Mit der menscheit
Und unß erledigt von ewigen smerczen?

[60.]

1.

Isaias in dem durch spehen
Geistlich die heimlikeyt unser erlosung gar,
Auß welchem zwey zu merken sint:
Das erst demut, ut Ysaie nono,

33. schreib *N2.* 34. wie auch an menlich ste *vor* steure *durchstr. X.* 37. Das *N2.* 40. Dan nach d. sp. sich d. g. *N2.* 49. Solten n. c. *N2.* 51. Vber *N2.* 56. all warden *N2.* 61. becleit *N2.* 63. lediget von ewigem *N2.*
[60.] *Die Anfangsreime 1. 5, 24. 28, 47. 51 in X nicht gesperrt.* 4. *Jes. 9, 6.*

5 Wie er von Cristo hat gejheen:
'Ein cleiner ist geporen unß.' hie pey nempt war
Ob ir icht grozer demut fint
Quam in rege qui potens est in trono.

Wan der der ungemessen ist
10 Und von Got vater ewig wirt geporen,
Wart hie ein kindlin in der frist
Geporn von Marien der außerkoren,
Do von her Jeremias spricht:
'Der der himel und erd
15 Mit seiner macht erfullt, der schopfer werd,
Wirt hewt gelegt in ein criplein.'
In dem mußhauß waz im kein andre stat.
Der unmesslich ist worden clein
Nicht durch wandlung auß dem gotlichen grat:
20 Gotlich natur wart menschlich nicht,
Noch die menschlich */56c/* gotlich, merckt die geverd;
Die finster mischt sich nie dem licht
Noch auch die gotlich menschlicher beswerd.

2.

Im andern Isaias kundet
25 Die groß inprinstlich lib des herren Sabaoth,
Do er den spruch erfült und sprach
Furpazer: 'und ein sun ist unß gegeben.'

Nim war hie, mensch, und wird enzundet
Inhiczig flamend wider in der lib zu Got,
30 Der im von ewikeit fur sach
Die keusch, in der er unß erkukt daz leben

Durch seins einigen suns sendung,
Den hie ein arme dirn nam in ir hute.
Hort waz fremder verwunderung
35 In den allhimlisch geist pliken gerute.
Dem wart gespannet auff daz zellt,
Dar ein die keusch in fing.
Hor, mensch, nun hör waz wunderlicher ding:

14. de himel *vor* Der *durchstr.* 19. go *vor* grat *durchstr.* 30 van?

Daz ungreifflich begriffen wart
40 Zu mittelst Got dem fleisch und auch der sel;
Geschaffen wart der schopfer zart;
Der rex regum gene*n*t Emanuel
Wart knechtes knecht in diser wellt;
Do wart Maria leib des himelz ring
45 Und auch das lustig freiden fellt,
Do Got und mensch in einr persan außging.

3.

Zwar nicht daz die gotlich nature
Und die menschlich gewurket wurden ein substancz,
Daz auß den zweien wurd die drit,
50 Die nicht gotlich noch menschlich genczlich were:

Dar um verstet lauter und pure
Daz die gotlich natur ist ungeprechlich gancz
Und einet sich der menscheit mit
Durch anemung der selben ymer mere;

55 Wan er nam daz daz er nie waß,
Und pleib doch das daz er ye ist gewesen
In ydlicher substa*n*cz furbas
Der zweier naturen, allz man dut lesen,
Idlichz in der folkomen heyt,
60 Allso daz furbaz die
Von in selber gesprechen mugen ye
Got mensch und der mensch Got allzo
Durch diß vereiniung ewig an end.
Hec magister in tercio
65 Sentenciarum gipet zu verstend
Welch einiung die piterkeyt
Dez dodez Cristi nie geschiden hie:
Wie doch die sel nam den ab scheit,
Doch schid goteit sich von in peiden nie.

42. genet. 57. substacz. 69. gott.

[61.]

[57r] 1479 ante purificacionis. In dem langen thon Hans Follczen barwirers von Wurmß zu Nurnberg wonhafft.

1.

Unß schreibt Isaias nono capitulo:
'Ein kint ist unß geporen nun,
Unß ist ein sun
Gegeben,
5 Auff dez achsel im frist
Sein herschafft ist,
Und wirt sein nam
Wunderwerker genente,
Rotgeber, Got, starker, vater der werung ho,
10 Ein furst und frid, welches herschafft
Mugender crafft
Sein sweben
Hat auff dem stul Davit,
Sein reichtum mit
15 Erwundersam
Zu ordenen bekente

In dem gericht und auch in deer
Gerechtikeyt nun und pis ewiclichen.
Und dises wirt wurcken der her
20 In seiner fleissikeyt fursehenlichen.'
In welchem spruch drew ding so clar
Unß werden offenbar,
— — — — — — —
In dem das der profete gar
25 Ein kindlin in bestimet und ein sun dar *n*ho;
Und dis kindlin, hört, dewt*et* das
Ein sun Gotz was
Und leben
Nam in der keuschen hie,
30 Welchen sun sie
Unß machet zam,
Der nacht zu geben ente.

[61.] *Die Überschrift in einer Zeile fortlaufend, ohne Worttrennung.* 9. gar *vor* ho *durchstr.* frud. 11. merend *vor* mugend[s] *durchstr.* 23. *in der Hs. keine Lücke.* 25. naho. 26*f.* Vñ dewt das dis k. h. e. sum *(?)* g. w.; *die Umstellung hat Roethe aus metrischen Gründen vorgenommen.*

2.

Zum andern merken wir die armut Cristi dan,
In dem allz spricht der profet rein:
35 'Die herschafft sein
Ist kumen
Auff sein selbz achsel im,'
Allz er, vernim,
Wollt sprechen hie:
40 'Die purd wurd ich selbz tragen.'

Waz ist die purdi seiner achsel? wellt verstan
Den elend, marter arm und plos
Und daz † groß
Zu frumen
45 Den die im volgen nach.
Mensch, dir sey jach
Zu dencken wie
Du im dez danck tust sagen.

Zum dritten merket die gotheyt
50 Dez kindez hie nach diser profeceye
Gar merklichen nach unterscheyt
Der VII na*men*, die er kunt dar peye
Dem kindlin woren mensch und Got,
Allz auch der profet hot
55 Erzelet und im text clar stot,
Welcher außlegung auch ist not.
Zum ersten 'wunderwerker' ich gemeldet han.
Wer der muß sein, ist offenbar.
Daz nie dar vor
60 Vernumen
Wart dises kindes gleich,
Dez wunder reich
Den fursten ye
Der wellt hat lam geschlagen.

3.

[57ᵃ] Zum andern disez kint 'ratgeber' wirt genent,
66 Wan ez den newen rat pracht her
Cristlicher ler,
Den sichen
Daz heil zu fahen an.
70 Durch in die pan
Dez paradis
Wart wider um gepawen.

Zum dritten diser text daz kindlin 'Got' bekent.
Hie pey unß ist zu merken nun
75 Daz Gottez sun
Zeitlichen
Ein sun der meit hie wart
Im gruß so zart
Gabrihelis
80 Pey diser rein jungfrawen.

52. nanē.

Zum firden 'starck' der text in mellt,
Wan ye die gotlich crafft in im sich eyget
In der erlosung aller wellt.
Im funften wirt dez kindez nam gezeiget
85 'Ein vater aller werung' gar:
Hie wirt unß offenbar
Dez kindez ewikeyt furwar.
Daz, secht, in 'furst' benenet clar,
Dez herschung dort wird sein ymer ewig on end.
90 Der lest nam 'frid' genennet wart
Dez kindlinz zart.
Gewichen
Ist durch in allez leyt,
Dez gutikeyt
95 Unß macht gewiß
Frid in der himel awen.

[62.]

[76a] Plinten lit im muscat plut.

1.

Ach liben lewt,
Nun dut euch hewt
Erparmen mein
Der grossen pein,
5 Wie ich um mein gesichte
Kam allso drat
An arge dat.
Nun horet zu
Wie sulch unru
10 Sich zu mir hat gepflichte!

Wan ich waß eines pfaffen knecht,
Der het ein kellnerinne
Und die im allzeit waz gerecht
Zu schimpflichen begine,
15 Wo er ir net,
Fru unde spet,
Gar heimlich und gar stille,
So naschet er ir zum prifet,
Das ich hort dick und file;
20 Daß sie ein scheiß
Liß das sie kreiß,

So dacht ich mir dan leide
Und west nit ob man rettung hofft,
Und dacht mir offt
25 Eß wer wol zeyt,
Du retst den streyt,
E sie vergingen peide.

2.

[77r] Einß mols wollt sie
Den pfaffen nie
30 Von ir gelan,
Er must vor an;
Im keller das geschae.

Sie sprach: 'her, tast
Mein faß, das nast.
35 Nun reidet fur,
Allz sich gepur!'
Der pfaff hin wider jahe.

. . . .
. . . .
40 . . . .
. . . .
Er sprach zu ir:
'Nun peit pis schir,
Icz pin euch ungeschicket.'
45 Sie sprach: 'her, so vernit das pir!
Wie pald hapt irs verczwiket.'
Wie fast sie schrey,
Der pffaff der swey
Und liff do hin sein strassen.
50 Do det mir nit meinß heren schad,
Hinzu ich drat
Und sprach: 'zeigt her!
Waz ist der mer?
Mocht ich daß loch verstossen?'

3.

[77v] Sie sprach zu stunt:
56 'Nun sich zum spunt,
Allz ich dir zeig;
Die podenneig
Die solltu selber erben.'

60 Do nam sie kurcz
Ein untersturcz
Und straucht vor mir;
Do wollt ich ir
Nit allso lan verderben.

---

29. vo *hinter* nie *durchstr.* *38—41, die 4 ersten Zeilen des Abgesangs sind ausgelassen.*

65 Unten und oben ich zu focht,
Ob ir noch mocht gelingen,
Und ruket waz ich ymer mocht,
Ob ich sie mocht auff pringen.
In dem do kam
70 Der pffaff allsam
Und waß sein inen worden.
Er sprach: 'du schalk an eren lam,
Willtu mirs dan ermorden?'
Daß er klagt
75 Und mich verpagt,
Pracht mich um mein gesichte.
In rechter drew kam ich dar on,
Ich ormer mon!
Jo wer ich dot,
80 Wer mir nit not.
Wen solltz erparmen nichte?

[63.]

1.

[78r] *M*an list in tercio dez puchez Genisi
Das Got sprach zu der slangen daz:
'Du wirst furbaz
Dich schlingen
5 Auff deiner pruste zwar;
Ein weib, nim war,
Zumischt dein haupt
Und nimpt dir all dein craffte.'
Und Judicum am 6 stet geschriben wie
10 Ein zeichen pat der Gedeon
Im fel, dar von
Gedingen
Dez sigez er gedrawt,
Wurd ez bedawt.
15 Ir cristen, glaubt
Der figur eigenschaffte!

Die schlang bedewt den Satanas,
Der Adam und Evam vergifftet peyde
Im paradeise durch das aß,
20 Do von die menscheit kam in allez leide.
Dem hat die keusch, zart jungfraw rein
Zumischt daz hawbet sein,

74 *fehlt eine Silbe.* 75. verpigt *(?); die Schrift ist sehr undeutlich; auch* versagt (*oder* verstreyt?) *könnte dastehen; l.* verjagt? 77. an? 78. ma? 80. no.
[63.] *Die Anfangslettern der Strophen fehlen X.* 1. an *X.* 10. der] her *N2.* 19. durch den fras *N2.*

So pald *an* ir der gruß wart schein
Dar mit sy uns erlost aus pein.
25 Und Gedionis fel vom daw befeucht dewt hie
Daz sie vom heilgen geiste zart
Bedawet wart:
Gelingen
Geschach unß, seyt dar an
30 Naturen ban
Hat sie gedaupt
Gotlich und wunderhaffte.

2.

*M*an list in dem 3 capitel Exodi
Wie Moisez den pusch so gar
35 Sach prinen clar
Durch flamet
Und pleib doch unzustort,
Sunder er hort
Dar auß ein stim
40 Dez herren mit im kosen.

Und Numeri am 17 hort wie
Die dur rut Aaronis pracht
In einer nacht
Gesamet
45 Plud, laub und frucht so rein,
Daz ungemein
Doch ist. vernim
Furbaz die ding zu glosen!

[78ᵃ] Pey dem pusch Moisi verste
50 Die nie versert plud, laub, frucht noch den stame,
Die keusch swangerheit Marie,
Die nie schmercz, pein noch we dar in vervame,
Wan in ir want der himlisch gast
Recht sam in seinm palast,
55 Dem nie zu ran noch auch geprast,
Wan er selb ist die ewig rast.
Nun pey der durren ruten Aaron merk hie
Daz an all menlich stewr die clug
Enpfing und drug
60 Benamet
Und det keuschlich gepern
Ihesum den hern
An schmerczes glim.
Lob sey der himel rosen!

---

23. am̄ *X*, vnd *N2*. 24 *N*, *fehlt X*. 25. gedienis? *X*. befeucht *aus* befeuchtet *X*. hie *vor* dewt *durchstr*. *X*. befeüchtet hie *N2*. 28. Jechlingen *N2*. 29. Wart vns das heil verpracht *N2*. 30. Natûre macht *N2*. 33. an *X*. 41. sibenzehenden *N2*. 44. Besamēt *N2*. 45. sorein *X*. 47. Da *N2*. 50. Den *N2*. 52. *l.* vername? 54. als in seim *N2*. 55. auch] nie *N2*. 57. hie] y *N2*. 58. menschlich *N2*. 60. Benament *N2*.

3.

65 *M*an list 2° Regum 5° capitulo
Daz Abner furst der riterschafft
Sauls mit crafft
Erleichen
Zoch gen Jerusalem,
70 Auff daz er *k*em
Daz folk Davit
Und in zu precht mit namen.

So list man auch tercio Regum
decimo
Alz die kungin Saba verstunt
75 Der weisheit grunt
Dez reichen
Kung Salamonis her,
Groz schenk und er
Sie im beschit
80 Zu lob seim hoen stamen.

Daz folk daz sich dem Saul zu necht,
Bedewtet unß die werden konig dreye,
Die am steren haten erspecht
Den konig aller kung geporen freie,
85 Gewaltig aller schepfung gar,
Selczam und wunderbar
Geporen von der jungfraw clar
Zu drost aller menschlichen schar.
Und pey der schenk der kunegin Saba dar na,
90 Die sie kung Salamone det,
Man clar verstet
Dez gleichen
Der kong opfer drifach,
Golt, mir, weirach.
95 Nun won unß mit
Daz kindlin Jhesus! amen.

[64.]

1.

O Maria, von dir beruret
Unß Isaias 7° capitulo,
Nempt war: 'ein jungfraw die enpfecht
Und wirt geperen einen sun furware.'

---

65. an *X*. 2° *sehr unsicher, wohl eher 4 X*. 5° *wahrscheinlich X, l.* 3°? Primi regvm sedecimo capitůlo *N2*. 66. Abner der fůrst *N2*. 67. Des saůls *N2*. 68. Herleichen *N*. 70. er kem *N2*, erdem *X*. 73. Mon list in tercio r. vndecimo *N2*. 74. Do *N2*. 82. Bedeůten *N2*. 83. haben? *X*. 90. Salomony *N2*. 95. Des *N2*.
[64.] *Die Anfangsreime 1. 5, 24. 28, 47. 51 nicht ausgezeichnet X*. 1. O *fehlt X*. 2. septimo *N2*.

5 So hat Davit furbaz folfuret
In seinen spruchen diseu wort clerlich dar no:
'Der her steigt ab */79r/* recht allz ir secht
Den regen in daz fel thun rein und clare.'

Und im ein und firczigsten werd
10 Der weissung Jeremias kundet eben:
'Ein newes beschafft Got auff erd,
Ein weib, und die wirt einen man um geben.'
Und im 4 und funffzigsten hie
Ezechiel erclert:
15 'Zu ist die pfort und wirt nit auf gespert.'
Pei diser werden profecei
Sint unß bedewtet wunderliche ding.
Daz erst daz die zart jungfraw frey
Den heilgen geist an menlich stewr enpfing,
20 Dar zu die crafft dez hochsten sie
Allzo umgab daz sie nit wart beswert
In irer swangerheit noch nie,
Dar in Got selb sein werde muter ert.

2.

Im andern Daniel dut foren
25 Wie der ekstein vom perg an hend geschniten sey.
So stet furbaz Isaie
Im 9 capitel geschriben clare:

'Nim war, ein cleinr ist unß geporen
Und ein sun ist gegeben unß.' do merket pey
30 Daz der ekstein genennet *e*
Ihesum daz kindlin dewtet offenbare.

So stet Abacuc tercio:
'O her, ich hort dein hör und waz in forchten.'
Im funfften Micheas dar no
35 Die gegent nent do er daz wunder worchte,

---

6. *oder* disen? *die Endung* -eu *wäre ganz vereinzelt in X.* disse w. clerlichen do *N 2. Ps. 72, 6.* 7. stig *N 2.* secht] reht *N 2.* 8. Der regen in das gras subtil vnd clare *N 2.* 9. in eim virczigsten wern *N 2.* 11. E. n. ding schüff g. a. ern *N 2. Jer. 31, 22.* 13. Vnd *fehlt N 2.* 18. Von *N 2.* 19. Vom *N 2.* menschlich *N 2.* 21. peschert *N 2.* 22. Zw *N 2.* 23. D. in g. selbs s. libe m. e. *N 2.* 26. Mer thůt isaias bekant *N 2.* 27. Im neůnten capitel geschriben gare *N 2.* 28. cleins *N 2.* 29. So ist ein s. *N 2.* 30. e] E' *(oder* d')*X.* Das er der eckstein ist genant *N 2.* 31. Jesus *N 2.* 34. M. also *N 2.* 35. er] got *N 2.*

Und sprecht: 'o Petlahem du werd,
Die minst wirstu nicht ye
Unter den fursten, steten Juda hie.'
Pey disen spruchen wirt bekant
40 Die keusch gepurt Jhesu zu Petlehem,
Dez himelz und der erd heilant,
Der peid daz zepter und daz diadem
Der ganczen sinagog auff erd
Zustrewet hat ůnd die judscheit, daz sie
45 Furbaz dar in hillfft kein geferd.
Lob hab er dem sich neigen alle knie!

3.

K u n t dut unß fort Davit der reine
Die kunig Tarsis und der inseln pringen gab.
So spricht her Isaias clar
50 Im andern capitel die wort mit namen:

[79v] 'U n d im fleust zu daz folk gemeine.'
Furbaz ich in daz firczigest capitel drab,
Do er verkundet offenbar:
'Sein fußdrit peten sie an die do kamen.'

55 Und im 24 igsten spricht
Isaias: 'ez wirt ein stern auff dringen
Her von Jacob mit clarem licht
Und von der wurcz Jesse ein rut entspringen.'
Und dise profecei bedewt
60 Die zukunfft lobeleich
Von dem anfang der dreier konig reich,
Die mit in prachten reichen sollt
Zu lob dem konig, aller goter Got,
Peid weirach, mirren und daz golt
65 Alpho et o dem konig Sabaot,

---

36. spricht *N2*. du] wie *N2*. 39. Pey dissem sprůch also verste *N2*. 41. Der vns aůch gab die neůen ee *N2*. 42. Vnd *N2*. 44. hat die jůdischheit *N2*. 47. fort *fehlt N2*. 48. Der k. t. vnd aůch insel reiche gab *N2*. 49. her] aůch *N2*. 56. Isaias *fehlt X, es ist aber Platz gelassen*. 57. wol zu der frist *vor* mit *durchstr. X*. H. v. jacob als mon vns gicht *N2*. 58. V. v. d. wůrczel Jesse wirt entspringen *N2*. 59. Wol *N2*. 61. *oder* dein? *X*. 62. pracht ein werden solt *N2*. 64. Weyrach mirach vnd aůch das g. *N2*. 65. o zw lob dem *N2*.

Der unß den allten haß auß rewt.
Lob sey dir, muter Gotez, ewicleich,
Thu unß dort ewiclich erfreyt!
Sprecht seliclichen 'amen' alle gleich!

[65.]

1.

*M*aria, jungfraw here,
Hillff daz ich wird und ere
Der keuscheit dein bewere
Durch schrifft
5 Und durch naturlich pillden.

Der got Jovis im segen
Der Dianen det pflegen,
Daz durch ein guldin regen
Verprifft
10 Ein frucht wart in der wilden.

So ist natur
Im geir so pur
Daz menlich kur
Zu fruchten in nit zwinget,
15 Sunder keuschlich verpringet:
Her in pilich furdringet
Gestifft
Gotz in der keuschen milden.

2.

Tuscia durch unhulde
20 In eim sib mit gedulde
Drug wazer fur ir schulde,
Dar mit
Die schon ir keusch beweret.

Emilia die stete
25 Mit feur beflampt ir wete
Fur red die auff sie tete
Der nit,
Ir gut liß unverkeret.

So hat sich ie
30 Claudia hie
Befreit, so sie
Sterklich mit irer hande
Ein groß schiff zoch zu lande.
Noch mer sey euch bekande
35 Der sit
Marien, die Got erte.

---

68. Das wir bey dir werden erfreit *N2.* 69. al geleich *N2.*
[65.] 1. aria. 7. *l.* Danaen. 23. keus *nach* jr *durchstr.* *l.* bewerte? 28. *l.* unverkerte?

3.

Mocht Zirce mit den meren
Die lewt in thir *[80r]* verkeren,
Die lufft ein kalp geperen,
40 Und sich
Ein pach verkern in plute

(Diß alz beschreiben clare
Der lerer fil furware,
Albertus offenbare,
45 Nemlich
Augustinus, der gute,

Valerius,
Augustius
Und Alanus),
50 Find man daz durch nature
Und wunderlich figure,
Solt dan Gotz muter pure
Selklich
Got keuschlich nit behuten?

[66.]

1475.

1.

[81r] Jung, allter greiß,
Sprich lob und preis
Dem herscher aller dinge,

Der durch sein wort
5 Den grossen hort,
Hell, himel, erd besunder,

Fewr, erd, wag, lufft, planeten, stern,
Engel, mensch, thir im schuff zu ern
In zu begern
10 Rein, lauter, klar und munder.

2.

When wundert nicht
Von der geschicht
Daz der vor anegenge

Im selber war
15 Genugsam gar,
Ee er hoch, diff, weit, enge

Beschuff, und waz zu werden ist
Furbaz hie in zeitlicher frist,
Daz waz, ir wist,
20 Er selb an all anfenge.

54. behuten *Roethe*, behallten *X*.
[66.] 6. *fe hinter* besund^e *durchstr.*

3.

Stund, jor und zeit
Im nympt noch geit
Kein allter noch kein jugent,
Upt in im icht
25 Ewiglich nicht,
Sunder waz er und tugent

Auff erd und in dem himel dort
Ye wart und wirt gehoret vort,
Ist er der hort,
30 Daz er die licz betrugent.

4.

Nempt gleichnus schir:
Waz ere mir
Ein man mag zu gemessen
Und ich eim thu,
[81a] Waz er dar zu
35 Gen Got nit mag vergessen,

Die ist nit ploß Gotez gemein,
Sunder er ist die eer allein,
Dar durch der rein
40 Hat nie dest mer besessen.

5.

Got west unß vor,
Und wir fur wor
Hetten gekennet *n*ymer,
Und schuff unß drum,
45 Daz unß der frum
Wurd heim gedeien imer.

Dar zu er unß zu selikeyt
Zoch durch sein demutig menscheyt,
Dar in er leyt
50 Hie an deß krewczes zymer.

6.

Lob hab die dirn,
Welcher hoffirn
So hoch gen himel reichet
Durch ir demut
55 Und keuschen hut,
Dar mit sie in erweichet

Durch anders nit dan allz er wollt;
Er selbz in ir waz unß so hollt,
Durch welchen sold
60 Er hat den feint geleichet.

21—30 *am rechten Rand mit blasserer Tinte.* 23. Kein kein a. 43. myme. 56. jn *über durchstr.* hat. 60. hat *sehr undeutlich. nach* den *ein unleserliches Wort* (freunt?) *durchstr.*

7.

Er sey gesagt
Dir, dirn und magt,
Ob allen rein jungfrawen,
Wan dich ye Got
65 Fursehen hot
In der himlischen awen

Stet zwischen unß ein mitel sein
Und deinem libsten kindlin clein.
Dein sun so rein
70 Geb unß sich dort zu schawen!

[67.]

1.

O Maria, wie sunderleiche
Dein zir verborgen ist menschlicher art und list,
Dar mit Got hat besunder dich
Gefestet und gefreiet nun und ymer,

5 D o der an anfang ewicleiche
Dich hat erkorn, dez du fort ewig muter pist,
Der in der fleischung liplich sich
Durch dich bedeket mit der menscheyt zimer.

O Got, seytu nun ewig wert
10 Daz unbeschaffen selb bestendig wesen
Und woldest hie *[82r]* werden genert
Von zeitlicher beschopfung dir er lesen,
Do doch von ewikeit an sie
Ye waß engegen dir
15 Zu neren dich auß muterlicher zir,
Seyt vergangez noch kunfftigz nicht
Dir ist kein sach, sunder engegen stet,
Wie mocht zeit in dich wurken icht,
Seyt tu die zeit selber beschaffen det?
20 Dez kam in dich kein -zufal nie.
Dar um verley, du hoer schopfer, mir
Dein keusch gepurt zu melden hie
Gancz wunderbar nach deinez adelz zir!

---

66. dort *vor* In *durchstr.*
[67.] *Die Anfangsreime 1, 5, 24, 28, 47, 51 nicht gesperrt.* 13 Die.

2.

W i e aber die gotheit zu rote
25 Wirt um den fal Adamez, hie gedenket nicht
Daz in Got wer ein widerpart
Oder furnemung wie daz must gescheen.

H i e wer nicht einikeyt in Gote
Noch ewig weissheit wissens halben der geschicht,
30 Dar von so ist die jungfraw zart
Vor aller zeit im zeit dar zu fur sehen.

Dar um sie und kein andre nicht
Wart nie von ewikeit so hoch erleuchtet,
In der geprunen het daz licht
35 Dez glancz die menschen so mit gnad durchfeuchtet.
Wer wollt an ir icht stroffen doch,
Der fleisch und plut er wart?
Daz sie vor waz in der gotlichen art,
Durch diß, jungfraw, du wurd gezallt
40 Got vaters dochter in der ewikeyt,
Muter seinß sunez mit gewallt,
Gesponß des geistes der waren dreyheyt,
Do von dein adel ist so hoch
Daz von deim plut Got nam sein menscheit zart,
45 Unß ab zu legen hie daz joch
Dor in die menscheit lag geheﬀtet hart.

3.

E aber dich der konig amet
Und von dir *[82r]* nam daz er dir vor gegeben het,
Wert du vor ye erclert in im,
50 So daz dein schon all englisch geist verwundert.

G e benedeiet und beflamet
Du firter wurd und von dem heiling geist bestet.
Die crafft dez hosten in der stym
Dez engelz dich umschatet und ermundert.

---

33. all *vor* so *durchstr.*

55 Daz do in schnellem augenplik
Der schopfer in dich, creatur, sich neiget,
Wer hort ye selczamer geschik,
Wo wart ye die natur so ser gesweiget?
Seyt daz der hochst schepfer und Got
60 An all ir hillff und steur
Sich unter warff wag, lufft, erd und dem feur
Und sunet seiner dochter sich,
So wurd *du*, dochter, mutter deinez hern;
Daz zeitlich zeit daz ewiclich,
65 Daz ewig zeitlichem ewigz det mern;
Zwey wurden einß an alle not,
Der ferrung weiter waß dan wog und fewr,
Got mensch, daz leben und der dot:
Der sun der rein jugfrawen so gehewr.

[68.]

1.

Vor langer frist
Gesprochen ist
Von konig Salamone
Wie fort auff erd
5 Nicht newez werd.
Nun ist sey*t* auß dem trone
Got komen und mensch worden hie,
Daz doch seit waz ein newez ye.
Ye doch ez die
10 Geschrifft vor hin besane.

2.

Daz aber sunst
Hie dise kunst
Puchdrukes sey gewesen
Auff erden vor,
15 Glaub ich nit zwor.
Wer hat dar von gelesen?
Doch west ez kunfftig Got der werd,
Allso ist doch nicht newz auff erd.
Lob mit begerd
20 Sprecht im in seinen zesen!

---

55. augėplk. 61. den? *der letzte Buchstabe ist undeutlich.* 63. du *fehlt.* 69. jug*f.*
[68.] 6. sey. 16. *bei* dis *das spätere Schluß-s.* 20. seinė.

3.

Waz aber nucz
Und wider drucz
Von diser kunst bekomen,
[83r] Do merket van:
25 Ein geistlich man
Hat in einr stim vernumen

Wie der Entcrist in seinem dracz
Her nech in eim papiren schacz,
Der nach dem gsacz
30 Vort wert der cristen frumen,

4.

Und mit dem dunst
Gancz fallscher kunst
Werd in der dewfel fullen,
Do von all schrifft
35 In kaum furdrifft,
Sein pozeit zu verhullen.

Daz macht groz straff, die er an went;
Er meczelt, martert, wurkt und prent,
Deupt und auch plent
40 All die nit glauben wullen.

5.

Do wirt sulch schrifft
Im dan ein gifft
Wider sein falsche rete;
Wan waz allein
45 Und ungemein
Die schrifft von puchern hete,

Do sint all stifft nun mit gezirt.
Daz macht die cristenheit gefirt,
Dar durch geirt
50 Wirt sulch deuflisch unstete.

6.

Ye doch so sprich
Ich sicherlich:
Ein sach dunkt mich gar swere
Und driffet an
55 Geistlich persan,
Die disen schacz der lere

Der heillgen schrifft um ringez gellt
Hie deutschen zu verfurn die wellt,
Daz doch weit fellt.
60 Ich furcht, daz sint die mere

29. Der werd der cristen frumēn *vor* Der *durchstr.* 39. Deupt vn̄ auch plent *am r. Rand mit Verweisungszeichen.*

7.

Dar von lang zeit
Man hot geseyt
Pristerschafft werd geschlagen.

Wie kan ich daz
65 Glosiren paß
Dan allz ich ewch will sagen:

Manch ley durch die ding wirt gemest
Mit puncktlin der er vor nit west,
Und auff daz lest
70 Het numer taren fragen

8.

Hin dan geseczt,
Daz er mit letzt
Sich selbz und ander leien.

Wan wie ez get,
75 Allz ers verstet,
Allso pfeifft er den reien.

Do danczen dan die andern nach,
Dar auß entspringen mag die schmach
Und sulche rach
80 Daz sich dan hept ein zweien.

9.

Und welch gelert
Daz dan erfert,
Dem zimpt ez nit zu leiden,

Die weil sint ein
85 Gewirczet fein
Sulch grund und werden schneiden

In peiden *[83a]* orten sam ein swert
— — — — — — — — — — —
Und unerfert
90 Und welln der ding nit meiden

10.

Und mellden frey
Ir soch dar pey,
Der glert nit sollten pflegen.

Do durch wirt dan
95 Ydem sein man
Auff gleicher pan begegen.

Dez rot ich: fur kumpt ez pey zeit,
Daz geistlikeyt dar um nit leit.
Legt ab den streit!
100 Filleicht pleibtz unterwegen.

---

69. *oder* Um̄? 78. entsprigen. 88 *ist ausgelassen.*

11.

Wan sulcher sam
Gepirt ein stam
Der poz ist auz zu rewten,
Noch pringen mer
105 Sulch leiisch ler
Irung zu schlechten lewten.

Die juden wellens auch bekern
Und iren glauben falsch bewern,
Unsern erclern
110 Und gruntlich wor bedewten.

12.

Dar in sint zwar
Die juden gar
Poz narren, ist mir rechte.
Wie diser ley
115 Mit seim geschrey
Mit eim hat ein gefechte,

Do ist der jud vor auff bewart
Und schneuczt im zaulich auff der fart.
Durch sulche art
120 Wirt cristenheit geschmechte

13.

Und auß gepreit
Von der judscheit.
Dez haben schuld sulch doren,
Der fantasey
125 Mer keczerey
Durch sulch unkunst mag foren.

Ye doch schillt ich dez drukez nicht,
Behender sin wart nie erdicht
Noch auch bericht,
130 Dar durch in kurczen jaren

14.

Die cristlich ler
So weiten wer
In alle wellt entsprungen.
Lob hab der erst
135 Got her der herst,
All er werd im gesungen!

Dar nach dem ersten in dem werk
Juncker Hansen von Gutenberck:
Die gotlich sterk
140 Gab daz der teutschen zungen.

---

128. gedicht bericht *vor* erdicht *durchstr.* 136. erd *vor* er *durchstr.*

15.

Der diß gedicht
Hat auß gericht,
Der nent sich nit mit namen.
Waz er sunst mach,
145 Puchz, flid scharsach,
Sein narung pracht zu samen.

Nun gib, her, daz er dich dort sech
Und daz unß allen daz geschech
Und unß nit schmech
150 Der hellisch feint! sprecht 'amen.'

[69.]

1.

[84r] Jo werstu mein
Und ich wer dein,
So wer gancz klein
Meinß herczen pein,
5 Du hort und schrein,
Do ich gancz ein

Secz lauter fein
Mit clarem schein
Daz edel gstein
10 Meinß herczen gancz an alle nein.

2.

Seit daz nit gschicht,
So ist vernicht
Und gancz entwicht
Mein zuversicht.
15 Ie doch ich dicht
Wie ich mich richt

In sulche pflicht
Daz du mich nicht
Enthalltest icht
20 Anders dan der mein munt vergicht.

3.

Mein hoste cran,
Nun sich mich an
In sulchem wan
Daz ich nit kan
25 Numer ablan
Von dir zu stan,

Weil mir Got gan
Meinß lebez pan,
Wan du lobsan
30 Pist meinez herczen hochster tran.

[69. 1. Jo *ganz unsicher*. 10. pein *vor* nein *durchstr.*; *l.* mein? *(Roethe)*. 19. ist *vor* icht *durchstr.* 20. *l.* dir?

4.

Zart lip, nun sich
Wie ineclich
Ich mich erprich
Und dir verjich
35 Mein gunst deglich,
Auff daz du mich
Planczest in dich.
Dar um so sprich:
'Knab, e ich wich,
40 E paut ich selber fremden strich.'

5.

Dez wird auch schir
Zu willen dir
All mein begir.
Mein hochsti zir,
45 Wer dir sunst schmir,
Auch nit verkir;
Halt stet an mir
Mein nit enpir,
Auff daz daz wir
50 Besten in der allten rifir.

III.

Die Berliner Handschrift

cod. germ. 414, 4°.

[70.]

/89r/ Marners langer don Hanß Folczen dicht 3 lieder.

1.

O Got, maniger fraget ser
Wü Got gewonet hab
Vor e das ye kein schopfüng wer,
Und sie doch als bald lasset ab:
5 Nymant so frefflich forschüng dwn,
Wan sein bescheiden kan nymant.

Hie deücht mich nit minder gefer,
Wer sülcheß ye vür gab;
Im precht schweigen vil grosser eer.
10 Doch nempt von mir ein cleine gab:
Got was da er icz ist und nün,
Hin vür und ewiglichen want,

Verste in aller schopfüng sein,
E er die ye beschüf
15 Und e das ie gelaütet seines wortes rüf,
Als er dan sprach 'fiat'.
Und was er die sechß dage gancz
Pis an sabat geschaffen hat,
Was in doch nit mer gegenwart
20 Dan ewiglichen var.
Kein neüe spar
Kam nie ein in vür war
Noch was seit ie wart offenpar
Und ymer ewiglichen wirt,
25 Hat alles gar erleüchtet clar
In vater, sün und geist so schün.
Doch bey eim beyspil es verstant!

[70.] 5. forschvüng *N2.* 11. Got was ist da er icz vnd nün, *durch Zahlen aber zurechtgewiesen.* 18. den *vor* sabat *gestr.* 19. im*?* 20. var *aus* vor. 21. spar *aus* spor. 22. war *aus* wor.

2.

In einem spigel clar und pür
Dein gegen würff sich hat,
30 Also sein alle creatür
In der gotlichen mayenstat
Vor ewig ungeschaffen ye
Und ycz erschopffet gleich erkent,
Himel, erd, hel, nit aüß figür,
35 Sünder weslich. hie lat
Einer frag han ir rechte ür
Vernünftiglich, das ist mein rat,
Aüß welchem ich ein vüre hie
Ein pild das hernach wirt genent,

40 Das in dem spigel der drivalt
Geleücht hat sünderlich
Vor aller schopffüng sein wie icz und ewiglich,
Nicht minder oder mer,
Allein die erkantnüs geprach
45 Des pildes halben, mensch, verste:
In dem was noch das wessen nicht
Noch sein selbs aygenheit.
Hie mir bescheit
Ein weisser, der mir seit
50 War an Gott sulch wirt hab geleitt
Ob aller hohen schopffüng frey.
Ob ymant mir das bild aüß reit?
Wan sein geleich wart sieder nye.
Wol im dem das bild ist gewont!

3.

55 Es ist nechst der gotlichen zir
Das wirdigst und das höst,
Sein herschung ob aller rivir
Nach Gott das wirdigst und das grost,
Mit Gott ein wilkür ymerme
60 An droffend die barmherczikeit.
[89v] O mensch, hab zw dem bild begir!
In dem stet unser drost.
In keiner not es nit ver kir,
So wirst in entlich zw genost.
65 Al dein lebtag es pit und fle,
So wirt dein sel ewig erfreit.

Es ist der schrein, tempel und sarch
Und gülden ay*m*er rott,
Darin verporgen lag das ware himel.prott;
70 Der nom Maria haist,

---

32. vnd *vor* vngeschaffen *durchstr.* 42. icz *Roethe,* ich *N2.* 52. mir *mit dunklerer üb. d. Zeile.* 56. höst *aus* höchst *(Rasur).* 57. herschvng *aus* herschaft. 60. barmheczikeit. 62. stët. 64. *l.* im? 65. Al *undeutlich.* 68. ayner.

Die ewiglich versehen hat
Got vatter, sün, haeyliger gaeist,
Pey der warlich des vaters sün
Ir sün hie worden ist.
75 Sündiger crist,
Sich das dw nit verliest
Ir hüld, ob dw vernünftig pist.
Sie ist nach Gott das peste gut,
Er nam von ir sein menscheit, wist.
80 Ir gnad uns nymer mer abste,
So bleib wir ewig ane leit!

Amen

[71.]

[92r] Ins Hans Folczen plutweis 19 lieder.

1.

Tausent vierhunderdt funfzig jar
Nach Crist gepurdt umb diese zeit fur war
Ein frempt geschicht
Ist in Purgundt geschechen.

5 Do sassen edler ritter zwen.
Der ein der het ein weib, nun hort von den,
Der ander nicht,
Das thw ich euch verjechen.

Der ein gewan ein grossen has
10 Zw dem und des die frawe was,
Pracht in zw seim gefencknus, mercket das,
Poß zuversicht
Begund er zw im spechen.

2.

[92v] Der ritter do gefangen lag
15 Gar lange zeit. in half kein pit, ich sag.
Man sagt im zw
Und wie er do müst sterben.

81. ane *aus* an. güt *hinter* an^e^ *durchstr.*
[71.] *Überschrift* 19 *aus* 18. 4. geschechen *aus* geschehen. 8. verjechen *aus* verjehen.

Der ritter ruft mit schwerrer clag
Zw dem und der sein huttet nacht und dag;
20 Er sprach: 'nun thw
Mir an dein herren werben.

Pit in durch meinen wegen ser
Durch Gott und aller heilgen er,
Das er doch schaczung nem von mir dein her,
25 Das er mich nuv
Laß nit also verderben.'

3.

Der diener warb am herren das.
Er dacht im einer schaczung dy schwer was
Und die im pal
30 Precht her sein elich weibe.

Er sprach: 'nun sag im auch hie bey
Das es entlich doch gancz mein meinung sey,
Obß im gefall,
Oder er muß beleiben.'

35 Der diner zu dem duren lief;
Er sagt ims, er her wider riff:
'Leich mir ein dinten her und einen prief!
Die sum und zall
Meinm weib ich selber schreibe.'

4.

40 Und do die frauw die schrift vernam,
Ob diser potschaft sie gar hart erkam.
Doch dacht sie schir
Wie sis zw samen prechte.

Sie ruft an freundt und wen sie mocht,
45 Und samet in dem hauß was dar zw docht,
Cleinet und zir
Das nam sie hin gar schlechte.

---

21. dein *aus* deinē. 23. heilligen. 30. weibe *aus* weiwe. 39. meinm *durch Rasur aus* meinem. 41. poth *vor* potschaft *durchstr.* 44. an *aus* vm.

Do sies nun het, sie war nit treg,
Gar bald hub sie sich auf den weg,
50 Do unter wegen sucht sie wenig teg;
Sie het gros gir
Zw irem herren rechte.

5.

Die fraw dort zw dem ritter kam,
Racht im die schaczung, die er von ir nam.
55 Er sprach: 'so vil
Hab ich nit euch zw sagen:

Ir must auch don den willen mein,
Oder er muß ewig gefangen sein.'
Sie sprach: 'do wil
60 Ich meinen man umb fragen.'

Sie wart gefurt zw irem man.
'Hort, her, was man mich mutet an!
Ich soll dem ritter seinen willen than,
Oder kein zil
65 Hab unser beder clagen!'

6.

Er sprach zw ir: 'mein schones weib,
So mach mir ledig hie den meinen leib
Und las mich nit
In der gefencknuß sterben.

70 Dw thust das nur zw hilffe mir;
Die weil ich leb, wil ich sein dancken dir,
Wan ich dich pit,
Dw last mich nit verderben!'

Die frauv die lag die ganczen nacht
75 Pey dissem ritter ungeschlacht.
Er treib mit ir was er im het bedacht.
Sie meint do mit
Wolt sie groß huld erwerben.

---

50. nit *vor* wenig *durchstr.* tag. 60. herren *vor* man *gestr.* 70. h *vor* mir *ausgewischt.*

7.

[93r] Des morgens do der dag her kam,
80 Den ritter mon do auß dem duren nam
Und ließ im do
Sein werdes haubt ab schlachen

Zw angesicht der frauwen sein,
Die vill in angst und auch in schwere pein
85 Und mit ir so
Vil leut, die das an sachen.

Sie schrey: 'o we', mit schwerem mut,
'Meins herren und dar zw mein gut
Und meiner er! o Gott, wie we das thut!'
90 So gar unfro
Gund sie von dannen gachen.

8.

Sie eilet schneliklich dar van,
Ee das der ritter anderst sich besān,
Ee das er mer
95 Posheit erdencken kunde.

Und do sye kam also da hin,
Dar nach bedacht sie ir auch einen sin.
Sie eillet ser
Zum herczog von Purgunde,

100 Der doch ir beider herre was.
Die red sie eben fur sie las,
Wie sey dem fürsten mocht verkunden pas;
Sie sprach: 'o her,
Vernempt mich hie zw stunde!'

9.

105 Die frauv die clagt dem fursten das
Von wort zw wort, wie es ir gangen was,
Als irß vor an
Den worten habt vernumen.

---

79. ging *vor* kam *gestr.* 84. auch in *über der Zeile;* auch *außerdem unter der Zeile verwischt.* 91. gechen. 96. kam *aus* ran? 101. *l.* fur sich?

Der herczog zw der frauven sprach:
110 'Ey, das ist gar ein ungeheure sach.
Wie mocht ein man
In sulche posheit kumen?'

Sie sprach: 'das ist mir armen beib,
Dar durch verloß mein mon sein leib
115 Mein gut und er sein posheit mit mir dreib,
Ich meint da von,
Es precht uns grossen frumen.

10.

So hat es als geholfen nicht.
Ir edler her, ich bit euch umb gericht!'
120 Den ungemach
Ver nam der furst gar eben.

Er sprach zum beib: 'nun seit bey mir,
So wil ich mich darin bedencken schir,'
Er zw ir sprach,
125 'Ob ich euch rat mocht geben.'

Der herczog nach dem ritter sant,
Zw im gen hoff er in vermant.
Der ritter kam, es was im unbekant
Der furst in sach,
130 Er dacht: 'wie sol ich leben?'

11.

Der ritter vur den fursten kam,
Und er entpfing in als im wol ann zam,
Was fremde sach
Der furst gund zw im jehen.

135 In dem das drauvrig weib her trit;
Der herczog sprach: *[93v]* 'kent ir der frauven nit?'
Der ritter sprach:
'Ich hab ir nie gesehen.'

---

114. *Hier liegt eine sonderbare Contamination vor; der Sinn ist wohl: 'So verlor mein Mann sein Leben, ich mein Gut und meine Ehre, und er trieb seine Bosheit mit mir.'* und er *doppelsinnig?* 123. schir *aus* schi. 129*f. Roethe weist mich darauf hin, daß der Sinn eine Vertauschung der Zeilen* 129*f. und* 133*f. zu verlangen scheint, der das Reimschema widerspricht. Jedenfalls liegt Verderbnis vor.*

Der herczog sprach: 'ir solt verstan,
140 Ir habt kein weib und sie kein man.
Eliche sach die solt ir greiffen an,
Zw dem gemach
Do solt ir beide spechen.'

12.

Der ritter antwort do mit sit:
145 'Zw disser zeit nym ich kein frauven nit.'
Der herczog sprach:
'Es hilft kein widerstreben.'

Des kamen sie in grossen schmercz.
Merckt, wie gestanden sey ir peider hercz
150 In ungemach,
Er must ims lassen geben.

Er macht in auch ein hochzeit zwar,
Und das sie wurden elich gar,
Das es dem volck wurd allem offenpar,
155 Wen man das sach
Pey dem frolichen leben.

13.

Do die hochzeit also geschach,
Der herczog aber zw dem ritter sprach
Wie das er im
160 All seine pucher prechte,

Dar inen die geschriben stan
Von landt und leut und aller unterdan,
'Das ichs vernim
Nach meinem willen rechte.'

165 Der ritter sprach: 'und das soll sein.
So wil ich icz und reitten hein,
Ich pring die pucher gar.' der furst sprach: 'nein,
Vernempt mein stim,
Lacz pringen einen knechte!'

---

161. *l. etwa:* Dar jnn die zins geschr. stan? *(Roethe.)*

14.

170 Ein pot war hin gesendet zwar,
Der pracht die pucher alle gancz vur war.
Der furst nit lie,
Er det nach sei*m* begerden.

Der furst sein schreiber do vermant:
175 'Nun schreibt das gut der frauwen in ir hant
Und alle die
Mit ir do erben werden.'

Er thet dem ritter strenges g*e*icht,
Er sprach zw im: 'dw arger wicht,
180 Dw meinst mir wissen deiner bosheit nicht?
Nun mustüs hie
Gelden mit ungeperden!

15.

Wolstus weib nit genissen lan
Das sie dir must nach deinem willen than,
185 Dein wort und stim
Dar mit hast sie betrogen.

Dar umb gab ich dirs zw der ee,
Ir ervergilt thw dir wol oder we.
Ir gut, vernim,
190 Hastw ir abgelogen.

[94r] Das must dw zallen, sag ich dir.
Dar umb sol dein gut als pleib*n* ir.
Und noch ist eins, das mustu gelten schir,'
Ret er mit grim,
195 'Das wirt nit lang verzogen!'

16.

Der ritter do den ernst ersach,
Er gert genad an fursten unde sprach:
'Ich thue euch und
Dem beib nach euvrem willen,

---

173. seinem. 175 nun schribt der frauen *vor* Nun *gestr.* 177. erben f *vor* do *gestr.* 178. gesicht. 180. mir = wir. 192. pleiben. 196. ersach] er *vor* sach *mit dunklerer Tinte hinzugefügt.* 198. Jich.

200 Seit sie nun ist mein elich weib
Und hat gebalt meins guczs und meines leib.'
Die red die kund
Den fursten nit gestillen:

'Und du dest irem man den thodt,
205 Des mustu kumen in solch not,
Wen ichs nit rech, so wer es gar ein spot.
In disser stund
*M*ust auch des selben spilen.'

17.

Er sprach: 'furt hin den argen wicht,
210 Schlacht ab sein haubt uns allen zw gesicht!'
Das selb geschach,
Sein haubt wur abgeschlagen.

Und do das selb also geschach,
Der herczog aber zw der frauven sprach.
215 'Noch merer sach
Die hab ich euch zw sagen.

Wolt ir, so solt ir folgen mir;
Ein andern man gib ich euch schir,
Ein graffen, den ich hab in meiner gir;
220 Gar gut gemach
Das sol er mit euch tragen.'

18.

Sie sprach: 'die ding sin mir noch new.
Idoch befilch ich mich in ewer treu.'
Der furst der gab
225 Ir dissen graffen grassen.

Er macht im auch ein hochzeit wert.
Der graff und disse frauw wart hoch geert.
Gar grosse hab
Die sie pede pesassen.

---

201. leib *aus* leibs. 204. du *über der Zeile.* 205. solch *aus* solche. 208. Nust. spl *vor* spilen *gestr.* 211. geschicht *vor* geschach *gestr.* 212. wur = wart. 223. gancz *vor* in *durch Rasur getilgt, doch noch erkennbar.*

230 Das lant das war ir gar bestet
Der iren man ertöttet het;
Nimant was do der ir das wider rett,
Und also ab
Und wollens da pey lassen.

19.

235 Und lebten do vil manche jar,
Gaben vil dürch Gocz willen, das ist war,
An allen has
Tetens ir leben niessen.

Das gut das in was underdan,
240 Das ir do sprach der herczog von Purgan,
Mit recht pesas
Ir gütter, solt ir wyssen.

[94v] Er richtet, als ich mich vernim,
Gar rechtlichen mit seiner stim.
245 Allen richteren tet das aüch wol zim
On scheink. fir pas
Wollen wir es peschlissen.

Deo gracias.

[72.]

[99r] In dem langen don maister Hansen Volczen gedicht 7 lieder.

1.

Heiliger geist, *s*tewr mich hye arme creatür
Und unwirdigen sünder groß,
Floß in die schoß
Meins herczen
5 Deiner genaden daw,
Durchfeucht die aüv
Meiner vernünft
Mit deines heilles wage!
Wan weder dürch natür, exempel noch figür,
10 Wag, mos, hoch, tief, weit, leng noch preit
Wirt aüs gereit
An schmerczen,
Das uns dein wessen zeig
Und fürmlich aig,
15 Das menschlich zünft
Dardürch aüf lost die frage,

235 *ff. von Sachsens eigner Hand später hinzugefügt.* 239. gvt *aus* got. 240. purgan *aus* purgüns*?*

[72.] 1. tewr *aus* stewre*; Anfangs- und Endbuchstaben sind radiert;* steüre *heißt das Wort im Inhaltsverzeichnis.*

Was pilldüng uns ermanüng thün
Die einbeslich sübstancz dreyer persone,
Got geist, Got vatter und Got sün,
20 Also das ied person der dreyer frone
Got wirt penent besünderlich,
Und auch gar dürstiglich
Ist es ob ich drey got sünst sprich,
[99v] Sünder ein Got sol sprechen ich.
25 Wie nun die lerer dürchgingen des himels flür,
Fünden sie doch des gleichen ny.
Des laß ich hy
Mein scherczen
Und hab allein aüßkift
30 Den saft ir schrift,
Euch in zwkünft
Darin zw legen lage.

2.

Johanes hat geschriben wie Got sey ein geist
Und sey in im selbs das er sey.
35 Paülüs da bey
In nenet
Untotlich von natür,
Den künick pür
Und ungreiflich
40 Und auch unsichtig gancze.

Iedoch so geb er sich zw sechen aller meist
Den reinen püren herczen clar
Und englen gar.
Sünst kennet
45 In leiplich nimant nicht,
Keins aügen licht
Schawt ewiglich
Nymer der gotheit glancze.

Dan was den aügen sichtig ist,
50 Das wirt von in an einer stat begriffen.
Dar umb kein prait die gotheit mist,
Wan Gott all geschaffen ding umbschliffen,
So ist alles gesicht umb süß.
Fort spricht Ambrosius,
55 Gregorius, Aügüstinus
Und auch der lieb Jeronimus:

39. vngreiflich *(?) aus* vngeschriftlich. 41. allermeist *vor* zw *gestr.* 51. prait *aus* preit. 52. geschaffen *nachträglich am Rande eingefügt; ursprünglich* alle. *Das* d *von* ding *über unlesbarer Schrift* (ein?) *nachträgl. eingefügt. l. etwa* Wan Gott *(Nom.)* hott all geschaffen ding umbschl.? *(Pfannmüller). Oder ist* schliffen = sliefen? Gott tett *(oder* kan) a. g. d. u. sl.?

Was Got wirt zw gezelt, und wie die gschrift in heist
Als weis, mechtig, gütig, gerecht
Und unerspecht,
60 So trennet
Kain sin, wie man den list,
Und dent all frist
Den schopffer reich
Dreylich an einr sübstancze.

3.

65 Dar umb wirt Got pillich genent alpha et o,
Ewig an anfang und an endt,
Und wirt erkent
Im laüte
Got vater und Got sün,
70 Got geist und nün,
Wie die ein Got
In drey personen seyen,

So ist Got vater doch allein der vatter do
Und nit Got sün noch aüch der geist;
75 So ist und heist
So traüte
Got sün der sün allein,
Der nicht gemein
Persan halb hot
80 Dem geist und vatter freyen;

Und dis geleich solt ir verstan
Von Got dem heillig geist in glei/*100c*/cher masse
Und den nit vür den vater han
Noch für den sün; und hört da bey: wie grasse
85 Untterschit der person ist hy,
Doch sind erkennet sy
Ein Got ymer und ewig yy,
Der würckung sich geteillet ny,
Sünder ein macht in ewikeit und aüch also
90 Sie in gotlichem wessen sein
Ein wessen rein.
Nün schaüte
Die waren einikeit
In der dreyheit
95 Und nit enlot
Eüch von der pan beschreyen!

---

61. dē *über der Zeile.* 64. an *aus* in. einr *aus* einer. 81. *oder* geleith? 84. hört *aus* hör (*das* t *mit dunklerer Tinte*). 96. beschreyen *aus* geschriben.

4.

Auch so ist in Got nit vörders
noch hinters zwar,
Aüch merers oder minders nicht
Noch mittels icht,
100 Des gleichen
In schwech und stercke nün
Gaist, vatter, sün,
Sünder gancz ein
In güet, macht und weisheitte.

105 Wo aüch die gschrift Got hoch,
tieff, weit bestim, nimpt war,
Mensch, da prüeff nymer leyplichß
pey,
Sünder dir sey
Bezeichen
Darbey sein groß almacht;
110 Dar bey betracht
Die würckung sein,
Die sich an endt aüß preyte;

Gelaübt aüch genczlich das er ist
In himel, erd, hell, menschen, engeln, thieren,
115 Und keinß begreiffet in, das wist,
Sünder all creatür mit irem ziren
Ist keins in Got vergangen hy
Und keins im kunftig ny,
Sunder entgegen ye und y,
120 Und er allein beschleusset sy.
Im ist auch nit verporgen kleiner dan ein har
Wort, werck, gedanck, poß oder gut.
Mensch, pis pehüet,
Laß weichen
125 Vor allem die hoffart!
Ir widerpart
Ist Got der rein
Und liebt demüetigkeite.

5.

Got ist parmherczig aüch an all
mitleidung gar,
130 Wan sein parmherczikeit ist er
Und ist ein her
Der mylde.
Dar pey ist unerspecht
Sein mild gerecht,
135 Gerechtikeit
Ist die warheit dar peye.

So ist Got selb die warheit, als er
offenwar
Von im selber gab zeücknus ye
Aüf erden hie
140 Im pilde
Seiner menschlichen pfleg,
[100v] Wie er der weg,
Liecht und warheit,
Thür und das leben seye.

---

97. nit *über der Zeile.* vörders *aus* vörderers. 104. *oder* weistheitte. 105. gschrift *aus* geschrift. impt. 107. dir *aus* eüch? (*Rasur und Korrektur*). 118 *u.* 119 *am Ende des Abgesanges; durch Zeichen an ihren Platz gew.* 128. demüetigkeite] *das Schluß-*e *später mit dunklerer Tinte hinzugefügt.* *100r ist verkehrt geschrieben, so daß die sonst untere Hälfte des Blattes hier die obere ist.*

145 Er ist allein das er do ist,
Und an seim halten hangen alle wessen.
Sie seyen sichtig in der frist
Oder unsichtig hie und in dem zessen,
Und sind dar umb das er sye wil
150 Und het an endes zil;
Wie groß ir schar wer und wie vil,
O mensch, daraüß entreib kein spil,
Wan der aüß nichte macht all creatüren schar,
Der mocht sie aüch machen zw nicht.
155 In sein gericht
Nit schilde;
Keiner geschepff darff Got.
O Sabaot,
Dein parmüng preit
160 Deil mit uns armen freye!

6.

Hor, mensch, als Got ist un anfanck und aüch an endt,
Also ist er anwandelper,
Der nimer mer
Beweget
165 Himel noch anders kein,
Und ist allein
In im ein geist
Und pleibt dürch die dreyheyte
Got vater, sün und geistes ye doch ungetrendt,
170 Das ein geist sint die drey persan.
Cristen, secht an,
Nit steget
Hie aüf die namen drey!
Ie doch da pey
175 Prüeft aller meist
Der person unterscheite!

Wan die gotheit Gottes ist Got,
Und Got ist sein gotheit ewig und ymmer,
Und warheit sind all sein gepot,
180 Wan ewigklich mag Got geligen nymer.
Dar u*m*b sind all sein heissung güt,
Ob es den menschen düt
Schon strefflich düncken in seim müt;
Dar umb helt sich der weiß in hüt.

---

157. got *aus* gat. 161. vnanfanck. 165. vnd *vor* noch *gestr.* 169. sün *über der Zeile.* vngetrendt (vnzetrendt?) *aus* vntetrendt. 179. wan ewiklich mag got gelegvng nymer *vor* Vnd *gestr.* 181. vnb.

185 Der glaüb den uns geschriben hant der lerer hent,
Der ist als war als war Got ist,
Und das gewist
Das pfleget,
Und das der glaüb uns lert!
190 Des nit begert
Das ir erkreist
Uf erdt sein tief und preite!

7.

[101r] Wan alles das der cristenlich
gelaüb uns lert,
Ist genczlich aüß dem wessen gar
195 Menschlicher schar
Aüf erden.
Mensch, dar umb in neür halt,
Glaübt mit gebalt
In hoffenung
200 Des lons ymer mit namen!

Wan nach dem als der heillig lerer
schrift erclert,
So ist allein der glaüb das endt
Und fündament
Der werden,
205 Die der bebeiden wirt
Der himlisch hirt
Dürch sein parmüng
In dem himlischen samen.

O keisser dreyer jerarchey,
210 Der neun kor, sternen und aller planetten,
O haübt, won dein geliden pey
Und frey uns för des ungelaübens ketten
Und schreib uns in das lebent püch
Und wisch uns ab den flüch,
215 Das in kein crist nymer versüch,
Und cleid uns in der unschüld tüch
Dürch deinen sün Cristüm, der uns am creycz ernert
Mit seiner pittern marter schwer!
Maria her,
220 Geferden
Hilf uns hie widerstan,
Dw jünckfraw fran,
Beseligung
Verleich uns allen! Amen.

---

192. sein *vor* preite *gestr.* 194. dē. 197. neüer. 198. Glaübt *aus* Glaüb; *das* t *später mit dunklerer Tinte zugef.* 200. ymer *aus* jn mit; mit *über der Zeile.* 201. als *hinter* als *gestr.* 207. sein *aus* dein. 210. sterñ. 215. y *vor* nymer *gestr.*

[73.]

[101r] In Hanß Folczen freyen don 5 lieder sein gedicht.

1.

O / keisser aller keissertüm,
Heüt ich dein hoche macht erman
Dir zw einem ewigen rüm
Mir dürch den heillgen geist so fran
5 Zw pflanczen ein solch ynnykeit
Das von mir werden aüß geleit
Dein vier zwkünft, o schopffer zart.
Die erst ist groß und wünderpar,
Wie aüß der gotlichen trivalt
10 Das wort in die welt künftig war
Und im was aller creft gewalt
Im rat der einigen dreyung
Und dreyeiniger ordenüng,
Dürch die das wort uns künftig wart
15 Von wegen dreyer hant geschlecht,
Mit namen der englischen geist,
Der leüt aüf erdt, der sellen in vorhell,
Aüf das die zal sich wider precht,
Die von dem thron waren gereist
20 Ab in das morttief, gründlos ungefell;
Züm andern das wir *[101v]* hie aüf erdt
Von der erbsünd würden gefreit
Im taüf des wassers wünderhaft;
Züm dritten umb die langen zeit
25 Der in der vorhel, die mit craft
Stet schreyen: 'her, zw reiß die pandt
Der himel und wird her gesandt,
So / dein so inig wirt pegert.'

2.

Dy / ander zwkünft dein, mein Got,
30 Ist als dw selbs sacramentlich
Des menschen sell hie thüst begnot
Pey ir zw won inprünstiglich,
Ich mein dürch tieffe ynnykeit,
Rew, peicht und püs, die uns ableit
35 Al totsünd do die sell beschwert;
Aüch so dw, hocher schopffer mein,
Gaistlich nach gar grossen begern
Des menschen sell dich pflanczest ein,
Welch gnad ir kümet gar von vern,
40 Ich mein so hercz und sel beflampt
In warer lieb prinen peid sampt:
Wol im der das hie wirt gewert!

[73.] 1. allerb *vor* aller *gestr.* 4. heillgen *aus* heilligen. 12. dreyvng *(?) vor* dreyvng *gestr.* 17. der *R.*, den *N 2.* der *vor* vor hell *gestr.* 18. sich *hinter* sich *gestr.* 26. pandt *aus* pant. 33. türch jnykeyt *vor* tieffe *gestr.* 35. do] *l.* die *(R.)*

Hie let der mensch all pein und mort,
Ee er ein aügenplick den rüch
45 Des gotlichen süessen geschmacks entper.
Eim solchen hoch gültigen hort
Erkündt noch nie keins lerers sprüch
Aüß gründen noch ganez offenbaren der
Liebhabenden, die so an haft
50 In disser flamenden begir
Das wasser, feyr, waffen noch icht
Solch lieb nit mer scheidet von ir.
O her, in solche lieb uns richt,
Die unser sel also verwündt,
55 Aeynig dürch dich dan werdt gesündt.
Ny / wircket lieb ye hocher kraft!

3.

Dein / drit zwkünft, o schopfer wert,
Ist so dw dich machest her zw
Des menschen tot, der ab der erdt
60 In vordert aintweders zw rw
Oder zw an endlichen leit,
So hie die sell nymer ab scheit
Und hart aüf dein urteil, o Got.
Hie ist die aller graüsamst vorcht
65 Der armen sell in dem urteil,
So sy nit scheinper hat geworcht
All cristlich werck zw irem heil,
Und hat kein wissen im verdinst,
Ob sie Gott ewiklich verzinst
70 Zw freud oder ewigem tot.

/102r/ Und von der selben vorcht so schwer
Geb sie sich pis am jüngsten dag
In pein der hel gern, das sie dan gewis
Wer darnach zw sein nimer mer
75 Aüß den behalten. o wer mag
An mercklich vorcht do horen den beschliß,
Dan die volkümen sind also
Das sie an totsind hie ir zeit
Verschlissen noch mit rwen drin.
80 In wirt in glaüben zw geseit
Mercklich drost in allen begin.
O crist, das wollest sechen an,
Den sünden stercklich widerstan!
Clein / wirt dein vorcht dan sein aldo.

---

43. let *aus* het? 51. feyr *aus* feyer. 66. sy *aus* ist. 80. mercklich *aus* mercklicher.

4.

85 Die / vierd zwkünf, o Got mein trost,
Wirt sein zw dem jüngsten gericht,
Do nymant sünders wirt erlost
Oder behalten in der pflicht
Anders dan wie Got in dem tot
90 Ein yeden vor geurteilt hot.
Sünder da wirt gancz offenbor
All den die ye gelebet han,
Mensch, engel, teüfel, wer sie sein,
Die urteil die Got hat gethan
95 In yedes menschen tot gemein,
Warhaft, geleich, pillich, gerecht,
Nach yedes stant, dürch all geschlecht,
Mit günst persan hat nicht pevor.

Do wirt so clar ligen am dag
100 Eins yeden menschen tügent, schant,
Pöß oder gütes, was er hat verschüldt.
O we der jemerlichen clag,
So Got mit seiner lincken hant
Die possen weist in ewig ungedüldt
105 Und mit seiner gerechten *h*endt
Die aüserwelten zw der zir,
Die dort wert ymer ewiglich,
Do leib, sel, hercz, müt und begir
Frolocken ymer unentlich.
110 O süesser her, uns nit verzey,
Gib das genügthüeung gedey
Hie / uns allen vor unserm endt!

5.

O / hochstes güt so wündersam,
Du hoch gotlich drey einikeit,
115 Seit alle schopffung dürch dich nam
Anfanck, mit, endt, so gib geleit
Sel, hercz, gemüet, das von dir nicht
Sich nayge unser zwver sicht,
Wan dw allein hast des gewalt.
[102v] Iedoch ist pillich das man dein
121 Inhicziglich dar in beger
Und dir des sey danckpar gemein
Und alweg darin süch dein er,
Welchs güt an dich aüch ny*m*ent hot
125 Dan wen dw, her, mit düst pegnot.
An dich ist uns kein aüfenthalt.

---

89. indem. 92. gelebet *aus* gelobet *(mit dunklerer Tinte das* o *in* e *verbessert).* 93. D *hinter* sein *(am Schluß der Zeile) gestr.* 94. gethan] *die Silbe* ge *mit dunklerer Tinte gestrichen, gehört jedoch unbedingt hierher, was schon das Versmaß verlangt.* 95. weis *vor* menschen *gestr.* 100. oder *vor* schant *gestr.* 101. vers^{h}uldt *vor* verschüldt *gestr.* 105. hbendt; h *scheint gestr.* 109. vn *über der Zeile.* 123. sich. 124. nynent.

O künckklich mait, Maria zart,
Seit dw dan dürch des sünders fal
Vandest all gnad die wir verloren han,
130 So pistu schuldig solche art
Al hie in dissem jamerdal
Uns wider mit zw deillen, kungin fran.
Das pit wir, werde müter, dich,
Ste uns pey in der leczten not,
135 Ee leib und sel aüf erdt sich scheit:
Wan wie im tot uns urteilt Got,
Do pleibt es pey in ewickeit.
Dar umb, o müter Gottes süns,
Pis im abschid beholffen uns,
140 So / hersch wir mit dir ewigklich!

[74.]

In des Hans Volczen unser frawen korweiß ein schons par 5 lieder.

1.

O pia
Maria
Gancz ubersüesst
Und auch gegrüesst
5 Seist dw, dieren und maidt,
Ganczer drifaltikeit
Vetterlicher persan
Ein tochter fran,
Müter des süns,
10 Die uns
In leiplich prüdert an,
Dem seillgen
Got, heillgen
Geist dir kündig
15 War aüßpin*dig*
Ein laüter clar gespons!
Tü *c*astitatis fons,
Die uber all vernünft
Die eng*l*isch zünft
20 In keüsch vür wigst,
Gesigst
Alln geisten in dem tran.

O patriarchen künygin,
Aller weissagen proffetin
25 Und der zwelff potten, docterin
Der vir ewangelistin,

---

132. kungin *aus* kunigin. 136. im *aus* ein. 137. ewickeit *aus* ewicklich.
[74.] 3. Gancz *über der Zeile;* vbersüesst *aus* vber süesset. 4. auch *über der Zeile;* gegrüesst *aus* gegrüesset. 12. seillgen *aus* seilligen. 13. heillgen *aus* heilligen. 15. pinsig *aus* pindig. 17. testitatis. 19. engelisch. k *vor* zünft *gestr.* 24. weissagen *aus* weissagvng.

Ein meisterin in aller her,
Dw sterck der heilling marterer,
Ein laüter prün der peichtiger,
30 Dw fündament der cristen,
Der cweiffler schar
Und sündern gar
Ein widerpringerine güt*e*,
Ein milterung in strenger pein
35 Der selen die *im* fegfeür sein,
Und aller meist
Ein schew aller heilligen geist,
Die dein nam flöchen düte.

2.

[103r] O reiche
40 Kün*g*liche
Himel vogtin
Und herscherin
Im aller hochsten tran,
Dw aller tügent kran,
45 Erlaüchter sal der ern,
Dw meres stern,
Des lebens hort,
O pfort
Der selgen in den kőrn,
50 Demütigst
Und gütigst
Kamer der scham,
Dw ast und stam,
Knopf, proß, zweig, sam und plüt
55 Der gnaden reichsten güt,
Aller zierheit ursprüngk,
Dw clarer fünck,
Flam, fackel, licht,
Mit nicht
60 Las uns den veind gehőrn!

Peschlosner gart der hochsten wün
Und wol verpetschaffter jünckprün,
Ein plickerin gotlicher sün,
O müeter aller gnaden,
65 Dw ymer gruendes olpaüm zwey,
Lüst, schmack der pesten speczerey,
Rüch ob aller aramacey
Creftig in hochsten graden,
Das paradeis
70 Stet plüencz reis,
Schenckin der hochsten himel sefte

---

33. güt *aus* güte. 38. düte *aus* düt? 40. Künigliche. 45. ern *aus* eren *(Rasur)*. 46. stern *aus* steren *(Rasur)*. 67. aram *(?) vor* aramacey *gestr.* 68. graden *aus* gnaden *(mit dunklerer Tinte korr.)*. 71. hochsten *vor* hochsten *gestr.* sefte *aus* seft.

O reine, unpeflecte erdt,
Massa gotlicher menscheit werdt,
O wolcken clar,
75 Als ungebitter offenbar
Zw trent schnel dein geschefte.

3.

O höste
Der tröste,
Gnaden reichs vas,
80 Gehaüfte maß
Vol aller heillikeit,
Zirckel der himel preit,
Tabernackel des friczs,
Dw harpf Davieczs,
85 Der sinagog
Ein plog
In aller jüdscheit weit.

An fange,
Ein gancke
90 Zw allen drey-
en jerarchey,
War arch des himel prot,
Wo wart ye dings so not?
Dw tisch englischer speis,
95 O paredeiß
Der hochsten zird,
Dein wird
Ob aller wird gefreit,

O schrein der siben sacrament,
100 Dürch dich das jüdisch testament
Zw rissen wart und gancz zw trent,
Gancz abschach und gematet.
O fündament der newen ee,
Der heilling schrift ungründter se,
105 Fig... halb taüsentfeltig me
Dar' .ie natür gestatet,
Dich hocht und rümpt,
Er wirdigt, plümpt
Mit new gedichten ymer
110 Als himlisch her an unterloß.
Wo wart ye creatür so groß
Nach deiner auserwelten frücht,
O sarch der aller hochsten zücht,
[103ᵛ] Der gotheit uberzimer!

---

76. geschefte *aus* gescheft. 77. höste *aus* höchster *(Rasur)*. 79. gnaden *aus* genaden. 88. An fange *(? durch Rasur undeutlich) aus* anefangk. 89. warer *vor* ein *gestr.* gancke *aus* gangk? 90. 91. drey/en *auf Rasur aus* dreyen. Jerarchey *aus* Jerarcheien. 92. prot *aus* protes. 101. rissen *aus* reissen. 107. Dan die *vor* Dich *gestr.* 109. *vor* ymer *zwei oder drei Buchstaben radiert.* 112. auserwelten *mit Verweisungszeichen über dem Abgesang nachgetr.*

4.

115 O spiegel,
Wars sigel
Der pildüng Gots,
Hochstes gebots
Genczlich verpringerin,
120 Aüß hocher himelzin
Plickent in irdisch clag
Erwirbst al dag
Dem sünder gnad.
Fraüv, lad
125 Uns zw der pürgerschaft

Gen himel,
Do schimel
Der sünden frey
Die sele sey,
130 Geplüenter himelwas
Mit daüvgesprengtem gras,
Quickender prünen qüal,
Feiel der dal,
Schon nardusplüt,
135 Dw gut
Flür ergezenter craft!

O palsamschmack und pissens rüch,
Dw sel lebendes confectpüch,
Wol in, der dein trechen versüch
140 In werender colacion,
O pamarancz, malogranat,
Dw carioffel und müscat,
Des mandels kerns war legerstat,
Ich mein deins süns so fron,
145 O freüden felt,
O wüngklichs zelt,
Fan, paner, schilt der waren ritter,
Kemer der aller hochsten rw,
Pettlem dem künck geeyget zw,
150 Dw fürhanck preit,
Der uns hie deckt des süns gotheit
Mit seiner menscheit gitter.

5.

O sünder
Mer wünder,
155 Des himels felt
Und in der welt
Grünt der parmherczikeit,
Allen sündern pereit
In einem aügenplick,
160 So oft und dick
Er selber wil,
Gibt zil
Jar, menet, stünd und dag!
O palma,
165 Tü alma,
Weiplich keuscheit,
Keüsch früchtperkeit
Hastw erwelt vor all.
Paril und clar cristall
170 Dürch ging noch nye so rein
Der sünen schein.
Dw pleibst so gancz
An schrancz
In der gebürt, ich sag.

---

135 *auf Rasur.* 136. rge *über einigen sehr undeutlichen Buchstaben (*nt*?)* 141. malogranat *aus* malogranet. 143. kerns *aus* kerens. 146. wünigklichs 148. Kemer *aus* Keiner. 149. künick. 162. gibt *aus* gibst*?* 168. all *aus* allen *(dies zuerst in* alln *verbessert, dann die ganze Silbe wegradiert).* 169. cristall *aus* cristallen, *cf.* 168. 174. *oder* gehürt*?*

175 O erstes oblateyssen scharpff,
Darein der heillig geist entwarf
Deins süns pildung, des wol bedarff
Was hie vernünft erleücht,
Seit dein geperen leicht natür
180 In bedeütnus aller figür
Und cristlicher erfindung pür,
Dein güt mit gnad erfeücht
Was heilles hoft.
O frauv, wie oft
185 Manstw mit rew uns zw erbittern,
War peicht und gancze püß zw thün!
Wie dick der feindt uns ziech dafün,
Fraw, so beleit
Uns doch zw warer selikeit
190 Vor ewigen erzittern!

[75.]

[130r] In des Marners langen don drey lieder nach einander de concepcione Maria. Hans Volczen gedicht.

1.

Schem dich jüd, heid, türck, machmetist
Der dw gelaübest nicht
Das Got ye was, wirt sein und ist
An anfanck, mitt noch endes pflicht,
5 Sunder ycz, nün und ewig fort,
An zwfel und anwandelpar,
Welcher umb des Lücifers list
In seim schnellen gericht
Mit all sein mitgenossen, wist,
10 Warff aüs von dem ewigen licht
Ab in des ewig hellisch mort,
Des halb aus den neün koren gar
Ir ane zall gefallen warn.
Dar dürch der götlich rat
15 Adam denn ersten menschen gepalsmiret hat
Zw erfüllen ir schar.
Des sich unwirdigt Sathanas,

181. erfinvng. 185. vr *vor* zw *gestr.*
[75.] 8. *l. etwa:* In in s. schnellen ger. (*oder* 9: In mit all sein genossen, w.) 15. gepalsmiret = geplasmiret (*gebildet*).

Schleich listiglich zw Eve dar
Zw hindern sie und aüch dar mit
20 Das gancz menschlich geschlecht
Und sie anfecht,
Ob dürch sie wür verschmecht
Das pot Gottes, und sye dan precht,
Das sie gros freüd von in verlorn,
25 Menschlicher art würt nit gerecht;
Also die zwey würden bedort.
Nün wollet weitter nemen war.

2.

*W*o wart ye herber gifft erdacht
Dan Adams sünde gros?
30 Die aller welt den dote pracht,
Des sie waren stam, zweig und pros,
Pis aüf die leczt menschlich pildung,
So sich der welt endung beschein;

Dar umb zw kümen aüs der acht
35 Dürch welch uns Gott verschlos
Die ewig freüd und himlisch macht,
Würden der deü*[130ª]*fel valgenos
Mit in und irer verdamüng
Verschuldung halben han gemein

40 Dar umb solch gifft welch die gancz welt
Senckt pis in den abgrünt,
Doch dürch sich selbs kein mensch mit nicht los werden künt
(Aüs schleüs ich vier persan):
Dar umb es pillich erbsündt heist,
45 So ir kein mensch sünst nye entran,
Und hat also gewürczet ein,
Ob die gancz menschlich art
Sich keiner spart,
Lit ye was marter wart
50 Für ein menschen, wie früm und zart
Er mochte sein, noch precht nyemant
Nach tot in aüf die himelfart,
Wie rein, wie keüsch, wie alt, wie jüng
Er wer, dan Got und mensch allein.

28. Do. 30. dot. 33. endug. 36. wacht? 42. sich *aus* dich.

3.

55 Minder keins für sich selbs dürch icht
Mocht uberwegen han
Des apfels pis und sich geschlicht
Mit Got dem vatter, welt verstan,
Newr einer der in gleicher macht
60 Dem vatter wer in ewikeit
Und in das menschlich fleisch verpflicht,
Dem dürch sein gotheit fran
Die gancz gotheit versaget nicht
Für alle menschliche persan,
65 Wan sünst wür Got von Got veracht
Und sein selbes menscheit verseit,
Das ymer ewig müglich wer.
Das halb zw fragen zimt
Welcher gotlichen persan *das* pas het gestimt
70 Dan Got des vatters pild?
Das ist sein eingeporner sün
Zam aller past die menscheit mild,
Auf das der sün den vatter pet
Für das so er selbs was.
75 Wer mocht doch das
Ie han besünnen pas,
Dan das den helschen Sathanas
Ein mensch hie uberkempffen solt,
Dem er von anfang was gehas?
80 Also ward frid und süen verpracht
Zwischen Got und aller menscheit.

4.

[131r] Von wem aber nü*n* müglich wer
Dem sün Gottes aüf erd
Zw nemen hie sein menscheit her,
85 Dan von der so zücht, weis, geperd,
Schon, scham, tügent, milt, günst und art
Ewig in dem gotlichen licht
Nach aller schrifft, sag, künst und ler
Ie glestet an beschwerdt
90 Aller sünd halbe, die nymer
Ericht wirt dürch einig geferd,
Reiner sie nie vermeret wart,
Das sie vor aller schopffung pflicht
Ie fla*m*ent glestet, pran und glüet
95 Die dürchleüchtig lücern,
Der ein noch heüt all geist dort sechen ewig gern?
Wan solt sie han gehatt

---

67. *l.* nymer? 69. das *fehlt.* *in* pas *ist der erste Buchstabe sehr unsicher, könnte allenfalls auch* h *sein.* 74. selb *vor* so *gestr.* 77. sathanas *aus* stathanas. 82. nüm. 94. flanent. 96. ebig *vor* gern *gestrichen.*

An ir das aller minste meil,
Ringer dan an der went der schat.
100 In *ir* entpfencknüs und gepürt
Der erbsünd halb: secht an,
Wie solt dan han
Der ewig schopffer fran
Dürch sie die sündt han hin gethan?
105 Dar umb jud, heid, türck, machmetist,
Von dem ich cristlich lies verstan,
Wert doch dürch war beyspil gelert,
Der ich eüch weitter fort bericht.

5.

Secht wie der erst man an ein weib
110 Von reiner erden kam,
Das erst weib aüs eins mannes leib;
Welch zwe entpfencknüs ane scham
Den anfanck namen an die welt.
Wes nicht von der er wart geporn,
115 Man rayner pillich vil beschreib
Dan Eva und Adam,
Von den dürch die unglück*es* scheib
Die erb sünd iren anfanck nam?
Solt die nit reiner sein bemelt,
120 Dürch die der grymig gotlich zorn
Der erb sünd werden ab gelegt
Und dem zwmuschen solt
Sein haübet der aüf uns het alle schüldt erfolt?
Ja solt die erb sünd han
125 Und erst in irer mütter leib
Geheilligt worden *[131r]* sein dar von,
Was wer sie mer geacht*et* dan
Sampsan und Jeremyas
Und das rein vas
130 Der Gottes teüffer was?
Hie prüeff ein ider selber das,
Das die nye teglich sünd volpracht,
Weitt uber sie genad besas.
Dar umb das junckfrewlich gezelt
135 Dar in Got menscheit hat erkorn,

---

100. 158. irer. 110. kä. 117. vnglück. 127. geacht.

6.

Müest daüsent veltig reiner sein
An leib, sell und im müt,
Do nie unrein gedanck mocht ein,
Dan Eve, do der flüch ein wüt,
140 Solt anderst sie ablegung thün
Des flüches der uns all an erbt.

Aüch so das wort Gots vaters schein
Der erb sünd halb sein plüt
Vergiessen wolt und solt selbs drein
145 Ver willigen sein menschlich prütt
Zw nemen, do der sünden kün
In wer, die uns vor all ver derbt,

Wolt man dan sprechen das sie Got
Der von geraynigt het
150 Und nicht dar von enthalten, wer das selbig ret,
Wer Got die grost uner
Und aüch nit war das sie dar zw
Von ewikeit vürsechen wer
Und clerer vil geschin in Got
155 Dan sün, man und all stern
In hochsten ern.
Solt Got die lan ver fern
In ir entpfencknüs und dan kern
Erst zw der reynigung, nemt war,
160 Wer wolt die in solchem vermern,
Der sün aüch was Got vatters sün,
Dürch sie ewigen tod er sterbt.

7.

Dar umb der engel sprach 'ave',
Welches bedeuttet, wist,
165 Das sie an all sündtliche we
In mütter leib entpfangen ist.
Des halb 'vol gnad' der engel sprach,
Do wardt keiner ungnad gedacht,

Sünder das ir entpfencknüs me
170 Berüemet ewig frist.
Dar nach im grus ich weitter ge:
'Der her mit dir' welches aus myst
Das *[132r]* nye in ir wer kein ursach
Dan ye und ewig rein gesacht.

175 Nün in dem andren pare fort
Ich die gepürd er cler
Jesü Cristi und dürch die schrifft beitter beber
Aüch in vil sprüchen frey,

Des gleich per expergenczias
180 Natürlich, figürlich da pey,
Dar zw in vill geschichten aüch
Man vindt gleichnüs und art,
Ob Got bewart
Pillicher hab die zart
185 Dan den creatüren gespart
Die menschlichs samen halben hie
Zw leben kümen unversart,
Ob Got pillich an solche rach
Auch sein gepürdt hab rein geacht.

In des Marners langen don das ander par.

1.

190 Mensch, hor wie durch natüre wir
Clar werden unter weist
Und dürch figür, wie die keüsch zir
Der müetter Gottes werdt gepreist
Dürch pillikeit und warer schrifft,
195 Das uns doch dünck unmüglich sein:
Wan als die magt entpfing in ir,
Die sich ye hat gefleist
Keüscheit irs leibs nach hochster gir,
Dar in der heillig geist sie speist,
200 Das ir keüsch englisch art für trift,
Die in doch ist gepflanczet ein.

Doch ich der namen vor bestim
Die uns künden dar van,
Wan ich nit yede*n* sünder her nach nennen kan,
205 Es würd der red zw vil,
Die mich oft layttet aüs der pan,
Welches ich do vermeiden wil.
Mein zeüg sind Aristotiles
Und Magnüs Albertus,
210 Isiderüs,
Comnester, Allanüs,
Aügüstinüs, Boeciüs,
Sic et in liberis rerüm
In de probrietatibus
215 Was wünders die natüre stift.
Noch mer ir namen ich thw schein:

---

179. expergencias *(der letzte Buchstabe undeutl.), der Reim verlangt* expergenciae. 182. vindt vindt. 201. in] *l.* ir*? (R.)* 204. yedem.

2.

In libris animaliüm
Und herbarüm des gleich,
Minerarum et lapidüm,
220 Die uns da zeügen vollikleich,
Wan ich */132v/* nit schweig ir expergencz
In iren schrifften clar benent,
Nemlich das püch Vittas patrüm,
Dar pey mich nit verzeich
225 Zw melden aüch den Justinum
Und Thittum Liviüm warleich,
Ovidius vürt schon sentencz,
Gilwertüs wirt nit ab gewent.

Das püch Regüm und Nümery,
230 Jop, Esechielis,
Valerius und was die kronick helt gewis,
Des ich geschweig hin für,
Sünder ir beschreibung erczel
Der ding halben in warer spür,
235 Doch anderst nit dan nach dem text;
Wölt selb die glos verstan
In schlechter pan,
Was sie verkündet han
Von der gepürdt Marie fran
240 Schriftlich, natürlich, figürlich.
Ob mir Got seiner hilffe gan,
Dem gib ich er und reverencz,
Das er sein gotlich gnad mir sendt.

3.

Sag, macht Circe der menschen art
245 Verkern in thirgestalt,
Und Claüdia die jünckfraw zart
Zw lande ziechen mit gewalt
Ein schiff mit irer sterck allein,
Und die schon Tüscia bebern
250 Ir keüscheit gar in schneller fart
Mit einem sib gar paldt,
Dar in sie wasser unversart
Trüg und kein tropffen nye verfalt;
Dar zw Emilia die rein
255 Ir keüsch bebert mit grossen ern,

Als sie mit irem schlayer weis
An fewr ein fewr an zündt;
Und *Diane* von der die schrifft so vil verkündt,
Das sie von got Jove

221. erpergencz. 234. *der Anfang von* spur *unsicher.* 241. mir *aus* mit. seiner *aus* seine. 258. diane *fehlt, doch ist der Raum freigelassen.*

260 In einem gülden regen clar
Geschwengert wart, — nün horet me:
Mocht sich das rein *ein*horen lan
Jagen in jünckfraw schos
Dürch keüscheit gros,
265 Dar in zw rasten plos
Zw recht sam pey seym mitgenos:
Mocht dan nit Crist werden geporn
An zwrüttung meittlich*er* schlos,
In der all gotlich gnad erschein,
270 Als ich noch weitter dw erclern?

4.

/133r/ Mügen dan in Cecilger lant
Zwen prünnen kreffte han:
Der ayn thüt früchtberkeit bekant
Dem der fruchtperkeit nye gewan,
275 Der ander früchtberkeit benymt
Eym iden der for früchtbar was;

Weitter ich fort geschribben fant
Ein stüt des eren an
Allein vom wint entpfach zw hant
280 Und sein geleich geper da von;
Carbas der vogel so bestymt
Eins baümes frücht ist, mercket das,

So die felt in des meres flüs,
Der carbas dar aüs wirt;
285 Der vogel bonafa die frücht so er gepirt,
Vom schnebellen entpfecht;
Der fenix dürch sein verprenung
Sich wider umb verneuet, secht;
Der pelichan mit seinem plüt
290 Die jüngen sein erkückt;
Der leb aüf rückt,
Sein jüng*en* gancz verdruckt,
Die er mit stim, geschrey aüf zückt;
Der straüs mit seim gesichte clar
295 Sein jungen in der schallen flückt:
Het dan Marie nit gezimt
Ir geperung aüs reinem vas?

---

262. ÿin horen. 268. meittlich. 292. jüng. vor *vor* verdruckt *gestr.* 294. mit sunnenlichte? *Nur eine derartige Wendung würde der Quelle entsprechen (R.)* 295. flückt *aus* plückt?

5.

Mochten Diamedis geselln
In vogel sich verkern;
300 Die geyrin an menlichs erweln
Dürch sich selbs ayren und gepern;
Kalodrius des krancken tot
Zeigt, so er sein gesicht ab kert;
Mag isidüs im dot abscheln
305 Sein vedern und verrern
Und im von new wider besteln;
Und mag der per an als versern
Sein jüng geperen ane not
Aus seiner nassen unbeschwert;

310 Und mag aüch albestan der *s*tein
Einest gezündet an
Alwegen prinen, das sein nymant leschen kan;
Und im Gothier lant
Ein prün, als das man würft darein,
315 Das wirt zw einem stein zw hant;
Mag in dem tempel Veneris
[133v] Ein licht verleschen nicht:
Mag dan gericht
Dürch gotlich zw versicht
320 Aüch die war sün, das ewig licht,
Keuschlich hie werden nit gepom
Warlichen an all falsch geticht
Nach ewigem gotlichen rot,
Dar dürch wir al werden ernert?

6.

325 Hor, mag ein baüm in Gorgite
Ein fackel zünen an
Und leschen die entzündt was ee;
Und mag des gleichen mit dem man
Der stain silewais nemen zw
330 Und wider ab in gleicher zeit;
Des gleich dürch menschlich art, hört me,
Ein ochs geschrien han
Dürch die stat Rom, als ich verste:
'Ram, hüet dich, hüet dich, Ram!' und lan
335 Feür den demnet, wie man im thw
Benemen was natür im geit;

Mag dürch des himels craft ein stein
Entpfan küngkliches pild;
Mügen durch claren daw und frücht des himels mild
340 Fein perlen sich gepern;

---

298. die amedis. 309. Aus *R.*, Das *N2.* 310. sein *N2.* 325. brün*? (R.)* 329. sileneit? 335. *oder* drumet? *Pfannmüller faßt* demnet *einleuchtend als den Diamanten, dem Feuer nichts anhaben kann.* 338. künigkiches.

Mag ein eiserner sarch im lüft
Enthalten werden an beschwern,
Der magnet an sich ziechen hie
Das eysen, nemet war,
345 Und aüch der var
Des meres offenbar
Den polüm alzeit zeigen clar:
Solt dan Got nit besünderlich
Sein müeter han gehabt in spar
350 Und im behalten han mit rw,
Der nam stet sey gebenedeit?

7.

Mag dem carist in feures glo
Dürch prünst geschaden nicht;
Mocht ein pawren die lüfft so ho
355 Drey meil dragen an schadens pflicht;
Mocht zw Tholosen der gancz pach
Aller in plutt verkerren sich
Und wein in plütt des gleich dar no
Ob tisch, die schrifft vergicht,
360 Ein mensch in ein stein; nw hort wo
Vom beib *[134r]* des Lotten man das spricht;
Wo namen zwen zwilling ursach
All schlos zw offnen fertigklich;

Macht ein menschen ein zaüberer
365 Ver kerren in ein pferdt,
Im feür der salamander leben unverserdt,
Der sittich reden clar
Mit ser teütlichen worten scharff
Und ungelert 'ave Cesar';
370 Mocht werden zw einem corall
Nest, vogel und der ast:
Sag, was geprast
Gocza sün des fatters glast,
Mocht der nit hie aüs dem pallast
375 Ein und aüch aüs keüschlichen gen,
Do er neün monet inen rast?
Hie mit das dritt par ich an fach,
Ob man dar um begrüesset mich.

---

342. wern *(?) vor* werden *gestr.* 345. var=vart. 354. eim. 360. horret. 363. fertigklich *aus* willigklich. 368. teülich *vor* teütlich *gestr.* 378. vm *über der Zeile.*

19*

In dem langen don Marners das drit par.

1.

O Got, heilliger geist, gib künst
380 Weitter zw künden fort,
Das ich aüs inhicziger prünst
Hie meld wie Gott des vatters wort
Aüs dem gancz voller gnaden schrein
Sich hie entnam demüetiklich,
385 Also das nie sundtlicher thünst
Dar zw han mocht gekort,
Sünder gancz laütter gottlich günst,
Als her nach wirt geoffenport,
So ich weitter wür füren ein
390 Figür, exempel sünderlich.

Mocht eins die sün zwelff stünd stil sten
Dem Joswe zw ern;
Mocht eins ein aych wein tragen in dem landt Avern,
Und Jedicanis vel
395 Allein vom thaw gancz werden nas
Züm zeichen seines siges schnel;
Mocht die pfort Esechielis
Alweg verschlossen sten,
Wie wol er den
400 Künck aüs und *[134a]* ein sach gen,
Die rüet Aaronis, ich wen,
Frücht pringen, die doch gancz dür was:
War umb solt nit an alle pen
Maria magt und müetter sein
405 Dürch die craft Gottes, wündert mich.

2.

Mocht das thilln kraüt grün bleiben stett
Und korn regen herab,
Des gleich stachel eins regen thet;
Mag der hering dürch wassers lab
410 Allein leben und sünst von nicht;
Mocht eyssen eins schwimen entpor
Und die gert, so Moyses het,
Die rüt oder der stab,
So er die dürch die gotlich ret
415 Hin warff oder die von im gab,
Was es in der menschen gesicht
Ein schlang und widerumb wie vor

379. geist *hinter* geist *gestr.* 400. Künick. 411. *vor* eins *ein Buchstabe gestr.*

Ein rüt; und pran in flamen ho
Ein staüd starck an geczundt,
420 Do plüet, lawb, zweig noch ast, keinem nie
schad ward kündt;
Mocht Ananias ye,
Asarias und Misahel
In eim geheiczten offen hie
Frey gen sam in eim külen daẅ
425 An all leyplich verser:
Solt nicht die her
Des gleich an all beschwer,
Sunder in hochsten freuden ger
Gancz rein und keüsch beliben sein,
430 So sie war Got und mensch geper?
Als ich eüch weitter fort bericht
In figüren und schrifften clor:

3.

Mocht aüs eim fels und herten stein
Wasser entspringen clor,
435 Do Moyses das volck gemein
Und alles fich mit trencket gar
Dürch schlege mit der gerten sein,
Die er tran thet nach Gottes sag;
Des gleich ein esels kinpack klein
440 Aüch wasser gab, nempt */135ᵛ/* war;
Hort was in dem Jordan erschein,
Der seins gemeinen flüs het spar,
So im natüre würcket ein,
Ver keret er etliche tag,
445 Sünder nam hinter sich den flüs
Ungewonlicher art;
Mocht das rott mer pey Pharonis zeit ein fart
Sich aüf lein gleich zweyn maürn,
Den Moysen, sein volck und sich
450 Vor aller feinde macht beschaürn;
Und hat Davidt die clein persan
Den Goliam ab than,
Und mocht Sampsan
In siben haren han
455 Solch sterck das er fünf hündert man
Abricht mit einer essels keẅ:
Solt dan Got vatters sün so fran
Nicht gen aüs jünckfrewlichem schrein,
So Got doch alle dinck vermag?

419. starck *aus* starch. 429. beliben *aus* biliben. 432. fein (*oder* frey?) *vor* clor *gestr.*

4.

460 Mocht sich auch der fürst Naaman
Von schwerem aüsacz hye
Gancz rein machen in dem Jordan,
Als ob ers wer gewessen nye;
Macht einer witwen zw vor an
465 Ir mel noch öl sich mindern nicht;
Und mocht Hellias, welt verstan,
Vierczig tag weit, hort wie,
Mit einem eschren protte gan
Und eym krüg wassers, do doch ye
470 Aüch sünder ist zw sagen van;
Aüch hort ein selczame geschicht:

Küngk Salomon wolt an seim paw
Ein holcz sich lencken nit,
Pis das ein creücz dar aüs wart, daran Cristüs lit;
475 Und ein verworffner stein
Schicket sich nit, wie man im thet,
Pis er zwüe maür füeg in ein;
Mocht Abakück vierczig tag weit
Kümen in halbem tag:
480 War umb einmag
Aüs jünckfreulichem hag
Nicht gen der aller macht ye pflag,
Oder keüschlich werden geporn,
/135ᵛ/ Von dem aller proffetten sag
485 So clar stimen und nit nach wan,
Als ich fort weitter eüch bericht.

5.

Hat der proffet Isayas
Uns nit verkundt klerleich
Und in gezeücknüs uns pracht das,
490 So er meldet gnügsamygkleich:
'Nempt war, ein rein jünckfrauv gezirt
Entpfecht und wirt ein sün gepern.'
Und Jeremias kindt vür was:
'Ein newes wirt der reich
495 Aüf erd beginen, das nie was
Noch was aüff disser erden teich,
Ein weib ein man umgeben wirt.'
Weitter die schrifft eüch zw erclern

Hort raby Prachias, der melt:
500 'Er wirt an vatter hie
Geporen, der dort müetter hat genümen nye.'
So spricht her Danyel:

---

460. auch *über der Zeile.* 461. hye *aus* ye. 480. = enmag. 488. klerleich *aus* klarleich. 491. *Jes. 7, 14.* 493. *Jer. 31, 22.* 494. newes *aus* news. 496. was] *l.* wirt? *R.* 499. der *durchstr., aber schon des Silbenmasses wegen nicht entbehrlich.* 501. geũmen. 502. *Dan. 2, 34.*

'Der stain vom perg geschnitten ist
An aller hende hilff.' hie zel
505 Und hort was Esechiel spricht:
'Beschlossen pleibt die pfort.'
Besünder dort
Der ewig küngklich hort,
Ich mein Gocz sün, des vatters wort
510 Nymt sein spacirbeg aüs und ein:
Hie mit sey eüch geoffenport
Der sal dar in er jubilirt.
Wie kan ich clerer es bebern?

6.

Züm leczten aüch zw melden zimt
515 Was nüczes da von sey
Der ding halb, so ich hab bestimt:
Nicht anderst ich dar von aüs schrey,
Dan das die rein, keüsch jünckfraüw zart
Eylff nücz dar dürch uns her hat pracht.
520 Wan als Got vatter was ergrimt
Aüf uns dürch fresserey,
In ganczem unwilln aüf uns glimt,
Hat die keüsch himlisch magt Marey
Uns wider pracht aüs der unart
525 Und gen Got frid und süen gemacht.

Züm andern so ist die forhell
Dürch sie zẅ storet gar,
Und was */136r/* dar inen vetter pis aüf die zeit war.
Wurden erfreü*we*t al.
530 Züm dritten ist die deufflich macht
Gemindert worden und sein schall.
Züm vierden das die erbsündt aüch
Dürch sie gemindert ist.
Züm fünften wist
535 Das auch dar zw der frist
Aller jüden und heiden list
Dar dürch geschacht ist und gemat.
Züm sechsten das ein yeder crist
Hie mit dem sacrament bewart
540 Zw der behaltnüs wirt geacht.

---

506. *Ezech. 44,2.* 508. künigklich. 516. bestimt *aus* gestimt. 526. so *über der Zeile.* 529. erfreüt. 535. auch dar *über der Zeile.* 538. crist *aus* cristenmensch.

7.

Das sibent vergebung der sünd
Durch war rew, peicht und püs.
Das acht ist wer die gnad hie fünt,
So er von hinen scheiden müs,
545 Die heillikeit in der ollüng
Und vorpit aller heilling gar.
Den aplas für das neünd ich künd,
Der ab nympt allen rüs
Der sünden und lost aüf die pünd
550 Pein und der schüldt und laytt den füs
Aügenplicklich zw der samnüng
Aller heillgen und engel schar.

Das zechent das man nach der sel
Die gotheit dort erkennt,
555 Darin das leiplich aüg ewiklich ist geplent.
Dar umb das aylfte ist
Die menscheit unsers herren, do
Das leiplich aüg in hat sein rist.
Dar umb die keüsch zart müetter Gocz
560 Ewig zu loben stot.
Wer sie lieb hot,
Nymer sie in verlot
Hie oder dort in keiner not,
Zw vor aüs wer sie innygt mant
565 An ires lieben kindes tot.
O mensch, mit hercz, mit mündt, mit züng
Sie stet zw loben dich nit spar!

[76.]

[165v] Im verporgen don 7 lieder Hans Volczen gedicht.

1.

O schopffer reich, dein güt ich man,
Hillff mir ellenden sünder gros
Den leyen geben zw verstan
In figür und geleichnüs plos
5 Wie, her, dein leichnam werd geporn
Hie in dem sacrament,
Genennet eycaristia,
Ich mein in der hostia fron,
Wie al vernünft erzittert da,
10 Das dan verclert leibes persan
[166r] In wein und prot gestalt erkorn
Wirt pis der welte ent

546. heillig.
[76.] 5. werd gepoř *aus* ward gepeř. 8. hostia *aus* hohen; *das* a *unsicher.*

Hy taglich in der priester hant,
Her, dürch dein selbes ordinancz
15 Und wort, die dw liest hinder dir,
Sa die der priester kündet ganez
In dein selbes persan, wie schir
Wirt es dein leib genant.
Mensch, das nit reit
20 Als er hie leit
In todlikeit.
Merckt die warheit:
Nach dem under bestreit
Den tot und alle seine macht
25 Und mit verklerten leib er stünd,
Also ward er ein speis der sel,
Dy sy macht hy und dort gesünd.
Wer anderst gelaübt, der würfft fel
Und wirt von Got verschmacht.

2.

30 Fort merck das feyrres spera rein
Ob des obersten lüftes reich,
Wie nün sein würckung ist gemein
Alhie aüf disser erden deich.
Doch wer das zw seim nücz beger,
35 Ein hertten stein er nem;
Da schlach mit einem stachel trat,
Wirt im pald ein feyer gepern,
Welchs an materig nit hat stat.
Ein kercz müs das enpfenck lich forn,
40 In der ein sich aüs preittet mer:
Mensch, der geleich müs re*m*.

So mon die coracter recht nent
Da mit der priester consacrirt,
Praücht er sich stachelherter wort,
45 Die Cristus dar zw ordinirt.
Berürt sei*n* steines hercz der hort,
So wirt in eim moment
Der leichnam fran
Die war persan
50 Gocz sün, doch an
Materig kan
Das nit werden gethan.

---

23. vnder. 26. war der. 36. einé. 40. ein] es*? (R.)* 41. rein. 43. Da *aus* Die. 46. seines. he'z *vor* hercz *gestr.*

Wen wie der flam und aüch der docht
In feür entlich werden gewant,
55 Also aüch prot und wein die zwey
War mensch und Got werden erkant.
Das peyspil merck, dw clüger ley,
Doch nim noch weitter acht.

3.

[166v] Wie vil nün sind der licht gemein
60 Und was die gancz welt feyres hat,
Ist es das ellament allein
Oben in seiner spera grat.
Kein ander feyr wart nye
noch ist;
Sein wegung dort erkent!

65 Wan sein da selb wart minder ny,
Wie vil es hy sein wirckung thütt:
Also, dw cristen mensch, glaüb hy:
Wie wol Gotz mensch sein fleisch
und plütt
Hy in taüssent partickel rist,
70 Wie weit man dy aüs spent,

Ist es der einig Cristüs doch,
Sein ward doch minder ny noch me.
Nempt gleichnüs pey der sünen pas:
Wie manig glas sy stet dürch ge,
75 Pleybt sy doch noch des zirckels mas
In irer spera hoch.
Nün mecht fort an
Sprechen ein man:
'Wie mag und kan
80 Aüch doch verstan
Cristi gancze persan
In disser klein prottes gestalt
Begriffen sein genczlich und gar?
Wer macht mich clerlich das versten,
85 So das ich allenn zweiffel spar?
Wen ich dem allen mocht entgen,
Wer mir ein aüffenthalt.'

64. er kent *aus* er kant. 65. ny *aus* nit. 67. cristen *aus* cristenlich. 68. *l.* Got? 69. ris(t) = rizze? 80. *l.* Ich? *(R.)* 84. versten *aus* verstan. *Hinter* 87 *folgen zuerst Str.* 6. 7, *dann erst* 4. 5, *doch ist die richtige Folge durch die Strophenzählung gesichert.*

4.

[167r] O zweiffeler, ich antwürt schir:
Weist dw nit das der glaüb müs sein
90 Von dingen die mir oder dir
Hie künd nymer werden noch schein?
Dein lon bey Got verloren wer,
Ob dw das wissen werst.
Doch dich der irrüng nit zu lan,
95 So prieff das klein *[167v]* und eng gesicht
Des mensche*n* aügen in im han,
Dar in kein groses yrret nicht,
Haüs, hoff, dorff, stat und anders mer,
Was dw zw sechen gerst;
100 Dar zw der sünnen gancze scheib,
Den mon und auch dar zw vil stern,
Entpfech ydem gesichtes glancz
Und pleiben doch in irer vern
Volkümen warhafftig und gancz.
105 Ob man müglicher schreib
Dis clerlich zw
Dem hern Jesü,
Mensch, hie denck nü
Ob ich und dw
110 Nit pillich haben rw
Und lassen solches gründen hoch,
Glaüben das Got vil pas vermüg
Sich geben in die clein gestalt
Aller partickel an aüszüg,
115 Wie klein oder wie manigfalt
Die sind und werden noch.

5.

Mich fragt ein jüd wi *m*icklich wer
Das dy ainig persan Cristi
Eins mals bewegt wer hin und her,
120 Als man sicht taglich pey uns hye
Ein priester ab, de*n* andren aüff
Gen *mit* dem sacrament,
Das nit allein an einem ort,
Sünder an vil enden geschicht.
125 Ich sprach: ‘verste nün meine wort,
So las ich dich dem zweiffel nicht.
Merck aüf den mon, wẅ naczt ein haüf
Menschen gesamelt sent,

---

94. j"üng. *Das letzte Wort undeutlich.* 95. eng *über durchstr.* ewig. 96. Des] Das? mensch. im] *l.* in? 99. sechen *aus* süchen. 102. *l.* y dein? *(R.)* 103. jrer *aus* jn (?). 105. müglicher *aus* müglich. streib *vor* schreib *gestr.* 108. nü *aus* nün. 115. mag *vor* manigfalt *gestr.* 117. winicklich. 121. dem. 122. nitt. 127. naczt = nahtes.

Dy sechen inal vor in stan,
130 Und welch aüs in von dannen gen,
Was weges ein yder vür nem,
Get es mit itlichem aus den.
Sich, jüd, hie der geleichen rem,
Wiltw irrüng entgan:
135 Wan Cristüs zwar
Selber hie far
In worten clar
*M*acht offenpar,
Sprach: "ich sag eüch vür war,
140 Wa zwen in *m*einem nomen fort
Pey einander gesamet seinn,
Würd ich stett sein in irer mit."
[168r] Kan das Jesüs der herre mein,
Wolch crist wolt im gelaüben nit
145 Zw sein hie und aüch dort?'

6.

[166v] Noch ein frag mich der jüd an went,
Sprach: 'ein wünder wont mir noch pey:
Ob Cristüs aüch im sacrament
Mit fleisch und mit gepeine sey,
150 Und so man die gestalt zwpricht,
Das sich der keins nit eigt.'

Ich sprich: 'merck, als die gotlich macht
In allem forgemelten würck,
Also aüch hie sein krafft betracht!
155 Wan so sich Cristüs hat verpürgt
Ein speis zw sein in der geschicht,
Er sich nit anderst zeigt.

Sag, wie wirt mon im maisticirn,
Solt man da spüren fleisch und plüt?
160 Doch gar von vil geschechen ist,
Die irte*n* da dürch falschen müt,
[167r] Das dürch mirackel, die man list,
Sie Got nie lang lis irn.
Er zeiget pald
165 Seinen gewalt
Dürch aüfenthalt,
Das solch einfalt

130. in von *vor* aüs *gestr.* 138. Nacht. 140. einem. 145. vnd *über der Zeile.* 151. der der. 161. irte.

Alweg wart ab gestalt,
Als vil der jüden han erkünt.
170 Jüd, frag Degkendorff und Passaw!
Ich mein dw finst der frag ein zil,
Dy dich heim süchet gar genaw
In dir ursach zw vinden vil,
Zw han der ding ein grünt.

7.

175 Ich sag dir zwar mit das dw weist,
Doch van irrüng der cristenheit,
Was zweiffels dar in ward erfreist,
Hat Got gar gnügsam ab geleit
Mit unseglichen wünden gros,
180 Das lang dorfft zw erzeln,
Welchs ycz ich als lan rüen wil,
Wan es ist *gros* erforschlikeit
Gocz heimlikeit seczen ein zil,
So der glaüb als das aüf im treyt,
185 Darin beseligung an mos
Got gibt, die nit kan *f*eln.

Spricht Saloman: 'wer verkündt mir
Uber dem fels der schlangen steig
Und pfattes schiffes in dem mer,
190 Des adlers flüg im lüft ich schweig,
Das mon sich wil bekümren ser
Got heimlikeit so schir?'
O jüd, heid, crist
Und wer dw pist,
195 Nicht praüch der list,
*G*laübt stet all frist,
Was macht mon Got zw mist,
Das im das alles müglich sey,
Ich mein nach sag der heilling schrifft
200 On all upich erforschung gancz,
Aüf das eüch zweiffel nit vergifft
Und da weist dürch ein falschen glancz,
So werd ir ewig frey.

---

175. mit *aus* nit? wist. 178. geleit *aus* gelait? 182. gros *fehlt.* 186. feln *R.*, seln *N2.* 188. dē. 196. Gelaübt. 198. im *aus* in. 202. Vnd *aus* Vng.

[77.]

[218r] Meister Hans Volczen passional 7 lieder.

1.

Maria, junckfraw clar,
Verleich den sinen meine
Ein petrachtung der peine
Die dw erkürst
5 Jamer aus einem worte.

Do dw dein sün fur war
Dest inigklich beweine,
Und do er clagt der reine
Am creücz den dürst
10 Und dw, jünckfraw, das horte,

O was herczlicher grosser clag
Dein jünckfrewlichs gemüt do pflag,
Da so schwerlich betrübet lag
Dein reine sel,
15 Do sie mit quel
Des schmerczen schwert dürchstache!
Das dir dein hercz nit prache,
Do dw vor unmüt schwache
Und jamers wel
20 An disse not gedachte,
Do also gar verschmachte
[218v] Dein libes kint mit dürer kel
Hing an dem kreücz ermorte!

2.

Maria, maget rein,
25 Nün gib hie unterscheitte
Mit welchem herczenleite,
Wie pitter herb
Dw dissen dürst vürneme,

Und gib mir, jünckfraw, ein
30 Das ich mit inigkeite
Dir disse frag becleite
Und sindlich gerb,
Dem jamer nahent reme,

Das ich an deiner stat geb ler
35 Ob disser dürst aüch menschlich wer,
Den an dem kreücz klaget der her
Dürch vir ursach
(Ich das künt mach),
An al ander sein note
40 Dürch die jüdischen rote

[77.] 5. *l.* Iemer? 6. dein *aus* sein. 12. Dein *aus* Denn? 17. dir fraw dein. 24. Marig. 27. Vnd *vor* Wie *gestr.* herb *am Rand.* 31. Dir *aus* Die. *l.* bescheide? 32. *oder* sim^{e}lich; *gemeint ist wohl* sinclich *(sinnig, verständig)?*

Betrübt pis in den tote.
Die grossen schmach,
Ir cristen, hy bedencket,
Mit zehern die beschencket,
45 Das er wil an dem jungsten dach
Sich unser dort nit scheme.

3.

Dein erst vürnemen sey,
Do dein sün also spote
Hin zw dem garten note,
50 Do er begreiff
Die pein der marter gare,
Und do er knyet pey
Dem olperg also drotte,
Bedrübt pis in den dote,
55 Und im entschleiff
Sein varb und was misvare:

Do in so grausamlicher forcht
Die pein des totes in im worcht,
Dar aüf er sich menschlich besorcht,
60 Das pade heis
Plütigen schweis
Aüs seinem leichnam lecket,
Das er die erd bedecket
Und wol in im aüf wecket,
65 Als ich erfreis,
Des dürstes erst ursache,
Des jamer daüsentfache
Dir, jünckfraw, dürch dein hercze reis
Und durch dein sel für ware.

4.

[219r] Dy ander sach sey dy,
71 Do, Marie, dein traüte
Mit har und aüch mit haüte
Die ganczen nacht
Wart lesterlich gehonet,
75 Noch wart so tultig ny
Aüf erden ann geschaüte,
Ir schleg erhüllen laüte,
Verspeit, verschmacht,
Gegayselt und gekronet,

50. erbegreiff. 76. ann *aus* am?

80 Das all sein leib zwrissen wart,
Zwflamet und zw zerret hart,
Ir keiner sich an ym nye spart:
Dein kint Jhesüs
Aber beflüs
85 Mit schweis seins plüttes deüre.
Ein kran in zorens fewre
Von dornen ungehewre
Sein haübt umbschlüs,
Gedrücket in sein hiren,
90 Da pey det man erkiren
Den dürst in grosser kümernüs,
Den er am creücze donet.

5.

Die drit ursach müs sein,
Do, meit, dein hochste schancze,
95 Jhesüs, die edel pflancze,
Gancz plod und schwach
Sein creücz im selber trüge,

Und do der fürst so rein
Trat den ellenden tancze
100 In plütrot varbem krancze,
Seins schweisses pach
Im al sein leib dürch nüge,

Pis das er für die stat aüs kam
Und man das creücz von im genam.
105 Vor müden sas er aüf den tram
Der in beschwert.
Erst wart gezert
Das cleid aüs seinen wünden,
Die ym die geissel schründen.
110 Rückling wart er zw stünden
Gestossen hert
Do aüf des creüczes paüme;
Das edel honick stawme
Aüs allenn seinen wünden rert,
115 Das uns die sünd ab zwüge.

---

80. ein. 81. zerret *aus* herret. 82. Ir sich nye keiner an im spart *durch Zahlen zurechtgewiesen.* 85. scheisch *vor* schweis *gestr.* 87. vnghewre. 100. varbem *aus* varben. 105. Vormüden. 113. *l.* sawme? (= söume, seime).

6.

Des dürstes vird ursach,
Als dw dir, meit, gedachte,
Was dw dein sün verschmachte
Gancz aüsgetrot
120 Hing an dem creücz ver/*219a*/sigen

Und man in erst an stach
Mit nageln ungeschlachte,
Die im würden mit machte
In grösser not
125 Dürch hent und füs gerigen.

Die haüt wart mit dürchdrüngen hart,
Das er des plüttes nit verrart,
Pis das er aüf gerecket wart.
Erst von im schos
130 Mit strangen gros
Das plüt an allen enden,
Aüs füsen und aüs henden;
Also thet er aüs spenden
Mit manchem flös
135 Die früeht aus seinem herczen,
Mit dürstigklichen schmerczen
Der her gancz uber alle mos
Hing an dem creücz genigen.

7.

Und disse ursach vir
140 Hastw, jünckfraw, alleine
Betracht, dw maget reine,
Mit grossem leit
Aüs müterlichen trewen,

Dar dürch dein leben schir
145 Het ende müssen seine,
Het nit der schopffer deine
In sünderheit
Gestercket dich von newen,

Dar mit dw uns bewerest das,
150 Wan disser dürst aüch menschlich was,
Wie wol er unser nie vergas,
Wan al zeit doch
In dürst und noch
Nach dem menschlichen droste,
155 Wie das er uns erloste
Mit hünger, hicz, dürst, froste
Und jamers joch
In hiczigklicher prünste.
Lob hab ewr peder günste,
160 Das wir uns mit eüch ane roch
Dort ewigklichen frewen!

---

118. dw] *l.* do?

[78.]

[286r] Inn meister Hans Volczen hohen don 5 lieder.

1.

O all andechtig herczen rein,
Den y der schein
Des cristen glaübens glaste,
Ert all die reinen mait
5 Von der uns heil und drost ist kümen!

Secht on die frolichen gepürt,
Die uns entpfürt
Hat des unheilles laste!
Erwirdig, sing und seit
10 Zw lob der reinen keuschen plümen!

Wie nün die müter Gocz, Marey,
Ein reine jünckfraw pliben sey
In dem gepern des heilles zwey,
Des won uns vil mirackel pey.
15 Nün hort von erst die profecey
[286v] Von Ysaye septtimo:
'Ein jünckfraw do
Die enpfacht und gepir ein süne.'
Merckt wie die dur rüt Aaron
20 Dur plüen gan!
Sech an die port Esechielis schüne!

2.

Das ich ir keusch bewere pas,
So mercket das:
Zw Rom ein tempel hache,
25 Dar von geweissagt wart vür bar,
Wen ein jünckfraw ein kint gepere,

Das er dan risse und zer fil.
Da nün das zil
Die pürt Cristi geschahe,
30 Schnel und pald aüf der fart
Zw vil der selbig tempel here

Und al aptgötterey für wor
Dort in Egipten landen zwar,
Als Jeremias lange vor
35 Prophetisirt vor manchem jor.
Von einer reinen junckfraw clor
In aller welt die finster nacht
Mit ganczer macht

[78.] 9. = Erwirdigt, singt. 15. Nün *aus* Nür. 16. septtimo *aus* sepitimo. 18. enpfacht *aus* enpfecht. 21. = Secht.

Gleich wart dem lichte dage.
40 Zw Rom ein prün mit öl aus prach
Gleich einem pach,
Den ganczen dag zw Rom er flissens pflage.

3.

Nun mercket fürpas aber mer:
Drey sünen her
45 Des dags würden gesehen,
Dar aüs zw leczt wart ein:
Bedeütet das Got mensch und sely
In einr person geporen waar.
Ein wolcken clar
50 Octavian gunt spehen,
Dar in ein junckfraw rein,
Die ein stim nennet 'ara cely.'

Drey edel künig hoch geporn
In dreyen beitten landen worn,
55 Durch die Got wunder het erkorn,
Als das wol vor zwelff hundert jorn
Der prophet Walaam hat geschworn
Von einem stern, der do enpran,
Dar in sach man
60 Mit einem kreücz ein kinde.
Der wart von im schnel angepet,
Es mit in ret:
'Nün zihent in der juden lant geschwinde.'

4.

Inn einr nacht küng Balthasar
65 Sein fraw gepar
Ein kint, das schnel auf stünde
Und redet offenbar:
'Nemt war, heint ist ein kint geporen,
Das aller welt ein heiller ist.
70 Seins lebens frist
Gib ich eüch war urkünde:
Vird halbs und dreyssig jar
Hat er im auf erd aüs der koren,

Als war leb ich virtalben dag.'
75 Als aüch geschach nach seiner sag.
Kaspar dem andren küng on zag
Ein straüs drey eir aüs prütten pflag,

---

47. sely *(?) aus* ser? 48. einr *aus* einer. geporen *aus* geporn. waar *aus* wart, 64. Inn *aus* Im. 66. des. 69. kam *vor* ist *gestr.* 72. jar *aus* gar. 74. dag *aus* jar.

Dopey mon wunder kissen mag.
[287r] Das erst ey einen leben pracht,
80 Bedeüt die macht
Des new geporen fursten;
Ein daub, ein lam prachten die zwey,
Do mercket pey
Frid und gedult, dar nach in gunt zw dürsten.

5.

85 Küng Melchor in der nacht entspros
Ein paümen gros
Mit plw, laub und mit früchte,
Deüt gancz volkümenheit
Des new geporen suns der meide.

90 Dar umb die künig eilten dar
Und nomen swar
Des sternes, als in düchte.
Sie kümen zw der zeit
In dreyczehen dagen an leyde,

95 Das in kein nacht ny tags geprast
Als von des lichten sternes glast,
Pis sie vünden den werden gast.
Dem kindlein wart geneigett vast,
Golt, weyrach, mir zam aller past
100 Von in dem kind zw opffer do.
Ir hercz wart fro
Wol von des kindleins gsichte
Und von der keuschen maget clar.
Züm newen jar
105 Schenck ich der aüsserwelten mein gedichte.

[79.]

Meister Hans Volczen hohen don 5 lieder

1.

Frolockt und jubillyret all
Mit reichem schal
Der genad reichen stünden,
Darin war mensch und Got
5 Uns ist czw grossem heil geporen

Aüs einer reiner jünckfraw leib,
Die nit was weib
Noch darnach ward gefünden,
Die im versehen hot
10 Got und von ewigkeit erkoren

79. einem. 85. Küuig. 91. nomen swar = nômens war. 103. keüsch.
[79.] 6. junckfraw reiner *durch Zahlen zurechtgewiesen.*

Zw einer werden müter sein,
Der wolt aüch freyen sy vor pein
Vor allen frawen die vil rein,
Der sich mit voller gnad senckt ein,
15 Und der aüch in ir keuscheit schrein
Sich selb entpfing in der person
Des geistes fron
On all menliche stewre,
Der wolt aüch hy beweissen krafft
20 Und meisterschafft
In seinr gepürt hy von der meit gehewre.

2.

Wie nün die loblich pürt gesche,
Ja nymer me
Wirt menschlich das besünen.
25 Hy felt wicz und vernünft,
Allein der glaüb uns nit
bedreüget.

Wan es dy maget selb nit west,
Al himlisch gest
Des nie ergreiffen künen
30 Noch aller engel zünfft;
Allein Gotz krafft uns das
beczeüget.

Den do die meit gar minigklich
Wart in ir selbs bedencken sich
[287ᵃ] Aüf ir gepürt gar wünderlich
35 Und grosse freüd ir sel dürch strich,
Schnel sie der gottlich glancz umbschlich
Kinent beschewlich in dem geist,
In dem erfreist
Dy meit fur ir den degen.
40 Kintlich zw weinen er began,
Sy plickt in an,
Irs herczen hort, den aller hochsten segen.

3.

Maria neüer freüt began
Und pettet an
45 Mit herczlichen begiren
War mensch und waren Got,
Ir ausserweltes kint so klare.

Dar nach sy es um bintlet fein
Und legt es ein
50 Die cripen zu den diren.
Di kanten in vil trot
Und kniten für das kindlein dare.

---

27. west *aus* best? 30. Nnoch. 31. beczeuget *aus* beaeüget? 36. vnbschlich *aus* vmbschrich? 45. herczlichē. 50. zu *aus* in.

Der öx und aüch der essel gro
Die haüchten aüf das kindlein do.
55 Des atten was des atten fro,
Wan grosse kelt ging im gar no.
In aramüt lag er also.
Daran gedenckt, ir cristen, heit,
Und sint bereit
60 Mit danckparkeit der maget
Und aüch dem new geporen kint,
Pey dem ir fint
All gotlich gnad, dar an seit unverzaget.

4.

Nün merckt, den hirten aüf dem feld
65 Gros frewd und seld
Ver künt wart aüs dem trone.
In wart gezeigt dy stat
Do sy den himelkünig fünden.
Do horten sy das new gesanck,
70 Das laut erklanck
Aüs manchem süssen done.
Gros licht umbgeben hat
Das haüs wol zw den stünden.

Hoch in dem lüfft meng stim erhal:
75 'Lob, er sey Got im hochsten sal
Und frid den menschen uberal,
Eins gutten willess freier wal,
Des freüt, ir cristen, aüch mit schal,
Das uns der war almechtig Got
80 Vürsehen hot
Mit der vil keuschen maide,
Durch die erfült wart dy geschrifft,
Die uns verprift
Von den proffeten was für ewigs laide.'

5.

85 Das sey gelobt dein keüsche art,
Dw reiner gart,
Gepflanczt vom heilling geiste,
Dar in uns heil entspros
Dürch die war menscheit Jesw Criste.
90 Den uns die keusch geporen hot,
Für ewig not
Kam er gen dal gereiste.
Aüf dich so fil das los,
Das dw dy müter Gocz nun piste.

---

55. = *dessen Atem war des Atems froh.* 56. im *aus* in. 57. jn *aus* an. 58. *oder* cristenheit; *in N2 zwei Worte.* 62. Pey dem ir fint/pey dem jr fint. 75. jm *aus* am. 77. willess *aus* willen. 78 .*l.* eüch?

95 Dar umb wart ny erkent dein gleich,
Noch wirt nymer und *[288r]* ewigklich
In himel noch aüf *dem* ertreich;
Jünckfraw, dar um von uns nit weich
Und pit Got, das er uns verzeich,
100 Wen unser leben sey geent.
Reich uns die hent
Deiner parmherczigkeite,
Pelait uns vür dein sun so milt,
Pis unser schilt,
105 Pit für uns den der dir nymer verseitte!

[80.]

In meister Hans Volczen hohen don 7 lieder.

1.

Er ist erstanden von dem tot,
Als mon das hott
Ein warhafftig figüre
Im richter puch ganez clar,
5 Do Samsam in Josiam ginge.
Sein feint umblegten in mit macht,
Und umb mytnacht
Seczt er in ein solch rüre
Pey dur und dor für war,
10 Schlos und rigel nam er geringe

Mit den geschwellen und drüg sy
Aüf einen hohen perck. merckt hy
Ein gleichnüs der urstent Cristi,
Da von sagt das ewangely
15 Secündüm Mateüm, merckt wy:
'Nach des sabacz abent geschach,
E das aüf prach
Des dages morgenröte,
Maria Magdalena frw
20 Und auch dy zwü
Den herren eilten zw salben in nete.

97. dem *fehlt.* 103. *oder* dem?
[80.] 4. *Jud. 16, 2 f.* 12. hy *aus* wy.

2.

Nün secht, ein gros erpiden wart.
Ein engel zart
Steig von himel her abe,
25 Welczt von dem grab den stein,
Sein antlicz gleich eim claren pliczen,
Weis als ein schne sein cleidung was.
Also er sas
Aüf dem stein pey dem grabe,
30 Das nit erschracken klein
Die hüter die mon da sa siczen,

Und würden als die dotten gar.
Der engel sagt den frawen clar:
"Nün fürcht eüch nit, sünder nemt war:
35 Ir süchet Jesüm, weis ich zwar,
Den creüczigt hat der jüden schar.
Kümpt, sechtz, sagtz denn jungern dar nach
Und Petro ach
Wie Crist erstanden seye.
40 Allelüia, allelüia!
Jallillea
Wirt eüch vor gen der freye!"

3.

Als er in seit "allelüia,"
Hin eiltens da
45 Vom grab mit forcht und freüde,
Den seinen jüngern gar
Dy ding zw künden eigentleiche.
Nün secht Jesüm ersahen dy,
Er grüsset sy,
50 Vergangen wass ir leide,
Kniten vür sein füs da
Und in anpetten fleis*/288ᵛ/*igkleiche.

Jesüs sprach zw in: "fürcht euch nit,
Get, sagt mein prudern dy geschicht,
55 Das mon in Galile sich richt:
Da sehen sie mich in verpflicht."
Secht, als die ding waren geschlicht,
Etlich der hüter eillten drat
Hin an die stat
60 Denn obern zw verkünden
Was sich verloffen het dy nacht.
Ein rat man macht
Wie sie der sach ein new gestalt erfunden.

---

36. der jüdë schar *am r. Rande nachgetragen.* 37. Künnpt. sechtz *aus* sechtt? denn *aus* dem. 43. allelüia *aus* allelüig. 50. wass *aus* wart?

4.

Die hüter man mit gelt begobt,
65 Ider gelobt
Züm folck nit anders jehen
Dan die jünger Jesw
Den leichnam in der nacht
gestolen heten,
Alls denoch ist der jüden sag
70 Aüf dissen dag.
Die junger jünden nehen
Gen Gallilea zw,
Da sie der her den het bestetten.

Sie sahen in, petten in an,
75 Etlich gunden aüch zweifflen dran.
Jesüs necht sich irer persann,
Sagt in allen gewalt zw han
Aüf erd und in des himels dran:
"Dar umb get aüs die taüf zw lern
80 In Got dem hern,
Das selb gar trewlich leiste
In nomen Got vatters zw thün
Mit sampt dem sün
Und in dem nomen des heilling geiste."'

5.

85 Sechs nucz vünd ich der urstent hy
Des her Cristy.
Von erst: der starck gelaübe
Maria wart bestet.
Züm andren der: dy in versüchten,
90 Die würden groslichen gefreit.
Das *drit*: gros leit
Der jüngren, die gancz taube
Zweiffel gemachet het,
Sich neües trostes erst geruchten.

95 Das virt: Thomas wart conformirt.
Das *fünft*: die schrifft wart alle zirt,
Do Crist den zweyen conversirt,
In gen Emaüs al ding prowirt
Das in vor als was ab stüdirt.
100 Das sechst: das uns geoffnet wart
Die himelfart,
Do aüsers nie ein komen,
Pis Got mensch in einer person
Uns macht die pon.
105 Gelobt sey ewig sein heilliger nomen!

---

66. Zünn. 71. jünden = günden. 73. het] det? (*R.*) 74. an *vor* petten *gestr.*
84. = heiligen. 86. Der. 91. Drit *R.*, Crist *N 2.* 92. gancze. 96. sünst 102. *l.* ünsers?

6.

Aüch hat Cristus der narben schein
Der wünden sein
Umb fünferley behalten.
Von erst das er do pey
110 Des siges geb ein war anzeigen.
Züm andren mal dar umb das die
Sein jünger hie
Sehen aüch ungespalten
Al unser schuld gancz frey,
115 Dy uns der veint ye tüt zw eygen.

Zum dritten mal dar umb das er
Pey seim vatter dort ymer *[289r]* mer
Unser trewer fürsprecher wer.
Züm virden mal das wir beger
120 In hetten zw ermonen der.
Züm fünften von beger der clag
Am jüngsten dag,
So dy jüden selbs sehen,
Wy sie doch hie gepeinigt hon,
125 Genagelt an,
Die ir gewissen erst dar umb wirt schmehen.

7.

O all cristlich personen Gocz,
Bedenckt des docz
Den Jesüs unser herre
130 Umb das led willigklich
Und nün vom tot erstanden iste!
Stot aüf von aller missetat,
Ert und lobt drat
Mit ynniger pegerre,
135 Dar umb er selber sich
Sterbet und wider umb geniste.

Last uns im dancken seiner quel,
Der für uns gab sein eygen sel,
Das er ewig uns nit ab schel,
140 Aüf das wir dort nyt werffen fel,
Sünder für sein lib freünt erwel,
So sing wir frolich vor und na
Allelüia
In seinen süssen namen;
145 Last im in unsrem hercz und hirn
Stecz jübelirn,
Das wol er uns allen verleihen! amen.

---

134. peger'e *aus* gere.

[81.]

[289ᵛ] In meister Hans Volczen straff weis. 3 lieder.

1.

Das heütig fest zw ziren
Schrifftlich in der gemein
Und zw preselegiren
Die frey gepürt so rein
5 Maria der jünckfrawen,
Hort hie der sachen dreye.

Das erst: sie ist verkündet
Genesis tercio,
Do das clar wirt gegründet,
10 Sprüchweis lautet also,
Wy sy uns von dem drawen
Des serpentem macht freye,

Wie das sie dem sein haübet
Zw mischen salt. gelaübet,
15 Ob mon al schrifft erclert,
Wirt keinen angezeiget
Des dis wert zwgeeiget,
Sunder allein bewert
Auf die gepürt Marie,
20 Die Got von ewigkeit
Im fur sach y und y,
Wie ir volkümenheit
Die uns des drachens claüben
Genczlich dar nider leit.

2.

25 Züm andren ir gepürte
Die patriarchen gar
Gnügsamlich han berürte
Mit sampt der grossen schar
Mancher propffetten sprüche
30 Des gleich in vil figuren

Zeügen das sie geheilligt
Sey in ir müter leib,
Mit voller gnad beseligt
Gancz uber alle weib,
35 Als mon dis gleiche suche
In mindren creatüren:

Jeremias der zarte
Von Got geheilligt warte
In müterlicher *[290ʳ]* schos,
40 Und Johannes der taüffer,
Gottes warer vorlaüffer:
Vil mer die im erkos

[81.] 3. preselegiren *aus* preselggiren. 16. keinē. 21. fvr *aus* far. 23. Die] *l.* Hie? claüben *aus* glaüben. 29. sprüchen. 33. voller *über durchstr.* grosser. 35. suchē.

Got der vatter zw amen
Dem libsten süne sein,
45 Von dem er erbsünd stamen,
Do Adam uns fürt ein,
Tet rechtlich wider prüche.
Lob hab die keisrin rein!

3.

Züm dritten was bestette
50 Ir müter unperhafft,
Doch dürch loblich gepete
Und war gotliche crafft
In engstlicher kundünge
In Got die früoht zw eiget;
55 Welcher stern, zweig und prossen
Wares heilles sein solt,
Got mensch in ir entsprossen
Geporen werden wolt
Fur die gancz samenunge
60 Der welt, dar mit erschweiget
Den mortgifftigen trachen
Dem er aüs seinem rachen
Nam crefftigklichen seit
Al die im früm entrissen:
65 Die gut hat er bewissen,
Was in der gnaden zeit.
Des pillig die gepürte
Der mütter Gottes her
Heüt loblich wirt berürte
70 In hoher wird und eer.
Heüt lobt sie alt und jünge:
Sie freit eüch ymer mer!

[82.]

[291r] In meister Hans Volczen passional 7 lieder.

1.

O plüm ob allen ern
Lüst plüend in dem zessen
In hoch gotlichem wessen,
Dw müter Gocz
5 Des suns in der drivalte,
Mit flamenden begern
Las, fraw, der künste fessen
Mich clein zw samen lessen
Mit günst deins rocz,
10 Des ny kein man entgalte.

---

52. gotlich. 53. *l.* englischer *(Pfannmüller).* 55. *l.* stam? *(R.)* 64. frum] *l.* sünt? *(R.)*
[82.] *Überschr.* 3 *vor* 7 *gestr.* 1. ern *aus* eren? 10. Des *aus* Die.

Des wan aüch mir bey steüre pey,
Gib mas aüs der jeamatrey
Mit worten aller loick frey,
Das er von mir
15 Dir sey ein zir
In hoher himel wüne,
Fron aller engel süne,
Dw gnadenreicher prüne,
(Las flissen schir
20 Zw mir der gnaden güsse,)
Dw ho*n*g ob aller süsse,
Ein lob vonn fünf freyheiten dir,
Dürch die dw hast gebalte.

2.

Dy erst freyheit ich meld,
25 Mit der dw, furstin reiche,
Begabt pist wirdigkleiche
In hohem rüm
Aüs lieb gotlicher günste,
Der dich in hoher seld
30 Gelibt hot anentleiche:
Das alle süntnüst weiche
Der werden tüm,
Dar in des starckes prünste

In ein person rein, laüter, pür
35 Den sün in gotlicher figur
Vereint mit menschlicher natür.
Al pillich was
Fran das fas
Nit solt peflecket werden
40 Mit keiner sünd aüf erden.
Jünckfraw, in dein geperden
Al demüt sas,
Dürch dy würt dw geweihet
Und aller sünd gefreyhet.
45 Gelobet sey der keüsch palas
Vol gnadenreicher kunste!

---

11. bey] *l.* mit? 12. jeamatrey = *Geometrie.* 21. honig. 31. sünt nüst. 32. *oder* Den? 38. Fran *unsicher;* Fir an? fas *aus* pas. *l.* Das fr. d. fas *oder* Das d. fr. f.? 41. dein geperden *aus* den pegerden.

3.

Dy ander freyheit dein
Das in fünf daüsent joren
Ny wart aüf erd geporen
50 Kein creatür
Got lib als dw besunder.

Wan, jünckfraw, dürch dich ein
Wart Gottes langer zoren
So miltigklich erkoren,
55 Dw maget pür.
Nün hort was fremder wunder

Do menschlich art von Got besan
Und nie gestalt noch fürm gewan!
Der sah dein grosse dymüt an
60 Und naiget sich
Senftmütiglich
Her aüs dem hochsten rü*me*,
Des fewrens himels thüme
Zw dir, dw zarte müme,
65 Und wolt kintlich,
Jünckfraw, pey dir beleiben.
Dw glancz ob allen weiben,
O müter Gocz, *mir* nit enprich,
Send her dein gnaden zünder,

4.

70 Das ich dein drit freyheit,
Junckfraw, an arge sünde
Hie wirdigkleich verkünde
Aüs ganczer gir,
Wie so gar innigklichen

75 Aus der drivaltigkeit
Dein hercz dir ward enzünde,
Das aller lerer münde
Raichen dir,
Wy in dich kam geschlichen

80 Der sün in lib des geistes feür
An all gedenck menschlicher steür,
[291v] Got helg drivalt würck dagehewr
Zw fleisch das wort,
Den hochsten hort,
85 Aüs deinem clersten plüte;
Peg*ri*ffen wart der früte
In enges schosses hüte,
Der hy noch dort
In himel noch in erden
90 Nie mocht begriffen werden;
Do wart als ungemach zw stort
Uns armen sundersichen.

---

54. *l.* verkoren*?* *(R.)*. 62. rünne. 68. nnir. 78. *l.* Lob r. dir*?* 86. Pegreiffen.

5.

O reicher wü*ne* schacz
Ob allen himelkreyen
95 Der hochsten jerarcheyen,
Ste pey mit ler
Mir armen künste lossen,
Das ich in worem sag
Dein freiüng aüs müg schreyen,
100 Dar mit dich Got det freyen,
Die maget her
Und stam der hochsten rossen.

Dw drügst den aller hochsten gast
An al beschwerung sünder last,
105 Neün menat gancz er bey dir rast,
Mit grosser freüd
Und eügel weid
Want er pey dir, jünckfrawe,
Sam in eim küllen thaue,
110 Dw lüst plüende awe!
Ja mocht kein laid
Dein leip aüch nit beschweren,
Die weil dw drügst den heren.
Des wirt dein keüsch in weissem cleid
115 Peteüt an alle mossen.

6.

O magt der hochsten rw,
Hilff mir dein lob ercleren,
Dein fünf freyheit beweren,
Als dw entzückt
120 Bescheülich wert im geiste
An einer weynacht frw,
Do dw gepert den herren
Keüsch an deins leibs verseren
Und unverrückt
125 Got mensch in ein volleiste,

In der drivalt das wort so fron,
W*a*r Got, war mensch in ein person,
War fleisch, war plüt weslichen schon.
An alle quel
130 Got, leib und sel
Wart, meit, vor dir gesehen
Geporn on als erspehen,
Das nymant mag verjehen
In gleichnüs wel
135 Den: mynder ungemüet
Den als ein gert verplüet.
O magt, die frücht uns nit verhel,
Seit dw Gocz müter heiste!

---

93. wüme. 99. *Man erwartet die Zahl:* Dein firt freiung. 100. dürch_*vor* det *gestr.*
106. *oder* grosster? 118. = fünft. 127. War *R.*, Wart *N2.*

7.

O magt, der sünder trost,
140 Gros lob sey dir geseite
Von mir zw aller zeite,
Erwirb uns heil
Von deinem liben kynde,
Dür den dw hast erlost
145 Uns von dem jamer preite;
Pis, fraw, unser geleite,
Das wir aüch teil
Pey dir in freuden finden!

Ob ich mit worten hy dein lob,
150 Jünckfraw, gedichtet hab zw grob,
So hab vür güt, wan ich nit ob
Der lerer püch
Dein wird aüs süch,
Es ist mir leider tewre.
155 Doch lis ich aüf die spreüre
Und nym dein hilff zw stewre,
Fraw, und enrüch,
Wer es vernichten thüte,
Ich dw es doch in güte.
160 Pehüt uns vor der helle flüch,
Los uns dein gnad empfinden!

[83.]

[292v] In meister Hans Volczen schränck weis 3 lieder.

1.

Wer meisterschafft hie wol began,
Der süch her für sein liste,
Und ob er mir geratten kan
Kürzlich in disser friste,
5 Was loches er aüf erden wis
Das aller handel hab genis
Und des nimant
Aüf erden mag enperen.
Er sey crist, jüd oder ein haid
10 Und was er handels dreibe,
Es sey zw haüs, zw hoff, zw waid,
Es sey mon *oder* weibe,
Es sey aüf wasser oder gris,
Wo er ye hin zw lande stis,
15 In keinem stant
Mag er sein nücz verkeren.

[294r] Das loch an keinem menschen stat
Noch an keim ding das leben hat,
Nün rattet, al ir weissen, trat!

---

151. ob *aus* lib? *undeutl.* 160. hell. 161. *oder* enpfinden?
[83.] *Die Lösung des Rätsels bringt 85.* 9. haid *aus* heid? 12. oder *R.*, aber *N2.*

20 Das loches nücz
Irt manchen trücz
Und pricht aüch oft ein widess stücz,
Dürch es geschicht vil mancher schücz;
Wer sich hy mit dem loch pekrücz
25 Und mir das ret an unterscheit,
Dem sprich ich lob an abelan,
Im wirt bekant
Hy meisterschafft mit eren.

2.

Wer nün des loches meister sey
30 Und was ir künen müsse,
Das rat mir hy ein künstner frey,
Ich peüt im meinen grüsse.
Wan y das loch nit nüczes precht,
Wurd es nit gereigniret recht,
35 Es wer umb süst:
Der meister ist die krane.

Wie wol er an das loch nit schafft
Als klein als um ein wicke,
Das loch git seiner künste hafft,
40 Da es hot rechten schicke.
Aüch müs der meister han erspecht
Paid süs und sawr, krümp und schlecht,
Ob er verlüst
Nit haben wil dar ane,

45 So er züm loch bereittet sich,
Sein sterck ub er gar krefftigklich
Mit seinen helffern ordenlich
In irem schweis,
Peid kalt und heis,
50 Trücken und nas er sich verweis,
Der sich offt mit der künst peschmeiss,
Wie vil er sich sein ye gefleis:
Wie hel der dag hot scheines crafft,
Ob im nit fewres licht wont pey,
55 So wirt verdüst
Des loches nücz dar vane.

---

22. *l.* windess? *R.* 26. vnterscheit *vor* abelan *gestr.* 30. ir *N 2*, er? *R.* 39. künste *aus* hünste. 41. han *aus* rein? 46. vber. 56. vane *aus* vone.

3.

Wes nün des loches werckman kümpt
In seiner hohen sache,
Künst, wicz, die im von weit her kümpt,
60 In seines herczen fache,
Ein wanderer und vil geniet
Pegreüffen manchen fremden sit
Und aüf vil art
Sich wis zw schicken wole;
65 Zwfellick er sey behent,
Vernüfftig und geflissen,
Das er die künst recht leidt und went
Nach volligen gewissen:
Wo nit güt fantasey laüft mit,
70 Do wirt sein lob gar klein geglit,
Im wirt gespart
Sein lob, red ich für vole.
Aüch müs er sein dess sines frey,
Von wan der man im küme pey,
75 Das er der künst dürchgangen sey.
Nün rat an mir
Ein meister schir
Das loch und seiner forme zir
Und wer er sey der es reigir!
80 Doch sag ich eüch hy kein riffir,
Ob ir es müt pis aüf ein ent.
Ich offen eüch des loches grünt
Aüf disser fart,
Als es beleiben sale.

[84.]

[293r] In Hans Volczen schranckweis 5 lieder.

1.

Maria, früchten reiche aw,
Verschmech nit hy mein stamel,
Und ob ich dir, dw hochste fraw,
Ein armes lob mocht samel
5 Von grossem heil das durch dein güt
Uns armenn früchtigklichen plüt,
Seit her der stünt
Das dw Jesüm geperet.
O fraw, vergib, ob ich nit rür
10 Dein lob an keinem orte,
So geret doch mein hercz der kür,
Ob ich mit einem worte
Dir mocht bewegen mein gemüt,
Dar noch hiczprünstigklichen glüt
15 Mit dissem grünt
Mein hercz, das doch beschweret

57. kümpt *ist ja sicher falsch; etwa* rümpt? *doch vermißt man dann das Reflexivpron.*
[84.] 9. ob *über der Zeile.* 13. *l.* dein?

Mit grossem last der sünden ist,
Und ob mir dan vor argem list
Dw, müter Gocz, nit hilfflich pist
20 Zw singen von
Genaden fron,
Die uns dürch die gepürt zw ston
Des den dw aus dem hochsten tron
Enpfingt und in gepert so schon.
25 Vir tügentfrüchtig gnad ich spür,
Dürch die uns *ist* der selden daw
Für sorgen pünt
Süslich*en* her gereret.

2.

Die erst genad, meit, dürch dein frücht
30 Ich dir zw lob tw künden:
Die ist das dw mit senffter zücht
Den strengen dest enzünden
Mit miltigklicher senfftigkeit,
Der uns funf tausent jar an neit
35 In gri*mem* zorn
Durch prechung des gepottes

Adames in dem paradeis,
Der uns dürch sein verschulden
Des obs ab dem verpotten reis
40 Prach ewigs ungedulden:
Wan uns da dürch wart ab geseit
Der gotlich frid und sein geleit
Und wart geschworn
Dy pein ewiges totte*s*.

45 Den zorn hastw in güt gekert
Und hin getan das feüren schwert
Und uns funden die lilgengert,
Der gut und mild
Uns was gar wild,
50 Ee dw gabst form, gestalt und pild
D*em* sün Got*ts* hy aüf dem gefild,
— — — — — — — — — — — —
Die zwu natür mit solchen fleis,
Unser und sein, das im kein flücht,
55 Mait aüs erkorn,
In von uns dringt genottes.

17. sünden *aus* sünen. 26. ist *fehlt*. 28. Süslich. 35. grünem. 39. verpotten *R.*, verspotten *N2*. 40. Prach '*brachte*'. 44. tottet. 51. Dein s. gottes. 52. *in N2 keine Lücke*. 54. im] *l.* nu*?*

3.

Die ander gnad, meit, dürch dein hüld,
Da von uns ist gelüngen,
Das ist vergebung aller schuld
60 In unser pesserungen.
Ee sich Got her zw dir gelenckt,
Kein sund denn menschen wart geschenckt,
Got strafft mit macht
Hy zeitlich, dort an ende.

65 Do mon die archen Gottes drüg,
Do mügt ir wünder spehen:
Sibenczig fürsten Got do schlüg
Newr dürch unczimlich sehen.
Dürch sünt wart Sodoma versenckt,
70 Durch sünt Got al diss welt ertrenckt,
Personen acht
Neür pliben gar ellende.

Wie frũm auch do von hinen kart
Der mensch, so was ellent sein fart,
75 Pis dw uns, werde maget zart,
Geperet host
Den hochsten drost,
[293v] Der uns nam von der hellen rost
Und uns mit seinem tot erlost.
80 Gros er und wird dw uns erkost,
Dw ausserwelte maget clüg,
Dein grosse demüt und gedult
Den heiller pracht,
Der uns ward her gesende.

4.

85 Die dritten gnad dürch die gepürt
Deins kinds, jünckfraw, ich worten,
Das frümer cristen pan und fürt
Nicht leiten zw der pforten
Des ewigen gris gramen end,
90 Erzittern und clapern der zend,
In dy noch gen
Keczer, haiden und jüden,

Do ewig ist gros jamer dort,
Ungreifflich finsternossen,
95 Taüsent veltigs dotes mort
In hel*l*schem schlünt peschlossen,
Ewiger sterb, traurigs ellend,
Verderblich fewr, unleschlich prend,
Unledlich pen
100 Pey den hellischen ruden,

---

62. denn *aus* dem. 69. wart *über gestr.* got. al dis welt *vor* sodoma *gestr.* 73. von *aus* hon. 79. trost *vor* tot *gestr.* 84. gesende *aus* gesente? 90. zend *aus* dend. 96. helleschem.

Dotlich gestanck des helsschen fewr,
Graüsams gesicht so ungehewr,
Ewig verlust der gnaden stewr,
O we, we, we
105 Vor, nach und ee!
Aller heilgen und engel flee
Mag umb ein har nit helffen me
Al den die in das fluches see
Do ligent ewigklich verschort!
110 Fur die hat uns dein hilff umbgürt;
Tu bey gesten
Uns vor der hellen suden!

5.

O hoch dürchleüchtig angelweidt,
Die firten gnad zw melden,
115 Das ist nissung ewiger freidt
In gnaden reichen selden,
Der gleich nie menschen aüg gesach,
Noch mundt aüf er nie aüs gesprach,
Noch in kein hercz
120 Der menschen sie nie kamen:

Ewig scheinender lichter glan
Des glancz clorer gotheite,
Warlich erkentnüs der persan
Got der driffaltigkeite,
125 Anentlich rẅ, ewig gemach,
Do iclich freud hat daüsentfach
Mit lüst und schercz
In dürchleüchtigen flamen.

O meit, do sichst tw an den hort
130 Den du pey dir hast ewig dort,
Dein eingen sün, des vatters bort,
Den er gepirt
Und generirt,
Von ye und ny erkirt,
135 Qui ab inicio regirt
Cüm spirito sancto umbzirt.
O meit, der gnaden ich dich man,
Hilff uns zw dir an underscheidt,
Behüet vor schmercz!
140 Wer des beger sprech: amen!

---

102. vngehewr *aus* vngehewer. 104. *vor dem zweiten und dritten* we *je ein* o *gestr.*
113. *l.* augelw.*? R.* 118. *l.* erd*?* 124. *l.* Gotz*?* 131. *oder* vort*?*

[85.]

In meister Hans Volczen schranckweis 3 lieder.

1.

[294r] Zw nemen hy das nüczest loch,
Als eüch mein frag berürte,
Des nymant mag geratten doch,
Dar ein so wert gefürte
5 Vernünftigklich, als ich eüch sag:
Eins wintlochs nit geratten mag
Ein [294v] yder schmit,
Dar dürch die plaspelg plassen,
Dürch das gestercket wirt das fewr,
10 Das es den stahel weichet,
Dar aüs uns schmidwerck kümpt zw steür;
Kein künst so hoch mer reichet.
Al hantwerck han nach schmidwerck frag.
Wo schmidwerck nem sein nider lag,
15 Do wurd unfrid,
Kein handel plib an massen.

Des pabstz und aüch des keissers macht
An schmidwerck trib gar kleinen pracht,
Und al ir handel würt geschacht;
20 Pischoff, eptei,
Fürst, groffen, frey,
Al cristen, jüdischeit, tur*k*ey
Und heidenschafft wie vil der sey,
Welchem nit schmidwerck wonet pey,
25 Dem werd bestentigkeit gar tewr:
Es müst zergan an alle rach.
Unglückes wid
Wurd teglich mit in passen.

2.

Dürch schmidwerck ward die welt gepaüt,
30 Als ich vor han gesprochen.
Troye die kostlich stat so traüt
Durch schmidwerck wart zw prochen.
Schmid werck macht pürg und stet gar fest,
Schmidwerck zwpricht manch pös raubnest.
35 Die alten ee
Durch schmidwerck sich an finge,
Dy Abraham gegeben wart
In dem alten gesecze
Dürch die pschneidung, dar in der zart
40 Iesüs gab die lecze
Der alten ee, als er wol west.
Dar noch lüd er im ander gest,
Nach den er schre
Am kreucz, do er on hinge.

[85.] 22. turbey. 32 prochen *aus* sprochen.

45 Do schmidwerck uns den sig gewan
Und Longinus sein sper, sagt an,
In das süs hercz Cristi lis gan,
Das ausser schos
Der edel flos
50 Der cristenheit ein folle mos,
Der alle menscheit wol genos,
Das padt dy cristenheit begos:
Lob hab, schmidwerck, dein reine art,
Got tail dir mit seins reiches want,
55 Do nymer me
Kein sach dir misselinge.

3.

Pürg, stet, merckt, dorffer, als gepew
Wer aller keins volprachte,
Ob schmid*werk* erst solt werden new.
60 Dar umb hab ich gedachte
Wy schmidwerck das erst hant werck wer,
Es sey dan das man nit ercler
Ein hant werck far
Das schmidwerck müg geratten.

65 Nün spricht manig gelerter man
Kürssen werck sey das erste,
Der doch schmidwerck dar zw müs han;
Noch glaüb ich aller serste
Das meczlerwerck dar vür hab er,
70 Wan pelcz kümen von schaffen her;
Noch glaübt für bar:
An schmidwerck sis nit taten.

Dar umb ich schmidwerck preis und lob,
Wan es lig allen hendeln ob
75 Künstreich, sübtil, glenczlich und grob:
Stein meczig stein,
Goltschmidwerck rein,
Munczer, moller an alless nein
Un drotschmit, schreiner, wer sie sein,
80 Kaüfleüt, müsgener al gemein,
Spiller, plint, pettler, was er kan,
Wenn nit des loches nücz erfrew,
Go*r* offenpar
Sol er mein furpas spatten.

54. *oder* waitt? *Als Reim auf* gepaüt, traüt *genügt auch das nicht; l.* vraüt (= vroude)? *(Pfannmüller).* 56. die. [illegible] 59. werk *fehlt.* 75. reich *aus* rech. 83. Gor *R.*, Got *N2.* 84. spatten *aus* spotten.

[86.]

[298r] In dem hannen krat meister Hansen 5 lieder.

1.

Got liebt den menschen der lebt hie aüf erden
Ja mit solchen geperden,
Der gar sücht kein geferden
Mit allem seinen sachen wol.

5 Von Got so wirt er ewig sellig geheissen,
Wan er tüt nymant reissen,
Mit nebenstichen peissen,
Des sel mag werden frewden vol.

Und ob er scheit von disser welte
10 An neid und hasse
Und dichtet *[298r]* nit nach rüm und gelte,
Sünder dürch dasse
Die gotlich ere von im wert gemeret,
Ein thümer wert geleret,
15 Sünst keines lans nit geret,
Dem Gottes werck nit werden hol.

2.

Dar an gedenck ein yder meister singer,
Schacz keinr den andern ringer!
Er wirt genant ein zwinger
20 Vor Got, der im solch er zw schanczt.

Wann es wer sam, vernemt den sin gar eben,
Das Got nit het zw geben
Yedem verstentnüs leben,
In dem sich geistlich hoffart pflanczt.

25 Got ist vür bar das hochste güte,
Der es vermage.
Wer künst von im begeren thüte,
Geit er al dage
Mer künst den ye kein menschlich hercz besinnet.
30 Wol im und der gewinnet
Lib die im nit zwrinet,
Zw seim nechsten: das werck Got spranczt.

[86.] *Überschr.:* krat *über der Zeile.* 1. der lebt *über der Zeile.* 18. ringer *aus* ringern 32. seim *aus* sein.

3.

Dar umb so pflanczet Got die sein weinreben,
Der euch den lonn mag geben;
35 Schneit ab die knospen neben,
Die nicht fruchtper und tüglich synt,

Die manchem menschen leib und sel verzopffen;
Tüt nit als dy pir hopffen:
Die sücht vil krüm und stopffen,
40 Ee sie den iren hefel vint.

Das pawet al den garten schone,
Habt güt getrawen.
Secht nit aüf gelt noch goldes hone
Al umb ewr pawen,
45 Aüf das eüch nit ewr sam vall in dy doren
Noch aüf der felse knoren
Aüch an des füses sporen:
Got wirt eüch heissen seine kint.

4.

Dar umb so gebt sües frücht nit umb dy sawren,
50 Nemt ewig freüd vür trawren,
Das eüch nit müg behawren
Der helisch trach mit seinem list.

Was ich hie sing, dar rat ich aüch mir selber.
Dürch Got plickt an *den* felber,
55 Des plüet hy schein vil gelber
Dan doch da*s* koren, das mon ist.

Sein safft ist von natüre pitter,
Den die plüet gibet;
Ein cleines thir an allen zitter
60 Durch fleisse wibet
Das edel honick *g*leich dem zücker triffet,
Das fleis und natür wiffet.
Die gab wart im geschiffet
Von dem der unser schopffer *i*st.

---

34. lonn *aus* lom *(?)* 43. *l.* lone*? oder* = hân *Gerundium?* 46. Noch *aus undeutlichem Wort korrigiert.* 54. den *fehlt.* 56. das *R.*, dar *N2.* 58. Dan. 59. allen *aus* aller. 61. honick *aus* honck. geleich: *davor* fast *gestr.* 64. ʷist *aus* ist.

5.

65 Den lat uns al von ganczem herczen meinen!
Secht an die amens cleinen,
Wy pald sich die vereinen,
Wo das ir haüs zwstrewet wirt.

So würcken sy geleich gar alle sane
70 Al für des winters hane,
Da von in leid mocht stane
Und in des lebens krafft entpfirt.

/299r/ Würckt süss aüs pitter sam die pinen,
Schneit ab gar drate
75 Von eüch die knospen mit den sinen,
Frümp für den tote,
Set guten samen und pawt al geleiche,
Aüf das eüch nit entweiche
Dy frewd in Gottes reiche!
80 Dar helf uns Crist, des himels hirt!

[87.]

/332r/ In des münichs langer don 3 lieder.

1.

Ave schrein, sarch, sal und kemnat,
Pallast der hochen trinitat,
Dar in liplich gerüet hat
Das ewig wort und nom gar drat
5 Von ir das cleit menschlicher wat,
Des pis gelopt im hochsten grat,
Virgo mater Maria!

Dw wünigkliches paradeis,
Dw wol gezirtes mandelreis,
10 Würcz, stam, knopff, plüe beczirt mit fleis,
Aüs dir der cristenheit zw preis
Sich gab Got in eins kindes weis
Vür ewigs we der sel zw speis,
O dülcis et o pia!

15 Dw pissenraüch und palsamschmack,
Dw süsser cle *und* veiel hack,
Dw sünen schein und lichter tack
Und hochster sterne glancze,
Kein züng dein lob aüs sprechen mack,
20 Dürch dich kam uns der hochst verdrack

66. *l.* ameis? 69. sane *aus* same. 73. süss *aus* sües. 80. hirt *unter gestr.* furst.
[87.] 1. sach. 2. pallast *aus* palsast. 4. nam? 15. pissen *aus* pissnn. 16. und *fehlt.*

Der sündenhalb vür ewig plack,
Dw arch und aüch mo*n*strancze,
Dar in das edel manna lack:
War Got und mensc gancz unverzack,
25 Dar ob der helle fo*l*ck erschrack,
Schüff dein*e* keuscheit gancze.

2.

Des sey gelopt dein süsser nam,
Maria, hochster himelflam,
Durch dich uns alles heil her kam,
30 Dw reine gert von Jesse stam,
In deinen lilgen garten clam
Jesus *[335r]* das war milt osterlam,
O virgo gloriosa.

'Flos compi' mon dich pillich nent,
35 'Flos iamiloriüm' clar bekent,
Dw schone zir in orient,
Sün, man, steren, als firmament,
Als himlisch her lobt dich behent,
Erbirb uns der genaden spent,
40 Tw femina formosa!

Gancz under allen gschopffen fein
Mag, jünckfraw, dein geleich nit sein;
Dw kanst dem herczen wenden pein
Und treibst aüs pes gedencken
45 Und gibst auch gut verstentnüs ein,
Als amatist der edelstein;
In anfechtung gibst stercke schein
Under de*r* veinde krencken,
Als adamant der stein so rein;
50 Dw warst tügent, das ist nit nein,
Als calcidon, dw künigein,
Dürch dich so tüt abencken

3.

Schwacheit. des nün gibst weisheit ler,
Als der crisolitus so her;
55 Treibst von dem menschen alle schwer,
Trawren und machst frolichs geper,
Als der granat an widerker;
Dw rei*n*r jaspis an als verser,
O mündi medicina!

60 Dw gibest sterck den aügen zwar,
Machst gütig und demutig gar
Den menschen als der saphir clar;
Treibst aüs schwermütikeit vor war,
Gibst dechtnüs, keüsch an alle spar,
65 Als der schmaragd gar offenpar,
Tw stella matutina!

---

22. mostrancze. 24. *oder* menst. 25. fock. er schrack *aus* der schrack. 26. dein. 35. = Flos angelorum? 48. des. 50. das *oder* des? 52. = abbencken (*d. i.* abwencken)? 58. reiner.

Dw zeuchst on dich als der magnet
Andacht, begyrd und reins gepet;
Dein güt den sünder nit verlet,
70 Der umb hillff zw dir schreyet.
Der *s*ündenn wint hat uns bewet:
Hilff, jünckfraw, ee es wirt zw spet,
Wan unser hoffnüng zw dir stet,
O magt gebenedeiet.
75 Wan uns die sel und leib ab get
Und sich der helhünt aüf sich plet,
Jünckfraw, so gib uns weissen rot,
Das wir werden erfreyet!

[88.]

[452ᵃ] In des Volczen rorweis 3 lieder.

1.

Weib aller zücht
Und aller werden früchte ist ein garten,
Der hoches lobes plümen dreit;
In wirdikeit
5 Ist weibes nam ein sigel,

Weib edel frücht
Aüs aller margariten adels arten,
Weib aller gim prehender glancz,
Ein werder krancz,
10 Der eren aüch ein spigel;

Weib senftet man dürch süsse wort
Aus dreü von flüches feüre;
Weib aller güt ein uberport,
Des grales abentheüre,
15 Darin man schaüet und erkennet wirde;
Weib alles wünsches hoche künst,
Dar aüs Got hat gezogen reine girde;
Weib aller güt ein lauter günst,
Hat die vernünst
20 Und ist der dügent tigel.

---

71. sündenn *R.*, stündenn *N2.* 72. ee *aus* es.
[88.] 1. Weib *rot unterstrichen.* 14. Des *aus* Der. 16. wünschess? 18. günst *vor* güt *gestr.* 19. die *nicht ganz sicher.*

2.

Nach reicher kür
Wolt Got unpreis und schandenn scham verschmachen,
Da er peschuff ein weib an arck;
Sein gotheit starck
25 Vor wandel sie pewarte.

Als ich es spür,
Do müst so freches hochs gemüte lachen,
Do er so reiner frücht gedacht
Und aüch volpracht
30 Sie schon nach eren arte.

Er schüf sie nit aüs erden grob,
Als unser manes künne,
Da von sie schwebt dem himel ob,
Ir lob in werder wünne,
35 Ir preis auch als die *(453r)* sünne gancz dürchleüchte,
Weib aller eren an verdrüs,
Vil hocher wirdikeit sie hat dürchfeüchte,
Aüs meinem herczen ich sie grüüs:
Weib aller süs
40 Ein anfang ist so zarte.

3.

Lob sey dem lob
Das reine fraüen ziret unde krünet;
Lob sey dem weib das werden adl
Gar ane thadl
45 Ir kraft sie lat an schaüen.

Ein jüldin tob
Nenn ich ir art, dymange hat peschünet;
Gar schon erclüngen ist ir güt,
Das ir gemüt
50 Pey namen un verhaüen.

Aüs orient saffire pla
Ir zücht pestetet schöne,
So starck in keüscheit hie und da,
Der schmaragck wol ir krone,
55 Das amatisten dügent die wirt neüe,
Jochant in thürckis, adamas
Die würcken in ir sine weiplech dreüe.
Was man auch sagt von gralias,
Vür alles das
60 Lob ich die reinen fraüen.

---

27. freches *aus* frechs. 38. meinē. 41. 46. lob : tob] *l.* wort : hort? *Roethe.* 43. ald *vor* adl *gestr.* 45. kraift. 47. dymange *aus* demange. 57. *oder* weipleih.

[89.]

[469c] Im unbekanten don Hans Voltzen gedicht 5 lieder.

1.

*I*nn zeiten meines leben
Hat sich meng mal begeben
Und das ich kam
Do man sang meng gedichte
5 Und keins nach art gerichte.
Wan ichs vernam,
Bleib ich nit in bey wessen,
Schnel dacht ich, hie ist mein zu vil,
Mocht ir grobheyt nit horen.
10 Wo vil ubriger worte
In dichten wirt gehorte,
Das ist *ein* spot.
Bos es zu horen iste,
Wo auch das best gebriste,
15 Do es dut not.
Bös reumen ausserlessen
Werden gebraucht in menger zil,
Keiner dut sie verkerren;

Dut sie zu samen hauffen
20 Gekrompt, genotet in ein stock,
Ver gleichet wie ein haspel in eim sacke:
Also find ich vil arte
In mainung gancz verkarte
So lesterlich.
25 Wan ich merck auff ir zalle,
So stet ongleich die walle,
Des mochten sich
Wol zwen dar umbe rauffen
Ob es ein scheit wer oder block:
30 So stet ir kunst so stracke.

2.

So ich der meinung achte,
Reumen sie die faßnachte
Gar manig mal
Dem karfreytag hin zue.
35 Nun es sich reumen tue
Nach seiner wal,
Eim reimen er an hencket
Ein schwantz, der wer sunst gantz und gut,
Henckt ein schwantz an den andern.
40 Der do kein schwantz solt stellen,
Kein gut deitsch mag erschollen
Nach seiner art,
Es sey gut oder böse,
Dreff an kopf oder kröse;
45 Noch meint er hart,
Sein kunst sey so gelencket,
Die im selber gefallen dut,
Wil alle schul durch wandern

---

1. nn. *Der erste Stollen ist eingerückt, um für die unausgeführte Majuskel Platz zu lassen.* 12. ein *fehlt.* 16. lessen *aus* erlessen. 27. mochtn.

/469ʳ/ Und meint es mug auff erden
50 Kein kunst der seinen gleichen zu,
Und bringt vil red die in gesang nit heren.
Ein preamel er machte,
Den er selber hoch achte
Nach seim vertan.
55 Wan ieder man dan wente
Das lied hab schir ein ente,
Fecht es erst an.
Eim mocht die weil lang werden,
Der im selb schaffet die unru,
60 Der er mocht wol enberen.

3.

Wer das hinderst wil messen,
Das erst ist im vergessen
Do er von sang.
Wil er das mans verstane,
65 Mus vornen wider drane
Mit widergang.
Wil er das mans verstande,
Mus er mit worten fornen an
Es sagen angereimpte.

70 Het ers den die erst farte,
Het vil atemß ersparte
Und het nit hie
So vil irung gemachte,
Die ein dor zwegen brachte,
75 Der er ist ie.
Was sol ein langer dande,
Den er drei mal dut heren lan,
Das keinem maister zympte?

Man sol mit reimen bringen
80 E kunst dan der sie reimet nit,
Die man bezeigen mag in kurtzen zillen,
Das sie kompt an das lichte.
Dar um heist es gedichte
Nach seiner kir,
85 Daz es deischer erscheine
Dan mans sünst bringet reine
Mit aller zir.
Etlich dichter nun singen
Ein klafter lang und auch ein schrit
90 Umb eines reimen willen.

---

81. kürtz enzillen.

4.

Der sich sunst mit wil lencken,
Sücht hin und her vil rencken,
Das er bezeig
Gleich als gerecht ist Gote,
95 Red ich on allen spote.
Mit solcher neig
Werden vil wort begriffen
Und kaum ein halb meinung
ercleret,
Des menger vil gebrauchet,
100 Und vil vergebner arte,
Die man billich ersparte
Zu aller stund.
Ja ist es auch gedichte
So eir singt oder sprichte
105 Durch seinen munt,
Bringt meinung ongeschlyffen,
Zwelf silben, e er sy bewert,
Dar uber menger strauchet.

/*470r*/ *H*ie mag ein ieder mercken,
110 Das man ie solche lere wort
In ungereimpter rede dut fur bringen,
Der mengs ein ganczes bare,
Zerstoret gancz und gare
So ongereimpt,
115 Wan sie vergebens sinde,
Zeigen dichter ein kinde.
Darumb mir zimpt
Das ich in recht mus fercken,
Ich hab mir das genomen fort,
120 Das ich wil kein aus dingen,

5.

Und wer sich dichter nenet
Und kein buchstaben kenet
Und wil doch mer
Von der gotheyt ercleren,
125 Die nieman mag aus leren.
Dar umb o her
Wie etlich meistersinger
Zu vor aus unden an dem reim
Haben ein solchen orden:
130 Alten werden ver achte,
Es sey dan das gemachte
Die zwelff in han.
Wan in leib, gut dran stunde,
Keiner sie nenen kunde
135 Nach ire ton,
Gult es den minsten singer,
Wer die zwelff meister sint gesin
Oder wie sy sint worden.

---

91. *oder* nut? 98. kam. 99. meniger. 104. eir (= einr). 109. Hie *R.*, Wie *N2.*
130. Alten (= *alle Töne*). 133. leib] ei *über unleserl. Buchstaben.*

O we der grossen schante,
140 Das man eim gipt das sein nie wart,
Und nimpt es eim der es hat fur er arnet,
Bis er wyß wort vol brachte!
Ob ich dan het gemachte
Ein lied in frist,
145 Der wie der zwelffer were,
Wem mist man zu die ere,
So es gut ist,
Wem wirt die er bekante?
Bis her hab ich das ent gespart:
150 Furhin so seit gewarnet!

[90.]

Im unbekanten don Hans Volczen 5 lieder.

1.

Ir meister, nemen ware,
Die hie an diser schare
Vernemen mich,
Wie ietz gar menger iret
5 In dem gesang verwiret.
Darumb ich sprich:
Es dut on weissen heite
Mit anhangung neid*es* und has
Ist fast der singer reye,
[470ª] Den sie gemeinlich springen.
11 Und wan sie sollen singen,
Ja wo das sie
In aller welt gemeine,
Er sie gros oder cleine,
15 So wont *in* bey
Vil irung alle zeite,
Das menger meinet er kum bas
Und mer dan ander dreye.

Ir kunst die ist beschlossen,
20 Das nieman nit daruber dar,
Dan wi*e* sies han gesetzt, mus es beleiben.
Wan sie vor aus bedingen
Das keiner nit sol bringen
Dan in den thon
25 Die die zwolff hant gemachte.
Die andern sint verachte,
Wie wol sie schon
Mit kunst sint ubergossen.
Dar bey spurt man ir dorheit zwar,
30 Die nieman kan aus schreiben.

---

145. wieder.
[90.] 1. *vgl. zu* 89,1. 8. neid. 9. *l.* Ietz? *(R.)* 11. solten? 15. im. 17. *l.* kuna? *(R.)* 21. wie] wies.

2.

Wan ich ein lied nun sunge,
In einem don erclunge
Den nieman het
Gehort, und wer doch gute
35 Mit kunst, reimen behute,
Ret wie man det:
Must man in dan verwerffen?
Ich glaub es wer gar menger dran,
Er sprech es sol geschehen!

40 Sol er denn sein vernichte,
Was hulff dan gut gedichte
Mit weis und wort?
Wirt Frawen lepß gedachte,
Het er den don gemachte,
45 So wers ein hort!
Solch dorheit sie nit derffen.
Deten sie rechte kunst verstan,
Menger wurd anders jehen!

Wer ietz ein don hie singet
50 Den menger nie gehoret hat,
So fragt er mich wem ich den don du geben.
Ich sprich: 'es ist der dane,
Der Kantzler sang in schone
Vor mengem jar,
55 Heist sein glutweys mit namen.'
So sprechens allesamen:
'Ey, er hat war!
In al sein don er bringet
Solch melodey!' dar bey verstat:
60 Wie ietz die singer leben,

3.

So werden sie al blente.
Wer ist der sy al kente
Die maister alt
Und auch ir don mir zeiget?
65 Der selb auch bald geschweiget,
So in aingfalt;
Doch keiner solch red dreibet,
Dan die ein we*n*g reimen verstan,
Kunen kein don auß messen.

[471r] Darbey so mus ich fragen,
71 (Das sol mir einer sagen
Der hie wont bey,
Die pflegen solches spotes,)
Ob die genaden Gotes
75 Gemindert sey,
Von der man deglich schreibe*t*.
Solt wir der ietz auff erd nit han,
Wer unser bald vergessen.

---

36. *l.* Rat? *(R.)* 39. geschehn. 56. spreches. 68. wenig. 70. sagen *vor* mus *gestr.* 76. schreibes.

Doch weis ich noch besunder:
80 Ietz die meister vor hundert jarn
Gedichtet han das man hat fur das beste.
Man sicht zu allen stunden
Das sie sind uber wunden
Von mengem man,
85 Der bessers hat gemachte,
Dan sie hant ie bedachte
Mit wort und dan,
Das mich nimpt wenig wunder,
Seit ich die ding han selb erfarn
90 Mit wort, weis uberfeste;

4.

Nit gar allein mit singen
Und sunst in allen dingen
Der welte breit,
Was die new hant ietz machet,
95 Das alt wirt gar geschwachet.
Al arybeit
Seint kostlicher herfunden
Dan al meister auff erden ie
Seit her Adames zeite.

100 Ob mir ist boren ane
Der musset lust zu hane,
Sie get vernunst,
Begreift in irm dictiren
Zal, mas in meyginiren,
105 Under ir zunft
Weis, wort, fers seint gebunden,
Das sie wurden gescheyden nie,
Stegt hoch, dieff, breit unnd weite.

So dan eim ieden liebet
110 Was im des himels einflus gibt,
Und es gut ist und wil das selb verlossen,
Des ich mich wolt beschemen,
Solt ich mich nit berömen
Der neuen kunst
115 In mengem spehem done.
Die ietz dis neue hane
Gemacht mit gunst,
Die nieman wider dreibet
Dan der mit neid hinwider kibt;
120 Hat menger kein genössen.

---

100. boren *aus* horen *(Rasur)*. 101. mussic? *(R.)*. 102. get *'gibt'*.

5.

[471v] Dan wer ein dicht besachet,
Hat keinen don gemachet,
Dem ist geleich
Ei*nr* der ein schu an hate,
125 Am andern barfus gate.
Also merck mich,
Wan weis und wort sint diene,
So hat es meisterlich gestalt,
Darzu soltu dich fleissen.

130 Ob dich einer mu*t* ane
Ein lied im andern dane,
Dus ob du wilt!
Stest aller nachred freye
Ja wer der meister seye,
135 Hast in gestilt.
Vil sint die ietz begine
Zu dichten von der hoch 3falt,
Das im wirt off verwyssen:

Hant mit der gotheit drane,
140 Wurtz durch ein ander, wie er mag,
Und macht ein no*m*erdum in den persone;
So ers hin und her miste,
Vil mers verworen iste
Dan es vor *was*.
145 Er hoft (und lat nit abe)
Ins hei*l*gen geistes gabe
Der *g*naden pas.
Der wol uns beigestane,
Do einig freuden uns bedegk
150 In himelreiches drane!

[91.]

Im unbekanten don Hans Voltzen 5 lieder.

1.

Mein hertz das mag nit schweigen,
Seit das man dut er zeigen
So mengerley
Irsal in dem gesange.
5 Das hat geweret lange
Und noch darbey
Deglichen wirt mit dichten,
Das menger also hoch auf climpt,
Do dy man fallen spuret.

10 Menger reimpt vil zusamen,
Geit im ein hohen namen
Und meint do mit
Dem par mug nieman gleichen,
All dicht mussen im weichen
15 Zu aller zeit,
Dut ander kunst vernichten,
Das keinem meister nit gezimpt
Und nimer me geburet.

---

124. Eim. 128. *l.* hast*? (R.)* 129. fleissn. 130. mutet. 134. sey. 141. nonierdū. 144. was *R.*, ietz *N2.* 146. heiligen. 147. genaden.

[91.] 1. *Das große, verschnörkelte* M *in* MEin *ist mit dunklerer Tinte von anderer Hand zugefügt; vgl. auch zu 89, 1.* 9. *l.* man dy*? (R.).* 16. vernichtn.

[472r] Wer sich dut hoher achten
20 Dan seiner kunst gezimen dut,
Daran seint schuldig di es im bestaten;
Die im die er ver jehen,
Seint eben gleich zu spehen
Mit im wie er,
25 Die im solch er verkunden,
Des gleich mug nieman funden,
Und nimer mer
Mug keiner hoher drachten.
Do bey spurt man den ubermut
30 Den menger in im hate.

2.

So es kompt fur gelerte,
Ist nit eins wurffels werde
Ir hoch gedicht.
Und ist die sorg dar beye,
35 Laut mer auff ketzereye
Dan anders icht.
Enschennpt euch solcher sachen,
Facht erstlich mit history an
Oder mit andern dingen
40 Oder mit fastnacht spillen!
Remd nit in himel zillen
Zum ersten mal!
Lucifer wolt hoch drane,
Fiel in der helle bane
45 In ewig qual.
Wer newe dicht wöl machen,
Der gang auff einer schlechten ban,
So mag im lob en springen.

Ich dorft umb etwas weten,
50 Wan ietz die zwelff kömen al sant
Und al ir dicht zu samen wer gebunden,
Man fund zwelff neuer dichte,
Die al ir kunst vernichte
Und al ir ton.
55 Wan ietz nun einer köme,
Al dicht der zwelffer nome
(Wer das nit schon?),
Nem weis darin bestete,
Die weit besser werden erkant
60 Dan sie wurden erfunden,

21. dies. 30. hat. 35. Laut *aus* Leut? 36. anders (anderß?) *aus* anderecht (*oder* anderchtl?) *Die Korrektur mit tiefschwarzer Tinte von anderer Hand.* 58. *l.* Neü? *(R.)* 59. wurden?

3.

Ein wunder es euch deuchte.
Secht das die kil*ch* nit scheuchte
Mengerley weis
Die man braucht auf der erden,
65 On die nach naher werden
Mit grosem fleis,
Das agnus dei *b*sunder,
Das patrem, sanctus sunder auch,
Das kirieleyson zware:

70 Zu iedem fest man singet,
Stet ander weis er clinget
[472ᵃ] Zu aller zeit.
Sich tier und fogel ane!
Got iedem einen dane
75 Besunder git.
Das ist kein newes wunder.
Ob ie ein singer kem hernoch,
Dem Got det offenbare

Ein don in schoner weisse
80 Gezirt in meisterlicher art,
War umb wolt man in schmehen und verhassen?
Aber als etlich arte,
Heintz, Kantz und Eberharte,
Fritz, Frantz, Frydel
85 Der zwelffer don alleine
Sol singen und sunst keine,
Gleich wie er wel
Auf erd sünst keinen breisse,
Do mit er sich selb schendet hart
90 Und ist uber die massen.

4.

So das dir Got nit gane
Das du in eignem dane
Bringst weis und wort
Und rompst gebetelt ere;
95 Ob ei*n*r ein par und mere
Mach*t* schon ein hort
In eines meisters done,
Wem mist man billich zu das lob?
Daz wolt ich wissen geren,

100 Wem man den breis wolt geben,
Dir oder gem, merck eben,
Der den don macht,
So der don nit ist deine
Und doch dein wort darine
105 Werden geacht.
In dem las ich verstane
Das menger singer ist so grob,
Kan kein bescheyd beweren.

---

62. Kilch *R.*, Kilcz *N2*. 67. das kyrieleyson zware *vor* besunder *gestr.* 73. Sich *R.*, Such *N2*. 74. Got *R.*, Get *N2*. 83. *l.* Kuntz? *(R.)*. 87. wie *aus* wil. 92. eignē. 95. einer. 96. Machst.

Ich kan nit anders spuren,
110 Weren die zwelff gewessen nie,
So het gesang anfang noch nie genomen;
Und wern al don ent wichte
Die seit seint new gedichte,
Als menger meint,
115 Wern nit seit new geboren,
Wer ir alt kunst verloren
Und gar verbent.
Eim maister dut geburen
Das er hab eigen weis, wort hie,
120 So mag er spot fur komen.

5.

Es stat ubel zu sehen
Wer al wegen mus lehen,
Wes er not ist.
Man hat dar ob verdriessen.
125 Wer wil der kunst geniessen,
Der hab den list
Das er sich dar vor hute
Das er nit [473r] lehen keinen don.
Du selber dar nach dencken!
130 Mus aber das beschehen,
Lant brieff und sigel sehen
Wie man das hat
Beschlossen und bekenet
Und wie ist doch genenet
135 Die selbe stat!
Zeig mirs durch al dein gute!
In ietz jarzal bleib es bestan.
Ein gab wolt ich euch schenckenn

Das mir eir warlich saget
140 Bey straff es verbotenn wer
Das man der nachdichter don nit solt singen.
Solt Got sein gnad nit geben
Die ietz auff erden leben,
Als er vor det
145 Den zwelffen meistern fare?
Nun sind hin weg vil jare.
Wer mir bestet
Wo ir ursprung behaget,
Wie ieder mit seim namen her
150 Sey komen her mit dingen!

[92.]

Im unbekanten don. Hanns Voltzen gedicht 3 lieder.

1.

*E*ins mals ich einen fraget
Das er mir warlich saget
Von der ges*ch*icht
Und wer dar zu geflyssen
5 Wie die zwelf meister hyssen,
Seit ir gedicht
Gebreisset wird auff erden
Fur al nachdichter, die ietz seint
Und noch zukunftig komen.
10 Den ich det fragen eben,
Der kunt mir antwurt geben
Mit worten sein.
Er sprach: 'ich thu sie kenen,
Solt ich sie alle nenen
15 In rechtem schein,
Ob vierzig wurd ir werden
On ander, die ich do bey fint,
Wird ir ein grosse *s*umen.

[473a] Wan als die elsten sagen,
20 Wan einer starb, man lies nit ler
Die zal, die wart erfullet wider zware,
Gleich wie Mathias drate,
Der kam an Judas state
In solcher weis,
25 Noch was nit aus gerichte,
Paulus wart auch verpflichte:
Der zwelffer breis
Der must in auch behagen.
Noch funden sich vil heimlich mer,
30 Sibenzig zwen fur ware.

2.

Die warn erst anbegine;
Noch in meng helg erschine,
Die Got erleucht,
Die hie ir zeit verdreiben,
35 Hymnus, sequentz sie schreiben,
Die man nit scheucht,
Vil korgesang gemachte
Der nie keins worden ist veracht,
Als ietz die singer foren,
40 Die in in han den bruncken
Und lossen sich beduncken
Die erst grob schar,
Ir gleichen nymer werde
Mug hie auf dysser erde.
45 Ey, schempt euch gar,
So bessers ist erachte,
Und schmecht Gotz würckung dag und nacht,
Da bey man spurt die doren.

[92.] 1. ins, *vgl. auch zu 89*, 1. 3. gesicht *aus* gedicht. 5. seit ir gedicht *vor* Wie *gestr.* 18. samen. 34*f. l.* driben: schriben?

Got sol man die er geben,
50 Wan der uns geit wort, art und ler.
Wes halben sint die *newen* don verboten
Und nit darzu die worte?
Ist das nit schand und morte
In dyssem lant,
55 Sol man der don entberen?
Die wort sol man auch meren,
Sie beyde sant:
So ir dar wider streben,
Als es bey hant verboten wer,
60 Solt man der ding nit spoten?

3.

Wolt mans haben in pflichte,
Must man der zwelffer dichte
In einem buch
Gruntlichen han geschriben,
65 Wer ander kunst det dreiben,
Das im der fluch
Gegeben wurd dar umbe.
Oder man macht, ietz einer het,
Schwerlich dar umb verfallen,

[474r] Must man in ieder state
71 Do man sing schullen hate,
Der buch eins han
Und lessen vor der pflichte:
Sunst ist nicht aus gerichte.
75 Das menig man
Macht mengen namerrdume,
Veracht new don, dicht fru und spet
Mit seiner falschen kallen,

Wer dan veracht min lere,
80 Der du es in eim dicht beschemt,
Wo ich nit hab die warheit hie gesungen.
Des gleichen ich hie wille.
Wer dem grund neher zille,
Der selb der hab
85 Gewunen vier mas weine.
Wer wil der einer sine,
Der los nit ab!
Er lein sich an mich here.
Wer mir dan ob zu ligen meint,
90 Dorfft einer spehen zungen!

---

51. neüen *R.*, namen *N 2.* 59. verbotn. 73. *l.* von?

[93.]

Im unbekanten donn Hans Voltzen gedicht. 5 lieder.

1.

Zu loben stat mein mute
Hie einen meister gute
Für alle die
Und die ich han erkente,
5 Sein lob ist on zerdrente.
Spat unde frie
Kan ich sein nit vergessen,
Wie wol er auff kein sing schul kam,
Noch stat sein kunst zw breissen.

10 Ietz er fur nam mit dichten,
Kunt er hofflichen richten
Auf schone art
Eim ieden lied sein done
Mit worten, reimen schone
15 Und gancz bewart,
Mit zal und mas gemessen,
Als seiner meisterschaft geczam:
Kunst det im stet zu reissen.

Darumb mag ich wol sprechen:
Wo bleibestu mit *[474a]* deinem won
21 Der sich hie besser dunckt dan ander fire?
Ein wenig wil ich ruren,
Darbey so mag man spure*n*
Und wer der sey.
25 Das sint die newer kunste
Zu fugen keinen gunste,
Die doch ist frey,
Let sich nit leicht zu brechen:
Ich dar mit new das alt be stan,
30 Wil ieman an mich schire.

2.

Nun roten wer der seye
Den ich ein maister freie
Genenet han
Von seiner clugen arte,
35 Das ist der frey, nit harte
On argen wan.
Wie die zwelf boten frane
Jesus fur einen raby gut
Auf erd hand ausser koren,

40 Der Neithart alle friste
Ob den zwelff meistern iste
Mit seiner kunst
Und wird gelobet schone,
Die meister kunst verstane,
45 Die nit durch gunst
Sich hie ver weissen lone,
Musica haben in *ir* hut
Und ist in an geboren.

[93.] 1. *vgl. zu 89, 1.* 4. die *aus* dik? . 23. spure. 47. ir *fehlt.*

Wan er ein lied fur name,
50 So het er auf das jar sein spur,
Herbst, sumer, winter und daz glencz so here,
In ieder zeit er melte
Wie es stund auf dem felte
Von hitz und frost,
55 Im herbst von bemes fruchte,
Zu den hat man zu fluchte,
Den edlen most
Lobt er wan die zeit kame;
Dar nach wan die selb zeit kam fur,
60 Sang er vom winter schwere,
Von schne und langer nechte,
Im glencz von dem gebrechte
Und sussen schal
Der fogel manigfalte,
65 Die ziren felt und walte
Gantz uber al,
Und von des sumers wune;
Von hagel schaur und donder, blitz,
Von menger kurtze weille.

3.

[475r] Meng erscheinung der lufte
71 Kompt aus irdischem dufte
Und anders nie.
Bey solchem hie genenet
Wirt Nithartz dicht erkenet,
75 On alle we
Dranck er der kunsten brune.
Dar umb rom ich sein kunst und witz,
Der in nie det befille.
Darumb wirt er geromet
80 Ein meister aller dichter gar,
Ich glaub daz man sein gleichen nit erfunde.
In seim dicht wirt gehorte
Vil schoner blompter worte
Von art bewert,
85 Nicht ver gebens umb sunste,
Alß in der zwelffer kunste
Vil wirt gehert,
Die menger hoch wil blomen
Und weist doch weder her nach dar
90 Als wenig als ein kinde.

51. glencz *R.*, gleich *N2.* 56. den den. 60. vō. 70. Menger scheuung. 73. genet.

4.

Sucht in poeten arte,
Von den zu ersten warte
Gefunden dicht,
Kein gniffick lissen herschen,
95 Me dan in zwentzig ferschen
Lyten sie nicht;
Wer aber solch es brachte,
Der wart darumb ver achtet gar,
Wer solches bringen dete.

100 So ir in einem stollen
Nun solches mugen dollen
Und darzu *me*
Im abgesang do mite
Ir achten solches nite,
105 Als ich verste,
Wo solch ding wirt gemachte,
Dar bey do mag man nemen war
Daz mann kein kunst verstete.

Darumb mag ich beweren
110 Gar schon in ei*n*em driten bar
On alle gnific on ein dreissig reimen
Und etwas mer dar beye,
Das ich wil lassen freie
Hie on gemelt,
115 Biß es kompt zu verschulden.
Menger müß von mir dulden,
Wies mir gefelt.
Darumb *[475a]* wer mein begere,
Nun wel, dem wil ichs schlagen dar,
120 Such aller kunsten kemen.

5.

Ir wond gros meister heissen,
Clein ding land ir euch zeyssen
In dem gesang,
Wend etlich wort mit die den
125 Und dond doch nit vermeyden
Den uber drang
Der falschen meinung fille,
Die wellen ir nit legen hin:
Do bei spurt man die blinden.

130 Und hant das fur ein spote
Wan eir gesungen hote
Zorn, korn und stern,
Heln, zeln und des geleichen:
Den dingen wend ir weichen
135 Gleich heur aß fern.
Got wil kum, Contz von Wille!
Wo mugen dein gesellen sein?
Weistu ir nit zu finden?

Menger wil latein singen
140 Der sunst nit gut deutsch kan verstan
Und kan boß reimen nit von guten scheyden!

---

102. me *R.*, nie *N2.* 110. eim dritn. 120. *l.* keimen? 124. *l.* nit leyden? *R.* 127. falschn. 131. hete. 134. dingn.

Dor umb, ir meister freye,
Ein ieder, wer der seye,
Der do gedenck
145 Er wol mi*r* hie ob ligen,
Mit kunsten angesigen,
Der selb in schenck,
Tu mir den wein schon bringen;
Wan ich halt hie auf kampfes plan.
150 Kunst las ich mir nit leiden!

[94.]

Im unbekanten don Hans Voltzen gedicht 5 lieder.

1.

*M*ein sin wil ich bewegen,
Ob ich euch mocht aus legen
Mit kurtzem schein,
Seit nieman weis bescheite,
5 Noch die gantzen worheite:
Ist wol ein pein
Das menger nit kan wissen
[476r] Wie der zwelffmeister namen wer.
Dar von so wil ich singenn.

10 Wer hat dar von gelessen,
Do sie sint hie gewessen
Auff disser ert,
Welcher der erst, der leste,
Oder welche*r* der beste
15 Wart ie bewert?
Sie waren al geflyssen,
Dicht ieder nach seins hertzen ger,
Wie er das macht vol bringen.

Pitrolff, Hoffgart die bayde,
20 Sigler und auch der alt Sighart,
Peter Zwinger und Sigmar also cluge,
Grof von Seldneck so clare,
Arnolt Betzler, nempt ware,
Die woren beit
25 Von Sibenburgen here;
Frawenlop, Kantzelere

---

145. mit.

[94.]. Im Vnbekanden ton Nestler von Speir Die 12 Meister *E.* 1. ein. *vgl. 89, 1;* Mein *E.* 4. nieman] jemandt *E.* bescheite] den grunde *E.* 5. Das es möcht werden kunde *E.* 13. Vnd wer das selbig weste *E.* 14. er *in* welcher *gestr., wird jedoch vom Silbenmaß gefordert N2.* Welcher der Ringst der Beste *E.* 17. Jeder dicht *E.* 18. ver bringen *E.* 19. Hapffgartt *E.* 20. Sihartt *E.* 21. Zwinger sigmar die hetten Kunst genuge *E.* 22. Veldeneck Klare *E.* 24. beit] do *E.*

Also gemeit;
Noch gib ich euch bescheyde:
Von Sunenberg her Fridrich zart,
30 Hertzog Lupolt det gnuge

2.

Und hertzog *Ot* kam mite,
Und Regen bog ein schmite,
Der Eren bot;
Wol fram dem det gelingen,
35 Der alt Stol kund wol singen
Fru unde spat;
Romar von Zwetel here
Und Reinhart Zol, Rumßlant,
Kontz Gast,
Eckhardus rein ich breisse;

40 Heintz Schuller was kein gleissner,
Der Marner und der Meissner,
Der Ungelert,
Joringer auch *dar* kame,
Und auch Wentzly mit nam*e*
45 Sein kunst bewert;
Der Wetzlißlo het ere,
Der starcke Pop der het kein rast,
Von Eren fro ich weisse;

Heinrich von Afterdingen,
50 Pfaltzen von Stras burg schweig ich nit,
Wan Peter Wolf und Peter Sach ich nene;
Der Mulck und Baltzer zware;
Auch ist an disser schare
Der tugenthaft
55 Schreiber, so was sein *[476c]* name,
Clauß Stern, der Remß auch kame
Mit meisterschafft;
Clingser der kund wol singen,
Cunrat von Wirtzburg herschet mit,
60 Der jung St*o*l wolt nit dene;

---

27. Nun Merckt also *E*. 28. Gib ich weitter Bescheide *E*. 29. Von sonnen purg graff fr. *E*. 30. L. der Junge *E*. 31. et *N2*. 33. eren bet *N2*. 34. Wolffran saumbt Sich nicht lange *E*. 35. Der alt stol geren sange *E*. 36. vnde] vnd auch *E*. 37. Zwickau *E*. 38. Reinhartt *E*, R. *oder* vinhart *N2*. rams land *E*. 39. Erhorduß *E*. 40. Heintz schuller Meichner freye *E*. 41. Vnd der Morner darbÿe *E*. 43. dar *fehlt N2*, dor *E*. 44. Wenzel *E*. namene *N2*. 45. bewert] jn lehrt *E*. 46. Der Wentzello mit gere *E*. 47. Der storck bopp het Kein ru noch rast *E*. 48. Der ehren fro mit fleisse *E*. 49. Efferdingen *E*. 50. Pfoltz von strasburg vnd der geleich *E*. 51. Petter Wolff vnd auch petter wolff genened *E*. 52. Molck *E*. Boltzer *E*. 55. Schreiber Sein Namen wasse *E*. 56. Claus steren auch der Masse *E*. 58. Klinge sor thet gechlingen *E*. 59. herschet mit] künsten reich *E*. 60. stel *N2*. *l.* mit? *R*. kom gerenedt *E*.

3.

Walter von Fogelweite,
Der Harder nit lang beite,
Heinrich Muglin,
Der Elbel und der Zircker,
65 Wendel von Gurtz, ein wircker
Der kunsten fein,
Her Diedrich Grof so here,
Wilhelm von Lortz, Peter Roter,
Heinrich von Brun kam dare;
70 Danhausser, Raubensteiner,
Hugler, sich semet keiner;
Der Suchensein
Und Frauener und Huge,
Der ieder sein vermuge;
75 Der Meienschein,
Albrecht Lesch; nach seint mere:
Der Hultzing, Gilgenfein mit ger
Erfulten auch die schare,
Und auch der Lieb von Gengen,
80 Groff Herman von Marburg, das wist,
Und welcher meister wer der best gemessen:
Also hant ir erkenet,
Wie ich sie han genenet,
Die meister wert
85 Und die vor zeiten woren.
Nun sint seit vil geboren
Warden auf erd,
Die al der kunst nach hengen,
Und waz ir noch auf erden ist,
90 Mocht mon zwelff auß in lessen.

4.

Wan man dan zwelff wolt hane,
So must es sein gedane
Als es vor was.
Wan eir von tod ab kame,
95 Ein andern man an name,
Der auch besas
Die zal, so lang er lebet.
Also der alten ordnung stund
Vil jar, fund ich gescriben.
100 Nun seint jung seider komen,
Hund scherpffer fur genomen,
Als man es fint,
Die al vil hoher strebten;
[477r] Wan noch die alten lebten,
105 Weren sie kunt,
Die new kunst weit ob schwebet.
Zeig mir, wo hastu ein ausbunt,
Der von in ist beoliben?

---

62. Der hortter Sich Bereitte *E*. 63. Mügelinng *E*. 64. Elbe *E*. 65. golz *E*. 66. Vnd der Hültzing *E*. 67. Graff friderich *E*. 68. Der suchen gin. petter Ritter *E*. 69. prum *E*. 70. Rohmsteiner *E*. 71. *l.* schemet? Hugler vnd noch heist einer *E*. 72. Der lilgen fein *E*. 74. Hetten Baid Kunst genuge *E*. 76. nach] jr *E*. 77. Wilhelmus von lortz kam nicht lahr *E*. 78. Erfüllet *E*. 80. branpurg *E*. 81. best ist gemessen *N2*. 83. hie hob *E*. 85. Vnd die woren erkoren *E*. 86. seit] jr *E*. 87. Warden] Sider *E*. 88. nach] an *E*. 89. Vnd jr noch izt auff *E*. 90. auss jhr *E*. 91. wil *E*. 93. Wie *E*. 94. Wan einer doruon stürbe *E*. 95. an name] er würbe *E*. 97. also *N2*. 99. find *E*. 101. Hoben *E*, Hond? *N2*. 103. Klor in jren gedichten *E*. 104. Soltens die Alten richten *E*. 105. Die meister Sind *E*. 106. weit ob] höher *E*. 108. Beliben *E*.

Kilch hat es nit bestete
110 Das man zwelff maister musse han.
Dan solten zwelff allein den breis behaben
Und die andern vernichte,
Die viel kostlicher dichte
Brachten zw weg,
115 Daz wer wyder den glauben.
Solt man einen berauben
Auf freiem steg,
So er die gnaden hete
Von Got, die er eim yeden gan,
120 Der kunsten nach dut grabenn?

5.

Ich bit euch, meister, sere,
Ob ich euch deucht gefere,
Das mein gedicht
Niempt es nit fur zu schwere!
125 Mich dunckt es lauff nit lere.
In disser pflicht
Weis ich der irung mere,
Die ich noch nit gemeltet han,
Mus lenger sein verschwigenn.

130 Ich han gemelt bis here,
E ich der ding onbere,
Ich dicht e me.
Dar zu stat mein begere:
Waz ich do mit verzere,
135 Dut mir nit we.
Won licht ich mich ernere,
Das ich nit darff hoffiren gan
Mit lauten noch mit geigen.

110. Das nur 12 m. Müsten Sein *E.* 111. erhalten *E.* 112. vernichte] ver achten *E.* 113. Die auch vil Künstlich brachten *E.* 114. Gedicht zu weg *E.* 116. einen] jemand *E.* 118. Vnd so er die gnad h. *E.* 119. er manchem geist ein *E.* 120. Den jungen Als den Alten *E.* 122. Ob ir Meintt dz euch were *E.* 123. Schwer m. *E.* 124. *l.* Nempt? Last euchs nicht hart an fechten *E.* 125. Vnd thut euch nicht drein flechten *E.* 127. irung] Mejnung *E.* 129. Der wil ich lenger schweigen *E.* 130. gemelt *aus* gemelte *N2*. *Der zweite Stollen lautet in E:*

130 Waiß eß hat fug und stole
Darzu Bin ich nicht Mole
In diser frist
Sol sich Mein dicht erst Regen,
Ich dorff nicht vil drauff legen
135 Dos selbig wist
Gar leicht ich mich er Nehre
Daß ich nicht dorff hoffiren gan
Mit lautten oder geigen.

136. Von *N2*.

Wer mirs zum bosten kere
140 Die hendel so gener und der
Verachten mich, so ich die ding erclere
Nach breit und leng, der zwere,
Ob mir eir but sein spere,
Des acht ich klein.
145 Wil ich kein plut verrere,
Und die haut ob dem schmere
Mir bleibet ein,
Secht, wer dem andern schere.
Ich rot, ir hant fur gut mein ler!
150 Spricht Hanns Volcz barbirere.

139. Bössen schicket *E.* 141. V. uch *(?)* jch Sy der ding regirer *E.* 142. Nach aller Breitt vnd lenge *E.* 143. Alß thet ich jm zu ennge *E.* 145. Weil es sich nicht hat funden *E.* 146. Werden Sie vber wunden *E.* 147. Ist in ein dein *E.* 148. Werden dormit verstricket *E.* 149. ir hant] euch nembt *E.* 150. Soget *E.*

IV. Nachträge.

[95.]

Ein liet genant der poß rauch. In der flam weyß.

1.

*N*un horet frembde ab*e*ntheur
Von einem weib so ungeheur,
Dar mit betrogen warte

Ein gutter einfeltiger man.
5 Waß er mit ir ye finge an,
So lag eß im so harte

Daß er auff erd kein guttes wort
Von ir bekumen kunde.
Einß malß er ernstlich an sie kort
10 Und macht mit ir ein punde,
Ob sie der man ym hauß sein wolt,
Das sye die pruch im an gewun,
So wolt er thun al*l*s das er solt.

2.

Die fraw sich willig dar ein gab.
15 Der man der kaufft ein pruch, was plab,
Im *s*elber zu unstaten.

Czwen prugel er zu richtet drot,
Der frawen er den einen pot,
Die gund sich kurtz berathen.

20 Er wolt vor mit ir tragen auß
War bey eß solt beleyben.
Die fraw schlug dar mit starckem sauß,
Gund in im hauß um treiben.
Czwo stigen auff er ir enging,
25 Die ein fil er pald wider ab
Vor schlegen groß, die er enpfing.

3.

Erst sye mit streichen yn begapt,
Das ym all sein leichnam erplapt
Vom haupt piß zu den fussen.

30 In dem sie yn peym har erwust,
Dar mit er sich lan zihen must,
Sein kunheit wart er pusse*n*.

Auff recket er peyd hende do,
Wolt sich ir gantz ergeben.
35 Erst sie yn zu der stigen zo
Und rempt ym seines leben,
Sturtzt yn uber den kopf hin ab,
Peid prugel sye hin nach *im* seust
Und sprach: 'do harr, piß ich dich lab.'

[95.] *Kleinoktavband der Hamburger Stadtbibliothek Nr. 229*[d] *in Scrinio. vor Z. 1 ein Holzschnitt.* 1. *Die Initiale* N *fehlt.* abeutheur. 13. alles. 16. elber. 32. pusser. 38. im *fehlt.*

4.

40 Do lag der gut man lang fur dot.
Sie sprach: 'nun harr, ich lab dich drot!'
Ein grosses schaff mit wasser

Goß sie schnel eylends auff yn dar
Und sprach: 'haw hin, du hosts nun gar!'
45 Do lag er also nasser

Daß er den athem kaum gezoch,
Sein manheit waß gelegen.
Sie sprach: 'ich mein, du harrest noch
Auff sant Johannes segen!'
50 Ein spulwasser sie erst her trug,
In deß er zu im selber kam,
Wuscht auff fur die thure mit fug.

5.

Alls er sich auff der gaß besan,
Von hertzen weynen er began
55 Des lasterß und der schanden.

Da kam einer der sein het kunt;
Ein lange weil er vor im stundt,
Das er sein kaum erkande:

So schendlich er derzogen waß
60 Mit grossen schlegen schwere.
Der sprach: 'frundt, wie bistu so naß
Und weß weynstu so sere?'
Er antwort im: 'do print mein hauß,
Dar in ich so durchgossen pin;
65 Czu lesttz treib mich der rauch her auß

6.

Der mich so hart gepissen hat.'
Der nachtbaur lieff hin ein vil drot
Und wolt den schaden wenden.

Die fraw sach yn so scheutzlich an
70 Und meint eß kem wider ir man,
Und nam erst zu den henden

Ein scheit und lieff zu im schnel dar
Und schlug in pald zu hauffen.
Auff wuscht er, do erß wart gewar,
75 Gund zu der thur auß lauffen,
Do er yn denoch sitzen fant.
Sprach: 'freunt, wie glaub ich dir so wol,
Wan ergers rauch ich nie erkant!

52. thur. 54. er er began. 67. nachtbauer.

7.

Ja solt ich lenger pliben sein,
80 Golten het eß daß leben mein.
Wol mir daß ich entrane!'

Also die fraw die pruch gewan
Und trug sie darnoch selber an
Und zoch furbaß irn mane

85 Noch irem willen meisterlich,
Alß sye *in* meint zu haben.
Ja wolte Got von himelreich
Das sie weren begraben
Die noch sulcheß gewaltz begern,
90 So stund es in der welde paß
Und plib vil manig man pein ern.

8.

Doch wo ein sulcher esel wer,
Wolt ich es luff kein tag im ler,
Er wurd also erzauset.

95 Eß ist allen mannen ein schant:
Ich rat dir, man, ob dich an zant
Dein weib und um dich mauset,

Leg ir funff finger auff den kopff,
Daß sie zu erden tauchet!
100 Dustu das nit, du pleibst ein tropff,
Stetigs sie auff dich hauchet.
Und foch es neur pey zeyten an,
Wan einer mag harren so lang
Das er ir numer meistern kan!

9.

105 Doch pin ich eins an meiner fro,
Wan ich ir thu ein fingerdro,
Schlag dar mit an die nase,

So weist sie mich zum hinttern mit
Und lacht heimlich, des lest sie nit,
110 Welchs ich ir so verglase.

Was ir do gutter wort enpfarn,
Der nym ich mich nit ane.
Wie kunt sie doch ein pessern narn
Ymer an mir gehane!
115 Des freu ich mich irß auß gangs ser,
Wan die weil pin ich man ym hauß
Und sunst mein lebtag numer mer!

---

84. man. 86. in *fehlt.*

[96.]

Wider den pösen rauch in der flam weis ein liet von dem lob der ee.

Hans Folcz barwirer.

1.

Wye man der frawen licz gedenck,
Find ich doch nicht dar zu sich senck
Mer das menlich gemůte
Dan zu eym zarten weibes pild,
5 Wie streng ein man seyn und wie wild,
Wie ser flam sein geplůte

Noch stenten der sich in der wellt
Gar mancherley begeben.
Ob einer wandert aw und fellt,
10 Vil gegent in seim leben
Mit kauffmannschacz ferr durch gewin,
In den geferden allen sant
Gen zeit, weil, jar und tag do hin.

2.

Wem dan geistlikeit unmer sey,
15 Elichen stant veracht dar pey,
Ůbel wirt sten sein handel,
Fellt in unrot und groß dotsůnd,
In vil neůung ferlicher fůnd,
Wie er all irrung wandel.

20 Dar um hie zu bewaren sich
Vor den argen geferden,
Hat disen stant gancz wirdiclich
Der herr himels und erden
Gemacht um frucht wiln in der ee
25 Und nicht dem lust noch und mutwiln:
Also elichen stant verste!

3.

Wem dan Got hie ein erlich weib,
Tugentsam, frum, gezirt von leib,
Gancz sittig und senfftmütig
30 Auff erd zu seinem heyl beschert,
Von der alls lib ym wider fert,
So recht fridsam und gütig,

[96.] *Wolfenbüttler Mischband, Herz. Bibl. 117, 7 Eth. Druck.* *Überschrift:* Wider dē pösē. *Hinter der Überschrift ein Holzschnitt.*

Der dancksag Got mit stetem mut
All sein lebtag und ymer:
35 Pessers hie nyemant werden dut
In dem yrdischen zimer.
Ob er dan ir auch ist zu wiln,
Gewinnen sie nit liber zeit
Ir clag, leyt und unmut zu stiln.

4.

40 So ein traut, zart, holltseligs weib,
Die anders nicht zirt iren leib
Dan um irs mannes gunste,
Veracht smeichred und libkosung
Von fremden, reich, arm, allt und jung,
45 Kert sich an keinen tunste,

Ist ungenytet in poßheyt,
Schemig, schlecht und einfelltig,
Tugentsam stet zu dinst bereyt,
Der yr sol sein gewelltig;
50 Ich mein dem sie gepûren dut.
Wer kan voll loben iren stant,
Got selb hat sie in seiner hut.

5.

Ob man all ôrden lobet gar,
Gleich disem ich keynen erfar:
55 Erstlich, so er geordent
Von Got dem herren selber ist.
Was ander ôrden seyt der frist
Ye auff geseczet wordent,

Hant sie doch all ursprung von dem.
60 Und wan die ee sich endet,
Was man dan ordenleût auff nem,
Wern an eren gepfendet.
Des ich hôchers stantes nit spûr;
Er hab des keysers kran zu lon,
65 Der mir ein hôchern zich herfûr.

6.

Dan ob man lobet pristerschafft,
So ist ye doch ir erstlich krafft
Von vatter und von muter
Und werder, so sie elich worn,
70 Dan eyner panckshalben geporn.
O zarter Got du guter,

---

66. pristerlchafft.

Wie wol du die gepurte dein
Hast von eynr jungfraw reyne,
Wolstu doch sie sollt elich seyn.
75 Deshalb die ee gemeyne
So vil hôer gewurdigt ist
Durch dein keůsch und elich gepurt,
Des du uns ein exempel pist.

7.

Man sag recht was man wel dar von,
80 Ein gůtig haußfraw ist ein kron
Und zepter aller eren.
Ein frôlich weib und tugenthafft
Ist yres manes andre crafft,
Dar mit er sich mag weren
85 Vor fůchßen, wolfen und vor pern
Teůfflischer zaubereye,
Und ist vor alles fremd begern
Sein ôberste erczneye.
Wan mit yrem freůntlichen gruß
90 Ist sie der edelst tiriack,
Der ym dut alles kumers pus.

8.

Ob ym Got kindelein beschert,
Die ein sůlch reine muter nert
Auß iren zarten průsten,
95 Do ydes seinen lust an sicht.
Wie wol yn peiden do geschicht!
Was môcht hôchers erlůsten
Dan wo also getrifacht wirt
Die lib, so sie fort haben.
100 Was lib gen lib erst lib gepirt,
Dut lib in lib vergraben.
Dar mit vater, muter und kint
In ein gelipt werden also
Das grôsser lib nymant enpfint.

9.

105 Hie von zeitlicher lib ich sprich.
O herr und schôpfer, ich pit dich,
Wo sich zwey so vergatten,
Dů wôlst ir steter schirm, schucz sein
Zu den ewigen freiden dein,
110 Ire fußstapfen pfatten,

109. ewign. 110. fußstapfen.

Das sie in dein gepotten all
Ir leben hie verschleyssen.
Gip das der dotsůnd pittre gall
Nicht ir gewissen peyssen;
115 Ir end, herr, zu dir selber ker,
Do sie dein trost ewig erner!
Also spricht Hans Folcz barwirer.

[97.]

Ein neů lied in Prenbergers thon. Hanß Folcz barwirer.

1.

Alls sich der mey
Und auch die lichte sumerzeyt
Her nehen det noch jares frist
Und sich lichten die tage,
5 Wie mancherley
Es wun, gunst, zir und freide geyt
Den jungen herczen zu genist
Irs senes und ir clage!

So sie sich swingen in die grůn
10 Zu holcz, zu feld und auch zu weid
Der selldenreichen wunne,
Do mancher stolczer fogel kůn
Mit seim hofiren pringet freid,
So fůrher dringt die sunne,
15 Dar durch grôßlich
Mannes gemůt erlůstet wirt.
Dem gleichen ich
Eins tages in der grůn um tirt,
Kam ungefar
20 In ein gepirg zu einer want,
Do ich von lautrem fluß so clar
Den aller keltsten prunen fant.

2.

Ich tranck des prun
Auß rechtem lust durch sein clarheit,
25 Sein kellt das hirn mir tempfen wart.
Mein geist dar in veryrte.
Des ich begun
Mich neigen durch recht schlofferkeit.
Mein augen sich beschlussen hart,
30 All syn worn mir verwirte.

[97.] *Wolfenbüttler Mischband, wie Nr. 96.* 28. durch.

Do von ein myniclicher traum
Mir die vernufft durch sweyffet gar
Mit aller zir und wunne.
Ja das mir all mein tage kaum
35 Liplicher gsicht wart offenbar:
Wie ich lag pey dem prunne,
Bedaucht doch mich,
Ich ses in einem reichen sal
Durchlůsticlich
40 Mit laub bestreůet úber all,
Dar inen sang
Manch lautreysiger fogel schon,
Das in all eck des salls erklang.
Mein tag hort ich nye hellern thon.

3.

45 Alls ich gedacht
Was dise zir beteůten wer,
Get ein meins herczen keiserin,
Die schőnst ob allen frawen;
Getausentfacht
50 Wart hercz, mut und all mein beger
Gen ir in all meinem begin;
Do ich sie an wart schawen,

Betaucht mich grůssen thun die zart
Und mit den armen auß gepreit
55 Still lachent zu mir ginge.
Ich harret irer gegenwart.
Sie sprach: 'hie ist der mich erfreit.'
In dem sie mich umfinge;
Pot mir ir prust,
60 Wang und den munt mit starckem druck,
In rechtem lust
Ich mich des gleichen zu ir smuck.
In dem taucht mich
Wie sie sich an meyn seyten saczt,
65 Mit sůssen worten myniclich
Von allter kuntschafft mit mir swaczt.

---

60. starckē.

4.

Jo wart mir nie
Pey all meinen jaren so wol!
Mir was erlaubet was ich wollt,
70 Allein pat mich die schône,
War mit man ye
Verloren het der eren zol,
Das selbig ich vermeiden sollt.
Deshalb ir wird ich krône

75 Fůr alle weib die kůng Artus
An seinem hofe hat verhenckt
Um grosser zirheit willen
Und manchen erentreichen gruß.
Doch hôcher kůrczweil mir anfengt
80 Die zart mit irem zillen
Durch ir liplich
Gunst und auch wore freůntlikeit,
Darmit sie mich
All weg so herczilich erfreyt.
85 Lob und auch danck
Sey ir der zarten tugenthafft!
Mein sel und hercz tut keinen wanck
Von ir, die mir gepeůt und schafft.

5.

Sie sprach zu mir:
90 'Gesel, gedenck der alten treů,
Die ich dir offt bewisen hab;
Veracht der neider claffen!
All mein begir
Sol gen dir teglich wesen neů,
95 Kein sach dich von mir keret ab,
Pis du auch nit verschlaffen!

Beweis dich mir auß worer gunst
Mit eim freůntlichen umefang,
Dar pey ich dein gedencke.
100 Ker dich an keinen falschen dunst,
Peůt deinen munt an meine wang,
Mit armen mich umschrencke,
Das mir dein treů
Und herczlich lib werd offenbar!'
105 Erst ward mir neů
Recht freůd und durch ging mich so gar.
Zu ir ich gacht,
Umfing sie und kůst sie zu hant. —
In sülchen freiden ich erwacht;
110 Also die schôn von mir verswant.

---

87. keinem.

6.

Jo wollen heût
Und ymer der leidigen stunt,
Dar in mein schönste eûgelweid,
So schnell mir ist verswunden!

115 Erst wart verneût
Mein clag und gancz mein hercz verwunt
So gar mit inerlichem leid
Das ich zu keinen stunden

Der zarten mer vergessen mocht
120 In all meym leben durch ir schôn
Deglich in meym gemûte:
Was ich ir ye zu gut gedocht,
In sprûchen, lidern und gethôn
Ye dichtet durch ir gûte
125 Und mir ye traumpt,
Ging alls do hin in einem plick.
Wer sich versaumpt
In frischer zeit alls offt und dick,
Die weltlich lib
130 An nucz und frucht verswinden tut,
Wan zeyt der pus danoch belib
Zu thun, wer seliclich und gut.

7.

Dar um, o welt,
Sich wie dir in der plûde dein
135 Die jungen tag verswinden thun
Alls mir in disem traume!

Wan ir gezelt
Schlecht sie der jugent auff gemein,
Gipt gunst, lib, schôn und machet sun,
140 Helt jugent pey dem zaume.

Und so man meint am pesten sein,
So kûmpt der hagel und der plicz,
Schlecht drein mit ganczem hauffen.
So sich dan ent der plûend schein
145 Und uns entreisen sin und wicz,
Wer kan dan erst entlauffen
Dort ewiclich
Der grausamen hellischen dro?!
O mensch, hie sich,
150 Regir die jugent dein also
Das dir dein zeit
Alls mir nit in eim traum verswind,
Willtu dort ewig sein gefreit,
Zu himel werden yngesind!

111. *l.* woffen? (*Roethe*).

V. Anhang.

Andere Gedichte und Skizzen von Folz

aus der Weimarer Handschrift.

Die Wiedervergeltung.

[98.]

[14r] *I*n einer stat gesessen warn
Zwen eman vor etlichen jarn,
Der yder hat ein schones weib.
Der ein mit puln sein zeit verdreib
5 Und pult dem andern inn sein frawe;
Doch merkt ir man ir auff genawe
Und det sam wollt er uber fellt
Und pleib im hauß, doch unvermellt.
Die fraw nach jhenem eman sant,
10 Der machtz nit lang und kam zu hant;
Hin in ir kamer er sich verstal
Und schertzt mit ir allz vor zu mal.
Ir rechter man macht sich her fur
Und wart do losen an der thur
15 Und hort allz das das sie begunnen.
Doch waß er selber einß besunnen:
Die thur er aussen wol versacht
Und klopfft do an mit grosser macht
Und sprach: 'thu auff! ich kum her wider,
20 Noch einß hab ich vergessen sider.'
[14v] Die fraw erschrak, west nit wo hin,
Dan in die kist kam ir der sin:
Dar ein parg sie den fremden gast.
Ir man auch vor der thur nit rast,
25 Schickt heimlich nach des selben frawen,
Daz sie pald kem und liß ir zawen
Ob sie irn man wollt lebendig sehen.
Die fraw mit eil da hin wart nehen.
Der man noch vor der kamer stund,
30 Sein weib sie peid ein losen gund.
Dez weib der in der truhen lag,
Mit der er palld zu dingen pflag
Und sprach: 'mein fraw, sagt mir fil drat
Ob ewer man euch liber dot
35 Oder pey leben pleib alhie,
Daß sagt mir pald'. do antwurt sie
Und sprach: 'sagt mir wo er doch sey.'
Das det er und sagt ir dar pey
Wie er sein weib het her genomen
40 Und wie er zu dem schimpf wer komen

[98.] 1. I *fehlt.* 26. *l.* hiß?

Und gancz gehört het drum und end
Und vor der thur het mussen stend.
'Dar um wellt ir den man han leben,
So wert ir euch ye dar zu geben
45 Daz ich euch auff der truhen nuz
Und das er auch merk sam ein schucz
Und auch ein weil ain aug zu thu.
Fraw, gept ir ewer gunst dar zu,
So pleipt euch leben ewer man,
50 Den ich sunst nit kan leben lan,
Wan er hat mir mein er gestoln,
Die ich mit nicht mer mag erholn
Dan daß ich im vergellte wider.'
Die fraw gund sich bedencken sider.
55 Die weil fragt er den in der kisten:
,Sol dir dein weib dein leben fristen
Mit dem daz ich ir det verkunden,
Oder sol ich dich in deynen sunden
Durch dringen mit eim gluenden eisen?'
[15r] Der in der truhen liß sich weisen
61 Und bat sein weib selber durch Got
In zu erneren vor dem dot;
Er wollcz verdin, plib er pey leben.
Allzo hat er das urteil geben.
65 Do gab sich in die schand sein weib,
Neur daz ir man pehillt sein leib.
Doch wollt er noch nit fahen an;
Sein weib auch vor der thur must stan
Und auch der kurtzweil nemen war,
70 Ob sie ir beider leben gar
Dar mit bewaren wollt vor sterben
Und peide dez dodez nit verderben,
So sollten sie peid auch horen on
Wie sanfft und wol im het getan
75 Daz losen an der kamer aussen!
Dar must sein weib auch sten und laussen.
Allzo bestellet ers mit listen
Und nam das weib des in der kisten
Und leit sie auff der truhen lid
80 Und fur ir gleicher weis auch mid
Allz er het seinem weib getan,
Und liß in dar nach ledig gan. —
Jo wollte Got das ez wer sit,
Wehn an seim weib genuget nit
85 Und dar pey het ein andre hollt,
Das im des gleich gescheen sollt!
So merkt ein yder gar gering
Wie nach ez im zu herzen ging,
Der im stel sein gefur und er,
90 Spricht Hans von Wurmß barwirer.

---

74. ez *vor* jm *durchstr.* tan *vor* getan *durchstr.* 75. thur *vor* aussen *durchstr.*

[99.]

Der arme Bäcker und die Edelfrau.

*E*in her auff einer purge waß,
Nit ver dar von ein peck auch sas,
Der sich vor armut kaum kunt nern.
Nun lag dar von ein holcz nit fern,
5 Des edelmannes waß der walld;
[15v] Do von dacht im der pek allz pald:
'Ich wil recht dar ein farn nach holcz!'
Nun waß des herren fraw fil stollcz
Des offt vom peken inen worn.
10 Die fraw gedacht im nach in zorn
Wie sie mocht unterfachen daz.
Ir her eins auß geriten waß,
Sein cleider sie fil pald an leyt,
Ein pfert sie dar nach uberschreit,
15 Vermacht mit fleiß ir angesicht,
Daß sie der pek sollt kennen nicht.
Zu im reit sie in walt fil drat;
Der pek erschrak daz er wart rot,
Und sprach: 'her, gnot mir an dem leben;
20 In ewer huld wil ich mich geben,
Dez winters kellt hat mich verderbt!'
Die fraw sprach: 'wan ich dich ersterbt
In einem thurn, daz wer dein lan.'
'Her, gnat mir,' sprach der arm man,
25 'E*ß* sol hin fur gescheen nymer,
Und sollt ich drum verderben ymer!'
Die fraw die sprach: 'ich schenk dir daz,
Ye doch daz du dich hutst dest paz,
So muz ich dich enwenig püssen:
30 Du wirst mich in daz flach antlit kussen.'
Der pek waß guter rede fro.
Die fraw gund sich ab nesteln do,
Der pek must sich hin zu hin buken
Und kußen hinten fur die luken.
35 Und in dem allcz sie ir auff laucht,
Do het in ye einß zwey bedaucht
Der locher weren mer dan einß,
Doch sweig er stil und mellt ir keinß.
Auff ir geperd er furbacz merkt,
40 Daz in in seinem fursacz sterkt
Daz ez ye nit der herre waß.
In im gund er behallten daz. —
Die *fraw* von im hin heymen kort,
[16r] Waz fro daz sie in het bedort
45 Und begunt sein ser do heim zu lachen
Und vor den meiden ein schipff drauß machen.
Der pek einer rechten zeit erbeit,
Pis aber einß der her auß reit;
Beschern liß er sich allz ein torn
50 Und wart sich swerczen allz ein morn,

[99.] 1. E *fehlt.* 11. Gedacht jr wie sie wendet daz *vor* Wie *gestr.* 22. ver *vor* erst. *gestr.* 25. E sol. 43. fraw *fehlt.* 46. *l.* schimpff? 50. wart *a. R. statt gestr.* liß. moren.

24*

Ein nerren cleit er im besan,
Zogt auff die purg und klopffet an.
Man riff her auß: 'wer clopfet do?'
Der nar der antwurt: 'ja je je ja'.
55 **Die mer kamen der frawen fur**
Wie daz ein nar stunt an der thur,
Der kunt nit anderz dan 'jo je je ja',
Waß man hallt mit im redet da.
Do sprach die fraw: 'pald lat in rein,
60 **Wirn welln heint frolich mit im sein;**
Frewt euch, ir meuß, die kacz ist auß;
Pringt in und lot unß leben im sauß!'
Man pracht den narn, dez worn sie fro,
Do lacht er und sprach: 'ja je je jo.'
65 **Do meintens er kund anders nicht;**
Pald eine zu der andern spricht:
'Lat unß versuchen waz er kan,
Wie mocht wir pesser kurczweil han?
Wir sint doch sicher daz erz nit sagt;
70 **Wan waz man redet oder in fragt,**
So kan er nichtz dan "jo je je jo."'
Zum ofen furten sie in do,
Daz in die werm an schin dest paz,
Wan er gar fast erkalltet was.
75 **Die fraw begund in selb an greiffen**
Und sprach: 'hen, hastu nit ein pfeiffen?'
Dez lacht er und sprach 'ja je je jo'
Und zeigt in pald sein pfeiffen do
Mit seinen beiden pfeiffenseken.
80 **Die fraw die schob in in ein eken**
[16a] **Und meint mit im zu scherczen allein;**
Ir het sein kunter pey dem pein
So wol gefalln do sies erkuckt,
Das sie sich unten zu ym schmukt,
85 **Und west doch nit wie siez an griff,**
Daz er ir einß zu dancze mit pfiff.
Das gewant sie hinten im auff laucht.

[100.]

[123r]

Pharetra contra iudeos.
Der köcher wider die juden.

Scherpfft die pfeyl, erfult die köcher, nider zuslaen die füchß die unsere weingartten zustrewen, und nembt daz swert des geists, das do ist das wort
5 **Gots, uff das das mit den czeugnußen des gesetz und der propheten der hochfertig Golias, das ist das judisch volk, gleich als mit seinem eygen swert werd überwunden!**

---

82. Sie *vor* Ir *gestr.* dē. 83. heyß gemacht *vor* wol *gestr.* 86. mit *üb. d. Z. nachgetr.* 87 *mit schwärzerer Tinte geschr.*

[100.] *Fettdruck bedeutet rote Schrift, Sperrdruck rote (seltener schwarze) Unterstreichung.*

Die vorrede. 'Dye weis frawe hat gebawt ir haus, aber die unweis würt das gebawet haus mit den henden czubrechen', spricht Salomon in dem buch der sprüche. Die heimligkeit diser wort wurt erkleren daz 10
nachvolgende gleichnus.

Ein gleichnus. Ein junchfraw des angesichts schon und wol geczirt was auf gestigen oder gangen von Jericho in Jerusalem zu opfferen Got dem heren, und in dem weg liff ir entgegen ein alte fraw mit einem gerunczelten angesicht und dunkelen awgen. Der selben weg und namen fragt die junch- 15
fraw und sprach: 'Was ist dein gescheft und wo gestu hin und wie heistu?' Die fraw antwort: 'Ich heys die sinagog, die jüdischheit, und was kummen in Jerusalem zu opfferen dem heren ein bock fur die sund, und von dem schein der son sein blod worden mein awgen auff sehen in die hoe; hir umb hab ich geirt in der wüstung on feuchtikeit des wassers und hab nicht funden den weg der 20
stadt der inwanung.' Der selben frawen erbarmt sich die oben gemelt junckfraw, und als si sich übet sye wider an den wegk zu füren, funden sye einen brun miltiglich auß eim fels flissende. Der brunne ist die heilge lere. Aber der fels was Christus. Der brun teilt sich in zwey flos: in die schriftlichen und geistlichen verstentnus. Nun czu der lincken seitten des floß au*f* das dür ertt- 25
rich fil nider die sinagog zu ruen, als si müd *[123v]* wer. Aber die schone junckfraw saczt sich unter einen fruchtbaren palmenbawm auff die eben des gras czwyschen die czwey flos, das ist czwischen die schriftlichen und geistliche verstentnus. Also die junckfraw vol der lieb fing an mit heylsamer ler zu unterweisen die sinagog, die auß erbet müd was, und sprach: 'Die wort mit den du 30
mir antwort gabst, als du mir am ersten begegest, merchstu die selben, so erkennestu das sie nit entberen der heimligkeit der warheit, wan du sagst du werst kummen in Jerusalem, das du opffers dem heren ein bock fur die sund. Nun ist wissentlich daz der bock ein stinckents thir ist; also stinckt auch dein opffer vor Got. Auch er gesprochen hat durch Ysaiam am 35
ersten capittel: "Ir solt nit mer opfferen daz opffer unnützlich, ewr rauch ist mir unmenschlich." David hat auch gesprochen: "Der betrubt geist ist Got ein opffer." Du hast auch gesagt dein augen sein gebrechenhaftig worden auf sehende in die hoe; das ist wol war: du hast verloren die erkentnuß des waren glawben; dar umb hastu geirt in der wustunnung von 40
dem rechten weg.'

Die sinagog oder judischheit: 'Wer bistu die mich mit solchen kleffischen reden darst schenden? Wan ich ein gebererin bin der propheten und patriarchen und han erczohen in meinem schaß die künig.'

Die samnung der cristen: 'Ich bin die cristenliche samnung als ein de- 45
mutige dinerin von dem heren außerwelt, in der die figur der patriarchen und

---

9. *Prov. 14, 1.* 18 *f.* der son *a. R. nachgetr.* 25. auß. 34. stickents. 41. weg *vor* rechten *gestr.*

weissagung der propheten erfult sin. Aber du als die hochfartig küngin Vasti bist von dem kunig der himmel versmet von der üppikeit wegen deins unglawben. Ich als die demutige Hester bin aufgenumen in den palast des kunigs.
50 Von mir ist gescriben: "Die kungin ist gestanden zu deiner rechten", *[124r]* uff das daz nach der weissagung Ysaie die verlassen der kinder von Israhel selick wurden. Hoer fleissig mein rede; ich wurd dir schencken das wasser der weißheit: "Audi tacens etc. hoer sweigende: so wirt dir von erwirdikeit wegen zu gehen gute genade." Nun wurd ich dir zum ersten erkleren die irsal ausem
55 thalmut, und ire betriglikeit wurd ich außreuten mit den czeugnusen der warheit. Wan wur umb? Du magtst nit an nemen den samen der warheit, es sint dann vor außgereut die doren und hüdhechel der falßheit. Dar umb spricht Got Jeremie am firden capitel: "Ir solt euch pflantzen newe frucht und nit sehen oder pfianczen auf die dornen." Zum anderen wurd ich öffen die lere
60 des waren glawbens mit den czeugnusen des gesetz und propheten. Zum dritten wurd ich antwortten über alle und ytliche dein fürhaltung.

Dise irsal sint von einem newen cristen auß dem talmut geczogen. Nun zum ersten legen wir auß die irsal des thalmuts. Talmut ist nach der außlegung ein lere und wurt geteilt in vir bücher: untter den wurt itlichs in gemein
65 genant zezer. Doch hat itlichs ein besunderen namen. Das erst heist Mochor, nach der außlegung genant "ein ende", zu latein "terminus". Der ander namen oder daz ander buch heist Nassym, zu teutzsch "weyber"; daz drit buch Cizassim, zu teutzsch "die heilligunge"; daz vird buch heist Jessuhor, zu teuschtz "die grüssung". Disen talmut seczen die juden fur den bucheren Moysi und pro-
70 pheten, und uff daz sye mer mogen czyhn zu glewben dem thalmut, hencken sye ein mer oder fabel an die andern und sprechen das Got lerne in dem thalmut. *[124v]* Dawider: wer dem also, so het Got nit die volkummenheit der weißheit, das do ist keczerey, wan daz widerspricht Jhesus Syrach in dem buch von der versmehung der werlt am ersten capitel: "Alle weisheit ist von
75 Got dem heren und ist bey ym gewest alczeit und ist von ewikeit." — Item: man list im cezer Mochor, daz ist im ersten buch, daz Got teglich wein umb die widerwertigkeit der juden zu grösser verdampnuß der cristen und daz zwey czer von seinen awgen tropffen in daz groß mere, und die selben czere nennen sye den schein der von den gestiren felt. Da wider: so Got weint, so ist er
80 hartzselig oder dürftig. Mag er sich erweichen in die czere, so ist er zu erbrechenlich oder zu erstörlich, wan ein ytlich verwandelich dingk ist zu erstörlich. Item mag sich Got ergeben in daz wasser der czere, so wer daz element, daz wasser, ein materig Gots, und so die materich ee ist dann das daz von der materi kunt, so wer auch daz wasser e dann Got. — Item: die juden sprechen

52. schencken *über gestrichnem* ppinabo. 54. gehñ. 62. geczogen *vor* Talmut *ausgewischt.* 68. grüssūg *vor* heilligūge *durchstr.* vird *a. R. statt* drit. 70. czyhn *a. R. nachgetr.* 73. keczer'ey. 81. von ods *an hellere Tinte.*

daz Got hewl oder grein als ein leb und klopff mit den füssen an dem himel 85
und beweg sein hewbt und sprech: "We, we mir daz ich mein haus hab lassen
zu einer wüstung werden und mein volk geseczt in die völker, und we den
kinderen die von dem tisch des vaters abgeschiden sint!" und daz Got teglich
bet für die juden. **Da wider:** wer dem also daz Got smerczen hat von der
verlassung der juden und mag daz nit wider brengen, so ist er hartzselig und 90
unmechtig. So er aber mag die verlassen juden wider czu im brengen und daz
nicht thun wil, so erscheint daz er nit trawrt. Oder wen bit er fur sye? Bit
er einen mechtigeren dann er ist, so ist Got in seiner magt nit volkummen.
Bit er aber einen unmechtigern, so ist er ein thor. Der ytlichs ist keczerey.'

[125r] **Die sinagog spricht:** 'Bis hy her han ich geswigen und bin ge- 95
dultig gewesen. Nun wurd ich auch reden und dir antwortten. Was ver-
wunderstu dich das ich sag mein Got vergiß die czer von meinen wegen, und
du sprichst das dein Got Jhesus sein fur dich gekreuczigt und hab sein blut
vergossen?'

Die kirch: 'Ich sprich Jhesum gecreuczigt in der menscheit in Got 100
angenummen, aber die gotheit bleibt alczeit unleydenlich; wie wol in einer per-
son Christi sint czwu natur vereint der gotheit und menscheit, als ich dir her-
nach beweren wurd; ye doch hat allein die menschlich natur geliden; wan als in
dem menschen sint czwey vereint wesenliche dinck, leip und sele, so mag doch
allein der leip verwunt werd mit dem eysen und daz blut vergiß, *ab*er die sele 105
nicht.'

Die sinagog: 'Waz verwunderstu dich auch daz ich gesprochen han
Got von meinen wegen trawren? Nun ist doch geschriben in dem buch dez
geschöph daz Got inwendig berürt worden ist mit swerten dez hertzen und
sprach: "Ich wurd abtilgen von dem antzlitz der erden den menschen den ich 110
han erschaffen, wan mich reut daz ich den menschen han gemacht."'

Die cristenheit: 'Wan die heilge schrift Got zu seczt menschliche leidung,
so reth sye durch ein gleichnus, gleich als der der do reut und traurt von einem
werck. Der hat fleiß daz selb anders machen oder zu brechen, so er daz mag
gethun. Also wurdt gesprochen daz Got gereut hab die erschaffung dez 115
menschen, do er yn wolt vertilgen. Aber wen Got trawrt von der gefencknuß
der juden, so wider ruft er daz bald. Aber so er daz nit widerrufft, erscheint
daz er nit trawret.

Was Got teglich wirck. Was Got thun und was er wirck teglich durch
die XXIIII stund, spricht rabi Moiß im cezer Naasim, daz ist in dem andern 120
buch: "Wen ein mensch spricht: "Ich leid, ich bin kranck"', in derselben stund
spricht Got im himel: *[125v]* "Ich leid an dem hewbt, mich smirtzt der arem,

85. dem] *oder* den*?* 86. sprech *vor* beweg *gestr.* volk *vor* haus *gestr.* 87. de. 100. gekreu *gestr. vor* gecr. 101. gotheit *aus* got *verbessert.* 105. oder. 118. er *vor* daz *über d. Zeile nachgetr.*

mir thut der bauch we oder der fuß'" und also von den andern glidern spricht Got also uber daz blut der unrechten, noch vil mer uber den smertzen
125 der gerechten, das ist der weysen im talmut." Die wider red: teglich thut den bosen und gerechten etwas we, dar umb hat Got alweg smertzen, dar umb so ist er nit heilig; daz ist lesterung. Wir predigen Christum ein mal gecreuczigt allein in menschlicher natur, nit in der gotlichen, und daz ist den juden schand. Aber sy glewben daz Got alczeit leid, und er doch spricht durch
130 den propheten Malachiam am andern: "Ich bin der her und verwandel mich nicht." — Item: in dem buch des außgangs am sibentten list man daz Pharao verfolgt Israhel bis an daz rot mere. Spricht rabi Samuel: "Zu derselben stund wolten die engel nach gewonheit mit gesang Got loben. Aber Samay, daz ist Got, sprach: "'Ir erfreut mich und singet lob, und die werck
135 meiner hend sint in vertürpnus der feind und werden versenckt in dem mere.'"" Die wider red: nicht hat Got versmet das loben der engel von vertürpnus wegen der juden. Auch ist Got nit verhindert worden zu helffen den juden von lobung wegen der engel. Dar umb ist war daz Ysaias sagt: "Der thor redt nerrische dinckg, und sein hertz thut boßheit in dem daz er glewbt nerrische
140 dinge." — Item rabi Aven fragt von rabi Juda: "Was ist das werck Gots?" Antwort Judas: "Der stunde des tags sint XII. In den ersten III stunden siczt Got und lernet im talmut. In den andern treyen stunden siczt Got in czweyen stülen und urteilt die gantzen werlt; und wen er siet die werlt verdampt, stet er auf von dem stul der gerechtikeit und siczt in den stul der
145 barmhertzikeit. Die dritten trey stund neret *[126r]* oder speyst er die werlt von dem einhoren bis auff den flogk. Die *virten trey* stund siczt er und spildt mit der slangen gnant Leviathan nach dem spruch David: "'Der drag, den du hast erschaffen in zu betrigen.'"" Wider daz erst ist vor fur gehalten. Wider daz letzt: sprech ich daz Got hartselich wer, so er im fur nem zu einem wollust
150 mit dem drachen spilen, daz wurdt auch von den mensch geacht fur snodikeit; wurdt aber hie an gesehen der schriftlich sin, so sprich ich daz der drag geschaffen ist, daz in betrigen die beswerrer, als man dann vindt in der natur. — Ñun fragt mer der vorgnant rabi was Got in der nacht thu. Antwort Judas, er thu als am tag oder steig auff in den kor cherubin, gee umb und uber lauff
155 durch achtzehen werlt leng nach dem spruch David: "Der wagen Gots in cherubin ist manigfeldig mit czehentausanten." Die wider rede: der uber lauft bald der an allen enden ist, der do spricht: "ich erful den himel und die erden." So aber not wer sich czu bewegen von einer stat zu der andern und möcht daz nit thun, er seß dann auff cherubin, so wer er swag. — Item: rabi
160 Alza spricht zu rabi Naaman: "Wiß das vor Got kein frewd gewest ist von der zeit als der tempel verlassen ward nach der weissagung Ysaie am XIII: "'Der

---

130. *vielmehr Mal. 3, 6.* 140. *oder* Anen. 146. virten trey *Roethe,* dritten vir *X.* 149. einē. 161. *vielmehr Jes. 15, 2.*

her hat gefordert in dem tag zu dem weinen und clagen, zu der entplössung dez hewbts und zu der gürtel des sacks.'"" Dar nach spricht der rabi Naaman: "Und also würt sich Got betrüben bis der tempel wider gebawet wurt." Da wider: ist kein frewd gewest bey Got, sunder trawrikeit, so ist kein selikeit, 165 daz doch ist keczerey und lesterung, wan David spricht: "Frewd oder wollüstikeit sindt in deiner rechten biß in daz end." Auch mere spricht David: "Die bekennung und schonheit in seinem angesicht." Mer: "Glory und reichthum in seinem haws." Mere spricht er: "Her, selich sein die die do wanen in deinem haws!" Wie möcht dann das hausgesinde selig sein do der herr wer in 170 trawrikeit? Das aber Ysaias *[126v]* spricht: "Der herr hat gefordert etc.", ist offenbar das er den juden trewet mit der pein umb ir sund willen; das aber bald hernach stet: "Geth von mir, ich wurd bitterlich weinen", die stüm laut nit in der person Gots, sunder dez prophetten, der auch weinende hat sich geflissen daz volk reyssen zu dem weinen der büß. — Item: rabi Ysaac fragt von rabi Juda: 175 "Was thut Got, das er nicht trawrig sein?" Antwort: "Er siczt und leret den talmut die kinder die do klein und ungelart sterben, als Ysaias sagt am XXVIII capittel: "'Welchen würt er lernen die kunst und welchen würt er machen versten das gericht? die entwentten von der milg und abgeczogen von den brusten.'"" Da wider: das ist keczerisch sprechen das sich Got übe mit der 180 ler der kinder im dar durch zu benemen sein trawrikeit, so er sie in einem augenblick möcht lernen alle kunst, als der prophet spricht: "Er hat gelassen daz fewr von der hoe in meinen gebein und hat mich gelernet." Aber das wort des propheten Ysaie ist zu versten das Got lernet oder unterweist die entwentten von der milg der wollust und uberessen und abgeczogen von 185 den brüsten der werentlichen begirlikeit, wan er het vor gesprochen: "Die prister und propheten haben nit gewist vor trunckenheit. Sie sint verczert von dem wein etc."

Die gotslesterung der juden. Die juden sprechen Got hab vil gesundigt, als man list in cezer Casassim, das ist im dritten buch. Uber daz wort im buch 190 der geschöpff: "Got hat geschaffen czwey groß licht, die sun und den mond" do spricht rabi Anania: "Der mond sprach vor Got ob es müglich wer daz czwen kunig brauchetten einer kron, "'daz ist daz ich und die sonne haben eine ere oder wirdikeit.'" Do sprach Got zum mond: "'Gang hin und mach dich geringer!'" Antwort der mon: "'Her Got, mit nicht sol ich mich mynner *[127r]* 195 dar umb daz ich daz wort geredt han.'" Do sprach Got: "'Ge hin und biß vor der nacht oder verweß di nacht!'" Sprach wider der mond: "'Was ist nütz die kertz zu mittag?'" Sprach Got: "'Ge hin, daz volk Israhel wurt in dir czelen die tage, die monad und jar.'" Und do er sagh daz daz gemüt des mond nit willig was, sprach er: "'Seczt mir auff die buß, wan ich hab gemynnert den 200 mon!'"" — Item: do man list in dem psalter: "Den ich gesworen hab in

164. ¶ *vor* Da. 180. keczer'isch. 183. mein*e*.

meinem czorn," do spricht im cezer Jessuhor, daz ist im virden buch, rabi Racha: "Got hat gesprochen: "'Ich han gesworen in meinem czorn von der umbkerung wegen Israhel, und es reut mich; brengt mir die absolucion und
205 gnad, aber welcher wurt mich absolviren?'"" Da wider: so Got darff der absoluczen und gnad oder vergebung, so feldt die sünd in Got, daz lesterlich ist zu reden, so doch Moyses spricht Deuteronomij in dem buch der veranderung des gesetz am XXXII: "Got ist getrew und on boßheit, gerecht und rechtfertig." Dar umb die do sprechen oder glewben daz Got mög sunden, die sollen
210 nach dem gesetz Gots versteint werden als Gots lesterer. — Item: uber das wort Jeremie XII: "Ich hab verlassen mein haws etc" spricht rabi Johel: "Es sint trey hutt der engel in der nacht, und auff der öbersten siczt Got, schreit als ein leb, weint und spricht: "'We mir, ich vermaledeitter han verlassen den tempel und die juden, hab lassen verwusten mein haus, han verbrent mein palast
215 und mein sone gefangen unter den völkeren der werlt!'"" Da wider: so Got weint und sich vermaledeit, so ist er türftig und unmechtig im und andern zu helffen; das zu glewben ist keczerey. — Item: rabi Johel spricht: "Von der czeit do Got verliß den tempel, bleib im ein stat vir elenbogen weidt; czwischen dem fal des tempels do selbst lernet er im talmut und übt sich teglich di kind
220 zu leren die ungelart gestorben sint, als man list im cezer Jessuhor." *[127ᵃ]* Da wider: So ein stat vir elenbogen weit Got begreuft, so ist er klein. Da wider list man im dritten buch der kunig am VIII: "So die himel und die himel der himel dich nit mögen begreuffen, noch vil mynner diß haws etc." Item: So er lernt im talmut, so ist er unwissen. — Item: rabi Johel spricht: "Wen die
225 juden ein geen in die hewser des gebet und der schul, so sprechen sye: "Sein grosser nam sein gebenedeit!'" und Got antwort, das ist einer auß den weisen an Gots stat: "'Selick ist der kunig den sie in seinem haus also loben.'" Dann antwortten sie alle als mit lesterung: "'We dem vater der gefangen hat sein sone, we den sonen die gefangen sint, we in die entperen des tischs irres
230 vaters!'"" Da wider: Moyses hat geredt: "Wer ubelspricht oder flucht dem vater, sol sterb des tods." Nun sye fluchen dem ewigen vater, dar umb sollen sie ewig sterb des leiplichen und geistlichen tods! —

Vom neyd der juden wider die cristen. Rabi Simeon spricht daz ein ytlicher crist durch kunst und kluckheit der juden mög betrogen werd on sund,
235 als man list im cezer Jessuhor, daz ist im virden. Spricht auch: "Den aller besten cristen tötten ist besser dann daz hewbt der schlangen zumürschen." Und dar nach: "Der aller best crist ist zu tötten als ein snoder und lesterer!" Da wider Josephus spricht in dem XVIII buch das der czwelfbot Jacobus gnannt ein bruder Jhesu also heilig gewesen sein das umb seins tods willen durch Titum
240 Jerusalem sein zustort worden und di juden in groß trubsal kummen. So nun Jacobus gepredigt hat die ere Christi do er ward geworffen von dem tempel,

---

207. deut'nomij. 234. das *vor* durch *gestr.*

und von der sünd seins tods Jerusalem zustort ist, als Josephus schreibt, erscheint das er die warheit gesagt hat, und das die juden swerlich sunden, wen sie die cristen tötten. — Item: man list auch im cezer Jessuhor, im virden, daz alle unrein wort sünd sein, on allein die wort die sich czihen in die smeung der 245 cristenlichen kirchen. Item: al lesterung ist den juden *[128r]* verboten on die lesterung der kirchen; dar umb haben si alle in gewonheit das si auch vermaledeyen die junckfrawen Mariam und nennen den fronleichnam Christi ein unrein opffer und flien wen si horen die glocken geen mit dem sacrament, und verspotten es. — Item: man list im cezer Cazassim das unter in ist gemacht ein ge- 250 bot von allen weysen das sie teglich in dem gebet das sie am kreftigsten achten, trey mal verfluchen die diener der kirchen, den kunigen und regirern und allen die den juden feint sint; das selb gebet ist im talmut und sol steen mit zu sammen gesaczten fussen gesprochen werd und in der selben weil nicht anders geret werd. Auch so yn ein slang am halß biß, doch sol er das selb gebet nit 255 unterbrech; und das selb gebet sprechen man und frawen zum mynsten trey mal am tag, und die wort des gebets sint die: "Den bekertten sol nicht hoffnung sein, und sie sollen al snelliglich zustreut werden und gemynnert in ein kleine zal und furbas nit wider auf steen, und alle feind deines volks Israhel sollen zutrent werd und das reich der schalkhaftigkeit der cristen werd außge- 260 reut, zubrochen und zustort; thu, herr, thu, erful das wir biten in unsern tagen snelliglich, snellichlich!" Dise maledeyung wurt gnant Minin. Da wider: das sie also teglich biten und schreyen und nit erhort werden, wan das reich der cristen nympt zu und sy ab, wurt erkant das sie unrecht beten, als Ysaias am ersten: "Got spricht: wen ir eure hend auß reckt, wurd ich mein augen von 265 euch wenden, und so ir vilfeldig macht ewr gebet, wurdt es nit erhoren, wan eure hend sint vol sund oder bluts." Aber an der cristenheit wurt erfult das wort "wer dir übelredt, der sein vermaledeit; und der dich benedeyet oder wolredt, der sein gebenedeyet." Auß dem erscheint auch das Got sye gantz verworffen hat die czu ym geschrien haben mer dann tausent und CCCC jar, und 270 hat sye doch nit erlost von dem gewalt der cristen, die er doch vor oft erlost hat vom gewalt der heyden. — *[128v]*

Von der schand des talmuts. Sye seczen auch etliche snode ding die graussam sint zu horen; ye doch das die irsal im talmut kundig werden den sie also gewiß und groß achten, bedünckt uns nit unnücz die beschreyben. Im buch des geschöpfs 275 am dritten sprach Adam: "Das gebein ist nun auß meinen gebeinen." Spricht rabi Elezer das Adam sich vermischt hab mit allen thiren, und da von sint kummen die wünderlichen menschen nach mancherley gestalt der thir und menschen. Dar auß beslissich das die eselin und der aff und der gleichen sint stiffmütter der juden.

Die sinagog spricht: 'Dar umb sint sye auch stiffmüter der cristen und 280 andern menschen, seidt mals Adam ein vater ist aller.'

---

262. *oder* nimin. 266. ir'. 267. sud od' bluts *a. R. nachgetr.*

Die kirch: 'Das volgt nit dar auß, wan allein die juden sagen und halten das und anders nymant. Item: Rabi Salomon spricht das vor der erschaffung Eve Adam hab ein haußfrawen gehabt mit namen geheyssen Lillis. Nun was
285 Adam von des verbotten holcz wegen von Got verbandt CXXX jar. In den selben jaren gebar er auß der haußfrawen Lilli allein teuffel; auß dem beslis ich das die teuffel sint bruder der juden und nicht der andern menschen, wan allein die juden, die iren vater verleümanten, sollen mit yn tragen die schand die auß dem ubeln leumant des vaters kümpt. Und dar umb die teuffel ir bruder sint,
290 so müssen sie mit in teylen die erbschafft der helle.'

Die sinagog: 'Das muß nit sein, wan wie wol Esaw und Jacob gebruder waren, so wolt doch Esaw mit Jacob sein erbteil nit teylen.'

Die kirg der cristen: 'Das thet Esaw dar umb wan er sorgt die myn-derung des erbteils; aber der teuffel hat vil in dem erbteil der würm und des
295 hellischen fewrs, dar umb teylt er gern mit in. — Item: Rabi Esaia spricht das die slang die Evam betrogen hab, hab sich mit ir vermischt. Dar auß ich be-slis das die slang ist ein stiffvater der juden. Dar umb volgen sie noch den slangen nach mit iren sitten, als David spricht: "Der czorn ist in nach der gleichnus der slangen, wan sie haben verstopft ir oren, das sie nicht horen teten
300 *[129r]* die lere Christi, wie wol sie wunder zeichen sahen." Auch spricht er: "Si haben ir czungen scharpf gemacht als die slangen"; und das in der anclagung Christi. Item mer "Die gifft der slangen oder trachen untter iren czungen"; und das in der lesterung der kirchen. — Item: rabi Avelyn spricht uber das trit capitel Geneß: "Er hat sie geschaffen den man und die frawen" spricht
305 das Adam auff der ein seitten sein gewesen ein man, au*ff* der andern ein fraw, und do Got sahe die ungestalt, hat yn alczeit gesmet oder veracht." — Item: Avelyn spricht uber das XIII capitel der veranderung das Moyses schickt czwelff ausspeer in das gelobt landt, das die tochter einß risen vom geslecht Enachim sye fing und saczt sye in dye gummen irs vaters, daz er sye all czwelf verczert,
310 ye doch durch Gots hilff wurden sie erlost und fluen. Das sahg die haußfraw des risen und wolt sye behalten und harmt als vil nach in das sie die fluchtigen gar nae ertrenckt het. — Item: rabi Avelin spricht uber daz drit capitel dez buchs der veranderung uber die wart "sein eys*er*ein beth, daz do hat einer menlichen handt neün elenbogen, wurt beweist oder geczeigt", spricht dar uber,
315 do Moyses solt töten den kunig Og von Basan, do het er ein beyel mit dem stil X elenbogen langk, und die leng Moysi was auch X elenbogen; da er nun slug den kunig Og, sprang er auff in die hoe X elenbogen und traff in kawm mit der verwundung bey den ferssen, daz er vill und starb. Von dem selben Og sprechen die juden: do er sahe die schar dez volks Israhel, nam er einen stein
320 einer ungehörten größ und legt in auff sein hewbt, daz er da mit nider slug daz volk Israel. Aber ein kleiner widhopff saß auff den stein und bort mit

---

299. horen teten *Roethe*, horenttū *X*. 303. 7. 12. *unsicher ob* Auelyn *oder* Anelyn. 305. auß. 313. eysenrein.

seinem snabel ein loch in den stein, daz er im uber daz hewbt an den halß fil,
und von stund wuchsen seine czen, daz er den stein nit mocht wider ab legen.
Do daz Moyses sahe, ertöt er in, als oben stet. Auch wurt gesprochen im
talmut, do der selb kunig erfault und die gepein tür wurden, daz ein *[129v]* jeger 325
einen hirß jagt ein ganczen tag in der waden rören. Da wider: die all sint
wider den text Moisi, der sagt Deuteronomij, daz ist in dem buch dez andern
geseez, am dritten daz sein eiserein bet hab einer menlichen hant IX elenbogen.'

Die sinagog spricht: 'Daz selb beth waz die wig seiner kintheit.'

Die kirch: 'Daz ist falsch, wan do die meinung Moysi was zu beschreiben 330
sein größ, het in nit beschriben nach der kintlichen groß, het auch nit gesprochen
daz beth, sunder daz betlein. Item: daz ist falsch daz Moyses sein gewesen
X elenbogen langk, wan der tabernakel den Moyses macht, hilt in der hoe
X elenbogen: dar umb so Moyses wer eingangen, so heth er mit dem hewbt
oben an gerürt. 335

Vom neid der juden wider die cristen. In dem tag Mardochei den die
juden noch halten XV. kal. martii, daz ist am andern tag nach Valentini,
als oft genant wurt Aman, zubrechen sie in der sinagog die hefen und sprechen:
"Als Amon vertilt wart, also werd bald zustort daz reich der cristen."

Was die juden halten von den engelen. Von den engelen sprechen die 340
juden daz Got teglich auß seinem mund blos oder edem vil tausent engel nach
dem spruch David: 'Der seinen geist macht engel.' Da wider: so Got auß
blest die engel, so sein die selben geist von der substantz und natur Gots oder
von einer andern. Sein si nun von dem wesen oder substantz der gotheit und
das selb wesen wurt furbas geteilt in vil engel, so wer Got teyllich durch vil 345
teyl in vil wesen; dar umb ist er auch zustörlich, dan ein ytlich teyllich dingk
ist zu störlich.'

Die sinagog: 'Nun wurt doch das fewr geteilt on sein zu störung.'

Die kirch: 'Daz fewr wurt nit geteilt on sein zu brechung, sunder von
dem fewr wurt ein ander matery entczunt. Sprichstu aber daz die engelischen 350
geist sind von einem andern wesen dan vom götlichen, so frag ich von welichem,
von der substancz dez lufts oder dez fewers. So der einß wer, so bedörft Got
daz sein natur wurt enthalten mit dem luft oder fewr, als wir bedörffen den luft
zu uns zihen durch *[130r]* di lungen, daz hertz zu erkülen und daz wir darnach
wider edemen. Wen es mit Got auch also wer, so wer Got unfolkummen; oder 355
wan her hat er geedempt oder den adem gehabt, ee er fewr und luft het er-
schaffen? Daz aber gesprochen ist im psalter "Der sein geist macht engel",
soltu also auslegen: Der sein geist, die von natur geist sint, macht engel durch
daz ampt, so er sie sendt uns zu dienen.

Was sie halten von den teuffelen. Von den teuffelen sagen die juden 360
daz sie leichnam haben, essen und trincken, werden gebert und geberen auch.

---

349. sunder *aus* sy *(?)*. 357. ist *üb. d. Z. nachgetr.*

Da wider: so sy geberen, so haben sye wesenliche leichnam oder begreüfliche leichnam, wan auß den leichnam von der luft möchten si nit geberen. So sye aber haben undurchsichtbar leichnam, wie mogen si ein gan in di menschen 365 und auß yn reden, als es unmüglich ist daz ein finger gen in den andern; wan als der naturlich meister spricht in den sex ursprungen, 'eß ist unmuglich czwen leichnam mit einander sein an einem end.' Item: haben sie irdische leichnam, war umb werden si nit gesehen, seitmals ein itlich leichnam sichtbar ist, der nit verklert ist?

370 **Von den selen.** Sye sprechen daz von anbegin alle sele erschaffen sint und das sie Got alle beyeinander habe. Da wider: der herre sprach zu Job im buch Job XXXVIII: "Wo warstu do ich saczt die grunt festen der erden, do mich lobtten die morgensternn", daz sint die engel, als ob er sprech. "Dan warstu nicht", und volgt er nach in text: "Mit nicht mochstu wissen daz du 375 solts geboren weren, und west auch nit di zal deiner tage.' Da durch wurt auch widersprochen die meinung da man sagt daz die sele alle dingk wissen, ee si eingossen werden dem leichnam.

Die fabel von dem engel des tods. *S*ye sagen vom engel dez tods, den sye nennen Malachinanet, der erwürgt die sterbenden menschen, der selb engel 380 sein einß gestanden bey einem man gnannt Josue, ein son Levi, und hab gesprochen: *[130v]* "Ich bin kummen daz du sterbst und daz ich nem dein sele." Der sprach: "Mit mein willen nit, du weisest mir dann vor daz paradeis." Den nam der engel auf sein flügel und furt yn daz er mocht sehen daz paradeis. Also sprang er von den flügelen dez engels und fil in daz paradeis. Dar nach 385 czwang yn der engel wider herauß zw gen und vermocht daz nit. Do nun der engel solchs Got clagt und er durch daz geheiß Gots solt beczwungen werd auß zu gen, do swur er nit auß zu gen. Also gab Got daz urteil: würd erfunden daz derselb ye in seinem leben het meineydt gesworen, so solt im sein gelüb nit helffen; wurd es aber nit erfunden, so solt er bleiben. Und eß ward nit 390 funden daz er in seinem leben wer meineydt worden; also bleyb er und lebt noch. Da wider: hye möchten vil für geworffen werd. Zum ersten frag ich von den flügelen dez engels von waz matery di sint, daz er alß oft geth durch den kreyß dez fewers und durch die feürigen luft und di flügel nit verbrennen.'

Die sinagoge spricht: 'Daz wurt verkummen durch die götlichen macht 395 im gegeben.'

Die kirch spricht: 'Mocht dann nit auch also die gotlich macht verkum daz der jüd on seinen willen nicht fil von den flügelen? Item: do er durch geheiß Gots ward beczwungen auß zu geen, verswur er nit auß geen. Da wider: Es stet geschriben im buch Hester: "Keiner mag widerstant 400 thun deinem willen." Und im Job: "Wer wider stet im und hat frid gehabt?" Item: Da wider daz er noch leb, frag ich ob er werd sterben.'

364. h *vor* aber *gestr.* 365. ist *üb. d. Z. nachgetr.* 378. ye. 379. *oder* malachinauet. 383. furt *aus* furst. 397. jüd *über d. Zeile nachgetr.*

Die sinagog: 'Nymmer mere.'

Die kirch antwort: 'Daz widerspricht David also: "Welcher mensch lebt und wurt nit sehen den todt?" als sprech er: keiner, wan wir sterben alle und fallen als daz wasser in daz erttrich, als gescriben stet im ersten buch der kunig am andern. Item im buch der versmeung der werlt am IX: "Eß ist nymat der allweg leb." Dise alle sint wider die juden, die sprechen *[131r]* daz Helias, Enoch und ir messias nymer werden sterben. Sprechen auch: "Wer dez talmut spot, der wurt mit einer schentlichen pein gepeinigt." War umb ward dann nit gepeinnigt der kunig von Franckreich der nit verspot, sunder alle bücher dez talmuts verbrennet in seinem reich? Warumb wurden nit gepeinnigt die gelartten die solchs zu richten im landt Franckreich? 405 410

Von der büchsen im talmut im ersten teyl, daz man nent benedeyung, über di wort im buch dez außganges "Du würst sehen mein hinter teyl, aber mein angesicht machstu nit sehen" schreiben die juden daz Got in dem hore trag ein büchsen an ein rymen gebunden, und daz der knopf dez selben rymen hinden an dem hewbt under dem hirn sein bevestigt, und in der büchsen sindt vir briflein, dar an sten gescriben daz lob der juden, aber oben am linken arem trag er ein ander büchsen auch also mit einem rymen angebunden, darin sein auch ein cart, die halt alle lobe der juden als die vorgnannt; und da von werd verstanden der spruch Ysaie am LXII "Der herr hat gesworen in seiner rechten und in dem arem seiner sterck," daz ist in seiner lincken, und sprechen daz Moyses den hut oder den knopf dez rymen der selben kron, den sye nennen den engel Muctaron, teglich Got auff sein hewbt leg. Da wider: daz gesecz sagt nichts da von. Meinstu daz Got daz lob der juden nit möcht behalten, er schrib eß dann an briff, und er doch spricht: "Ich bin der herr, der erforscht die nyren und hertzen"? Ich frag fürtter ob die bücherymen und cartten sint von der substantz, daz ist von dem wesen Gots, oder anders. Sint sye von dem gotlichen wesen, wie werden sie geschiden von Got, daz der engel sye Got auf secz und an bind? Sint si aber von einem andern wesen, frag ich von welchen? Und so Got bedarf einer frommen matery zu seiner zir, so ist er ungenügsam. Daz aber in vir carten oder brifen behalten sint die lobe der juden, bewer ich auß den schriften daz *[131v]* vil ee in den scheczen Gots behalten sint die vernichtunge der juden. Dan bei Got ist behalten ire sünd versmehung, item ir verwerffung, zum dritten die verachtung irer opffer, irer gebete und fest, zum virden die gotliche trawung über sye. Von der hassung Gots umb irer sund willen stet Jeremie am dritten: "Dir ist worden ein stirn einer gemeinen frawen und wolst dich nit schemen." Item im buch Exodi, dez außgangs: "Ich sihe daz diß volk ist einß hertten hals." Item Deuteronomij, im andern gesecz, sprach Moyses: "Ir seit alczeitt widerspennig gewest Got von dem tag do ich anhub euch erkennen; und ich han erkant daz ir nach meinem tod werd übel thun, und 415 420 425 430 435 440

409. *oder* pen? 420. be *vor* lobe *gestr.* 423. den (*vor* sye) *aus* dye *verbessert.* 434. sünd *über d. Zeile nachgetr.*

am leczten werden euch begegnen vil übel." Von den andern, daz ist von irer verwerffung, Jeremie XIIII: "Ob Moyses und Samuel vor mir stünden, so ist doch mein sel nit zu disem volk." Item Osee am ersten: "Ich würd mich
445 furbaß nit mer erbarmen des hauß Israhel; in vergessen wurd ich ir vergessen." Item: "Das haus Israhel ist gefallen und wurt nit zu geben wider auff zu sten." Vom dritten, von der verachtung irer opffer, Malachie am ersten: "Mir ist kein wil in euch, kein gab wurd ich nemen von euren henden; vom aufgang der sonne zum nidergang ist mein nam groß in den völkern." Auß dem er-
450 scheint die außerwelung der heyden und verwerffung der juden. Item: der herr spricht durch Jeremia: "Bit nit fur diß volk; wen sie werden vasten, wurd ich sie nit erhoren." Vom virden Deuteronomio, im buch der veranderung dez gesecz: "Du würst vermaledeit sein in der stadt, auffem acker; und vermaledeit wurt die frucht deines leibs, und du wurst ein ebenbild allem volk der erden,
455 und dein schand wurt nit abgetilgt in dir oder in deinem samen." Er treut yn auch mit der ewigen bein, Deuteronomio XXXII: "Daz fewr ist entczunt in meinem grim und wurt brennen biß an die letzten der helle." Dise al sint verborgen in der büchsen Gots. Dar umb stet bald er nach geschriben: "Sint nit dise dinck behalten bey mir und geczeiget in meinen scheczen?" Item
460 *[132r]* Ysaie am leczten: "Ir würm würt nit sterben."'

Die sinagog: 'Dise alle sint gesprochen wider das X geschlecht, die do abgingen von Jerusalem und volgten nach Jeroboam mit der aptgötterey.'

Die kirch spricht: 'Daz wurt widersprochen im anfang Ysaie: "Das gesicht Ysaie uber Judam und Jerusalem." Diß haben die LXX meister außge-
465 legt: "Uber das judisch lant, Judeam und Jerusalem, dar inne ist beslossen das gantz ertrich der X geslecht."'

[101.]

[159r] Daz lest oder gemein gericht wirt sein an dem end der wellt in der andern zukunfft dez hern Jhesu Cristi, zu welchem der her komen wirt durch einen gemeinen weg der gerechtikeit; wan allß sein ersti zukunfft ist gewesen zu einer erlosung der wellt durch einen gemeinen weg der parmherzikeit, und do
5 selbst kam er in offenberlicher parmherzikeit und in verporgner gerechtikeit, allzo daz gar wenig waren die in einen woren Got erkenten; aber in der andern so offenbar daz yder menklich in erkent, wan allz der profet spricht: 'Do wirt alles fleisch sehen waz der munt dez hern geret hat,' und ez werden uber in wein alle geschlecht dez ertrichs, und in allso sehend werden sie mit grausamen

Hinter 466 von selber Hand: wen hastu dilfono mökadisch gewesen, *darunter:* wen hostu den man an gepet.

[101.] *Dieser ganze Abschnitt sehr undeutlich.* 7. alle *vor* yder *durchstr.*

forchten und engsten umgeben. In der ersten zukunff ist Cristus allein komen; 10
aber in der andern wirt er nit allein komen, sunder mit allen scharn der engel
und mit allen sein allten dez folk, wellchz do sint all heillgen. In der ersten
zukunfft hot er die sunder zu im gefodert; aber in der andern wirt er sie
strenglich und zorneclich von im weisen. Zu der ersten kam er in grozer de-
mutikeit; aber in der andern wird er komen mit grozer majestet. 15

In der ersten sweig er und ist gedultig gewest; aber in der andern wirt er
zorneclich schreien uber die sunder.

In der ersten zukunfft hat er daz erfult daz der profet gesprochen hat: 'Er
ist allz ein lamp zu dem dot gefurt worden, daz seinen munt nicht auff dut,'
allz er selber spricht: 'Ich hab allweg geswigen und pin gedultig gewest.' Item: 20
aber in der andern wirt erfult daz do selbst hernach folgt *[159v]* 'und allz er-
schroklich her wider um wird ich reden' wan allzo spricht Davit: 'Her, wer
wirt dir gleich sein, wie sweigsti und vergilst nicht?' Allzo aber spricht der
richter zu dem sunder: 'Die ding hastu mir getan, und ich han geswigen; nun
arguir ich mit dir und stel mich wider dein angesicht.' 25

Aber die zukunfft Cristi zu dem gericht wirt in der beweisung der hoch-
sten gerechtikeit von suben aller grausamsten sachen wiln, die do gescheen. Daz
erst ist in der beflamung der ganczen wellt durch daz feuer, do von im psalm
stet: 'Daz feuer durchget sie in dem angesicht dez richterz.' Dar uber die gloß
spricht daz diß ein materglich feur sein wirt, durch welchs verprent wirt daz 30
antlit diser welt. Und die guten werden gereinget dar durch, aber die posen
verprenen einer verdamplichen pein dar inen. Und auß diser auctoritet oder
red hat man dreierlei wirkung diß feuerz.

Eine ist von den heilwirtigen, die werden gepurgirt von irn deglichen sun-
den; und von den detlichen dar uber sie rew und leit haben gehapt und gepeicht 35
und nit gepust; und daz dar um daz sie in dem gericht Got clar erscheinen.

Dye ander wirkung dez feuerz wirt sein pey den verdampten, die ez jemer-
lichen zu peingen und martern icz an wirt heben nach dem spruch sap. 5°: 'Mit
dem wirt streiten die irdisch wellt wider daz nit wissen welln der irdischen
menschen in irm gewissen.' 40

Die 3 wirkung dez feurs ist von den ellementen wegen, die ez leutern wirt;
und die vernemen nach dem spruch 2 Petri an dem lesten: 'Ez werden zu lassen
die ellement durch die hicz dez feuerz', allzo spricht die glosa: 'Allz fil wirt er-
hoch daz feuer vor dem gericht allz daz wazer der sintflis,' daz ist piz an die

---

12. vnd mit mit allen; den 24 allten *vor dem zweiten* mit *gestr.* 14. vnd z. *über d. Zeile.* 16. *das erste* er *üb. d. Z.* 18. *Jes. 53, 7.* 20. *Jes. 42, 14.* 22. wirt *(?) vor dem ersten* her *durchstr.* 31. antlit der diser wlt; wellt *vor* diser *gestr.* 38. sp*ℓ* sapē. 38 *f.* mit disem wirt streitē die jrdisch wellt wid' dem wirt streiten daz nit; *gestr. ist die Zeile* disem — wid' *und vorher ein* dem *a. R.* (*hinter* mit) *zugesetzt; der lat. Text Sap. 5, 21* (et pugnabit cum illo orbis terrarum contra insensatos) *heilt die Verwirrung.* 41. Daz *vor* Die *gestr.* 42. n. d. spr. *a. R.* 43. *nach* fil *ist* alz *gestr.* 44. allz zu dē g *vor* vor *gestr.*

45 host stat dez lautern lufftz himels, wan diß bedarff auch reinigen, wan der von unser sund vergifft ist worden nach dem spruch Johanis apost. am 21: 'Ich sach ein newen himel und ein newz ertrich', und Isaie am 3 stet: 'Und ez wirt der schein dez monß allz der schein der sunen, und daz licht der sunen wirt subenveltichlich clerer dem licht der 7 tag'. Und allzo wirt ein vernewung in den
50 *[160r]* materglichen dingen, daz ist in elementen, und in den wurklichen dingen, daz ist in den oberen cerpern, und welcher bewegung wegen geperung und zu storung gescheen, und die entlich sach ist der mensch, durch welchn diß allz geschicht. Und nach diser wurkung dez feurs nach dem do folgt daz gericht, dez enpfinden nit die erwellten, sunder sie werden dar in erkent unzustorlich
55 und unleidlich gemacht; und daz sint die die im fegfeuer gnug getan haben.

[102.]

[169v] Ich reit nun auß spaciren
Mit guten hunden fieren,
Do fant ich auff ein wasen
Gar einen schonen hasen.

5 Fort reit ich auff der heide
Gar in einer schonen weide,
Do sach ich gen mir keren
Ein starken willden beren.

Weiter ward ich reiten,
10 Do fant ich an einer leyten
Einen wilden hirssen,
Den selben wolt ich pirsen.

[170r] Ich reit noch paß hin dane
Gar ein wilde pane,
15 Do fant ich pey einer linde
Gar eine schone hinde.

Danoch wolt ich nit lassen,
Ich reyt ein krume strassen,
Do fant ich in ein leyne
20 Ein feistes wildez sweine.

Forter ward ich mich richten
Und fand unter einer fichten
Einen allten luchse
Und einen jungen fuchse.

25 Dar noch ich her wertz keret,
Da wort mir erst vermeret
Gar ein grosser hauffen
Schonez wildez her lauffen.

Dez pracht ich mit mir heime
30 Hasen, pern und sweine,
Hirß, hinden und ein luchse
Und auch dar zu den fuchse
Deß dank

Do lud ich fil der geste
35 Und gab in nur daz peste
Und den wilpret allen;
Daß det in wol gefallen
Daß ubrig

45. himels *a. R. nachgetr.* d^c v. *gestr. vor* der. 49. hoer *über* gleich, *beides gestr.*; *a. R. dafür* clerer. 51. cerpern *undeutlich.* 53. nach dem do *a. R.*
[102.] *Das Ganze sehr flüchtig geschrieben und oft nur zu erraten.*

[103.]

[187r] Judei dicunt deum studuisse in thalmüt.

Contra: hett Got gestudirt im thalmut, so wer er nit voll aller kunst, daz doch wer keczerey, und wider Ecclesiasticum in primo daz Jesus sey ein son Syrach und alle kunst sey von Got dem herren und pey dem albeg vor und ewig.

Jüden sprechen im puch zeczer Mochor daz unser herr alletag wein umb die 5 widerwerdikeiten der juden zw verdamnüß der cristen und von seinen augen vollen zwin tropfen, die mon pey der nacht clerlich sicht.

Contra: solt Got weinen, so wer er beiblich und arm, auch sorklich und totlich; und sollen vallen von seinen augen tropffen wasser, so wer daz wasser ein materia Goetz und vor Got, daz doch ist wider die naturlichen kunsten. Primo de celo do 10 wirt gesprochen daz von Got sint in wesen himel und die ganez natur.

So sprechen die juden daz Got als ein leb den himel mit den fussen stossen oder cloppffen sey und webegen sein haubt im zorn sprechen: 'hey, hey mir, daz ich mein hauß habe geseczt in die bustung und mein folk also gestrewt hab under die folcker, und hey den kindern die von dem tisch irres vaters genümen sint' und 15 daz er alletag bett fur die juden. *[187v]*

Contra: hetteß Got gereytt der juden streüung, so wer Got nit allmechtig; weder er mocht eß wider pringen oder nit. Mag er eß nit wider pringen, so ist er nit almechtig; mag er eß aber und nit will, so ist eß im nit laid. Und fur paß: pitt er ymat fur die juden ettwan, daz er pitt, ist mechtiger den er selber oder nit mech- 20 tiger: ist er mechtiger, so ist Got nit volkomen in seiner macht; pitt er aber einen der minder mechtig ist den er, so ist Got ein narr, daz doch nit ist.

Synagoga:

Ich habe lang geswigen, du crist. Sage mir: welches ist mer, sterben oder weinen? Du sagst dein got sey fur dich gestorben und gekreuczigt, so sag ich 25 mein got vergiß neur zeher wasser und nit plüt etc.

Ecclesia:

Jesus hatt zw natur, gotlich und menschlich: nach der und in der menscheyt hatt er vergossen sein plut und nicht nach der gotheyt, die unleidtlich *[188r]* ist: zw geleicher weiß als ym menschen zw natur sint, leib und sel: am leib leyt der mensch 30 und nicht on der sel, die unleidlich ist.

Synagoga:

Du, crist, sprichtst Got müge nichtz gerewen oder schmerczen? Spricht doch das puch der scheppffung: 'Ich pin werürt mit schmerczen inwendig meines herczen; den menschen, den ich gemacht habe von erden, hat mich gereut zu machen den 35 menschen.'

[103.] *Dieser ganze Traktat ist so flüchtig und undeutlich geschrieben, daß die orthographischen und lautlichen Details viel öfter zweifelhaft blieben, als das betont werden konnte.* 3. ecc̄. sey] *l.* seyt *oder* sagt? (*vgl.* 100, 73). 28. 30. zw = zwu. 29. unleidtlich *Roethe,* vnd leidtlich *X.*

Ecclesia:

Wen die haillig geschrifft Got zw aigt menschlich aigenschafft, das geschicht durch geleichnüß. Sunder so Got wolt nit die zwerstreuung der juden, so widerrufft
40 er eß, daz er doch nit thut und nummer thun wirdt, wan von anwegin hatt Got der herr die juden gehast und in verpoten zw essen alles daz gutt ist, wan von anwegin hatt er gebist daz eß ein verstockt, poß, plint volk ist. *[188v]* Juden sagen daz unser Got unmussig sey dag und nacht, wan die ersten trey stundt ym dag so studir er und leß ym thalmüt. Die anderen trey stundt sicz er auff zweien stullen
45 und richt die ganczen welt; und wen er sech daz die welt verdampt soll sein, so stee er auff von dem stull der gerechtikeyt und secz sich auff den stull der baremherczikeyt. Die tritten trey stundt so ernerer und in wessen halte die welt. Die leczten trey stundt des dags so spilt er mit dem tracken Leviathan.

Ecclesia:

50 Waß wer daz fur ein dergeczlikeyt Got zw spillen mit eim trach*en*, wan solche dergeczlikeyt ein furst disser welt hart thett!

Auch sagen die juden daz Got pey der nacht umb gee ym himell *[189r]* der cherebin und ge durch 18 welt der himell oder thu daz pey der nacht daz er pey dem tag thu.

55 Contra: wie mag der umb gen oder circuiren oder von einer stat zu der anderen gen der uberall ist, wan er spricht: 'himell und erden erfull ich.'

Auch sagen die juden daz Got fur die lange weill sicz im himell und leren die cleine knaben die gestorben sint u*n*gelert und ab gewent von der milch muterlicher prust.

60 Contra: eß wer keczerisch zw gelauben daz Got zw vermaiden traurikeyt lernet kinter, on geseben daz er in in einem augenplick und kurczer geben mocht alle künst. Daz wort Ysaias will daz Gott die die abgezogen sint von der milch der weltlichen wollust, underweiß etc. *[189v]*

Es spricht rabi Johal daz Got sprech: 'We mir und verflucht sey ich daz ich
65 verlassen habe meinen tempel und juden und bůst gelassen habe mein hauß, hab verprendt mein pallast und habe gefangen mein sün unter dem volk der welt und seÿ hutten auff der leczten hutte weinende und schreiente.'

Contra: wen Got weinet u*n*t schrire und verfluchet sich, so wer er unmechtig und mocht ym nit helffen und helffe doch anderen, daz do wer kezerei.

70 Auch rabi Johal sagt: 'So lang unser Got die juden verlaß, so hab er ein stat vier elpogen weitt und do lerner im thalmüt und yb sich teglich mit den kindern die do sterben one künsten.' *[190r]*

Contra: solt Got eine solche enge stat haben, so wer er meslich wegreifflich, do wider nicht ein lein unser gelaub ist, sondern die naturlichen maister und
75 nemlich Aristoteles summus philosophorum, do er sagt Got sey unbegreifflich etc., auch im puch der kunig 8°: 'so dich weder der himel noch die himel aller himel nit

---

39. die *vor* nit *gestr.* 40. np *vor* vnd *undeutlich.* 43. got *üb. d. Z. nachgetr.* 47. tritten *üb. d. Z. nachgetr., über undurchstrichnem* anderen. 50. trachtē. 58. vndgelert. 62. ȳs. 68. vt schrire *(?) sehr undeutlich.* 71. mit den *durchstr. vor* mit. 74. *l.* allein*?* 75. *vor* arist. *steht* R (= rex?), *nach* arist. S' (= summus?).

wegreiffen kunen, vill minder ein solche stat oder hatüß.' Und solt Got lerne in thalmüt, so wer er unwissént.

Auch spricht rabi Johel daz auff die dag, so die juden gin in die hatüser ir schul, so verfluchen sie Got den vater im himel sprechende: 'we dem vater der ge- 80 fangen hatt seine sone, und we den son* die gefangen sint und mangen dez tisch ires vaters!'

Contra: der seinem vater ubel spricht oder verflucht, soll sterben todts; so *[190v]* verfluchen die juden den ewigen vater, so sollen sie auch sterben dez ewigen tods leibs und sell. 85

Auch haben die juden ein gesecz, als sie lessen im Jessuhor, daz ein idlicher jüd wetrigen müg den cristen wie er mag, on sundt; und den pesten cristen zw toden ist vill pesser den zwtretten daz haubt der schlangen.

Auch haben sie ein gesecz im Cazassin daz ein itlicher jud trey mal im tag ver-fluch den cristenlichen kungen, dienern der kirchen und regirern und allen den in 90 feindt sint, und daz sint die wort der maledeiung: 'Den die von unß getretten sint vom glauben, sey kein hoffnüng *[191r]* und schnelichelig werden zw strewt in daz minst cleines, und sullen nit mer auff stin, und alle feindt dez volks von Israhel werden von einander geschniten, und daz kunigreich der schalkeyt der cristen auß burczell, zwstorst und prechst!' Daz sagen sie mit czamen gefugten fussen; und ob 95 einer sterben solt, so lest er sich nit ir machen: und daz thun mann und frawen: 'daz thu, liber herr, daz wir pitten und erfull daz in unsern tagen schnellichelig, schneligelich!'

Eß spricht rabi Eler daz Adam zu schaffen habe gehabt mit allen unvernufftigen thiren. Do von geporen sint affen, mauller und andre hesliche thir, die do stiff- 100 müter sint der juden.

So sprechen die juden: So Adam der erst mensch sey und habe solches *[191v]* gethon, so sey er ein vater nit allein der juden, sunder auch der cristen und alle anderen menschen: so sint die affen, meuller und andre thir als woll stiffmüter der cristen als der juden. 105

Ecclesia:

Daz sprech wir cristen nit daz Adam daz habe gethon, sunder ir juden; also bleibt ir affen immer und ewig etc.

Es spricht rabi Salon: 'E Eva wart geschaffen, do hett Adam ein weib mit namen Lillis C und XXX jar, do mit er gemacht hatt laüter detiffell. Dar umb sint die 110 teuffell prüder der juden; und auß not, so sie pruder sind, so teillen sie pillich daz erb der wesiczung der hell mit ein ander.

Sprechen die juden daz Esaw und Jacob auch pruder waren, und wolt doch Esau mit Jacob nit taillen daz erb. *[192r]*

Sprechen die cristen daz Esau sorg hett eß mocht ym geriwen; dez die teuffell 115 nit wesorgen, wan sie haben genug dez helischen feuers, daz sie gern taillen mit yn.

---

83. seinĕ. 87. on svndt *a. R.* 90. regirern *sehr undeutlich* (*vgl.* 100, 252). 92. *oder* schnelichclig *(ebenso 97 f.)*. 94. schlalkeyt. 95. czamen *unsicher*. 99. *l.* Elieser? (*vgl.* 100, 277). 107. juden *a. R. statt durchstr.* gutten. 109. *l.* Salomon? (*vgl.* 100, 283). 111. not *üb. d. Z.* 115. dez] *oder* daz?

Eß spricht rabi Esaia daz die schlang die wetrug Evam, zwhilt mit Evam, und darumb ist die schlang ein stiffvater der juden. Dez zw mer urkunt haben die juden gewonhait der schlangen: wen mon in die warheyt sagen will, so verstassen
120 sie die aren als die schlangen.

Eß spricht rabi Mehir daz Adam on einer saiten gewesen sein ein man, on der anderen seiten ein weib; und dar umb daz die juden iren ersten vaters also schenten und sagen er sey man und weib gebessen, so hatt er auch weibß kranckheyt gehabt, als noch sein sun die juden haben. *[192v]*

125 Eß spricht rabi Avelin daz Moises 12 speher schicket in daz gelobt lant, do waß eines recken dochter dez geschehcz Enachim, fing die XII und antwort die irem vater zw verschlinten, und doch entrunnen dem recken und die tochter sie nit wehalten mocht, do saiht sie nach yn so vill daz sie ertruncken.

Eß sagen die juden daz Og in dem streyt der kinter von Israhell auff seine
130 haubt für ein eissenhutt hett einen müllstein, und auß geschick Gotz ein withopfell macht daz loch am stein so groß daz der stein will dem Og an seinen halß. Do wuchsen ym so palt grosse zen daz er den stein nit wider von ym mocht pringen. Also wart er umb pracht von Moises zum that.

Eß ligen auch die juden also mer daz der selbig Og nach seinem todt so grasse
135 knyscheiben gehabt daz sich ein hirß dar under verporgen habe. *[193r]*

Eß ligen auch die juden so vill mer daz Moises sey zehen elpogen lang gebessen, daz doch nit war ist, wan sie sprechen selbß er hab gemacht ein tabernacell, der sey zehen elpoge lang gebesen; und solt er auch so lang gebesen sein, so hett er oben on gestossen.

140 Item om tag Mardochey des XV kal. marcy, als offt sie nennen Aman, als offt zw treten sie in irer synagoge haffen zw clein stucklin sprechende: 'Als der haffe vergee, so soll paldt vergin der cristen reich!'

Item die juden sagen von iren pruderen den teuffell daz sie corper haben, essen und trincken, geperen und geporn werden, daz doch nit ist; wen hetten sie lieb und
145 cörper, wie machten sie den in gen in die menschen, wan als wenig ein cörper in den andern mag gen oder ein finger in den andern. Auch spricht Plato daz die teuffel sint von windt, in den cörpern vernufftig, in der sell laidlich, in der zeitt ewig.

Auch sagen die juden daz alle sell mit einander von anwegin geschaffen sint, daz auch nit ist. Wan Job am 38 czw dem spricht Got: 'Wo pistu gebesen, do ich
150 geseczt habe die grundt der erden?' gleich sam er sprech: 'herr, ninart pin ich gebesen.' *[193v]*

Auch wen daz wer, so weren alle sell geschaffen voll künst, und waß wir konten, het wir als vor gebist, wan die sell ist ein werck Gotz, und so vill edler der werckmaister ist, so vill edler daz werck sein soll, so ist die sell ye edler mit allen
155 kunsten den ein kunst, und wen den die sell eingossen wirdt in den groben lieb, so vergist sie wider irer kunsten, und darumb spricht Plato daz daz bissen sey antiquorum reminisci, der alten oder vergessen widergedechnuß. Do wider ist Aristoteles sprechen daz unser sell, wen sie werdt eingossen in den lieb, sam ein reines teffelin, dar ein man schreiben mag gücz oder pesß; und daz ist war.

---

117. *über* rabi *undeutl. Wort.* 118. stiff *vor* vat' *üb. d. Z. nachgetr.* 119. verstassen = *verstopfen.* 125. Auelin *oder* Anelin. 126. geschehcz = *Geschlecht.* 150. ninart *undeutlich.*

Item sie sagen von dem engel des tods daz der wer erschienen Josue sun, do er sterben solt: 'Ich kum zw dir daz tu sterben solt und mit mir zw nemen dein sel.' Do sprach Josue sun: 'Ich gib meinen willen nit dar zu, den tu furst mich vor in daz paradiß und lest mich daz sehen.' Do nam in der engel zwischen sein flugell und liß in sehen daz paradiß. Do vill Josue sun in daz paradiß, und der engel wolt in herauß haben, daz er doch nit mocht. Do sprach der engel, Got het es gepoten er solt heraüß. Do schwür er, er wolt nit her aüß. *[194r]* 160 165

Do gab Got ein urteill; het er pey leben nye kein gelub oder aidt geprochen, so solt er pleiben im paradiß; het er aber geprochen, so solt er her auß. Do wart er gefudert daz er nie kein gelub oder aidt geprochen het; also pleib er im paradiß und lebt noch. 170

Contra dem in Hester: 'Quis est qui possit resistere voluntati tue? wer ist der der wider deinen willen mocht sein oder wil sein?' und Job spricht: 'Wer ist der der ym wider mag sein? nimat. und wir sterben all gleich sam daz wasser in die erden verschwint, so vergingen wir alle.' Und also sagen die juden daz der selbig sun nit sterb, zw gleicher weis Enoch und Helias auch nimmer sterben, daz doch nit ist. Und sagen daz ir mesias auch nit sterben wer, daz ist der entkrist; und allez die die ubelsprechen irren puchern, nemlich dem thalmut, der werd gestrafft, daz auch gelogen ist, wan ein kunig von Franckreich hatt nit allein thalmut ubel gesprochen, sonder seiner bucher verprent, und get ym gar woll als keinem könig in der cristenheyt; dar umb in die cristenheyt schreibt den aller cristenlichsten kunig. 175 180

Item: Got ist von anbegin den juden feindt gebesen; wan waß güt ist, daz hat er in verpotten, als hinter firteil am kalb, alle fisch die nit schuppen haben als er . . . . . . *[194v]*

Auch sprechen die juden wir sint ubertretter dez botz Gocz daz wir nit feieren den samstag und andre fest die sie feuern. 185

Sagt die kirch eß sey als propheticirt in den worten: 'Eß wirt daz menet auß dem manet.' Und so Got himel und erden verneüt, so soll sich der jud nit verbundern daz die fest sint verneüt und verbandelt und auch die gesezt.

Juden.

Wen unser Got macht ein neüe geseczt, so stet geschriben daz den der man sein hausfrauen nit mer lernet noch der pruder sein schwester und doch die cristen teglich predig heren und lernen. 190

Cristen.

Daz sol mon vorstin von den die haben enphangen den heiligen geist, der sie lernet alle warheyt. Eß mag auch gesagt werden daz wort 'eß lernet nit etc.' von den die do sint in dem standt der glori in dem ewigen leben, do lernet eins daz ander nichtz, wan sie Got sehen von angesicht zu angesicht. *[195r]* Und seyt einmal daz die juden so grosse dinck sagen von kunig Og, von Adam und Evam und nemlich sagenn daz wider die natur ist, in iren pucheren: daz die rudt Moisi sey gewandel 195

---

163 *ff.* padiß *immer.* 168. *das dritte* er *üb. d. Z. nachgetr.* 169. gefunden*?* *vor* padiß *ein undeutl. Wort gestr.* 172. oder wil sein *a. R.* 181. juden *undeutlich.* 183. *hinter* er *fehlt mindestens eine halbe Zeile, die abgeschnitten ist.*

200 in ein schlang im puch Exodi 6, auch im puch der zal 20 daz Moises schlug auff den felcz, do ging wasser raüß, auch im puch der zal c. 17 daz die düre rudt Arron habe gegrundt und geplüt, auch im puch Josue 3 daz wasser ym Jordan gestanden sey, auch ym puch der zal 22 ein eslin habe geredt, auch im puch Ysoie 38 daz die sun zw ruck gangen sey x stundt, auch im 4 puch der kunig 6 c. daz eisen habe
205 geschwumen auff dem wasser, auch ym puch der richter 6 c. daz wasser sint ensprungen aüß einem packen der eslin, — und tu irdische maulberff, barumb magstu auch nit glauben daz Got mocht machen daz ein juckfrawe mocht gepern? so daz vill wirdiger ist und mer cziren ist die gotliche majestet den dein grasst lügen, als tu sagst von Vehemoth und Leviathan, daz die sullen haben gessen tausent jar und
210 noch essen, so doch kein todter cörper keiner speiß wedurffen ist. *[195v]*

Auch tu gifftige natter, wiltu nit gelouben, so sie wie du zwstreüt pist in die werlt; wan darumb daz tu nit hast wollen horn daz wort Gotz, do geschriben ist: ‚Der nit hort oder horen will in meinen namen, dez recher will ich sein.' Ist nicht daz erfult durch Titon und Vespesion die Jerusalem zwstort haben und dein ge-
215 schlecht geteilt in die ganczen welt, daz doch vor lang hatt gesagt offenbar Daniel am 9: 'Cristus wirt gethet, und wirt nit mer sein sein volk daz in verlaugent wirt, und dein stat und hailtum wird wegnemen daz Romisch mit seinen zwkunftigen herczogen', daz ist mit dem Tito.

Daz Cristus sey geporn und kume, daz haben sie in iren geschrifften do ge-
220 schriben: 'eß wirdt der cepter nit genumen von Juda als lang piß der kumpt derin gelobt ist', daz den geschen ist zw den zeiten Herodes, der kein jud was, unter dem geporn wardt Cristus, der do wirt auß gelegt als ein prediger oder harrung der volk.

Juden.

Eß wirdt nit genumen von uns daz cepter, daz ist die rudt der maisterschafft,
225 die wir *[196r]* den noch haben.

Contra: daz cepter ist ein czeichen der kuniglichen wirt; und solt das cepter weteutten die meisterschafft, so het ubel gelobt Jacob daz geschlecht Juda, so do in allen andern geschlechten auch sint wesen maisterschafft etc.

Juden.

230 Wir haben noch ein kunigreich im auffgang der sunen.

Cristen.

Hett Got wollen daz ir hett gehabt ein kunigreich, so hett er euch nit vertriben lassen auß eurem kunigreich, als den geschriben stet im puch Deutronomij II: 'Es wirt dich Got zwstreuen in alle reich der erden und under als volk, do ir kein rüe
235 wert haben.' Hort, ir plinten hunt, wo ir seyt noch, daz ir doch kein ruhe habt!

---

202. vñ *üb. d. Z.* 205. geschwmē. 211. so *vor* wiltu *gestr.* 212. 213. *am Rand schwärzer* rach den Juden. 220. genomen (*oder* genumen), *stets ganz unsicher.* 222. *oder* pedriger? *sehr undeutlich.* *oder* harrug'? 227. *am Rande in schwärzerer Tinte* hie. die *in schwärzerer Tinte.* 230. *am Rande in schwärzerer Tinte* hie; *ein Randstrich reicht bis Z. 235.* 235 noch *am Rande.*

Juden.

Eß ist daz cepter vor Crist gepurt lang vor von unß genumen.

Cristen.

Eß ist war von der zeit Sedechie CCCCLXXV jar; aber dar nach ist eß durch den sun Mathatie wider bracht. *[196v]* 240

Wan der selbig Mathatias uberlebt seine pruder und het ein sun, do von geporen ist Aristobolus, der wider pracht daz cepter der juden und als in erbt, wan er gefurdt gebracht wart gefangen gen Rom durch Pampaio, und sein pruder Hircanus bart bohster bischoff oder prister zw Rom. Dez groster freund was Ydumeus, dem der kung von Arabia gab ein enicklin mit namen Cipris, do von geporen was Herodoe 245 Astolonica, der do nam Hircan und wurde gemacht von dem kaisser ein kunig der juden; und also wurt daz cepter genumen von den juden und zu den zeiten wart Cristus geporen.

Daz unß fraw als ein junkfrawen geporen habe. Du jüd, du sagst und gelaubst daz Got geredt mit Mose in einem brinnenten pusch, und der ist unversert pliben; 250 warumb glaubstu nit daz Got het mügen wehalten Mariam, daz sie geporen habe Jesum unversert? Her, jüd, mag Got nit mer den die sunn? Get die sunn durch daz glaß und cristal und bricht daz nit, barumb soll Got nit gangen sein durch die juckfraw on ire verserung, so die sun ist newr ein creatur? *[197r]*

Item: eß ist ee zu gelauben daz ein mensch werdt von einem menschen, den ein 255 mensch werdt von der erden. So spricht Moyses daz Got in vierley weiß hat gemacht den menschen: von ersten Adam ist gemacht auß der erden on man und weib; zum anderen hat Got gemacht Evam allein von dem man; zum triten macht Got teglich den menschen von man und weib; zum virten von der frawen on man.

Juden. 260

Ich gelaub nit daz Maria habe geporn Got, wan eß wer wider die wirdikeyt der gotlichen majestet daz Got sich solt geben in einer frawen oder junckfrawen totlichen lieb, so er untotlich ist und ewig.

Cristen.

Waß zweifelstu, schnoder jud? er hatt on alle wefleckung on sich genumen ein 265 totlichen leib und kumen ist von der reinen juckfraw on alle wefleckung. Und du, schweziger jud, sag mir: ist nit Got mer den die sunn, *[197v]* die auß ziehen ist oder durchgeen ist daz raiche one alle wefleckung. Item: eß hatt Got nit vertrossen oder graütt zwbonnen in einem brinnende pusch: vill mer hat in nit grautt zw wonen in dem leib der reinen und keuschsten jukfrawen der sel gemacht ist nach der 270 pildtung Gotz.

---

zu 241 *ff. cf. Josephus Bell. jud. 1, 21, 11.* 246. daz *vor* hirca *gestr.* 255. hie *am Rande. mit schwärzerer Tinte; ein Randstrich reicht bis Z. 259.* 266. totlichen *ist vielleicht durchstrichen.* 268. *Die beiden ersten Zeilen von 197v sind sehr verdorben.* raiche (*sehr fraglich;* wicht? wacht? = bäht) *am Rande statt durchstrichnem* wasch; *hinter* wefl. *noch nachgefügt* zw baichē (?) weflickūg?

Juden.

Ist Jesus ein furst dez fricz, mag ich nit verstin, so er selbst keinen fridt hatt gehabt; auch seiner jungeren hatt keiner kein rechten tot genumen.

275 Cristen.

Eß ist treyerley fridt: ein fridt do die menschen fridsamlich leben; daz ander ist ein fridt, daz ist die ruhe von sunden; der trit ist ein fridt der ewikeyt im himel, und darumb wirt Jesus woll genent ein furst dez fricz, wan er geporen bart zu den zeiten dez kaisers Augusti, do fridt was durch die ganze welt. Als David on Saul 280 stat kumen ist, also ist die kirch kumen an der synagag stat. *[198r]* Daz Got geporen sey von einer jukfraw, sagt die prophecy: 'Got dicht ein neues auff der erden. Eß wirt ein fraw umgeben ein man.'

Juden.

Daz ist nit neu daz ein fraw umb gibt ein man. Daz geschicht teglich.

285 Cristen.

Daz ist nerrisch geantwort, wan Got sprech nit 'daz ist neü auff der erden', so eß teglich geschicht, sunder ein junckfraw wirt umb geben mit irem juckfraulichen leib einen man, daz ist Got.

Juden.

290 Tu crist, wie magstu sprechen daz dein Got mensch sey, so David spricht ein itlich mensch sey ein lugner; und furpaß: eß ist nit Got als ein mensch, daz er verbandelt werdt, oder ein sun dez menschen, daz er lieg.

Cristen.

Daz David spricht al menschen lugner, daz ist war gebesen zw den zeiten do er 295 gelebt hatt. Do ist Got noch nit mensch gebesen, czw geleicher weiß wen man spricht: 'alle thir sint gebesen in der archa Noe' redt man neür von den thiren die di*nnen sind gebesen. [198v]*

Daz Got williglich fur uns geliden hat, probatur. Er ist geoppffert. Darumb: er hat eß selber gebölt und hatt nit auff gethon seinen mündt: 'von der sundt meines 300 volks wegen hab ich in geschlagen,' und hatt doch kein posheyt gethon. Eß ist auch kein wedrüg in seinem mundt gewesen.

Juden.

Daz ist als gesagt von Abraham.

Cristen.

305 Wie mag daz gesagt werden von Abraham, so doch Abraham gestorben ist vor tausent jaren und nemlich die prophecy: 'als ein lemlin wirt er gefurdt zu seinem thoedt', daz doch als gesprochen wirt auff zwkunfftig zeitt?

---

273. *ein Randstrich reicht bis Z. 279.* 276. freidt. 290. *Randstrich bis Z. 294.* 297. *Das Blatt unten beschnitten; dadurch die letzten Worte unleserlich.* 298. *Randstrich bis Z. 301.*

Juden.

In der hailigen geschrifft offt ein zeit birt genümen fur die ander.

Cristen. 310

Verschinende zeitt wirt offt genumen fur zwkunfttige zeitt, wan alle zeit, zwkunfftig, vergangen, ist als gegenbertiglich pey Got, und was zwkunfftig ist, ist schon geordniert pey Got, und weren offenbart den propheten als weren sie geschen. Die aber schon gescheen sint oder verschinen, die weren nit mer verkunt als zwkunftige ding. Daumb wirt das gesagt von Cristus. *[199r]* 315

Got durch sein todt hatt unß erloest. O ir juden habt in euren historijs daz Salomon ein jungen straussen weschluß in ein glas. Der alt strauß pracht ein burmlein auß der bustung mit namen Thamür, mit welcher plut er auff tet daz glaß und erlediget den straussen; welches wurmlin wetheut unseren herren, der mit seinem plut unß erlost hatt, wan von im birt gesprochen: 'ich pin ein burmlin und kein mensch' 320 und mit seinem plut die hell hatt prochen und die sel der gerechten erlöst.

Juden:

Wie mag Jesus die hell haben zuprochen und erlost die sell der rechten, so wir doch nit glauben daz die rechten gen hell steigen?

Cristen: 325

Vor unseres herren thot steig yder man gen hell; wie woll die rechten nit warden in der peinlichen hell, warden sie doch in der vorhell.

Juden:

Wie mocht Jesus durch seinen thot erledigen die anderen, der selbst schrei om creücz er wer verlassen: 'hely, hely lama etc., mein Got, mein Got, wie hastu mich 330 verlassen!'

Cristen:

Unser Got und herr west etlich keczer zukunftig, *[199v]* die burden sprechen daz er hett nit gehabt ein rechten leib, sunder einen wetriglichen oder fentestischen duncklichen leib, und darumb hett er nit wetage gehabt noch entphunnen om leib 335 keinen schmerczen. Und darumb so hatt er also geschrien daz mon hatt gemerckt daz er grossen schmerczen hatt gehabt, oder darumb 'mein Got, warumb hastu mich verlassen', daz ist 'warumb hastu mich also vill laiden lassen, so doch mein laiden on vill ist verloren.'

Juden: 340

Ist daz war daz Cristus also hatt geliten von den juden und sich nit als palt wolt rechen on in, wie ist den war die hailig geschrifft sprechende daz Got mit de*m* gaist seiner levsen werdt totden den unguttigen oder pessen, u*n*t Cristus hatt doch nimat gethoet?

---

318. 323. 329. *schwarzes* hie *am Rande.* 327. *das 2.* warden] warñ. 334. fentestischen *am Rande.* 342. *schwarzes* hie *am Rande.* de. vt.

345 **Cristen:**

O du irrische maülberff, bleibst noch in deiner plinheyt? hastu nit gehort er hatt sich geoppffert darumb daz er eß haben wollen, darumb daz er genung thet fur der menschen sundt, und darumb *[200r]* in der zwkunfft seiner menscheyt ist er nit kumen zw verdamen die menschen oder sel, sunder die sellig zu machen, und 350 dar umb wolt er sich nit rechen om kreücz, als er spricht selbst: 'wen ich wirt nemen die zeit, so wir ich rechtlich richten', daz ist on dem junsten tage. Oder verste daz er birt toten mit dem gaist seiner levsen den unguttigen oder pessen, daz ist der anticrist etc.

Juden:

355 Wir haben daz sein ruhe soll sein erlich: wie kon sein ruhe erlich sein gebesen so er nit wegraben ist geworden zw seinen vor eltern, auch nicz aigens hatt gehab, dar ein mon yn het gelegt?

Cristen:

O du falscher jud, sein ruhe ist woll erlich gebesen, wan sein leib ist gelegt in 360 ein schones newes grab, do vor niematz inne gelegen. Auch sein sel ruhet erlich in der vor hell, do er mit grosser er heraüß nam alle die die seines vaters willen hetten gethon; auch sein ruhe on leib, on sell ist erlich wan ewig in den himeln als ein warer Got und herr. *[200v]*

Juden:

365 Tu crist sprichst dein Got sey gen himmel stigen; ist er Got, so ist er nit allein im himel, sunder uber all, wan einer der auff steigt, der steigt von einer underen stat zu einer hoheren stat, so wer Got auch weweglich, daz doch nit ist war, wan Got ist uber all.

Cristen:

370 O du verstockter jud, hab ich dir nit vor gesagt daz zwu natur sint in Cristo, die gotlich und die menschlich? Nach der gotlichen natur so ist Got uber all, aber nach der menscheyt ist er auffgestigen nun als warer Got und mensch. Und darumb spricht Salomon: 'So dich der himel noch die himmeln aller himell nit konen wegreiffen und tu erfulst himel und erden'. Und also mag Got nit webegt werden von 375 einer stat zw der andern, wan daz zw glauben wer keczerey. *[201r]*

Juden:

Wen Cristus wer ein warer Got, als ir cristen sprecht, war umb ging er zum feigenpaum und suchet feige*n* und fant keine? Wer er ein warer Got, so solt er eß vor woll haben gebist daz der baum kein feigen hett gehabt.

380 **Cristen:**

Jhesus west vor woll daz der paum kein feigen hett, und darumb ging er zw ym und thet als ein sucher, und do er kein frucht nit fandt, nam er ursach der

---

352. *am Rande schwarzes* hie end krist. 355. *am Rande schw.* hie grepnis 365. dein *übergeschr., a. R. schw.* hie vrstēd. 377. *am Rande schw.* hie feigēpaum. 378. feigst.

maledeiung; und als pald durret der paüm auff daz daz er webeist daz ein itlicher mensch der allein die pleter hatt der wort und nicht der frucht oder gutter werck, sey vermaledeyt und verflucht als ir schnoeden juden. 385

Juden:

Eß spricht Amos om 9 c.: 'Der patt in himel seinen auffart und sein gelaub gegrundt hatt auff der erden' und euer Jhesus hatt euch verheissen: 'Wert ir sprechen zw den pergen: "perck, gee du herr", so geschicht eß, und wirdt euch cristen nichez unmuglich sein: was ir haist, daz geschicht'; daz wir juden doch noch nit sehen 390 von euch. *[201v]*

Cristen.

Im anfangk unsers glauben waß nott ein solchen grassen glauben zw westetigen mit bunderlichen zeichen, und vor so die *j*uden sich werimpten irres ler und gesecz und die haiden ser verbant waren irrer aptgotterey, do was nott daz do geschen 395 grasse zeichen czw verdilgen der juden plintheyt, auch die aptgottery der haiden. Wan eß was ein jud der den cristen wegert zw schaden, saget dem fursten czw Babiloni wie die cristen in irren evangelij hetten daz sie mochten gepitten den pergen daz sie gingen von iren steten. Do gepott der furst allen cristen die in seinen landen waren, und traüt in pey dem tot, neür sie erfulden daz daz geschriben 400 wer in iren evangelij, sie müsten sust gar sterben. Der patriarcha an dem selbigen ent gepatt zw fasten den cristen und daz sie wolten pitten Got daz er wolt wehutten sein volk, und forscheten fleissig ob ymat wer under in der do wer verdint pey in; also wurdt wedeüt ein hantwercker, der ym hett ein aug auß gestochen, wan sehende hettes in gelestert. Mainet der patriarcha er mocht *[202r]* erfullen und verpringen 405 solche gepott. Dem rufft er zw im und gepatt ym daz er in dem namen und crafft Gotz Jesu *thu* daz genung gesche dem fursten. Der sich sagt und schrey dez unwirdig. Doch czwn leczen aüß vermanung dez patriarchen sein willen dar zw gab aüß karsam und also patt in der crafft Cristi: hub der perck on sich zw webegen zw der statt. Do erschracken die sarracenen u*n*t paten yn daz er pett seinen Got daz 410 der perck nit sich weget zw der stadt der zw schaden. Daz geschach und der perck neigt sich zw einem andern perck; do pleib er. Nun seyt ein mall daz unser gelaub also aüßpreyt ist, so thut eß nit not süicher zeichen. Auch haben wir cristen teglich noch solche gnadt und miracell mit der außtreibung der possen gaist als wir teglich sehen, sunder solche gnade ist volkumenlicher gegeben gebesen den jungern unsers 415 herren den unß, nach dem sie den hailigen gaist entphingen. *[202v]*

Juden:

Die cristen sagen ir Got wehüttt sich und die kinder der kirchen, die er doch lest penigen, schlagen und gaissellen.

Cristen. 420

Der herr verhenckt daz die cristen werden hye gepenigkt zeittlich, auff daz ir lon dester grosser wert dort ewig. Und in den verlichkeyt dez leibs gibt Got den

---

384. gutter *vor* der w. *durchstr.* 388. *a. R. schw.* hie. 389. dv *üb. d. Z.* 394. guden. 400. erf. *aus* fulden. 407. *hinter* jhu *ergänzt Roethe* thu. 410. vt. 418. *a. R. schw.* hie.

seinen gedult hye und dort daz ewig leben, wan wen Got lieb hatt, den penigkt er hye, auff daz er dester mer verdin dort, als Got verhing uber Job den gedultigen,
425 den Got ser liebet von seiner grossen gedult wegen, wan durch vill wetribnücz gin wir in daz reich der himel und nit anders.

Von der tauff der cristen.

Die haillig tauff ist prefigirirt in dem alten testament, wan in dem virden puch der kunige list mon: Naaman Syrus von gepot und kaisam Helisey siben mall im
430 Jordan getaufft ist und also geranet von dem aufsacz; und wie woll andre *wasser* pesser, doch hyß er in sich baschen auß dem Jordan und nit auß den anderen wassern, *[203r]* und darumb daz die crafft der taüff im Jordan von ersten prefigurirt ist und do on gehaben und Johanes tauffet do wer wolt, im Jordan und vermant daz volk do zw den wercken der tugent, und wie die tawff nücze wer on lieb und
435 on sel. Und Herodes ließ toten Johanes. Darumb der gotlich rach cam uber Herode und seine volker etc.

Juden:

In der zeitt der tauff ist prophetirret daz Got spricht: 'In der zeitt der tauff wirt ich zwstreuen die nomen der aptgottereien von der erden, und ir wirt nit mer we-
440 dacht.' So habt ir cristen noch auff den heuttigen tag aptgotter und pildt in euren kirchen; wie wirt den die prophecy erfult?

Cristen.

Wir haben pildter in unseren kirchen nit darumb daz wir die on petten, sunder wen wir die onsehen, daz wir sehen und gedencken der gnad und baremherczikeyt
445 dez almechtigen Gotz, und daz unß solche zeichen dester ee raiczen zw andacht: und daz ist zwgeben ym alten testament im puch der zal om 21 c.: 'Do die kinder von Israhel mürreten wider Got sprechende *[203v]* "unser sell hatt grawen uber die speiß," do schicket yn Got fewre schlangen, durch welche vill kinder von Israhel tot pliben. Do patt Moises, Got wolte ab thon die grasse plog. Do sprach Got: "mach
450 ein erre schlangen und secz sie für ein zeichen; welcher geschlagen oder pissen ist von den fewren schlangen und on sicht disse, der wirt leben."' Und also ist eß geschen, und also mach wir auch pilt und czaichen in unser kirchen nit daz wir die onpeten, als vor geschriben ist etc.

Juden.

455 *Eß* ist geschriben daz nit allein verpotten ist sulche gegosne pilt on zw peten, sunder auch ist verpoten sie zw machen etc. *[204r]*

Kirchen oder cristen sagen:

Daz im alten testament verpott keinerly pildtung zw gissen oder zw machen auß czweien ursachen. Eine: die juden waren gancz geneickt zw aptgottereien, als
460 den daz clerlich alle ir pucher auß weissen, wan sie petten erene und guldene kolber

425. *oder* leibet? 428. *a. R. schw.* Tauff. 430. vaser. 432. vnd *hinter* wassern *am Seitenschluß.* 438. *Sach. 13, 2.* 445. *a. R. schw.* pild. 449. plog *schw. aus* ploc. 450. welcher *schw. aus* welche. 455. Est. *a. R. schw.* pilld.

on, welche kelber machet Laboam, und die ere schlang die in Moyses hett gemacht, die petten sie on so lang daz kunnig Sedechias kom und prach sie mit den anderen aptgottern; und darumb der almechtige Got müst verpergen den corper Moisi, do er gestorben was, daz die juden in nit onpeten als iren herren und Got. Die ander ursach: ee Got on sich nam die menschlich natür, kein leipliche pildung mocht 465 figurirt werden die do wedewt mocht haben die gotlich natür. Darnach aber do er *[204v]* die menschlich natür an sich hat gentmen und mit Got pliben ist, nit zw der pildung der ewigen gotheyt, sunder zw der piltung der menscheyt, nach welcher menscheyt woll pildt mag figuriren und machen, dar umb Moises zw beteütten etliche himelische creatür, macht zwin cherubin von golt, als geschriben ist ym puch der 470 ausgeng 32 c. und im triten puch der kunige om 6 c. Salomon hat auch gemacht in seinem petthaüß zwin cherubin von olivenholcz, und ym tempel Eczehiel waren gossen zwin cherübin, die do zweierley ongesicht hetten, eines menschen und eines leben, nach dem wir auch figuriren unser engel, daz doch auch wezeugt ewer Josephus, den ir doch halt, wie ein tugentsamer mensch sey gewesen unser Jesus 475 Christus. Dez lest, *[205r]* daz die juden verlassen sint durch den thot Christi, daz sagt David im 12 psalmen, sprechende wie die juden als paldt verlassen sint von ir posheyt wegen, wan warumb? daz sie daz unschuldig plut verdampt haben, und Got wirt in geben ir pescheyt, und in ir poscheyt wirt er sie zwstreuen, und zw strewen wirt er sie unser herr und spricht nemlich zwiret zwstrewen, wan Got strewt den 480 unreinen auch den ermsten. Item Daniel om 9: 'Christus wirt gethot, und wirt nit mer sein, *sein* volk der in verlaugent wirt, und ir stat und hailtum wirt weg nemen daz romisch volk mit Tito.' Wie Jerusalem zwstort ist durch Titum und Vespesionum, schribt Josephus k. XIIII: underen Tito sint gefangen zweimal hundert taussent und XV taussent juden, undt XXXV taussent juden sint verkaufft *[205v]* und die stat ist 485 so voll totder corper gebesen daz mon hatt nit konen gin auff die mawr zw Jerusalem. Item im Jordan sint ir erdrucken on zal, und vill hatt mon die peüch auff geschnitten die golt verschlünten, und vill taussend juden haben sich selb gethoedt, uber XXXV tausent, und do die stat on zünt bart, do lasch daz fewer auß daz plut daz do ran von den corperen; auch waß so grosser hunger zw Jerusalem daz die mütter ire 490 kinter assen. Josephus.

Die juden beren sehen am jungsten tage den sie gecreuczigt haben; und wie woll gestrafft sein, doch weren sie erst recht verdampt om jüngsten gericht. Den den richter beren sie sehen den sie gecreüczt haben, als Got selbs sagt durch Zacharia om 12: 'Si weren mich sehen den sie gecreuczt haben, und weren weinen 495 mit dem heullen oder weinen als uber einen eingeporen sun, und weren schmerczen haben uber in, als mon schmerczen hatt im tot dez eines gepornes sun'. Eß mag auch daz weinen gesagt werden von dem weinen, *[206r]* do die juden horten daz Got wer erstanden von dem tot und auff gefaren gen himel, als gelesen wirt in dem ewangely dez Nicodemi: 'in der zeitt wirt groß heullen und weinen zw Jerusalem.' 500

---

461. Laboam = Jerobeam *(3. Reg. 12, 28)*. 462. kom *üb. d. Z.* 467. hat *schw. über* got. mit] *l.* nit? (*höchstens* nút). 476. *am Seitenanfang großes* D *in* daz, *etwas kleinere Majuskel in* durch. 477. *a. R. schw.* pilld. ps *vor* psalm̄ *gestr.* 481. *oder* auch der? ermsten *ganz undeutlich.* 482. *das 2.* sein *fehlt.* der] *l.* daz? 484. Josehq *gestr. vor* Josephq. vnderñ. 486. mawr *a. R. mit Verw.* 488. vber *übergeschr.* 489. stat *a. R. mit Verw.* 491. H. Joh. *vor* Josephus *gestr.* 492. *a. R. schw.* kreuczüg. 493. *l.* woll sie g.? doch *über durchstr.* doch *(?)*

Von der zeugnuß dez creucz daz die juden verspotten. Ysaia om neündten 9: 'Got wirt auff heben ein zeichen in den nacion und wirt zamen samelen die zwstrentten von Israhel und die fluchtigen von Juda und wirt sie zamen lesen von den vier orten der welt oder erden'.

505 Juden.

Die heilig geschrifft ist fur uns daz unser Got uns zamen will lesen von den vier ortern der welt.

Cristen.

Jud, du verstest eß nit recht. Daz sint die menner von Israhel die den herren
510 erkennen; von euch spricht Got durch den Ysaiam om 1: 'Der ogß hatt erkent seinen wesiczer und herren und der essel die jug seines herren, daz Israhelis volk hatt mich aber nit erkant etc.' *[206v]*

Von der figur dez creücz.

In dem puch der ausgang der kinter von Israhel wirt gelesen: ‚Do die kinter
515 von Israhel komen in Marath, do mochten sie nit drincken die selbigen wasser, wan sie waren pitter, und daz volk mürmet wider Moisen. Der schrey zu Got, der weist ym ein holcz, und als paldt er daz in daz wasser warff, warden die wasser süß'. Und im puch der zall om 21: 'Do die feuren schlangen daz volk pissen, do auß gepotten Gotz hing er ein erene schlangen auff on einem holcz; alle die die sie sahen,
520 wuren gesunt'. Auch Eczechiel 9: 'Do unser herr schicket die sex menner gen Jerusalem und gepott do zw zeichen thav uber die stirnen der menner dez volks uber grausamkyt in der myt zu Jerusalem. Und Got sprach zw den sex mannen daz sie erschlugen alle menschen die nit gesignirt weren mit dem bustab thau.' Dar umb wolt Got daz die gerechten menschen burden zaichet mit thaw, *[207r]* wan thaw nach
525 den alten pucheren der leczt pustab im judischen abc ist unt birt geschriben gleich als daz creücz. Dar durch uns wetewt wirt daz in der erhebung dez creücz die geschrifft der judischen gesecz solt haben ein ent, als eß gescheen ist. zaichen thav T.

Juden.

Spricht nit ewer Jesus Mathey V: 'Ich pin nit darumb kumen zw prechen daz
530 gesecz, sunder daz zw erfullen'?

Cristen.

Do unser herr sprach er wer kumen zw erfullen daz gesecz, do webeist er daz daz gesecz der juden ler und onvollkumen wer, wan mon kon nichcz erfullen den daz daz vor ler ist etwan gancz oder on einen taill, wan daz gesecz hatt etlich pott
535 oder mandat die weren genant sitliche, etliche hoffliche oder ceremonalia genant, die er baitte hatt erfult, wan etc. *[207v]*

Juden.

Got hat uns vill verhaissen daz als noch nit erfult ist, als nemlich Jesaia 32: 'Mein volk wirt siczen in der schôn dez fricz, in dem tabernaccell der trewkeyt, in

---

501. *a. R. schw.* creucz. ȳs. 504. ordē *vor* orten *gestr.* 519. *a. R. schw.* zu samē samlūg d' judē. 524. *am obern Rande schw.* Thaw. 525. vt. 531. *a. R. schw.* gesecz. 537. *am obern Rande schw.* v'heissūg d' judē.

der reichen oder uberfleussigen rüe. Auch wirt ich seczen meinen tabernakell in 540
die mitt ewer, und mein sel wirt euch hinfur nit mer abberffen'. Item Jeremie: 'In
den tagen wirt erledig und sellig Juda.' Item Amos: 'Ich wirt sie pflanczen auff ir
aigen erden und wirt sie nit auß reütten hinfür von ir erden, die ich yn geben habe.'

Cristen.

Die ding alle sint erfuldt in den zwellfpoten, die auch juden sint gebesen, und 545
in den anderen kindern und sůnn der halligen kirchen; und in den wirt eß noch
alle tag erfuldt, als er selbst sag durch Ysayam 8: 'Herr daz wort in Jacob und ist
gefallen in Israhel', daz ist in die die Got den herren erkennen durch ein rechten
waren gelauben; *[208r]* aber die schnoeden pessen juden erkennen Got den herren
nicht, als Got selbst sagt und spricht durch Ysaiam 1: 'Der ochs hatt erkantt 550
seinen wesiczer und herren und der essell den paren oder crippen seines herren;
aber Israhell hatt mich nit erkannt.' Sint aber etliche dingk verhaissen den juden
die noch nit geschehen sint oder erfüldt, ist zw wissen daz offt von der sundt wegen
der menschen Got wider rufft daz daz er verhaissen hatt, als geschriben stett om
ersten puch der kunige, do Got der herr sprach zwm prophetten Hely: 'Reden hab 555
ich geredt daz dein hatiß und daz hatiß deines vaters soll dinen und in dinsperkeyt
erfunden werden.' Nun spricht aber der herr: 'Das sey ferr von mir! wan wer mich
erdt, den will ich glorificiren; die mich aber verschmehen, die weren on erkantt pey
mir' und vill andre der geleich. *[208v]*

Juden: 560

Warumb hatt ewer Jesus gesprochen: 'Himel und erden weren vergin, meine
wort aber nit', und als tu, crist, sagst Got der wider růff offt seine wortt und gelüb,
nemlich zw Hely 'dein haus und deines vaters hatiß werden dinen und in dinstper-
keyt sein' und spricht doch dar nach 'daz sey ferr von mir'.

Cristen: 565

Daz ist war: die wort Gottes die sint fest aüsß ursachen, doch so verwandelt der
allmechtig Got offt seinen sentenci aüsß verwandlung der ursachen, wie woll er sein
consili oder radt nimmer verwandeldt von seiner verwandlung seiner sentency oder
vrteill. So sich was Got sagt von den von Ninnive durch Jheremiam om 18: 'Wirtt
daz volk püß thon von seiner poscheyt, so wirt ich püß thon uber daz poesß daz ich 570
gedacht habe yn zw thon; und wirtt eß poesß thon in meinen augen, auff daz ich
nit hôre meine stim, so thu ich püsß uber daz gutt; als ich geredt hab, als thüe
ich in'. *[209r]*

Lieber Haller, ich habe fast geeilt und ser poesß geschriben; pittue mir daz nit
verunclinpffen, und wo ir eß nit lessen kônt, so schickt nach mir; oppffere ich mich 575
euch und all den ewren czw allen wollgefallen, wegirung und potten allczeit un-
vertrossen.

---

547. *Jes. 9, 8.* 557. ferr *(undeutlich) vor* fer' *gestr.* 560. *am oberen Rande schw.* daz die redt gotz pleib. 563. gelüb *aus* geleüb *verb.* 575. z *vor* nach *gestr.* mich *üb. d. Z.*

Verzeichnis der Töne.

Im ganzen sind 27 verschiedene Töne unter den Meisterliedern des Hans Folz vertreten. Am häufigsten der „unbekannte Ton“ (15 mal), danach Frauenlobs Grundweise (12 mal), der verborgene Ton Zorns (9 mal), die Schrankweise Folzens (7 mal). Von den durch Folz erfundenen Tönen sind nicht vertreten: der Teilton (8 Z.), die Abenteuerweise (20 Z.), die Tagweise (23 Z.) und die Kettenweise (51 Z.).[1]

Meist sind es Lieder zu 7 Strophen, jedoch kommen auch viele zu 5 und zu 3 Strophen vor. Meistergesänge, in denen eine größere Geschichte erzählt wird, haben 19 Strophen; so Nr. 32, 38, 71; Nr. 52 hat gar 25 Strophen. In 3 Teile zu je 7 Strophen sind Nr. 1, 34 und 75 geteilt. Die Bedeutung des Wortes Lied *ist schwankend. Folz gebraucht es meist in der heutigen Bedeutung (z. B. Überschrift von Nr. 18 und 62); Hans Sachs versteht in der Regel nach mhd. Sprachgebrauch das darunter, was wir heute mit „Strophe“ bezeichnen.*

Die Zahlen vor den Buchstaben im Tonregister geben die Silbenzahlen an. Bei Versen mit ungerader Zahl ist der Reim klingend, mit gerader Zahl stumpf.

I. Töne des Hans Folz.

1. Baumton.

7a 7a 7a 2b 7c	5	18
7d 7d 7d 2b 7c	5	
4e 4e 4e 7f 7f 7f 2b 7c	8	

Nr. 65.[2]

2. Blütweise.

8a 10a 4b 7c	4	13
8d 10d 4b 7c	4	
8e 8e 10e 4b 7c	5	

Nr. 55, 71.

---

[1] *vgl. Hartmann, Deutsche Meisterliederhss. in Ungarn S. 80, 98; Schröer, Germanist. Stud. 2, 214. 224.*

[2] *K. J. Schröer erwähnt in seinem Aufsatz „Meistersinger in Östreich (Germ. Studien 197 ff.) einen* banton *Folzens, der wohl mit dem „Baumton“ identisch sein dürfte.*

3. Feielweise.

4a 4a 7b	3	10
4c 4c 7b	3	
8d 8d 4d 7b	4	

Nr. 66, 68.

4. Freier Ton.

8p/a 8b 8a 8b 8c 8c 8d	7	28
8e 8f 8e 8f 8g 8g 8d	7	
8h 8i 10k 8h 8i 10k 8l 8m 8n 8m 8n 8o 8o 8p/l	14	

Die ersten Silben von v. 1 u. 28 bilden Pausen. Nr. 73.

5. Hahnenkrath.

11a 7a 7a 8b	4	16
11c 7c 7c 8b	4	
9d 5e 9d 5e 11f 7f 7f 8b	8	

No. 23, 32, 38, 52, 86.

6. Hoher Ton.

8a 4a 7b 6c 9d	5	21
8e 4e 7b 6c 9d	5	
8f 8f 8f 8f 8f 8g 4g 7h 8i 4i 11h	11	

Nr. 59, 78—80.

7. Unser Frauen Korweise des H. Folz.

3a 3a 4b 4b 6c 6c 6d 4d 4e 2e 6d	11	38
3f 3f 4g 4g 6h 6h 6i 4i 4k 2k 6d	11	
8l 8l 8l 7m 8n 8n 8n 7m 4o 4o 9p 8q 8q 4r 8r 7p	16	

Nr. 74.

8. Langer Ton.

12a 8b 4b 3c 6d 4d 4e 7f	8	32
12a 8g 4g 3c 6h 4h 4e 7f	8	
8i 11k 8i 11k 8l 6l 8l 8l 12a 8m 4m 3c 6n 4n 4e 7f	16	

Nr. 61, 63, 72.

9. Passional.

6a 7b 7b 4c 7d	5	23
6a 7b 7b 4c 7d	5	
8e 8e 8e 4f 4f 7g 7g 7g 4f 7h 7h 8f 7d	13	

Nr. 37, 77, 82.

10 Schrankweise.

8a 7b 8a 7b 8c 8c 4d 7e	8	28
8f 7g 8f 7g 8c 8c 4d 7e	8	
8h 8h 8h 4i 4i 8i 8i 8i 8f 8a 4d 7e	12	

Nr. 14, 36, 56, 58, 83, 84, 85.

11. Strafweise.

7a 6b 7a 6b 7c 7d	6	24
7e 6f 7e 6f 7c 7d	6	
7g 7g 6h 7i 7i 6h 7k 6l 7k 6l 7c 6l	12	

Nr. 53, 57, 81.

II. Töne anderer Dichter.

12. Flammweise Wolframs.

8a 8a 7b	3	13
8c 8c 7b	3	
8e 7f 8e 7f 8g 8h 8g	7	

Nr. 7, 95, 96.
Variation im Abgesang: 8d 7e 8d 7e 11f 7f 6g 6g. Nr. 20.

13. Grundweise Frauenlobs.

6a 8a 8a 8b	4	12
6c 8c 8c 8b	4	
11d 11d 7d 8e	4	

Nr. 6, 40—49: die Körner des Schlußverses jeder Strophe schließen je drei Strophen enger zusammen. Nr. 39: 6 Strophen, mit gleichem Korn.

14. (Hof)ton Prenbergers.

4a 8b 8c 7d	4	22
4a 8b 8c 7d	4	
8e 8f 7g 8e 8f 7g 4h 8i 4h 8i 4k 8l 8k 8l	14	

Die Reime von v. 15, 17, 19, 21 sind wohl Abweichungen von H. Folz.
Nr. 97.

15. Korweise des Mönches von Salzburg.

8a 4a 6b 8a 4c 4c 6d	7	26
8e 4e 6b 8e 4c 4c 6d	7	
8f 8f 8f 7g 8h 8h 8h 7g 8i 6k 8i 6k	12	

Nr. 54.

16. Langer Ton Marners.

8a 6b 8a 8b 8c 8d	6	27
8a 6b 8a 8b 8c 8d	6	
8e 6f 12f 6g 8h 8g 8i 6k 4k 6k 8k 8l 8k 8c 8d	15	

Der Reim von v. 5 : 11 ist Neuerung des H. Folz.
Nr. 35, 70, 75.

17. Langer Ton des Mönchs.

8a 8a 8a 8a 8a 8a 7b	7	26
8c 8c 8c 8c 8c 8c 7b	7	
8d 8d 8d 7e 8d 8d 8d 7e 8d 8d 8d 7e	12	

Nr. 1, 87.

18. Muskat plut.

4a 4a 4b 4b 7c	5	27
4d 4d 4e 4e 7c	5	
8f 7g 8f 7g 4h 4h 7i 8h 7i 4k 4k 7l 8m 4m 4n 4n 7l	17	

Eine Erweiterung des langen Tons Muskatblüts um 5 Zeilen (18—22).

Nr. 62.

19. Rohrweise des Pfalz von Straßburg.

Daß dieser Ton Folz zugeschrieben wird, beruht auf einem Irrtum des Hans Sachs.

4a 11b 8c 4c 7d	5	20
4a 11b 8c 4c 7d	5	
8f 7g 8f 7g 11h 8i 11h 8i 4i 7d	10	

Nr. 88.

20. Unbekannter Ton (Nestlers).

7a 7a 4b 7c 7c 4b 7d 8e 7f	9	30
7g 7g 4h 7i 7i 4h 7d 8e 7f	9	
7k 8l 11m 7n 7n 4o 7p 7p 4o 7k 8l 7m	12	

In der Colmarer Hs. (Bartsch S. 49f.) hat Nestlers Ton 2 Reime mehr (statt 8e vielmehr 5d 3e) und 8n 8n stumpf.

Nr. 4, 8, 10, 11, 12, 18, 19, 21, 34, 89, 90, 91, 92, 93, 94.

21. Verborgener Ton Zorns.

8a 8b 8a 8b 8c 6d	6	29
8e 8f 8e 8f 8c 6d	6	
8g 8h 8i 8h 8i 6g 4k 4k 4l 4l 6k 8m 8n 8o 8n 8o 6m	17	

Nr. 9, 24, 25, 26, 27, 29, 76. In Nr. 2 Tiradenreime, ebenso Nr. 3, wo nur 19—23 aus der gesamten Tirade herausfallen und unter sich eine solche bilden.

22. Vergoldeter Ton Wolframs.

7a 7b 6c	3	9
7a 7b 6c	3	
11d 11d 6c	3	

Nr. 51.

23. Verholner Ton Fritz Zorns.

Verse	Silben	Summe
8a 8b 8a 8b 8c	5	23
8d 8e 8d 8e 8c	5	
8f+2f 6g 8h 8i 8h 8i 8g 8k 8l 8k 8l 8m	13	

Nr. 15, 16, 17, 28.

24. Zugweise Fritz Zorns.

Verse	Silben	Summe
9a 12b 8c 11d	4	23
9a 12b 8c 11d	4	
8e 11f 8e 11f 8g 6h 10h 8i 10k 8i 10k 8g 10h 8g 10h	15	

Erste Silbe in V. 1 u. 5 sind Pausen. Nr. 5, 13, 22, 30, 33, 60, 64, 67.

25.

Verse	Silben	Summe
7a 8b 7a 11c	4	16
7d 8b 7d 11c	4	
7e 8f 7e 8f 7g 6h 7g 10h	8	

Nr. 31.

26.

Verse	Silben	Summe
6a 6a 6b 2b 6c	5	20
6d 6d 6e 2e 6c	5	
2f 1f 6g 1h 1h 6g 2g 5i 3i 6c	10	

No. 50.

27.

Verse	Silben	Summe
4a 4a 4a	3	10
4a 4a 4a	3	
4a 4a 4a 8a	4	

Nr. 69; vgl. den ähnlichen Ton 3.

Namenverzeichnis.)*

*) *Die Namen sind nach der Orthographie der Hss. alphabetisch eingereiht.*

*Wortverzeichnis.**)

abe (ab)] -draben 50 64; -dringen *tr.* 23 142; -gân *m. dp. u. gs.* 1 439, *unpers. m. dp.* 10 169; -kêren *intr.* 13 148; -lân 21 118. 83 26; -legen 12 84. 32 80. 59 55. 67 45. 68 99. 73 34; *-lenden (?) 10 183; -liegen *m. as. u. dp.* 71 90; -nesteln *refl.* 99 32; -rihten *tr.* 75 456; -sagen *m. dp.* 6 102. *u. as.* 84 41; *-schalten *intr.* 37 51; -schatzen 51 7; -scheln 75 304. 80 139; -slahen *intr. im preise heruntergehen* 33b 10; -stân *m. dp. oder ds.* 1 427. 25 40. 70 80; -stellen 57 12. 76 168; -sterben *m. dp. oder ds.* 52 336. 57 78; *-studieren 80 99; -tilgen 100 110. 455; -trîben 10 39. 23 137; -tuon *refl. m. gs.* 45 31; -twahen: ab zwüge 77 115; -wenden 10 186; -wenken 18 162. 52 394; -wîchen 58 44; -wischen 72 214; -ziehen *refl.* 8 38. 13 139, abegezogen *part. adj.* 100 179. 103 62.

abeganc *stm.* 21 27.

abekêre (abker) *stf.* 1 102. 18 188.

abelâz *stm.* 75 547.

abelegunge *stf.* 75 140.

âbentezzen *stn.* 1 1. 24 148.

aber *adv. wieder* 26 59. 38 128. 71 158. 214 *u. ö.*

*aberîzunge *stf.* 57 43.

abewanc *stm.* 1 251.

abewec : abweges *adv.* 32 15.

*abgesanc *stm.* 93 103.

abgot *stm.* 103 440.

abgötterîe *stf.* 78 32. 100 462. 103 489.

abschâch *stn.* 74 102.

*abschit *stm.* 8 205.

absoluzie *stf.* 100 204. 206.

absolvieren *swv.* 100 205.

*abstinieren *swv.* 25 27.

*accidenz 59 15.

acker *stm.* : ze a. gân 49 4.

adamas *stm.* 88 56; adamant 87 49.

adelar *swm.* 9 187 *u. ö.*

âder *stf.* 37 77.

affe *swm. Tor* 45 33. 53 211.

affenspil *stn.* 23 140.

aht *stf. Beachtung* 8 82. 19 47; aht nemen *wahrnehmen* 13 120. 28 90; in a. haben 5 52.

ahten *swv., m. gp.* 40 36. 94 144; *m. gs.* 52 31; *m. ap. u.* ze 10 155.

ahtunge *stf.* 32 248.

albestan = abestôn 75 310.

*alhimelisch *adj.* 60 35.

allesament (allesant) 26 46. 27 145. 35 182. 96 12; allsamet 10 131. [23 75. 26 7. 90 56; allsander 41 31; allesane 86 69.

allewec (alweg, alwegen) 73 123. 75 312. 91 122.

*almaht *stf.* 13 35.

almehtec *adj.* 13 33. 34. 36. 37.

almehtecheit *stf.* 18 65. 34 80.

âlôe *stn.* 1 340.

als *nach Compar.* 3 38.

altvater *stm.* 3 44.

âmaht *stf.* 1 229. 255. 6 98.

ambet (ampt) 26 23. 42 34.

âmehtecheit *stf.* 18 30.

âmeize *sw/m.* 86 66.

âmeizhûfe *swm.* 7 5. 14.

ametiste *swm.* 87 46. 88 55.

amme *stf. (von Maria)* 4 22. 8 161. 12 20; *swf.* 81 48.

ammen *swv.* 67 47.

andæhtec *adj.* 78 1; -lîche *adv.* 1 36. 11 91. 52 6.

ande *stf.* 2 30. 28 26.

ane] *-beginnen 16 6. 19 69; -beten 80 52; -biten 16 68; *-brüedern *m. ap. u. dp.*

---

*) *Das Register legt durchweg möglichst die mhd. Formen Lexers zu Grunde.* p *bedeutet 'Person',* s *'Sache'. Sterne kennzeichnen Worte, die bei Lexer fehlen. Mhd. geläufige Worte und Bedeutungen, die nhd. aussterben, werden, insofern sie bei Folz noch häufig vorkommen, durch einzelne, gelegentlich herausgegriffene, also nicht vollständige Belege nachgewiesen.*

74 11; -erben 75 141; -gân 10 182; -gesigen 9 34. 93 146; -grifen 71 141; -haften 33 155. 35 162; -halten 52 159; -hangen *m. dp. oder ds.* 6 126. 8 196. 15 47; -heben 6 68. 10 65. 101 38; -henken 9 45; -komen *m. ap.* 6 63; -muoten *m. dopp. acc.* 34 4. 90 130; *-nageln 27 94. 80 125; -nemen 13 94, *refl. m. gs.* 4 189; -nîden 11 18. 84 34; -rennen 2 47. 6 99; -rîmen 89 69; -rîten 41 28; -ruofen 6 112. 9 97; -sagen 31 64; -schouwen 12 124. 52 310, *subst. inf.* 12 124; -sehen 23 86; -setzen 4 110; -sprechen 32 101; -stân *ruhen, Halt machen* 3 59. 12 79. 25 67; -stechen 77 121; -stôzen 47 27; -treffen 10 20. 26 67. 28 47. 68 54; -vâhen 29 67, *rfl.* 85 36; -vehten 3 44. 6 1. 100. 8 191. 9 68. 10 122. 38 69. 75 21; -vinden 12 77; -wenden 25 59. 48 18. 76 148; -zannen 2 44. 95 96; *-zeigen 81 16; -zemen 71 132; -ziehen *anklagen* 32 96.
âne *Präp. c. Gen.* 17 49. 18 43 *u. ö.*
anebegin *stm.* 21 2. 34 231; anbegint 35 60.
*anebetunge *stf.* 35 163.
anegenge *stn.* 66 18.
anehanc *stm.* 46 18.
anehangunge *stf.* 90 8.
ânendelich *vgl.* unendelich.
aneschouwen *subst. inf.* 12 124.
anevanc *stm.* 91 111.
anevehter *stm.* 13 142. 14 22.
anevehtunge *stf.* 8 171. 9 94.
angelweide *stf. Angelköder (?)* 84 113 (*vgl.* ougelw.).
*angepiht *part. adj.* 5 123.
anger *stm.* 6 129. 135. 12 131.
anker *stm.* 33 154.
*anklagunge *stf.* 100 301.
annemunge *stf.* 60 54.
annîdunge *stf.* 56 9.
antikrist *stm.* 103 353.
ânvar *vgl* unvar.
ânwandelbære *vgl.* unwand.
anzal *stf.* 18 154.
anzeigen *stn.* 80 110.
*appellazen *swv.* 5 88.
appellieren *swv.* 13 115.
ara celi 78 52.
arc *adj.* 1 292. 9 63; *stn.* 3 50. 88 23.
arguieren *swv.* 10 62. 101 25.
argument *stn.* 53 79.
arke, arch 58 94. 74 92. 87 22; *stf.* 53 15. 57 17; *swf.* 53 5. 7. 84 65; gottes arche 57 17. 84 65.
*arômazîe *stf.* 74 67.
artikel *stm.* 8 103.
arzenîe *stf.* 8 187. 96 88.
âs *stn. Fleisch eines Toten* 1 410.
ætemen *swv.* 100 355. 356.
atz *stm. Nahrung* 2 71.
âventiure *stf.* 7 12. 38 229. 88 14. 95 1.
âz *stn. Speise* 63 19.

bache *swm. Speckseite:* dor umb wurff ich die wurst wol an den pachen 40 83.
backenslac *stm.* 1 73. 27 47. 59.
bader *stm.* 9 27.
balle *swm.* 7 81. 10 111.
balsamsmac *stm.* 74 187. 87 15.
ban *stm. Bann, Gebot* 12 117. 14 88. 63 30.
banc *stf.:* *banks halben *adv. unehelich* 96 70.
banen (benen) *swv. bahnen* 1 437.
bar *stn. meistersängerisches Lied* 75 377. 89 112. 91 13. 15. 93 110.
barbierer *stm.* 20 70. 32 304. 52 307.
barel *stn. Pokal* 74 169.
barete *stn.* = biretum 31 4.
barmeclich *adj.* 57 78.
barmherzecliche *adv.* 30 10.
barmherzekeit *stf.* 52 180. 221.
barmunge *stf.* 14 137. 24 200. 34 37. 47. 611. 52 55. 287. 272. 58 137. 72 169. 207.
barn *stm. Krippe* 103 551.
barvuoz *adj.* 90 125.
basilisk *stm.* 34 205.
bat *stn. bildl.* 8 308.
batze *swm.* 2 68 (?; *vgl.* paz).
baz *adv.* 17 80. 23 29. 25 50. 31 16. 48 *u. o.*; aller paste 23 35. 78 99 *u. ö.*
becke *swm. Bäcker* 99 2.
bedenken: im einen sin b. 71 97; *m. gs.* 80 128; *erdenken* 90 86.
bedingen *swv.* 90 22.
bediuten *swv.* 20 6. 55 36.
bediutnisse *stf.* 74 180.
bedunken *swv.* 97 37. 53.
begâben *swv.* 5 66. 50 58. 58 1. 80 64. 82 26; mit streichen b. 95 27.
beger *stf.* 4 167. 80 119. 131. 134. 97 50.
begerde *stf.* 10 146. 14 140.
begir *stf.* 32 15. 50 27. 70 61. 97 98.
begirlîcheit *stf.* 100 186.
begnâden *swv.* 3 2. 11 141. 12 69 19 99. 54 38.
begriflich *adj.* 100 362. 103 73.
begrîfunge *stf.* 27 39.
begrüezen *swv.* 75 378.
*behac *stm.* 1 349. 26 27.
behagen *swv.* 91 148.
behalten *stv.* 38 80. 58 140; *vorbehalten* 34 411; *bewahren m. ap. u.* vor 36 90.
behaltnisse *stf.* 24 119. 75 540.
beheften *swv.* 55 50.
behelf *stm.* 14 41.
behelfen *stv.: part. praet.* beholfen 32 186. 73 139.
behende *adj. klug* 6 73. 24 75.
behûren *swv. überwältigen* 86 51.
behûsen *swv.* 55 95.
behûsunge *stf.* 15 12.
beiten *swv. warten, verzögern* 62 43. 94 62; *subst. inf.* 20 26.
bekennen *swv.*: ein frag mit antwort b. 48 14; bekant tuon 75 272.
bekennunge *stf.* 100 166.

beklagen *swv. anklagen* 32 154.
bekleiden *swv.* 77 31 *(?)*
beklîben *stv.* 19 35. 23 160. 36 126. 52 79. 55 86. 58 79.
bekomen *stv. kommen* 34 100. 68 23.
*bekriuzen *abmühen: refl. (?)* wer sich hy mit dem loch pekrücz (:schütz; *vgl.* bekützen; *oder zu* bekroten ?) 83 34.
bekumbern *swv. refl.* 13 126. 53 200.
bekumbernisse *stf.* 6 18.
*bekützen *swv.:refl.* keinr parmug dich bekucze (*vgl.* bekriuzen) 52 55.
beleiten *swv.* 1 331. 8 51. 20 25. 74 188. 79 103.
belîbelich *adj.* 33 108.
belîbunge *stf.* 24 57.
belzen *swv. pfropfen* 36 47.
*bemelden *swv.* 34 21.
benahten *swv.* 52 251.
benedîen *swv.* 11 113. 31 24. 35 166.
ber *swm. Bär* 2 57. 102 8.
ber *stnf.* 41 31.
beracht? 3 46.
berhaft *adj.* 29 81. 88.
bern *swv. schlagen* 39 58.
berüemen *swv. tr.* 75 170.; *refl. m. gs.* 90 113 *(?)*.
*berüemunge *stf.* 9 74.
berüeren *swv. bildl.* 76 3. 12 108. 17 70. 132. 23 103. 34 446. 64 1. 81 27. 69. 82 2.
besachen *swv.* 1 55. 4 75. 32 86. 90 121.
*besæligunge *stf.* 72 223. 76 185.
beschaffen *swv. erschaffen* 4 109. 13 48. 18 13. 33 30. 33. 55 7. 64 11. 66 17.
beschaffenheit *stf.* 13 31.
beschaffunge *stf.* 28 32.
beschehen *stv.* 91 30.
beschenken *swv.* 74 44.
beschepfunge *stf.* 67 12.
beschern *stv.* 43 15. 99 49.
beschern *swv. zuteilen* 14 106.
beschirmen *swv.* 1 312.
beschit *stm.* 12 33. 16 34. 28 12.
beschiuren, beschûren *swv. schützen* 75 450.; *refl.* 10 196.
beschœnen *swv.* 88 47.
beschouwenlîche *adv.* 12 189. 82 120.
beschrîbunge *stf.* 75 233.
beschrîen *stv.* 72 96.
besemsmitze *swf.* 57 41.
besenden *swv.* 34 397.
besinnen *stv. m. as.* 2 12. 11 77. 15 26. 21 58. 34 341 *u. ö.; bezeichnen* 7 10; *m. ap. ausersehen* 58 28; *refl. m. gs.* 23 29.
besitzen *swv.:* das lest gericht b. 5 74. 52 340; *bedrängen* 41 33.
besitzer *stm.* 103 511.
beslahen *swv.:* herberge b. 21 19. 31 42. 56 16.
besliez *stm.* 73 76.
besliezen *stv. concludere* 10 104; *subst. inf.* 4 95.
beslozzen *part.* 18 193. 24 141. 74 61 *u. ö.*
besluz *stm.* 16 17.
besmîzen *stv. refl.* 83 61.
besnîdunge *stf.* 27 39. 85 49.
besolden *swv.* 38 162.
bespræjen *swv.* 3 54?
bestant *stm.* 1 49. 16 47.
bestæten *swv.* 9 57. 14 52. 23 20 *u. sehr oft;* bestâte hân 10 108.
bestætunge *stf.* 1 399.
bestecken *swv.* 48 80.
besteten *swv. bestatten* 1 359. 34 492.
bestimmen *swv.* 4 97. 28 46.
bestrîten *stv.* 76 25.
besummen *swv.* 14 116. 52 339.
besunder *adj. adv.* 34 171. 356. 381. 36 16. 37 140. 38 94. 66 6 *u. sehr oft.*
besunderbar *adv.* 10 107. 11 17. 33^{b} 17.
besunderlîche *adv.* 11 99. 75 248.
beswære (beschwer) *stf.* 75 487.
beswærunge *stf.* 82 104.
beswerer *stm. Beschwörer* 100 152.
beswern *(?) swv. mit Geschwüren bedecken* 16 15. 55 108 (*oder zu* beswæren ?)
beswern *stv. beschwören* 6 63.
bet *vgl.* bette.
betelen *swv.* 91 94.
beteler *stm.* 85 81.
betelîche *adv.* 30 49. 59 15.
betœren *swv.* 56 6. 75 26.
betouben *swv.* 24 124.
betouwen *swv.* 63 14. 27.
betrac *stm. Sorge* 103 335.
betrahtunge *stf.* 5 160. 15 46. 35 123.
betrüebenisse (betrupnus) *stf.* 27 34. 103 425.
*betrügelichkeit *stf.* 100 55.
bette (pet) *stn.* 37 27.
bettestrô *stn.* 32 182. 203. 241.
betwungen (bezw.) *part. erzwungen* 26 42.
bevestigen *swv.* 100 417.
beviln *swv.* 8 176. 93 78.
*bevlammen *swv.* 65 25. 67 51. 73 40.
bevlammunge *stf.* 101 28.
bevleckunge *stf.* 52 260. 103 266. 268.
bevliezen *stv.* 10 53. 58 56. 77 84 *(?)*.
bevor halten 50 23.
bewæjen *swv.* 87 71.
bewæren *swv.* 36 5: 9. 29. 45 30 *u. sehr oft; subst. inf.* 59 18.
bewegelich *adj.* 19 50.
bewegunge *stf.* 35 115.
beweiden *swv.* 72 205.
*bewîbet *part. adj.* 23 5.
bezieren *swv.* 87 10.
bezzerunge *stf.* 84 60.
bî] -belîben 53 96; -bringen 9 52. 32 104; -gestân 84 111. 90 148; -wonen 23 70. 26 51. 33^{b} 5 *u. o.*
bierglas *stn.* 33^{b} 2.
*bierhopfîn *stf.* ? 86 38.
bieten *stv. gebieten* 13 43.
bîhtiger *stm.* 30 81. 34 441. 58 133.

bildnisse *stn.* 6 60. 23 116.
bildunge *stf.* 74 117. 75 82. 103 271.
bilgerim *stm.* 32 29. 253.
billicheit *stf.* 31 94. 36 7.
birsen *swv.* 102 12.
bischoflich *adj.* 1 8.
bisem *stm.* *Bisam* 74 137.
bisenrouch *stm.* 87 16.
bîsitzer *stm.* 5 126.
bîspel *stn.* 6 125. 10 171. 23 86.
bîstant *stm.* 8 45. 10 17. 32 169.
bittunge *stf.* 38 148.
biutel *stm.* 32 192. 197.
bîwonunge *stf.* 1 266.
bîzen *stv.* (*vom Gewissen*) 15 88.
blâ *adj.* 6 5. 88 51; plab (: gab) 95 15.
blæjen *swv.* 39 68. 46 15.
blanc *adv* 58 97.
blarren *swv.* 49 10.
blâsebalc *stm.* 85 8.
blasenieren? *swv.* *ein Wappenschild ausmalend schmücken* 75 15.
blat *stn.* *der Zunge* 3 12.
*blendunge *stf.* 27 60.
*blenkinger *stm.* [*Schm.Bayr. Wb.* I, 459.] 49 30.
blerren *swv.* *subst. inf.* 47 4.
*blickerinne *stf.* 74 63.
blinzeln *swv.* 30 54.
bloch *stn.* 26 81. 89 29.
blœde *adj.* 4 160. 34 104. 100 19.
blœdekeit *stf.* 32 275.
blœzlich *adj.* 6 81.
blüe *stf.* 25 130. 87 10.
*blüegrüenende? *part. adj.* 1 184.
blüemen *swv.* 98. 34 245. 52 315 *u. ö.*
blunder *stm.* 20 20.
*bluotrôtvar *adj.* 77 100.
*bluotsweizic *adj.* 57 40.
*bluotverwic *adj.* 27 42.
*bluotverrêren *inf. subst.* 8 208. 33 137.
boc *stm.* 55 40.
bodem *stm.* 7 38.
bodemneige *stf.* 62 58.
bodemscharre *swf.* *Bodensatz* 49 11.
*bonafa *Vogelname* 59 28. 31. 75 281.
borc *stm.* *Borg* 33ᵇ 7.
born *swv.* 53 178.
bœsewiht *stm.* 38 176. 187.
bot *stn.* *Gebot* 35 49. 38 83. 208. 52 315. 75 23.
bræchen *swv.* *refl.* *sich prägen* 4 64.
braht *stm.* 1 56. 5 48. 85 18.
*bratzen *swv.* 2 66.
brechunge *stf.* 84 36.
brehen *swv.* 4 88. 19 135; *subst. inf.* 11 14.
brennunge *stf.* 59 12.
brief *stm.* *Briefpapier* 71 37.
brinnen *stv.* 4 16. 7 8. 41. 12 4 *u. sehr oft.*
*britzen *swv.* 2 66.
broz *stn.* *Knospe* 25 130. 30 38. 31 109. 56 24. 74 54. 75 81. 81 55 (?).
brozzen *swv.* 1 166?
brûchen *swv.* *refl. m. gs.* 24 152. 169. 32 209. 76 44.
brügel *stm.* *Knüttel* 95 18.
*brunke *swm.* 92 40.
brunst *stf.* 8 113. 12 201. 32 220. 40 20 *u. ö.*
bruoch *stf.* *Hose* 95 12. 15. 82.
bruot *stf.* 1 176. 75 145.
bühse *stswf.* 68 145. 100 417. 419.
bühsenrieme *swm.* 100 427.
bûman *stm.* 10 64. 21 70.
bunt *stm.* *techn. Ausdruck des Meistergesangs* 46 5.
*buochdruc *stm.* 68 13.
bürgerschaft *stf.* 74 125.
burt *stf.* *Geburt* 79 22. 84 131.
busîne *swf.* 5 54. 34 487.
bütel *stm.* 1 106.
bûwen (pawen) *swv.*: daz lant b. *durchziehen* 32 9. 251; den weg b. *gehn* 34 505. 52 325; vremden strich b. *bewohnen, beziehen* 69 40; winkel b. 38 287; unglücke b. 52 50; gen himel b. 8 188.

dâht *stm.* 76 58.
dæhtnis 87 64.
dancbærkeit *stf.* 25 71. 52 4.
dancsagen *swv.* 96 38.
dar slahen *stv.* *m. dp. u. unbest. Obj.* *gewähren* 20 68. 34 258. 93 119.
degen *stm.* *Held* 79 39.
deischer (= tiutscher?) 89 85.
dêment *stm.* *Diamant* 75 335.
dempfen *swv.* 2 71. 4 138. 6 144. 97 25.
denen *swv. trans.* 72 62; *intr.* 1 276.
diadêm *stn.* 64 42.
dicke *adv.* 15 39. 30 29. 32. 50 84. 188 *u. sehr oft.*
*dictieren *swv.* 90 108.
diemüetekeit *stf.* 72 128. 101 14.
diemüeteclîche *adv.* 75 384.
dienestbærekeit *stf.* 103 556.
dierne *stswf.* 30 2. 31 78. 36 174. 54 1. 60 33.; ein offne dirn 38 85.
dingen *subst. inf.* 91 150.
dinsen *stv.* 7 45. 27 62.
disputieren *swv.* 13 138.
diuberîe *stf.* 32 228.
diuten *swv.* *bedeuten* 53 16. 64 31.
*diutnisse *stf.* 31 64.
diutschen *swv.* 68 58.
diutunge *stf.* 38 278.
docht *stm.* (= dâht) 76 53.
doctor *stm.* 53 91.
*doctorin *stf.* 74 25.
dol *stf.* *Leiden* 37 22.
doln *swv.* 9 33. 93 101 *u. ö.*
dôn *stm.* *techn. Ausdruck des Meistergesangs* 89 130. 135. 90 24. 32. *u. o.* 91 54. 79 *u. o.* 92 51. 55 77. 93 18. 114.
dœnen *swv. trans.* 27 112. 77 92. 94 60.
donerslac *stm.* 5 70. 141.
*dornhecke *stf.* 6 153.
dôz *stm.* 1 129. 409. 43 18.
draben *swv.* 64 52.

refl. sich erhalten 6 141. 34 547.
entlenn (= entlân *oder* entlegen?) *swv.* 50 93.
entnücken *swv.* 12 187.
*entreisen ? *swv.* 39 22.
entrinnen *stv.* 32 281.
entscheiden *stv. m. as. (?)* 10 34.
*entschemen *swv. refl.* 91 37.
entschuldigen *swv. refl.* 27 58.
entslîfen *stv.* 8 26. 77 55.
entspriezen *stv.* 79 88. 81 57.
entspringen *stv.* 91 48.
entwenen *swv. entwöhnen* 100 185.
entwer (en zwer) *adv.* 26 10.
entzücken *swv.* 82 119.
er *swm. das pron.* er *substantiviert zur Bezeichnung des Männchens bei Tieren* 75 278.
er *stf. Erde?* 84 118.
erahten *swv.* 92 46.
erarnen *swv.* 9 105. 35 189. 52 113. 89 141.
êrbære *adj.* 10 121.
erbarmeclich *adj.* 27 122.
erbarmer *stm.* 34 568.
erbarmunge *stf.* 5 4. 22 4.
erbeschaft *stf.* 100 290.
erbesünde *stf.* 10 55. 31 9. 20. 57; erbsundhalb 31 71.
erbeteil *stn.* 53 22. 100 292. 294.
erbiten *stv.* 38 168.
erbîten *stv. m. gs.* 1 537. 32 19.
erblaben (erplapt) *swv.* = *erblâwen 95 28 (*vgl.* 95 15).
erbrechen *(?) stv. refl.* 69 33.
*erbrechenlich *adj.* 100 80.
erbrehen *swv.: subst. inf.* 12 2; *refl.* 57 108.
êrenrîche *adj.* 34 240. 52 19. 97 78.
ergeben *stv. refl.* 8 11.
ergern *swv. refl.* 17 20.
ergetzen *swv.* 74 186.
ergetzlîcheit *stf.* 103 50. 51.
erglesten *swv.* 1 63. 4 197.
ergrîfen *stv. begreifen* 79 29.
ergrimmen *stv.* 32 107.
ergründen *swv.* 9 64. 21 68. 34 136.
erheischen (= ereischen) *swv. refl.* 16 86.
erhellen *stv.* 77 77.
erherten *swv.* 55 45.
erhœren *swv. hören* 44 27. 54 77.
erîlen *swv.* 32 338.
erindern *swv. erinnern* 32 80. 52 348.
erkalten *swv.* 37 109. 50 80.
erkennen *swv. kennen* 20 1.
erkiesen *stv.* 10 160 *u. o.; swv.* 12 155 *(?)*.
erkirn (= erkürn ?) *swv. gewahren* 77 90; *wählen* 84 134.
erklæren *swv.* 14 108. 15 13. 34 39. 67 49; *refl.* 16 10.
*erknûsen *swv.* 32 183.
erkoberen *swv.* 58 64.
erkomen *stv.* 71 41.
erkrachen *swv.* 3 58. 50 63.
erkratzen *swv.* 2 83.
*erkreizen *swv.* 72 191.
erküelen *swv.* 100 354.
erlangen *swv.* 2 28.
erledigen *swv.* 59 63.
erledigunge *stf.* 38 225.
erliuhten *swv.* 1 147. 34 243.
erliutern *swv.* 58 97.
erlœser *stm.* 36 123.
erlœsunge *stf.* 27 105. 60 3. 61 83.
erlusten *swv.* 17 10. 97 16.; *refl.* 30 29.
ermanunge *stf.* 72 17.
ermorden *swv.* 62 73.
ermundern *swv.* 67 54.
ernern *swv. erretten* 14 75. 38 186. 55 89. 56 55. 72 217. 75 324. 96 116.
ernstlîche *adv.* 4 138. 142.
erquicken, -kücken *swv.* 1 169. 180. 14 34. 89. 34 201. 38 196. 50 166. 60 31. 75 290. 99 83?; *intr. (?)* 5 157; *refl.* 1 418.
*erschaffunge *stf.* 21 40. 100 115.
erschellen *swv.* 50 158. 208. 89 41.
erschepfen *swv. refl.* 9 54; *part.* erschopffet 70 33.
*erschiffen *swv.* 54 100.
erschreckelich *adj.* 5 111. 11 81.
erschreckelicheit *stf.* 6 101.
erschreckunge *stf.* 30 33.
ersiufzen *swv.* 17 123.
erslîchen *stv.* 52 320.
erstechen *stv.* 38 152.
ersterben *swv.* 8 188. 55 69.
*êrstlich *adv.* 10 42.
erstœrlich *adj.* 100 80 *bis*.
erstraht *part.* 3 47.
erstrîten *stv.* 37 87.
ertbidem *stn.:* erpiden (*vgl.* er 84 118) 80 22.
ertœten *swv.* 36 87. 71 231.
ertrahten *swv.* 56 39.
ertrenken *swv.* 84 70.
ertrich *stn.* 1 39. 24 130.
ervarn *stv.* 36 98.
*êrvergilt *stm. Ehrersatz* 71 188.
ervinden *stv. finden* 93 81; *refl. gefunden werden* 19 37.
ervindunge *stf.* 74 181.
erviuhten *swv.* 33 81. 74 182.
*ervlammen *swv.* 17 9.
ervollen *swv.* 75 123.
ervorschen *swv.* 17 116.
*ervorschlîcheit *stf.* 76 182.
ervorschunge *stf.* 24 125. 31 7. 76 200.
ervreisen (= ervreischen) *swv.* 5 46. 11 135. 12 197. 13 58. 16 37. 17 97. 28 55 *u. ö.*
ervrîen *swv.* 1 336.
ervrischen *swv.* 36 53.
erweichen *swv.* 66 56.; *refl.* 100 80.
erwinden *stv.* 10 46.
êrwirdecheit *stf.* 100 53.
*êrwirdigen *swv.* 53 68. 74 108. 78 9.
erwüschen *swv. tr.* 95 30.
erze *stn. bildl.* 3 77.
erzeigen *subst. inf.* 1 282.
erzittern *swv.* 76 9.
erzûsen *swv. zerzausen* 95 94.
*escherîn (eschern) *adj.* 75 468.
esel *stm. bildl.* 18 98. 95 92.

êtrager *stm.* 57 67.
etwar *adv.* 17 55.
ewangeliste *swm.* 8 163. 30 19. 34 489. 54 70.
êwîp *stn.* 38 276.
exempel *stn.* 34 418. 36 8.
*expergenz *stf.* 53 100. 75 221.

gâbe *stf.* *Talent* 9 16.
gâch *adj.* 20 30. 23 48. 96 *u. ö.*
gadem *stn.* 38 73. 87.
gæhelingen (gechling) *adv.* 6 46.
gâhen *swv.* 97 107 *u. ö.*
galge *swm.* 23 125. 32 128.
galle *swf.* 1 141; **stf.* 1 248. 27 111. 32 264. 37 143. 51 4.
garbe *stswf.* 53 71.
garnen *swv.*: *part. praet.* gegarnet 52 114.
garte *swm.* *bildl.* 11 85. 54 15. 74 81. 79 86.
geæder *stn.* 24 104.
gebenedîen *swv.* 21 133. 33ª 4.
gebererinne *stf.* 12 28. 100 48.
gebern *swv.*: *part. praet.* gepert 56 87. 91.
geberunge *stf.* 29 59. 75 297. 101 51.
gebieter *stm.* 15 2.
gebiuwe (gepew) *stn.* 85 57.
geblüete *stn.* 96 8.
gebrechen *stv.* 70 44.
gebrechenhaftec *adj.* 100 58.
gebrehte *stn.* 49 31. 93 62.
gebresten *stv.* 9 99. 20 66. 26 57 *u. ö.*
gebrûchen *swv. refl. m. gs.* 9 47. 19 77.
gebürn *swv.* *hingehören, passen* 10 100.
gedæhtic *adj.* 21 106.
gedæhtnisse *stnf.* 35 123. 52 226.
gederme *stn.* 6 57.
gedinge *swm.* 52 380. 63 12.
gedœne *stn.* 34 216. 97 123.
gedunc *stm.* *Bedünken* 41 26.
gegenwart *adj.* 10 70. 33 18. 100.
gegenwerteclich *adj.* 103 312.
gegenwurf *stm.* *Gegenstand* 31 46; *Spiegelbild* 70 29.

gehaz *adj.* 75 79.
geheben *(?)* *stv.* 39 14.
*geheizsam *stm.* 103 429.
geherzec *adj.* 9 40.
gehôrsam *stf.* 1 264. 34 475. 103 409.
*gehôrsamecheit *stf.* 34 471.
geil *adj.* *froh* 21 76. 50 280.
geiselunge *stf.* 37 62.
gelân *stv.* 1 236. 432. 62 30.
geleichen *unterwerfen?* *swv.* 34 498. 66 60.
geleite *stn.* 5 156.
gelenken *swv.* 32 50.
gelf *stn.* 14 33.
gelfen *stv.* 32 219. 271. 291. 50 111. 52 333.
*gelîchvormec *adj.* 16 86.
gelidemâze (glidmaß) *stn.* 13 157. 19 37. 34 265.
geliden *swv.* *zergliedern* 83 70.
*gelidhalb *adv.* 27 103.
gelîhsener (gleichsener) *stm.* 23 104. 33 51. 87. 94 40.
gelîhtern *swv.* 8 175.
gelimpf *stm.* 50 142.
gelingen *subst. inf.* 63 28.
gelohe, glohe *stmf.* *(?)* 1 84. 75 352.
gelüben *swv.* 21 78. 58 6. 19.
gelücken *swv.* 36 210; *refl.* 1 112.
gelücksælecheit *stf.* 6 137.
gemeine *stf.* 5 18.
gemeineclich *adv.* 38 168; gemeinlich 90 10.
gemeit *adj.* *froh* 38 32. 94 27.
gemelden *swv.* 7 11.
gemerke *stn.* *Augenmerk* 54 80.
*gemilden *swv.* *tr.* 55 47.
genâdenrîch *adj.* 24 201. 57 18. 79 8.
genanne *swm.* *Großvater* 2 24.
*generieren *swv.* 84 133.
genieten *swv.* *refl.* 38 95; *part. adj.* *erfahren* 83 61.
geniez *stm.* 83 6.
genist *stf.* 19 88. 97 7.
geniste *stn.* 53 5?
genœten *swv.* 89 20.
*genôtes *adv.* 84 56.

genôz *adj.* 6 78.
genôzen *swv.* *tr.* 37 29; *refl.* 38 287. 54 120; genôzet tuon 37 128. 51 44.
genüegen *swv.* 16 44.
genuocsam *adj.* *adv.* 9 190. 66 15. 76 178.
genuocsamlîche *adv.* 75 490. 81 27.
genuoctuounge *stf.* 73 111.
gêometrîe *stf.* 82 12.
ger *stf.* 42 4. 48 32. 75 428. 94 17. 77.
gerâten *stv.* *intr.* 20 45; *m. gs.* 85 3. 6. 64.
gereden *swv.* 23 24.
geregen *swv.* *refl.* 32 31.
geregnieren *swv.* 83 34.
gereht *adj.* *recht, dexter* 1 192. 13 108. 73 105.
gereite *adv.* 10 127.
geringen *adv.?* *behende* 42 35.
gern *swv.* *begehren* 6 72. 10 144 *u. sehr oft.*
gerte *f.* 11 101. 56 88. 75 418. 82 136; *stf.* 14 73; *swf.* 14 78. 75 487.
geruochen *swv. m. gs.* 8 116; *refl.* 80 94.
gerwen (gerben) *swv.* 77 32.
gesanc *stn.* 79 69.
gesatz *stn.* 2 77.
geschaden *swv.* 75 353.
geschefte *stn.* 8 152. 74 76.
geschelle *stn.* 3 22.
geschicke *stn.* 4 89. 34 308. 53 46.
geschicket *part. adj.* 19 37.
geschîde *adj.* *gescheit* 39 71.
geschîden *stv.* 52 308.
geschîzen *stv.* 42 25.
geschrîe *stn.* 49 19. 68 115.
geschrift *stf.* 28 45. 31 86. 34 149. 36 57. 68 10. 72 57. 106. 79 82.
gesegenen *swv.* 33ª 7.
gesehen *stv.* 84 117.
gesigen *swv. m. dp.* 74 21.
gesîn *v. an.* 25 17. 52 276. 89 137.
gesippet *part. adj.* 34 287.
geslaht *adj.* 18 46.

guldîn (gulden) *stm.* *Münze* 32 27. 201. 229. 33b 5.
gunnen *an.* *v.*: gane *conj.* 1 364.
guome *swm.*, guom *stm.* (gumme) 15 25. 100 309.
guotheit *stf.* 3 63. 5 148. 7 54. 68. 8 68. 68. 80. 13 116.
gutzen *swv.* (= guckezen) *intens.* *zu gucken, schauen* 47 10.
guz *stm.* *plur.* 82 20.

hac *stm.* 6 39. 58 105. 75 481.
hagelschûr *stm.* 93 68.
hal *stm.* 50 90. 56 15. 58 52 (?); *plur.* 46 5 ?
haller, heller *stm.* 23 10. 52 189.
halp *adj.*: der halben silben cleng 46 17.
halsslac *stm.* 27 59.
halt *adv.* 4 133.
hamer *stm.* 4 164.
handel *stm.* 96 16.
handelunge *stf.* 30 40. 58 39.
hanekrât *stm.* 3 16. 38 286.
hânen (= hœnen?) 90 189.
hant *stf.*: in die h. schrîben *rechtlich zuweisen* 71 176; ze hant 75 315. 97 108; bî h. 92 59.
hantreiche *stf.* 5 134.
hantreichen *swv.* 52 37.
hantwerc *stn.* 85 61. 65.
hantwerker *stm.* 103 404.
hâr *stn.* *Bagatelle, Minimum* 6 153. 18 170. 24 168. 84 107.
hare, herwer *adj.* *herb* 6 116. 8 4. 13 145.
harmen *swv.* *harnen* 100 311.
harphe *swf.* 53 102.
harre *stf.* 20 24.
harrunge *stf.* 103 222.
hart(e) *adj.* 37 132.
harte (*auch* hert) *adv.* *sehr* 1 344. 10 51. 11 86. 27 96 *u. o.*; *kaum* 51 9.
hartecliche *adv.* 42 6.
hartsælec 100 80. 149.
haspel *stm.* 89 21.
haven *stm.* *Topf* 100 388. 103 141.
haz *stm.* 2 70.
hâz (hoß) *stm.* *oder* *stn.* 1 128.
hazzunge *stf.* 100 436.
hecken *swv.* 7 20. 14 48.
heftelîn *stn.* 4 21.
hei ho hei *interj.* 38 288.
heidenschaft *stf.* 85 23.
heilegunge *stf.* 100 68.
heiler *stm.* 78 69. 84 88.
*heilmacherinne *stf.* 30 27.
heilsam *adj.* 100 29.
heilsamkeit *stf.* 35 2.
heilsamlîche *adv.* 33 58.
heiltuom *stn.* 103 217.
*heilwirdec? *adj.* 101 34.
heimelîcheit *stf.* 9 113. 17 143. 149. 35 120. 60 3.
heischen *an.* *v.* 35 153.
heiserlichen *adv.* 1 272.
heizunge *stf.* 72 181.
hellegrunt *stm.* 32 212.
hellehunt *stm.* 34 204. 87 76.
hellen *swv.* *in die helle bringen* 18 48. 24 86.
hellewurm *stm.* 4 173.
herb *vgl.* har.
hêre *stf.* *Hoheit* 74 27.
herinc *stm.* 75 409.
*herobern? *swv.* 58 84.
hêrschen *swv.* 11 127. 58 129.
hêrscherîn *stf.* 34 8. 220.
hêrschunge *stf.* 61, 89. 70 57.
*herspitze *stf.* 11 61.
hert *adv.* *fest* 27 72. 56 48 *u. ö.*; *vgl.* harte.
hertecliche *adv.* 42 6.
hervüerer *stm.* 56 102.
heselîn *stn.* 55 79.
hevel *stm.* *Hefe* 86 40 (?).
himelbrôt *stn.* 3 25. 70 69. 74 98.
himelburc *stf.* 30 69.
himelkeiserîn *stf.* 36 1.
himelkint *stn.* 58 47.
*himelkrie? *stf.* *Himmelslosung* 82 94.
himelkünec *stm.* 79 68.
himelküneginne *stf.* 31 99.
*himelouwe *stf.* 11 95; *swf.* 61 95.
*himelrise *swm.* 55 49.
himelrôse *swf.* 68 64.
*himelsaft *stn.* 74 71.
himeltrôn *stm.* 4 209. 34 218.
*himeltuom *stm.* *Himmelsdom* 82 68.
himelvart *stf.* 75 58. 80 101.
himelvlam *swm.* 87 28.
himelvogetinne *stf.* 74 41.
himelvürste *swm.* 55 40. 56 66.
*himelwase *swm.* 74 130.
himelwunne *stf.* 82 16.
*himelzinne *stf.* 74 120.
*hymnus *m.* 92 35.
hin heim setzen 7 64.
hinte *adv.* 23 38.
hinvart *stf.* 8 108. 32 83.
hirn *stn.* 77 89.
hirnschal *stf.* 1 114.
*hirtenphiflîn *stn.* 33 114.
hirze *swm.* 55 66. 102 11.
*hitze-brinnende *part.* *adj.* 50 227.
*hitze-brünsteclîche *adv.* 84 14.
hitzec *adj.* 1 37.
hitzeclich *adj.* 40 20. 42 4. 77 156.
hô *adv.* *sehr* 1 82.
hôchgeborn *part.* *adj.* 39 1.
hôchgültic *adj.* 31 104. 73 46.
hôchvart *stf.* 12 64. 25 101.
hôchvertec *adj.* 9 116.
hôchvertecliche *adv.* 9 119.
hôchwirdec *adj.* 21 128. 54 68. 55 28.
hœhern *swv.* *refl.* 18 98.
hol *adj.*: kunsten h. 43 25.
hol *stn.* *Loch* 9 36.
hôn (han) *stm.* *Hohn* 86 70; *vgl.* hânen.
honecseim? *stm.* 77 113.
*honecswarm *stm.* 23 168.
*honecwift *stn.* 30 21.
hopfen *swv.* 86 88 (?).
hôre *stf.* *hora* 21 120.
hœre *stf.* *auditio* 64 88.
*houbethort *stm.* 33 133.
*houbetkraft *stf.* 19 63.
houwen (*praet.* hib) *stv.* *bildl.* 2 17. 55 15.

hovieren *swv.* 34 322. 52 386. 57 61. 66 52.
hûchen *swv.* 79 54. 95 101.
*hudhechel? 100 57.
hüel = hülwe*(?) stf. Pfütze, Pfuhl* 55 20.
hûfe *swm.* : in, ze h. slahen 2 8. 95 78.
hulden *m. dp. ds.* 20 52. 21 108.
huof *stm.*: seinr sinne h. 55 12.
huoste *swm.* 46 16.
huot(e) *stf. (?)*: durch ir keuschen h. 66 55.
huoter *stm.* 5 68.
hurt *stf. Hürde* 52 110.
hûsgesinde *stn.* 100 170.
hûshêrre *swm.* 7 50.
hûsmeit *stf.* 32 40.
hûsvrowe *swf.* 100 284. 286.

îchen *swv. abmessen, eichen* 10 78. 12 81.
ietz (= ie daz?) *was auch immer* 92 68. 93 10.
ietzunt *adv. jetzt* 6 88. 8 140. 10 116. 32 281.
iht *stn.* 35 75. 60 7. 67 18. 58. 69 19. 72 99. 73 51. 91 86; durch i. 33 100. 38 18. 75 55.
*imâginanz *stf.* 19 68. 56 79.
imâginieren *swv.* 90 104.
în] -bilden *m. as. u. dp.* 6 92; -gân 33 84; -giezen *m. as. u. dp.* 24 39. 31 100. 100 377; *-natûren *refl.* 55 101; *-phlanzen *m. as. u. dp.* 1 136. 12 47. 73 5; -sprechen 6 168; -vüeren 10 101; -waten 75 139; *-wîhen 32 370; *-wirken *m. as. u. dp.* 75 448; *-wurzeln *m. as. u. dp.* 72 12; *-würzen 68 85? 75 46.
inbrünstec *adj.* 27 7. 37 2. 50 66.
inbrünstecliche *adv.* 73 32.
inbrünstlich *adj.* 60 25.
*ingeniste *stn.* 4 166.
ingesinde *stn.* 8 48. 50. 97 154.
inhitzic *adj.* 60 29. 75 381.
*inhitzicliche *adv.* 73 121.

innecheit *stf.* 8 46. 119. 73 5.
inneclich *adj.* 1 220. 6 87 *u. o.*
innerliche *adv.* 8 41.
instrument *stn.* 15 28.
invlamieren *swv.* 11 40.
invleischunge *stf.* 13 75. 24 91.
invluz *stm.* 35 112. 52 182. 200.
inwoner *stm.* 11 22.
inwonunge *stf.* 100 21.
*inzimer *stn.* 18 41.
irre *adj.* : irrer locher vol 9 38.
irren *swv. fehlen* 76 97; *trans. hindern* 83 21.
irresal *stm.* 17 89.
irretuom *stm.* 53 96.
irrunge *stf.* 13 6. 29 38. 52 148. 155. 76 94.
îs *stm.* : des tôdes îs 1 169. 8 96.
isidus *m. Eisvogel* 14 43. 75 204.

*jâmermer *stn.* 30 34. 33 155.
*jâmersê *stm.* 6 176.
jâmertal *stn.* 1 293. 73 131.
jaspis *m.* 87 58.
jehen *stv.* 11 104. 32 45. 34 438. 60 5. 71 184. 80 66. 90 48.
jerarchîe *stf.* 11 34. 50. 61. 97.
jôchant *stm. Edelstein* 88 56.
jûbilieren *swv.* 11 38. 12 190. 34 328.
jüdischeit *stf.* 33 112. 64 44. 68 122. 74 87. 85 22. 100 17.
juncbrunne *swm.* 34 232. 74 62.
juncvrouschaft *stf.* 4 25.

kaladrius (= caradrius) *Vogel* 14 47. 75 303.
calcedôn *stm. Edelstein* 87 51.
kalle **swf. Geschwätz* 92 78.
kamel *stm.* 52 285.
kamp *stm.*: der was uber den kamp beschorn 43 15.
kantnusse *stf.*: an kantnus der man 14 138.
karacter *stm.* 76 41.
*carbas *m. ein Vogelname* 59 26. 27. 75 281. 284.
karc *adj.* 3 49.
karfunkel *stm.* 52 258.

kâriôfel *Gewürznelke* 74 142.
*carist *stm.* 14 45. 75 352.
*kastigieren *swv.* = kestigen.
kelbelîn *stn.* 38 101.
kelnerinne *stf.* 62 12.
kelte *stf.* 12 208. 97 25.
kemenâte *f. bildl.* 3 14. 87 1.
kempher *stm.* 2 58. 55 75.
kennen *swv.* 71 186.
kêre *stf.* 11 46.
kerren *subst. inf. Krächzen* 40 15; kirren 2 80.
kerubîn *stm. Cherubim, ein Chor der Engel* 100 154. u. ö.
kerze *swf.* 100 198.
kestigen *swv.* 50 248. 52 78.
ketzerîe *stf.* 52 148.
ketzern *swv. tr.* 72 149. 154.
kiben *swv. keifen* 90 119.
kilche *stf.* = kirche 94 109.
kindisch *adj.* 48 24.
kinnebacke *swm.* 75 489.
*kinen? (= kînen?) 79 37.
kirchhof *stm.* 20 53.
kirre *adj.* 2 80 (? *vgl.* kerren).
kiste *swf.* 23 82.
kiusche *stf.* 31 110. 34 573 *u. o.*
kiuscheclich *adj.* 58 37. 63 81. 65 15. 54.
kiuscheit *stf.* 30 13. 34 187. 351 *u. ö.*
kiuwe (kew) *stf.* 75 456.
kiuwen *stv.* 42 27.
klaffen *swv.* 52 127. 97 92.
klâfter *stf.* 89 89.
klappern *swv.* 84 90.
klârheit *stf.* 25 97. 36 34.
klârificieren *swv.* 11 47.
klærlichen *adv.* 12 52. 16 70. 18 9 *u. ö.*
klâwe (klaube) *swf. Klaue* 81 23.
klê *stm. bildl.* 87 6.
*klebe *stf.* = kleberîm *Reim aus einer Klebsilbe (durch gewaltsame Kürzung entstanden)* 46 14.
kleffisch *adj.* 100 42.
kleidunge *stf.* 38 88. 80 27.
kleine *adv. wenig* 36 32. 80 30. 94 144.

linde *stf. Linde* 102 15.
*lindern *swv.* 52 346.
line *stf. Seil (?)* 102 19.
linwât *stf.* 1 341.
lip *stn.* : bî lîbe! 20 39.
list *stm.* 13 69. 84 18. 86 52; *Klugheit* 91 126; *vgl.* liz.
listeclîche *adv.* 12 118. 75 18.
lîte *swf. Halde* 102 10.
liumunt *stm.* 100 389.
liutern *swv.* 36 53. 101 41.
liz *stm. Begehren, Streben, Laune* 66 30. 96 1; *stf. (?)* 15 20 (*oder* = list?)
lobesam *adj.* 6 8. 69 29.
lobunge *stf.* 100 166.
locken *swv.* 55 75.
lôicâ *f. Logik* 17 46. 82 13.
lopgesanc *stm.* 21 142. 36 60.
lôrieren *s.* glôrieren.
lôrlîns knabe *stm.* 45 29.
losen *swv.* 98 14. 75.
loter *stm. Taugenichts* 1 111.
lotervalle *swf.* 23 40.; *stf.* 23 57.
louf *stm. Lauf der Welt, der Natur* 34 415. 59 47; *swm.* 50 260.
lougen *swv. leugnen* 32 45. 55.
lôzen *swv.* 1 142.
lucerne *swf.* 12 16. 30 53. 34 271.
lücke, lucke *swf. Loch* 39 59. 99 34.
luft *stm.* 6 121. 75 341. 76 31. 190. 79 74.
*lügenhafticlîche *adv.* 31 79.
luhs *stm.* 102 23.
lunge *swf.* 100 354.
luogen *swv.* 35 8.
lust *stm.* 52 299. 59 12 *u. o.*
*lustblüejende *part. adj.* 82 9. 110.
*lustbrunne *swm.* 6 15.
*lustgrüenende *part. adj.* 6 7.
lûte *swf. Laute* 15 29. 94 138.
lûten *swv.* 31 66. 32 323. 70 15.
lûterlîche *adv.* 13 73. 93.
lûtreisic *adj.* 6 159. 97 42.
lûtunge *stf.* 1 410. 33 81.
lützel *adv.* 52 264.
lûzen *swv.* 7 22. 90 76.

machen *swv.* : *refl.* sich her m. 73 88.
machmetiste *swm.* 21 121. 75 1. 105.
machunge *stf.* 13 53.
magetlich *adj.* 11 20. 75 268.
magnête *swm.* 14 49. 87 67.
mahelrinc *stm.* 4 21.
mæjen (mehen) *swv.* 23 174.
malagranât *stm.* 74 141.
maledîunge *stf.* 100 262. 103 91.
mâler *stm.* 85 78.
mandelkern *stm.* 74 143.
mandelîris *stn.* 87 9.
mangen *swv.* = mangeln 103 81.
mankünne *stn.* 88 82.
*manna *n.* 87 23.
mannegelîch 24 111.
mære *stf.* 20 69. 23 98. 52 241.
mærer *stm. Schwätzer* 38 18.
margarîte *swf.* 88 7.
market *stm. Marktflecken* 85 57.
marmelstein *stm.* 6 21.
marschalc *stm.* 38 4. 31. 39. 69. 99. 105. 109. 133 *usw.*
marterære *stm.* 54 81. 58 132. 74 28.
mâse *swf. Wundmal* 36 44.
masse *stf.* 74 80; massa 74 73.
maten *swv.* : mat *setzen* 49 22. 57 71; gematet *part.* 2 81. 3 10. 45. 74 102. 75 587.
materje *stf.* 76 38. 51.
materjelich *adj.* 101 30. 50.
mâzen *swv.*: *refl.* sich m. *m. ge.* 4 121.
mehticheit *stf.* 85 83. 100.
*meienstat *stf. maiestas* 53 149. 70 31.
meil *stn.* 36 148. 57 11. 75 98.
meineide *adj.* 100 390.
meineit *stm.* 100 388.
meinst = meist *adj.* 52 273.
meinster *stm.* 51 1.
meinsterinne *stf.* 54 67; meisterinne 30 19.
meinunge *stf.* : falsche m. *Terminus des Meistergesangs* 93 128.

meistergesanc *stm.* 9 2. 40 2.
meistern *swv.* 12 174.
*meistersaz *stm.* 2 86.
meisterschaft *stf.* 83 1.
meistersinger *stm.* 86 17.
*meisticieren *swv. kauen* (= masticare) 76 158.
meldunge *stf.* 24 112.
mengen *swv.* 1 247.
menschenart *stf.* 35 155.
mensûr *stf.* 15 33.
mêrer *comp.* : der mêrere *der Vornehmere* 38 13.
merken *swv. Terminus des Meistergesangs* 39 47.
merklich *adj.* 6 100. 11 33. 23 141. 73 76.
merkunge *stf.* 10 84. 32 65.
mersterne *m.* 74 46.
mârteil *stn.* 31 17.
mêrunge *stf.* 4 70. 12 99.
merwunder *stn.* 58 70. 74 154.
messegewant *stn.* 23 97.
messenære *stm.* 39 31.
mesten *swv. mästen* 68 67.
*metzelerwerc *stn.* 85 69.
metzeln *swv.* 68 38.
*mezlîkeit *stf.* 13 31.
mezzen *stv.* 1 209. 94 61; die sper m. 41 85.
michels *adv. gen.* 38 236. 52 301.
miete *stf.* 10 188.
milte *stf.* 1 144.
milten *swv.* 4 151.
*milwelîn *stn.* 35 133.
mindern *swv.* 75 531. 538; *refl.* 100 200.
minderunge *stf.* 100 293.
*ministrant *stm.* 2 46.
minniclich *adj.* 79 32. 97 31. 65.
mirre *swf.* 1 340. 11 103. 64 64. 78 99.
mischen *swv. refl. m. da.* 60 22.
misselingen *stv.* 19 23. 32 3.
missevar *adj.* 77 56.
mite] -loufen 83 69; -teilen 72 160. 73 189; -wonen 63 95.
mitegenôze *swm.* 1 127. 407. 75 9. 269.

ougelweide *stf.* 82 107. 84 113 (?) 97 113.
ougenblic *stm.* 24 188. 53 44. 67 55.
ougenbliclich *adv.* 17 148. 75 551.
ougenglit *stn.* 37 156.
ouwe *stf. bildl.* 72 6. 82 110. 84 1.

palas *stm.* 4 77. 36 182. 166. 54 78. 58 109. 63 54. 75 374. 82 46.
palieren *swv.* = polieren 3 11.
palmenboum *stm.* 100 27.
papierîn *adj.* 68 28.
pâr, par *stn. ein paar* 4 111.
*pârâthou *stm. Paradehieb, Klopffechterei* 9 118.
*partikel 76 69. 114.
passen *swv.* 85 28; hôch passen 32 84. 38 288. 52 166 (= bôzen ?).
patriarche *swm.* 34 481.
*paz *stm. Stümperei* 2 63.
pellicân *stm.* 1 168. 14 35. 34 200. 75 889.
pelz *stm.* 38 174. 85 70.
pêne, pên *stf.* 8 15. 10 27. 32 304.
phaden *swv.* 96 110.
phant *stn.* 1 284. 2 40.
pharre *stf.* 20 28.
phat *stn.* 3 26. 69. 33 110.
phâwe *swm.* 43 31.
phâwenveder *stf.* : der rabe und der die pfaben federn fant 43 28.
phenden *swv.* 96 62.
phenninc *stm.* 52 80.
phert *stn.* : der kunsten ph. 39 4.
phîfe *swf.* 15 29. 99 78.
phîfen *swv.* 68 76.
*phîfensac *stm.* 99 79.
*phingesttacnaht *stf.* 32 118.
phlanze *stf.* : menschlich pfl. 4 181. 21 37. 61. 58 100.
phlanzen *swv. refl.* 69 37.
phliht *stf. Art und Weise* 12 45. 19 119. 23 124. 33 28 *u. sehr oft;* in der phl. behalten 73 88; in phl. haben 92 61.
phlihten *swv.* : *refl.* 62 9.
phlihtic *adj.* 19 189.
phorte *stf.* 11 88. 36 189.
pînegen *swv.* 80 124.
plâge *stf.* 1 387. 12 88. 25 132. 74 86. 87 21.
plân *stm.* 2 15. 3 86 *u. ö.*
plaz *stm.* 2 72.
pomeranze *f.* 74 141.
port *stm.* 44 17.
posûme *swf.* 5 50.
preambel *stn.* 89 52.
*prêfigûrieren *swv.* 103 428. 432.
prêlâte *swm.* 3 17. 51 29. 53 97.
*preselegieren *swv.* ? 81 8.
prêsent(e) *stf.* 11 55. 14 8. 21 22; *stn.* 43 36.
prêsentieren *swv.* : *refl.* 11 181. 57 110.
priesterschaft *stf.* 96 66.
privêt *stm.* : so naschet er ir zum prifet 62 18.
probieren *swv.* 80 98.
prophêcîe *stf.* 56 21. 64 18. 78 15.
prophêtieren *swv.* 103 438.
prophêtisch *adj.* 3 42.
prophêtisieren *swv.* 78 55.
punctelîn *stn.* 68 68.
punt = punct *stm.* 31 11; im punct 12 167; *vgl. auch* bunt.
pûr *adj. adv.* 4 161. 6 88. 13 93 *u. ö.*
purgieren *swv.* 5 32. 22 32. 101 84.
pûse *stf.* 31 49. 59. 65.

qual *stm. Quelle* 74 32.
quâle *stf.* 57 35. 38.
*quatzen *swv.* 2 62.
queln *stv.* 30 60.
*question 10 88.
quicken *swv.* 74 132.

raben, rabe *stswm.* 43 28.
rabi *m.* 93 28.
rache *swm.* 34 202. 81 62.
râche (roch) *stf.* 1 283. 15 50. 77 160.
*râchgrimmec *adj.* 27 43.
râchsal *stf.* 13 119. 52 13.
râmen *swv. m. gs.* 10 30. 52 71. 91 84; ræmen 32 263. 38 251. 48 34. 52 206. 76 41. 133. 95 86.; nâhent r. *m. ds.* 77 32.
*râmerie? (romerey) *stf.* 9 63.
ranc *stm. Krümmung* 37 93.
râsen *swv.* 37 122 (?).
raspen *swv. zusammenraffen* 51 17.
rast, reste *stf.* 1 62. 7 33. 26 32. 27 108. 37 49.
râtgebe *swm.* 14 94.
râtgeber *stm.* 61 9. 65.
ræze (reß) *adj.* 50 104.
rebe *swf.* 42 22.
rechen *stv. refl. mit* an 52 360.
rechenunge *stf.* 13 114.
recke *swm.* 103 127.
regen *stm.* 39 11.
regen *swv.* 19 74.
regenboge *swm.* 53 54.
regieren *swv.* 19 59. 127. 52 33. 54 6. 12. 55 71. 83 79. 97 59.
*regiererinne *stf.* 54 53.
reht *stn. Gericht* 38 241; rehte *swm.* 32 94. 157.
rehteclîche *adv.* 53 11.
rehten *swv.* 32 157.
rehtlîche *adv.* 71 244.
rehttac *stm.* 32 105.
rehtvertec *adj.* 8 130.
reie *swm.* 68 78. 90 10.
reien *swv.* 6 8.
rein *stm. Rain* 6 28.
reinecheit *stf.* 30 14.
reinegunge *stf.* 75 159.
reise *stf.* 32 22.
reisen *swv.* 21 18. 58 82.
reiten *swv. zählen, rechnen* 18 147. 35 91. 53 181. 76 19.
reizen *swv.* 9 74.
reizunge *stf.* 19 10.
rente *stf.* 37 72.
rêren *swv. fallen* 36 31. 77 114; *part. praet.* gerêret 84 28.
reste *s.* rast.

rettunge *stf.* 62 23.
reverenz *stf.* 75 242.
richelîche, rîlîche *adv.* 4 41. 23 157.
rîden *stv.* 8 74. 62 35.
riechen *stv.* *intr.* 6 12.
rieme *swm.* 100 416. 419. 423.
riezen *stv.* 11 136. 24 180.
rîhen *stv.*: *part. praet.* gerigen 77 125.
rîme *swm.* *Reim* 46 9. 89 37.; reume 89 16.
rîmen *swv.* 46 10.
ringe *adj.* *leicht* 17 90; *gering* 38 170. 68 57; *adv.* 34 606; *comp.* *leichter* 49 24; *geringer* 75 89. 86 18.
ringen *stv.* 1 255.
ringerunge *stf.* 30 61.
rings *adv.* *gen.*: zu r. 6 185.
rinne *swf.* 39 14.
rinnen *stv.* 6 146. 30 28.
riselen *swv.* 50 103.
rîsen *stv.* *fallen* 1 99. 7 29; rîsende ûr 7 27.
rist (= reste?) 75 558.
risten (= resten?) 24 130.
riuwen *swv.* *schmerzen* 6 182. 42 5.
riviere *stn.* 32 14. 70 57. 83 80; *stf.* 54 95. 69 50.
rîzen *stv.* 76 68 *(?)*.
rœre *swf.* 100 326.
rœrenbrunne *swm.* 50 241.
rôst *stm.* 84 78.
rœsten *swv.* 10 28. 37 122 *(?)*.
rœte *stf.* *Hautausschlag* 55 108.
rœten *swv.* 38 167.
rotte *swf.* 57 68.
rotzic *adj.* 46 16.
*roupnest *stn.* 85 34.
ruch *stm.* 11 102. 73 44. 74 67. 137.
rucke (ruck) *Rücken* 1 258.
rücken *swv.*: hin r. *vergehn* 38 283.
rüde *swm.* 52 255. 84 100.
rüegen *swv.* 5 87.
rüemen (romen) 93 77. 79.
rüemerîe *stf.* 49 26.

runzeln *swv.*: *part. praet.* 100 14.
ruochen *swv.* 31 13. 50 56. 58 108.
ruohalben *adv.* 1 278.
ruore *stf.* 80 8.
ruote *f.* 14 67. 63 42. 64 58. 413. 418. 78 19; *stf.* 39 62. 75 401; *swf.* 63 57.
ruoz *stm.* 75 548.

sac *stm.* 2 45.
sachen *swv.* *schaffen* 12 10. 13 99. 21 83. 25 7. 28 14. 75 174.
sacrament *stn.* 6 174. 52 101.
sacramentlîche *adv.* 57 87. 73 80.
saft **stm.* 72 30.
sage *stf.* 1 351. 18 107. 75 488. 78 75. 80 69. 82 98.
sal *stm.* *Saal bildl.* 56 17. 58 94. 74 45. 87 1.
salamander *stm.* 14 46. 36 50. 75 366.
sælde *stf.* 12 192. 30 8. 31 106. 33 77 *u. ö.*
sældenhaft *adj.* 58 45.
sældenrîche *adj.* 97 11.
sælecheit *stf.* 52 101.
sæleclich, -lîche *adj. adv.* 58 39. 64 69. 65 63. 97 132.
*sælecmachunge *stf.* 13 101.
*sæligunge 15 23.
sam *adv.* 4 108. 12 65 *u. ö.*
sæmen? *swv.* 48 25.
samenen *swv.* 71 45; *part. praet.* 63 44. 76 141.
samenunge *stf.* 3 53. 11 29.
santkörnlîn *stn.* 7 28.
saphîr *stm.* 87 62. 88 51.
sarch *stm.* 1 185. 3 14. 21 44. 57 16. 70 67. 74 118. 87 1.
sarrazîn *swm.* 103 410.
saz *stm.* 58 103.
schaben *swv.* 52 187.
schâchen *swv.* 2 81; geschâchet *part.* 3 10. 45. 75 537. 85 19.
schæcher *stm.* 1 127. 197. 8 86. 37 29.
schaf *stn.* *Kübel* 95 45.
schaffen *stv.* *befehlen* 45 85. 53 213. 97 88.

schal *stm.* 41 20. 56 135. 75 531. 79 78. 93 63.
schal(e) *stf.* 33 85.; *swf.* 75 295.
schalc *stm.* 38 172.
schalchafticheit *stf.* 100 260.
schallen *stn.* *Prahlerei* 7 8. 11 67.
schalten *stv.* *trans.* 19 150. 52 246; *intrans.* hin sch. 18 208.
schanze *stf.* 1 112. 77 94.
scharsahs *stn.* 68 145.
schart *stf.* 1 342.
scharwahte *stf.* 1 54.
*schatzec *adj.* 50 46.
schatzunge *stf.* 71 24. 38. 54.
schazbære *adj.* 13 155. 52 259.
scheln? *swv.* 3 26.
schelten *stv.* 68 127.
schelve *stf.* *Schale* 14 42.
schemic *adj.* 96 47.
schenke *stf.* *Gabe* 10 188. 63 78. 89. 71 246.
schenkinne *stf.* 74 71.
scherf *stm.* *Scherflein* 23 185.
scherge *swm.* 1 106.
schern *stv.* 33[b] 16. 40 32.; *m. dp.* 94 148.
scherz *stm.* *oder* scherzen *subst. inf.* 37 79.
scherzen *swv.* 34 364. 37 18.
schîbe *swf.* 76 100; glückes sch. 12 186; die unglückes sch. 75 117.
schic *stm.* *Art und Weise* 33 18. 38 54.
schicken *swv.* 38 25; *senden* 27 70; *refl.* 6 93. 35 99.
schickunge *stf.* 10 78.
schidelich *adj.* *trennbar* 16 20. 24 92. 25 25.
schidunge *stf.* 24 81. 25 30.
schiere *adv.* 10 61. 32 13. 56. 38 52. 71 *u. ö.*
schiezen *stv.*: *abs.* 6 22.
schiffen *swv.* *intr.* 30 23; *m. as. u. dp.* 86 63.
schimel *stm.* 36 12. 74 127.
*schimern? *swv.* 36 107.
schimpf *stm.* 7 86.
schirm *stm.* 1 256. 50 216. 96 108.
schilt *stn.* 39 38. 89 29. 95 72.

schiuhen swv. intr. 33 76.
schiuzen swv. unpers. mir graut 8 154. 46 34.
schiuzliche adv. 95 69.
*schiz, *schiz? stm. 45 26. 62 80.
schocken swv. schaukeln, zittern 34 600.
schœne stf. 67 50. 97 120.
schônen swv. m. gs. oder gp. 2 7. 6 153. 47 2.
schopf stm. 23 147.
schopfen swv. = schepfen 12 141. 29 74.
schopfunge stf. = schepfunge 29 73.
schoup stm. 1 55.
schôz stf. 4 149. 12 152. 35 58.
schranc stm.: des kreuzes schr. 1 250. 27 110.
schranne stswm. 2 5 (oder = schragen?); stf. des kreuzes schr. 3 65.
schranz stm. 74 173.
schrîben swv. : . . . hat unß zu hoer freid geschriben 55 91.
schric stm. 15 59.
schricken swv. 34 558.
schriftwise adj. swm. Schriftgelehrter 9 142.
schrîn stm. 1 135. 194. 3 14. 33 90. 152.
schrinden stv. *tr. 77 109.
schrîner stm. 85 79.
schrit stm. als Maß 89 89.
schroffe swm. 52 266.
schubel stm. 52 140.
schuldiger stm. 5 69.
schuole stf. 49 2; hohe sch. 49 33.
schuoler stm. 40 18.
schuope swm. 103 182.
schûr (schouwer) stm. 15 24.
schuz stm. 83 83.
sê stm. : s. des fluoches 84 108.
segen stm. 4 179; sant Jôhannes s. 95 40.
segen swv. : refl. 6 58.
seichen swv. 103 128.
seite swf. 1 276. 53 104.
sêlbat stn. 10 57; Bad, das jem. zum Heil seiner Seele für die Armen eines Ortes gestiftet, in einer bestimmten Badstube u. an festgesetzten Tagen 23 81.
*sêllabende part. 1 165. 74 138.
sendunge stf. 60 82.
senftecheit stf. 55 53. 84 3.
senften swv. 55 63. 88 11.
senftmüetec adj. 34 552. 625.
senftmüetecliche adv. 39 68. 82 61.
sentenz stm.(?) 10 33. 53 98. 75 227.
sequenzie f. 92 35.
sêr adj. 37 156.
sêr stn. 1 98. 297. 37 86.
seraphîn stm. pl. 1 261. 34 435. 58 115.
sêre adv.: comp. 3 36; sup. 35 72. 85 68.
serpente swm. 81 12.
seten swv. sättigen 11 30. 18 155. 37 38.
setigen swv. 33^{a} 14.
setigunge stf. 30 55.
setzen swv.: an jem. s. 32 61. 40 27. 41 20. 48 8; hin heim s. 7 64.
sichern swv. m. ap. u. gs. 30 8.
sider adv. 38 189. 70 53.
siech adj. 14 49. 61 68.
siechen swv. 52 203.
sieden stv. 52 254. 54 112; — 49 3?
sigel stn. 34 593. 91 131.
sigelôs adj. 14 22.
signieren swv. 103 523.
sihte adv. 18 107.
sihtec adj. 12 11. 72 49. 147.
sihtecliche adv. 12 58.
silbe swf. 31 64.
*silewais aus lat. selinitis Gypsselenit, Marienglas 75 329.
sin stm.: getwungen s. meistersing. Term. 9 26.
sinagôge stf. 74 85.
sincschuole stf. 93 8; *swf. 92 71.
singer stm. 39 1. 40 5. 41 88.
sinlîcheit stf. 1 298.
sintvluz stf. 5 39. 36 87.
sip stn. Sieb 65 20.
site stm. 33 50 u. sehr o.
sitich stm. 75 367.
siufze swm. 1 280.
slâferheit stf. 97 28.
slâfkamer f. 4 163.
*slegerîm m. Schlagreim 46 14.
sleht adj. schlicht, glatt 9 78. 10 1 u. ö.
slehtliche adv. 32 74. 33 129.
slerfen stv. 2 13?
slich stm. 48 18.
sliefen stv. 47 7.
slîfen stv. 18 136.
slihten swv. tr. 12 30; refl. 75 57.
*slindentrunc stm. 45 1.
slingen stv. 15 8.
*slôzrîme? swm. meistersing. Terminus 46 5.
slûchen swv. schlucken 33^{b} 2.
slunt stm. 83 96.
slûraffenlant stn. 2 56.
smac stm. 74 66. 137.
smæhe stf. 1 80. 118. 17 44.
smæhen swv. 1 214. 3 36. 18 59.
smæhunge stf. 100 245.
smal adj. klein, gering 8 139. 149.
smarac stm. 87 65. 88 54.
smeichen swv. 12 111.
smeichrede stf. 96 43.
smer stn. 94 148.
smidewerc stn. 85 11. 13. 14 u. ö.
smiegen stv. refl. 21 62. 43 10.
smieren swv. 69 45.
smücken swv. tr. 1 118. 12 203; refl. 50 163. 97 62. 99 84.
snebelen swv. 75 286.
snellecliche adv. 6 99. 71 92.
sniuzen swv. 46 33; m. dp. 40 30. 68 118.
snœde adj. 5 122. 34 103.
snœdekeit stf. 100 150.
snuor stf. 55 15.
sochen subst. inf. 23 28. 52 291.
solt stm. 58 111. 66 59.
*sophisterîe stf. 49 13. 53 94.
spæhe adj. 41 21. 90 115. 92 90.
spalten stv. : gespalten wort Terminus 46 10.

*spar *stf.* 6 155. 26 33. 75 349. 443. 87 64.
spære *f.* *Sphäre* 15 3. 53 49. 76 30. 62. 76.
sparn *swv.* *tr.* 9 29. 76 85; *refl.* 21 143. 75 567. 77 82.
spaz *stm.* 2 80.
spazieren *swv.* 6 2.
*spazierwec *stm.* 75 510.
speculâcie *swf.* 15 65?
speculieren *swv.* 13 131. 17 1.
spehen *swv.* 71 143. 91 23; *subst. inf.* 32 46. 52 389.
speichel *swf.* 1 77.
spende, spent *stf.* 23 18. 87 39.
spennen *swv.* 2 43.
sper *stn.*: ob mir eir but sein spere, des acht ich klein 94 143; die sper messen 41 35.
sperstich *stm.* 37 147.
spezerîe *stf.* 74 66.
spiegelglas *stn.* 4 51.
spiler *stm.* 85 81.
spilman *stm.* 53 103.
spiln *swv.* 21 104. 27 61.
*spin *Gespinst* (?) 39 13.
spinne *swf.* 39 19.
spinnen *stv.*: ee das ich dir noch grober spin 45 32.
spisen *swv.* *tr.* 39 23.
spitâl *stm.* *n.* 50 113.
spiz? *stm.* *Terminus des Meistergesangs* 46 6.
spor *stn.* *Spur* 23 56. 70 21?
spor *swm.* *Sporn* 39 3.
spotkleit *stn.* 1 84. 27 69.
spotten *swv.* *m. gs.* 92 60.
spotter *stm.* 9 51.
spranz *stm.* *Zier*: *Christus* aller heiligen sprancz 56 80.
spranzen *swv.* 86 32.
*spratzen *swv.* (*DWb* X, 2796) 2 85.
sprengen *swv.*: *refl.* *eilen* 50 26.
spriuwer (spreure) *stn. plur. oder stf.*: *acc.* die spreûre 82 155.
spruch *stm.* 11 105. 97 123;
sprüchweis *adv.* 81 10.
spüelwazzer *stn.* 95 50.

spunne *stf.* 37 20.
spunt *stm.* 62 56.
spür, spur *stn.* 47 11. 93 50.
spürn *swv.* 1 329. 5 96. 10 140. 19 109. 96 68.
*stadelkunst *stf.* 48 36. 49 22.
staffel *stm. f.* 51 35.
stahelherte *adj.* 76 44.
stamelen *swv.* 84 2.
stammen *swv.* 81 45.
stat *stm.* *Stand, Würde* 33 41. 35 52.
state, stat *stf.* 12 68. 13 9. 31 80. 57 59. 76 38.
stæte *stf.* 38 137.
stæte *adj.* 15 46. 54. *u. ö.*
statzen *swv.* *stammeln, stottern* 2 62.
stechen *stv.* 44 35.
stege *swf.* 38 103.
stegen *swv.* 72 172.
*steinmetzec *adj.* 85 78.
steinwant *stf.* 6 19.
stellen *swv.*: nâch *etw.* st. 168. 15 43. 30 67. 52 14.
stengel *stm.* 34 120.
sterbe *swm.* 84 97.
sterben *swv.*: *refl.* 80 136.
sterbunge *stf.* 57 45.
sterken *swv.* 33 120.
sterkliche *adv.* 65 32. 73 83.
stic *stm.* 41 22. 76 188.
stiefmuoter *stf.* 100 279. 280.
stiefvater *m.* 100 297.
stiege *swf.* 95 24. 35.
stift *stm.?* 36 59.
stiften *swv.* 75 215.
stige *stf.* 9 90.
stiger *stm.* 31 3.
stille *swf.* 23 7.
stillen *swv.* 34 90. 90 185.
stimmen *swv.*: *unpers. m. dp.* 75 69.
stiure *stf.* 11 140. 14 25. 115. 34 278. 37 140 *u. ö.*; menliche steur *Zutun eines Mannes* 59 11. 34. 63 58. 64 19. 79 18. 82 81; an steur menlicher zunfft *dass.* 59 48.
stiuren *swv.* 34 513. 72 1.

stoc *stm.* 42 30.
stolle *swm.* 93 10.
stopfe *swn.* *Stoppel?* 86 39.
stracke *adv.* *steif* 89 30.
stræflich *adj.* (*activisch*) 39 62.
strâl *stm.* *Pfeil* 50 243.
strân = strôm 3 84.
stranc *stm.* 77 130.
strebekatze *f.* *ein Spiel, wobei einige an einem Seile ziehen, die andern dem Fortziehen widerstreben* 2 73.
strencliche *adv.* 101 14.
strengheit *stf.* 6 118. 34 558.
stric *stm.* 2 36. 38 55.
strich *stm.* 69 40.
strichen *stv.*: her wider str. 7 55.
ströu(we) *stf.* 50 187.
*ströuwunge *stf.* 103 17.
strûchen *swv.* 9 43. 62 62. 89 108.
strûz *stm.* *Vogel* 1 176. 14 41. 75 294. 78 77. 103 317. 319.
stubentür *stf.* 47 9.
stûde *swf.* 75 419.
stumph *adj.* 2 75.
stuot *stf.* *Stute* 75 278.
sturm *stm.* 1 56; st. lewten 7 43.
sturmvane *swm.* 1 311. 2 14.
stuz *stm.* *Stoß, Anprall*; *l.* widerstuz (?) 83 22.
substanz *stf.* 4 182. 13 78. 18 143. 21 46. 24 49. 57. 28 6. 64. 29 24. 30 64 *u. ö.*
subtil *adj.* 55 64. 85 75.
sûl *stf.* 27 72.
summe *stf.* 5 112. 17 125. 71 38; *swf.* 34 41.
summen *swv.* *dröhnen* 5 73.
sündec *adj.* 32 289.
sünden *swv.* 26 60.
sunder *adj.* 38 73. 74 153; *adv.* 91 68.
sunderbar *adv.* 29 71.
sunderlich *adj.* 37 30; -liche *adv.* 1 328. 34 17. 231. 70 41.
sundern *swv.* 11 125.
sunders *adv.* 73 87.
sundersiech *adj.* *aussätzig* 82 32.

*sunen *swv.*: *refl. sich zu jem. (dat.) Sohn machen* 67 62.
sunlicheit *stf. Wesen des Sohnes* 33 17.
sunnenschîn *stm.* 34 373.
süntlich *adj.* 58 89.
süntnüst (= süntnisse) *stf.* 82 81.
sûs *stm.* 95 22. 99 62.
sûsen, siusen *swv.* **tr.* 95 58.
swachen *swv. tr.* 1 89. 44 11; *intr.* 8 91. 198.
swalwe *swf.* 55 92.
swan *stm.* 2 27.
swangerheit *stf.* 43 29. 63 51. 64 22.
swanz *stm.* 43 29. 89 38. 39 40.
swærliche *adv.* 25 27. 100 243.
swærmüetec *adj.* 1 45.
*swærmüetecheit *stf.* 87 63.
swatzen *swv.* 97 66.
sweben *swv.* 39 27. 52 197.
sweche *stf. Schwachheit* 7 35. 72 101.
sweigen *swv. tr.* 5 92. 19 104. 37 160.
swenden *swv.* 54 117.
swengern *swv.* 54 18.
swerzen *swv.*: *refl.* 99 50.
swetzic *adj.* 103 267.
swevel *stm.* 52 92. 142.
swevelic *adj.*: swiflig 52 331.
swinde *adj.* 35 96.
swindel *stm.* 9 131.
swingen *stv.*: *refl.* 11 73. 50 126.
swuor *stm.* 32 205.

tabernakel *stm.* 12 7. 56 2. 74 83.
tac *stm. Tageslicht* 53 14. 78 95; am dage ligen 31 40; pey all dein tagen 46 33.
tageleist *stm.* 30 8.
tagelôn *stn.* 34 489.
tagen *swv.* 4 206. 12 182. 53 17.
tageweide *stf.* 14 80.
tâht *stm. Docht* 76 53.
tal *stn.*: zu tal 23 59. 56 134. 57 58. 58 48. 96; gen tal 57 10. 79 92.
tant *stm.* 2 37. 43 32. 89 76.
tanz *stm.* 37 128. 77 99.
*tanzlietlîn *stn.* 9 131.
taz? *stm.* 2 60. 58 101.
tegeliche *adv.* 91 7.
teillich *adj.* 100 346.
teilunge *stf.* 35 16.
tenne (den) *stn.* (?) 38 108.
terz *stf. die dritte kanonische Hora* 3 80.
tevellîn *stn.* 103 159.
*theologî *stf.* 53 92.
*theologiste *swm.* 10 31.
text *stm.* 31 96. 61 55.
tîch *stm.*: der helle teich 5 161; aüss disser erden teich 75 496. 76 33.
tiefe *stf.* 9 57. 66. 10 21. 12 14. 14 4 *u. ö.*
tigel *stm.* 88 20.
tiht(e) *stn. Gedicht* 53 169. 90 121. 91 14. 46. 51. 92 62. 80. 93 82. 93.
tihten *swv.* 15 11. 53 180. 69 15. 86 11; *subst. inf.* 93 10.
*tillenkrût *stn. Dillkraut* 75 406.
tinte *swf.* 71 37.
tiriak *stm.* 96 90.
tiure *adj. adv.* 6 165. 18 191 *u. ö.*
tiuten *u. ä. vgl.* diuten.
tob 88 46 *(?)*.
tôre *swm.* 18 39. 122. 19 30. 107. 28 29.
tôreht *adj.* 9 71. 18 181.
tôrheit *stf.* 52 1.
tôtengrap *stn.* 5 79.
tôtlich *adj.* 34 191.
tôtlicheit *stf.* 76 31.
tôtsünde *stf.* 6 105. 18 113. 26 9. 73 78.
tôtsünder *stm.* 34 559.
*tôtvergift *stn.* 9 62.
tou *stn.* 58 87.
touben *swv. tr.* 31 35. 41 11. 63 31. 68 39.
touf *stm.* 73 28.
töufer *stm.* 75 130.
tougen *stn.* 21 10.
tougen *adv.* 34 524. 37 159.
tougenlich *adj.* 29 28.
*tougesprenget *part.* 74 31.
trache *swm.* 34 208. 100 150.
træge *adj.* 25 48.
traher, treher *stm.* 1 294.
trahten *swv.* 1 58.
*trampelkneht *stm.* 42 16.
truz *stm.* 2 65. 23 172. 38 47. 68 27.
trehern *swv.* 1 279.
trenken *swv.* 8 55. 34 596. 52 37.
triefen *stv.* 86 61.
triegelîcheit *stf.* 13 122.
triffeln *swv.*: *refl. sich auflösen* 38 240. 51 21.
trinitât *stf.* 54 3.
triuten *swv.* 50 193.
triuwe *adj.* 2 11.
triuwecheit *stf.* 103 539.
trophe *swm.* 95 100.
tröpfelîn *stn.* 52 224.
trôsterinne *stf.* 30 47. 59.
trouf *stm. Traufe* 59 52.
trüebesal *stn.* 15 50. 16 92. 20 49. 34 49 *u. ö.*
truhe *swf.* 98 31. 60.
trunkenheit *stf.* 100 187.
truz *stm.* 83 21.
tuc *stm. Streich* 38 281.
tücke *stf.* 32 12. 51 5.
tugentvrühtic *adj.* 84 25.
tunc *stm. unterirdisches Gemach* 34 206?
tüngen *swv. düngen* 42 22.
tunst *stm.* 96 45.
tuoch *stn.* 9 81. 72 216.
tuom *stm. Gericht* 32 179.— 82 32?
turkis *stm.* 88 56.
turn *stm.* 32 97. 116.
turren *v. an.* 10 162 *u. ö.*
türsticlich *adj.* 72 22.
turteltiubelîn *stn.* 55 105.
*tûsentvachen *swv. tr.* 97 49.
*tûsentvaltigen *swv. tr.* 25 55.
twahen *stv.*: zwagen 33b 16.
twer *stf. Quere:* nach der zwer 6 168.
twingen *swv.*: gezwungener sin *meistersing. Terminus?* 9 28.
twinger *stm.* 86 19.

verzwicken *swv. verkeilen* 62 46.
vese *swf. Spreu* 82 7.
vestecliche *adv.* 8 196. 13 124.
vesten *swv.* 67 4.
vestmüetecliche *adv.* 35 109.
fieren *swv.* 68 48.
figûre *stf.* 6 81. 7 9. 11 11. 12 55. 13 97 *u. sehr oft.*
figûrieren *swv.* 103 469. 474.
*figûrliche *adv.* 1 266. 14 81. 31 16. 75 180.
vinger *stm.* 95 98.
*vingerdrouwe *stf.* 95 106.
vinster *stf.* 23 72.
vinsternisse *stf.* 33 27. 46. 52 141.
viol *stm.* 74 138. 87 16.
vîre *stf.* 52 70.
vîren *swv.* 6 109. 164. 9 107.
viuhte *stf.* 2 85. 4 56. 37 68. 55 105. 36 39 (?).
viuhtecheit *stf.* 100 20.
viule *stf.* 34 91.
viurîn *adj.* 28 57.
vlammen *swv.* 37 19. 55 10. 82 6.
*vlaz *stm.* = vletze? 2 84.
vlêhe *stf.* 6 172. 84 106.
vlehten *stv.*: *refl.* 3 34.
vleischunge *stf.* 67 7.
*vlennen *swv.* 2 88.
vliedeme *swf. Aderlaßeisen* 68 145.
vlîz *stm.* 8 69.
vlîzecheit *stf.* 61 20.
vlîzecliche *adv.* 41 3. 80 52.
vlîzen *stv. refl. m. gn. oder ze m. inf.* 25 81. 75 197. 90 129.
vlôch *stm.* 100 146.
vlœhen *swv.* 1 300. 8 169. 74 38.
flôrieren *swv.* 34 87.
vlôz *stm.* 1 121. 77 134. 85 46. 100 86.
vlœzen *swv.* 27 74. 72 3.
vlücken *swv.* 75 295; *refl.* 1 117.
vluor *stm.* 34 297. 557. 72 25. 74 136.
vluz *stm.* 1 308. 14 186.

voget *stm.* 15 10.
*volblüemen *swv.* 34 215.
volbringunge *stf.* 17 120.
volenden *swv.* 50 288.
volgunge *stf.* 32 118.
volkomenheit *stf.* 60 59. 78 88. 100 72.
volkomenliche *adv.* 13 76. 35 104.
vollecliche *adv.* 8 29. 10 77. 17 141. 38 153. 75 220.
volleist *stm.* 82 126.
volvüeren *swv.* 30 42.
vorderunge *stf.* 33 69. 122.
voreltern *swm. pl.* 103 356.
vorgeschiht *stf.* 38 216.
vorhelle *stf.* 33 68. 73 17. 25. 75 598.
vorloufer *stm.* 81 41.
form (furm) *stm.* 33 18. 55 72.
*vormeldunge *stf.* 18 62.
formeliche *adv.* 72 14.
formen *swv.* 53 45.
formieren *swv.* 12 148.
*vornennen *swv.* 1 46.
vorrede *stf.* 100 8.
vorschen *swv.* 13 14.
vorschunge *stf.* 70 5.
*vorwizzen *stn.* 10 89.
vorwizzenheit *stf.* 10 118.
vot *s.* vat.
vrâge *stf.* 85 18.
vrat *adj. faul* 3 28.
frater *stm.* 19 148.
*vratz *stm.* (*DWb* IV1, 68) 2 67.
vrâz *stm.* 7 60.
vreide *adj. abtrünnig* 25 108.
vreise *stm.* 3 41.
vreissam *adj.* 55 57.
vrevelliche *adv.* 1 24. 116. 12 61. 13 157. 28 37. 52 131.
vrezzerîe *stf.* 75 581.
vridesamlich *adv.* 103 277.
*vridevürste *swm.* 14 96.
vrî *adj.*: stest aller nachred fr.ye 90 133.
vrîen *swv.* 17 8. 27 84. 28 66. 29 9. 31 20 *u. ö.*; *mit einem Privileg begaben* 11 114. 15 22; *im heutigen Sinne freien* 82 150.
vrîheit *stf.* 82 22.
vrîtac *stm.* 32 106. 153.
vrîunge *stf.* 82 99.
vrôlocken *swv.* 11 38. 35 591. 73 109.
vrôlockunge *stf.* 11 58.
vrôn, vrân *adj. adv.* 1 54. 208. 288. 6 176 *u. ö.*
vrônlîchname *swm.* 100 248.
vröudenrîche *adj.* 57 96.
*vröudenvelt *stn.* 60 45. 74 145.
vruhtbære *adj.* 58 67. 75 276.
vruhtbærkeit *stf.* 58 64. 75 278.
vruhtbærlich *adj.* 8 47.
vrühtec *adj.* 4 148. 8 88.
vrühtecliche *adv* 84 6.
vrume *swm.* 23 39. 71 17.
vrumen *swv.* 19 39. 32 219.
vruot *adj.* 39 61. 40 5. 55 68. 82 86.
vüerunge *stf.* 27 45.
vülunge *stf.* 34 487.
fundament *stn.* 34 98. 54 74. 72 203. 74 30.
vündelkint *stn.* 33b 10.
vunt *stm.* 9 108. 25 106. 55 46 (?). 96 18.
vuoge *stf.* 95 58.
vuorman *stm.* 32 145. 165. 176. 213.
vuozîsen *stn.* 9 48.
vuozstaphe *swm.* 96 110.
vuoztrit *stm.* 56 127. 64 54.
vür] -halten 100 148; -nemen 6 130. 9 185. 23 38. 32 8; -setzen 8 172; -stân 8 12; *-stellen 32 158; -werfen 100 391; *vgl. auch* vürdringen, vürkomen, vürsehen, vürtreffen, vürvazzen, vürwigen.
vürbite *stf.* 27 141.
*vürbiter *stm.* 8 166.
vürder (firter) *adv.* 67 52.
vürdringen *stv.* 65 16.
vürganc *stm.* 8 201.
vürgenge *adj.* 30 58.?
vürhaltunge *stf.* 100 61.
vürhanc *stm.* 74 150.

ziln *swv.* 1 890 *u. sehr oft (Lieblingswort).*
ziln *subst. inf.* 97 80.
zimber *stn.* 8 25. 66 50. 67 8. 96 36.
zimbern *swv.* 34 116.
zinsen *swv.* 11 184.
zirkel *stm.* 74 62. 76 75.
*circuieren *swv.* 103 55.
zît *stn.:* im zeit 12 51. 169. 21 84; so zeit 4 89.
ziter *stm. das Zittern, Beben* 86 59.
zîtliche *adv.* 34 252. 61 76.
ziugnus *stf.* 31 88. 33 50.
zol *stm. bildl.* 43 26. 97 72.
zouberer *stm.* 75 364.
zouberie *stf.* 96 86.
zoum *stm.* 97 140.
zouwen *swv.* (*3. part. praes.* zewet) *intr.* 19 21; *refl.* 38 203; *unpers. m. dp.* 98 27; *trans.* 2 78.
zouwelîche *adv.* 68 118.
zunder *stm.* 12 136. 50 183. 82 69.
zunft *stf.* 11 48. 98 *u. ö.*
zuo] *-ahten 8 65; -eigen 14 62. 17 14. 19 9. 108. 32 294. 34 626. 35 89. 95. 139. 53 151. 80 116. 84 17. 64; -gân 10 169; -geben 9 185. 141 17 6; -gemezzen 66 38; *-genôzen 1 106. 10 41. 70 64; -halten 103 117; -mezzen 18 21. 90. 19 5. 91 96; -næhen 54 91; -neigen 53 158; *-nîgen 5 88; *-ordenen 21 90; *-phlihten 8 30; -reiten 13 68; -rinnen 2 26; -rîsen *zufallen* 93 18; -sachen 3 57. 12 49. 13 53. 52 95; -sagen 30 6. 32 274. 71 16; *-schanzen 86 20; -schrîben 38 79; -springen 50 40; -stân 12 71. 27 15. 40; -vliezen 2 26. 56 126; -vochen (?) 62 15; -zeln 13 90. 18 58. 25 23. 35 82. 72 57; -ziehen 9 129.
zuoher *adv.* 1 50. 32 70.
*zuohœrer *stm.* 9 67. 84. 17 8.
zuokunft *stf.* 5 1. 5. 9. 10 145. 11 89. 107 *u. ö.*
zuo rings *s.* rings.
zuoval *stm.* 17 49. 35 110. 52 187. 53 191.
zuovellic *adj. adv.* 29 58. 83 65.
zuvelliclîche *adv.* 10 102.
zuovellicheit *stf.* 17 78.
zuoversiht *stf.* 8 77. 37 144. 52 178. 71 12. 73 118.
zuovor *adv.* 4 15.
zûsen *swv.* 32 182.
zw- *s. auch* tw-.
zweien *swv.* 68 80; *refl.* 11 60.
zweiunge *stf.* 53 89.
zwelfbote *swm.* 23 148. 30 18. 34 484. 616. 54 63. 58 131. 93 87.
zwî *stn.* 4 24. 30 38. 55 1. 56 21. 78 18.
zwîgen *swv.* 11 60. 101.
zwîgunge *stf.* 25 181.
zwilinc *stm.* 75 362.
zwîveler *stm.* 34 562. 54 117.
zwîvelunge *stf.* 29 40.

Alphabetisches Verzeichnis der Anfänge.[*])

[*]) *Die Zahlen beziehen sich auf die Seiten.*

Berichtigungen.

32 77. *l.* kirch, meß. 41 32. zelt *ist beizubehalten, vgl.* 49 8. 46 27. *eine Silbe zu viel*; *l.* Gsanges? 49 3. *vgl. Lexer sub* sœden (dem vich die sprewe söden) *(Pf.)*. 50 64. *Pfannmüller vermutet* facht, *was vielleicht auch in der Hs. steht.* 50 250. *l.* Das. 54 38. *vielleicht* begnat? *(Pfannmüller).* 61 19. *l.* würcken. 62 45. *l.* folgen. 65 27. *das Komma hinter* mit *gehört hinter* 26 red. 66 3. *l.* wunder *(Pf.)*. 83 22. *oder* widerstücz? *(Pf.)* 103 3. *eher* syn.

Druck von G. Bernstein in Berlin.

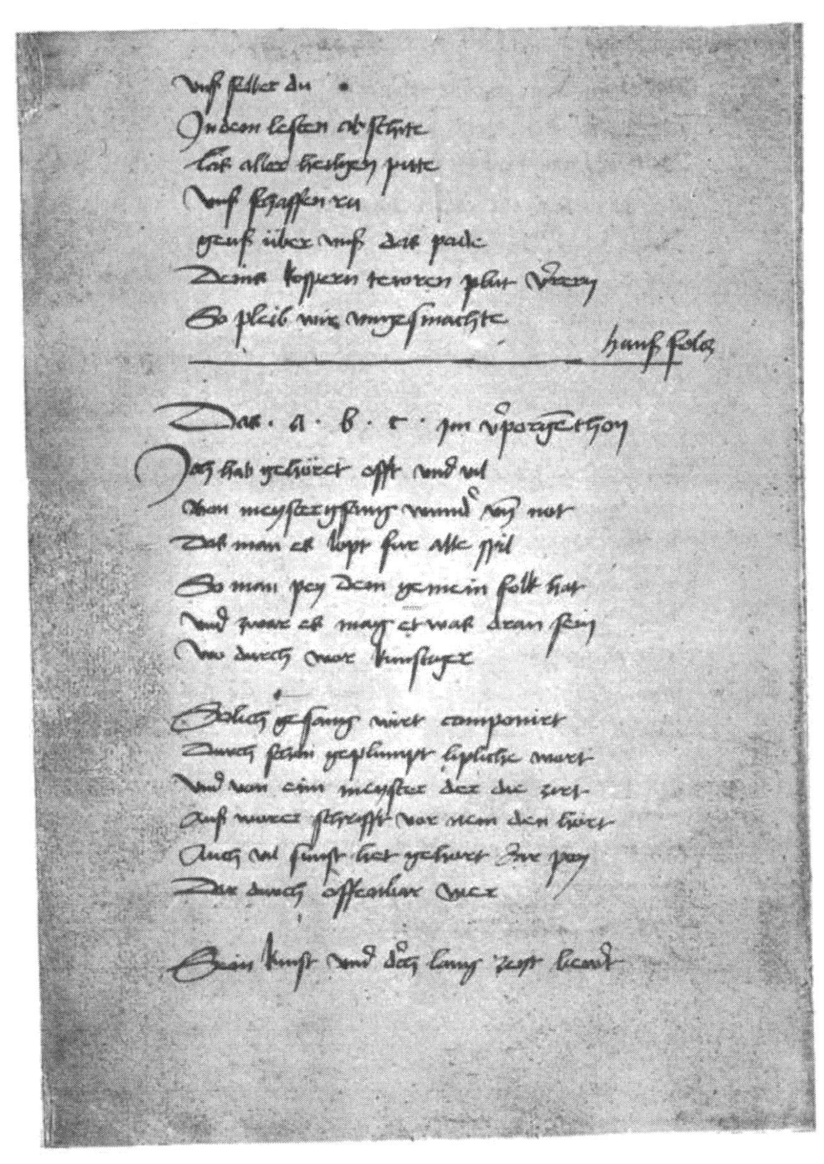

Handschrift der Münchner Hof- und Staatsbibliothek cgm. 6353.

Bl. 37v

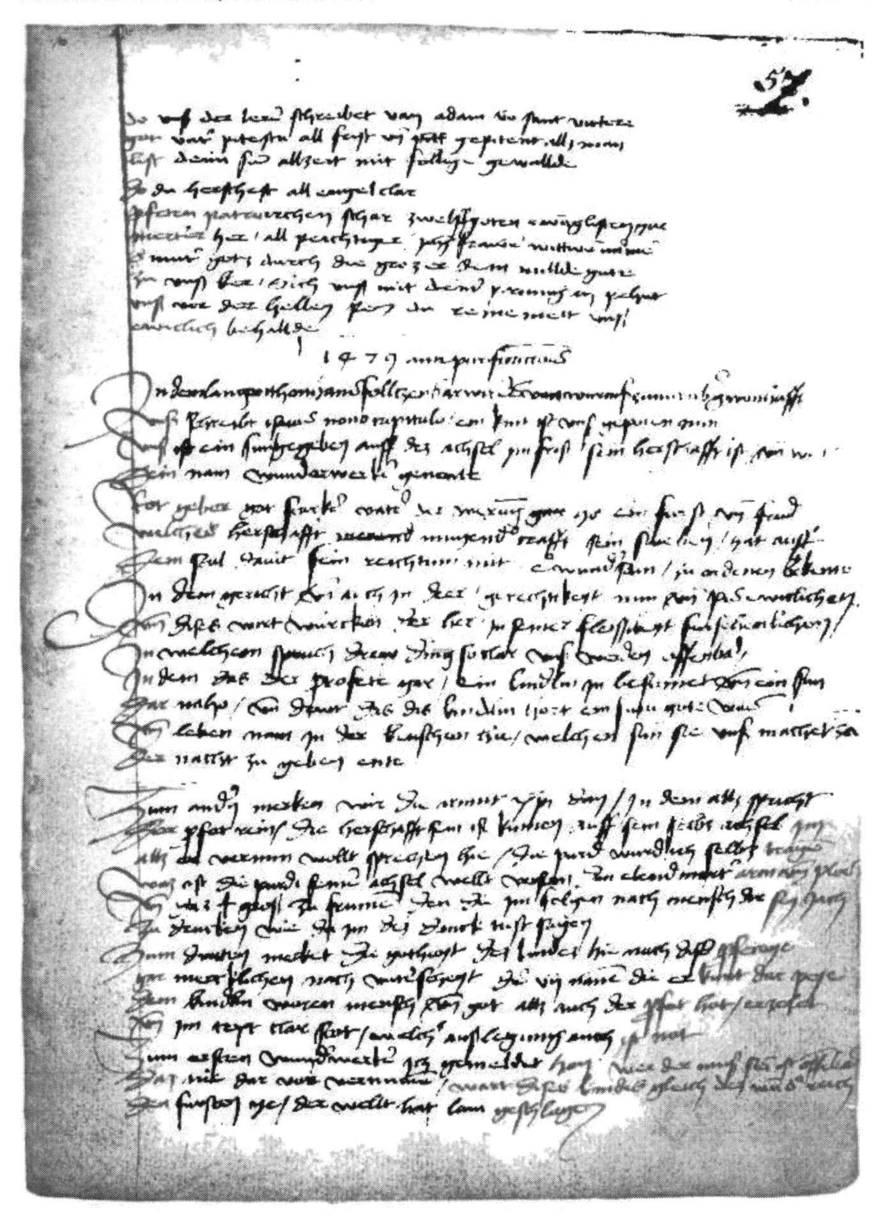

Handschrift der Großherzoglichen Bibliothek zu Weimar Q 566.

Bl. 57r

PT1419
.H4
Bd. 12

Druck:
Customized Business Services GmbH
im Auftrag der KNV-Gruppe
Ferdinand-Jühlke-Str. 7
99095 Erfurt